한국어(かんこくご)

동사(どうし) 290

형용사(けいようし) 137

にほんご(일본어)
ほんやくばん(번역판)

< 저자(ちょしゃ) >

㈜한글2119연구소

- 연구개발전담부서
- ISO 9001 : 품질경영시스템 인증
- ISO 14001 : 환경경영시스템 인증
- 이메일(でんしメール) : gjh0675@naver.com

< 동영상(どうが) 자료(しりょう) >

HANPUK_にほんご(ほんやく)
https://www.youtube.com/@HANPUK_Japanese

HANPUK

제 2024153361 호

연구개발전담부서 인정서

1. 전담부서명: 연구개발전담부서

[소속기업명: (주)한글2119연구소]

2. 소 재 지: 인천광역시 부평구 마장로264번길 33
상가동 제지하층 제2호 (산곡동, 뉴서울아파트)

3. 신고 연월일: 2024년 05월 02일

과학기술정보통신부

「기초연구진흥 및 기술개발지원에 관한 법률」 제14조의 2제1항 및 같은 법 시행령 제27조제1항에 따라 위와 같이 기업의 연구개발전담부서로 인정합니다.

2024년 5월 13일

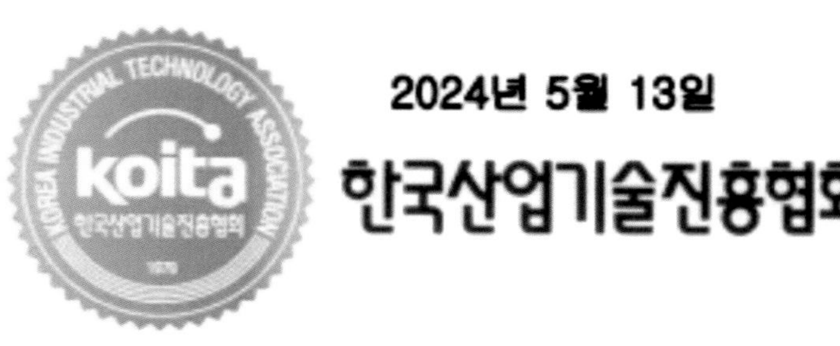

한국산업기술진흥협회장

G-CERTI *certificate*

hereby certifies that

Hangul 2119 Research Institute Co., Ltd.

Rm. 2, Lower level, Sangga-dong, 33, Majang-ro 264beon-gil,
Bupyeong-gu, Incheon, Korea

meets the Standard Requirements & Scope as following

ISO 9001:2015
Quality Management Systems

Creation of Media Content, Publication of Korean Paper and Electronic Textbooks, Production and Release of Albums for Korean Language Education

Certificate No:	**GIS-6934-QC**	**Code**	**: 08, 39**
Initial Date	**: 2024-05-21**	**Issue Date**	**: 2024-05-21**
Expiry Date	**: 2027-05-20**	**Valid Period**	**: 2024-05-21 ~ 2027-05-20**

Signed for and on behalf of GCERTI
President I.K.Cho

MSCB-113

G-CERTI *certificate*

hereby certifies that

Hangul 2119 Research Institute Co., Ltd.

Rm. 2, Lower level, Sangga-dong, 33, Majang-ro 264beon-gil,
Bupyeong-gu, Incheon, Korea

meets the Standard Requirements & Scope as following

ISO 14001:2015
Environmental Management Systems

Creation of Media Content, Publication
of Korean Paper and Electronic Textbooks, Production and
Release of Albums for Korean Language Education

Certificate No:	**GIS-6934-EC**	**Code**	**: 08, 39**
Initial Date	**: 2024-05-21**	**Issue Date**	**: 2024-05-21**
Expiry Date	**: 2027-05-20**	**Valid Period**	**: 2024-05-21 ~ 2027-05-20**

Signed for and on behalf of GCERTI
President I.K.Cho

To verify the validity of this certificate please visit www.gcerti.com Korea, Seoul, Eunpyeong-gu, Eunpyeong-ro 88, 15F. Surveillance audits shall be conducted at least once a calendar year, except in recertification years. This is to certify that the Management Systems of this company has been found to confirm to the above. If the certified client does not allow surveillance, recertification audits, certificate should be returned to GCERTI. This certificate remains the property of GCERTI and this certificate is recognized by GCERTI.

< 목차(もくじ) >

한국어(かんこくご)

동사(どうし) 290

(1) 들리다 [deullida]

きこえる【聞こえる】

音が耳に入る。

かこ【過去】：들리 ＋ 었어요 → **들렸어요**
げんざい【現在】：들리 ＋ 어요 → **들려요**
みらい【未来】：들리 ＋ ㄹ 거예요 → **들릴 거예요**

(2) 메다 [meda]

かつぐ【担ぐ】。になう【担う】。せおう【背負う】

ものを肩や背中などに載せる。

かこ【過去】：메 ＋ 었어요 → **멨어요**
げんざい【現在】：메 ＋ 어요 → **메요**
みらい【未来】：메 ＋ ㄹ 거예요 → **멜 거예요**

(3) 보이다 [boida]

みえる【見える】

目で対象の存在や見かけが分かるようになる。

かこ【過去】：보이 ＋ 었어요 → **보였어요**
げんざい【現在】：보이 ＋ 어요 → **보여요**
みらい【未来】：보이 ＋ ㄹ 거예요 → **보일 거예요**

(4) 귀여워하다 [gwiyeowohada]

かわいがる【可愛がる】

自分より幼い人や動物を可愛いと思ってやさしく扱う。

かこ【過去】：귀여워하 ＋ 였어요 → **귀여워했어요**
げんざい【現在】：귀여워하 ＋ 여요 → **귀여워해요**
みらい【未来】：귀여워하 ＋ ㄹ 거예요 → **귀여워할 거예요**

(5) 기뻐하다 [gippeohada]

よろこぶ【喜ぶ】

楽しく快い気持ちになる。

かこ【過去】：기뻐하 + 였어요 → 기뻐했어요
げんざい【現在】：기뻐하 + 여요 → 기뻐해요
みらい【未来】：기뻐하 + ㄹ 거예요 → 기뻐할 거예요

(6) 놀라다 [nollada]

おどろく【驚く】。びっくりする

意外なことに出くわしたり怖かったりして、瞬間的に緊張したり胸がどきどきしたりする。

かこ【過去】：놀라 + 았어요 → 놀랐어요
げんざい【現在】：놀라 + 아요 → 놀라요
みらい【未来】：놀라 + ㄹ 거예요 → 놀랄 거예요

(7) 느끼다 [neukkida]

かんずる【感ずる】。おぼえる【覚える】

鼻や肌などの感覚器官で刺激を受け取る。

かこ【過去】：느끼 + 었어요 → 느꼈어요
げんざい【現在】：느끼 + 어요 → 느껴요
みらい【未来】：느끼 + ㄹ 거예요 → 느낄 거예요

(8) 슬퍼하다 [seulpeohada]

かなしむ【悲しむ・哀しむ】

涙が出るほど心が痛んで苦しい思いをする。

かこ【過去】：슬퍼하 + 였어요 → 슬퍼했어요
げんざい【現在】：슬퍼하 + 여요 → 슬퍼해요
みらい【未来】：슬퍼하 + ㄹ 거예요 → 슬퍼할 거예요

(9) 싫어하다 [sireohada]

いやがる【嫌がる】。きらう【嫌う】

何かが気に入らなかったり、ほしくない。

かこ【過去】：싫어하 + 였어요 → **싫어했어요**
げんざい【現在】：싫어하 + 여요 → **싫어해요**
みらい【未来】：싫어하 + ㄹ 거예요 → **싫어할 거예요**

(10) 안되다 [andoeda]

できない。ならない

事や現象などがうまくいかない。

かこ【過去】：안되 + 었어요 → **안됐어요**
げんざい【現在】： 안되 + 어요 → **안돼요**
みらい【未来】：안되 + ㄹ 거예요 → **안될 거예요**

(11) 좋아하다 [joahada]

このむ【好む】。すきだ【好きだ】

何かに対し、良い感情を持つ。

かこ【過去】：좋아하 + 였어요 → **좋아했어요**
げんざい【現在】：좋아하 + 여요 → **좋아해요**
みらい【未来】：좋아하 + ㄹ 거예요 → **좋아할 거예요**

(12) 즐거워하다 [jeulgeowohada]

たのしそうにする【楽しそうにする】。よろこぶ【喜ぶ】。うれしがる【嬉しがる】

うれしく思い、喜ぶ。

かこ【過去】：즐거워하 + 였어요 → **즐거워했어요**
げんざい【現在】：즐거워하 + 여요 → **즐거워해요**
みらい【未来】：즐거워하 + ㄹ 거예요 → **즐거워할 거예요**

(13) 화나다 [hwanada]

はらがたつ【腹が立つ】。むかつく

非常に気に障ったり、気にくわず、気分が悪くなる。

かこ【過去】：화나 + 았어요 → **화났어요**
げんざい【現在】：화나 + 아요 → **화나요**
みらい【未来】：화나 + ㄹ 거예요 → **화날 거예요**

(14) 화내다 [hwanaeda]

おこる【怒る】。はらがたつ【腹が立つ】

非常に気を悪くして、憤りを表わす。

かこ【過去】：화내 + 었어요 → **화냈어요**
げんざい【現在】：화내 + 어요 → **화내요**
みらい【未来】：화내 + ㄹ 거예요 → **화낼 거예요**

(15) 자랑하다 [jaranghada]

じまんする【自慢する】。ほこる【誇る】

自分、または自分に関係のある人・物事が、人に褒められるようなものであると、公に言う。

かこ【過去】：자랑하 + 였어요 → **자랑했어요**
げんざい【現在】：자랑하 + 여요 → **자랑해요**
みらい【未来】：자랑하 + ㄹ 거예요 → **자랑할 거예요**

(16) 조심하다 [josimhada]

つつしむ【慎む】。きをつける【気を付ける】

悪いことが起こらないように、言葉や行動に注意する。

かこ【過去】：조심하 + 였어요 → **조심했어요**
げんざい【現在】：조심하 + 여요 → **조심해요**
みらい【未来】：조심하 + ㄹ 거예요 → **조심할 거예요**

(17) 늙다 [neukda]

おいる【老いる】。ふける【老ける】

年をとる。

かこ【過去】：늙 + 었어요 → 늙었어요
げんざい【現在】：늙 + 어요 → 늙어요
みらい【未来】：늙 + 을 거예요 → 늙을 거예요

(18) 못생기다 [motsaenggida]

ぶさいくだ【不細工だ】。みにくい【醜い】。ぶきりょうだ【不器量だ】

容貌が普通よりよくない。

かこ【過去】：못생기 + 었어요 → 못생겼어요
げんざい【現在】：못생기 + 어요 → 못생겨요
みらい【未来】：못생기 + ㄹ 거예요 → 못생길 거예요

(19) 빼다 [ppaeda]

へらす【減らす】。おとす【落とす】

体重などを減らす。

かこ【過去】：빼 + 었어요 → 뺐어요
げんざい【現在】：빼 + 어요 → 빼요
みらい【未来】：빼 + ㄹ 거예요 → 뺄 거예요

(20) 잘생기다 [jalsaenggida]

かっこういい【格好いい】

顔立ちが美しい。

かこ【過去】：잘생기 + 었어요 → 잘생겼어요
げんざい【現在】：잘생기 + 어요 → 잘생겨요
みらい【未来】：잘생기 + ㄹ 거예요 → 잘생길 거예요

(21) 찌다 [jjida]

ふとる【太る】。にくがつく【肉が付く】

体に肉が付いて太る。

かこ【過去】：찌 + 었어요 → 쪘어요
げんざい【現在】：찌 + 어요 → 쪄요
みらい【未来】：찌 + ㄹ 거예요 → 찔 거예요

(22) 못하다 [motada]

できない【出来ない】

あることを一定の水準に至らせなかったり、そのことをする能力がなかったりする。

かこ【過去】：못하 + 였어요 → 못했어요
げんざい【現在】：못하 + 여요 → 못해요
みらい【未来】：못하 + ㄹ 거예요 → 못할 거예요

(23) 잘못하다 [jalmotada]

あやまつ【過つ】。わるい【悪い】

正しくない行動をする。

かこ【過去】：잘못하 + 였어요 → 잘못했어요
げんざい【現在】：잘못하 + 여요 → 잘못해요
みらい【未来】：잘못하 + ㄹ 거예요 → 잘못할 거예요

(24) 잘하다 [jalhada]

できる【出来る】。うまい【上手い・巧い】

熟練して、腕前がいい。

かこ【過去】：잘하 + 였어요 → 잘했어요
げんざい【現在】：잘하 + 여요 → 잘해요
みらい【未来】：잘하 + ㄹ 거예요 → 잘할 거예요

(25) 가다 [gada]

ゆく · いく【行く】。うつる【移る】

ある場所から他の場所へ移動する。

かこ【過去】: 가 + 았어요 → 갔어요
げんざい【現在】: 가 + 아요 → 가요
みらい【未来】: 가 + ㄹ 거예요 → 갈 거예요

(26) 가리키다 [garikida]

さす【指す】。しめす【示す】

指や物をある方向や対象に向けて、それを知らせる。

かこ【過去】: 가리키 + 었어요 → 가리켰어요
げんざい【現在】: 가리키 + 어요 → 가리켜요
みらい【未来】: 가리키 + ㄹ 거예요 → 가리킬 거예요

(27) 감다 [gamda]

あらう【洗う】

髪や体を水で洗う。

かこ【過去】: 감 + 았어요 → 감았어요
げんざい【現在】: 감 + 아요 → 감아요
みらい【未来】: 감 + 을 거예요 → 감을 거예요

(28) 걷다 [geotda]

あるく【歩く】

地面から足を交互に離して動きながら位置を変える。

かこ【過去】: 걷 + 었어요 → 걸었어요
げんざい【現在】: 걷 + 어요 → 걸어요
みらい【未来】: 걷 + 을 거예요 → 걸을 거예요

(29) 걸어가다 [georeogada]

あるいていく【歩いていく】。あゆんでいく【歩んでいく】

目的地に向かって、足を動かして進む。

かこ【過去】：걸어가 + 았어요 → 걸어갔어요
げんざい【現在】：걸어가 + 아요 → 걸어가요
みらい【未来】：걸어가 + ㄹ 거예요 → 걸어갈 거예요

(30) 걸어오다 [georeooda]

あるいてくる【歩いてくる】。あゆんでくる【歩んでくる】

目的地に向かって、足を動かして移ってくる。

かこ【過去】：걸어오 + 았어요 → 걸어왔어요
げんざい【現在】：걸어오 + 아요 → 걸어와요
みらい【未来】：걸어오 + ㄹ 거예요 → 걸어올 거예요

(31) 꺼내다 [kkeonaeda]

だす【出す】。とりだす【取り出す】。もちだす【持ち出す】

中にある物を外に移す。

かこ【過去】：꺼내 + 었어요 → 꺼냈어요
げんざい【現在】：꺼내 + 어요 → 꺼내요
みらい【未来】：꺼내 + ㄹ 거예요 → 꺼낼 거예요

(32) 나오다 [naoda]

でる【出る】

中から外へ移動する。

かこ【過去】：나오 + 았어요 → 나왔어요
げんざい【現在】：나오 + 아요 → 나와요
みらい【未来】：나오 + ㄹ 거예요 → 나올 거예요

(33) 내려가다 [naeryeogada]

おりる【下りる】。くだる【下る】

上から下へ行く。

かこ【過去】 : 내려가 + 았어요 → 내려갔어요
げんざい【現在】 : 내려가 + 아요 → 내려가요
みらい【未来】 : 내려가 + ㄹ 거예요 → 내려갈 거예요

(34) 내려오다 [naeryeooda]

おりる【下りる】。くだる【下る】

高い所から低い所へ、また上から下へ来る。

かこ【過去】 : 내려오 + 았어요 → 내려왔어요
げんざい【現在】 : 내려오 + 아요 → 내려와요
みらい【未来】 : 내려오 + ㄹ 거예요 → 내려올 거예요

(35) 넘어지다 [neomeojida]

ころぶ【転ぶ】

立っていた人や物がバランスを失って一方に傾いて倒れる。

かこ【過去】 : 넘어지 + 었어요 → 넘어졌어요
げんざい【現在】 : 넘어지 + 어요 → 넘어져요
みらい【未来】 : 넘어지 + ㄹ 거예요 → 넘어질 거예요

(36) 넣다 [neota]

いれる【入れる】

ある空間の中に入らせる。

かこ【過去】 : 넣 + 었어요 → 넣었어요
げんざい【現在】 : 넣 + 어요 → 넣어요
みらい【未来】 : 넣 + 을 거예요 → 넣을 거예요

(37) 놓다 [nota]

はなす【放す】

手で握ったり押したりしていた物を、手を伸ばしたり力を抜いたりして抜け出るようにする。

かこ【過去】：놓 + 았어요 → **놓았어요**
げんざい【現在】：놓 + 아요 → **놓아요**
みらい【未来】：놓 + 을 거예요 → **놓을 거예요**

(38) 누르다 [nureuda]

おす【押す】。おさえる【押さえる・圧さえる】

物の全体や部分に上から力を加える。

かこ【過去】：누르 + 었어요 → **눌렀어요**
げんざい【現在】：누르 + 어요 → **눌러요**
みらい【未来】：누르 + ㄹ 거예요 → **누를 거예요**

(39) 달리다 [dallida]

はしる【走る】。かける【駆ける】

走って速く行ったり来たりする。

かこ【過去】：달리 + 었어요 → **달렸어요**
げんざい【現在】：달리 + 어요 → **달려요**
みらい【未来】：달리 + ㄹ 거예요 → **달릴 거예요**

(40) 던지다 [deonjida]

なげる【投げる】

手に持っている物を腕を動かして空中に放る。

かこ【過去】：던지 + 었어요 → **던졌어요**
げんざい【現在】：던지 + 어요 → **던져요**
みらい【未来】：던지 + ㄹ 거예요 → **던질 거예요**

(41) 돌리다 [dollida]

まわす【回す】。かいてんさせる【回転させる】

何かを円を描きながら動かす。

かこ【過去】：돌리 + 었어요 → **돌렸어요**
げんざい【現在】：돌리 + 어요 → **돌려요**
みらい【未来】：돌리 + ㄹ 거예요 → **돌릴 거예요**

(42) 듣다 [deutda]

きく【聞く・聴く】

耳で音を感じ取る。

かこ【過去】：듣 + 었어요 → **들었어요**
げんざい【現在】：듣 + 어요 → **들어요**
みらい【未来】：듣 + 을 거예요 → **들을 거예요**

(43) 들어가다 [deureogada]

はいる【入る】

外から中に移動する。

かこ【過去】：들어가 + 았어요 → **들어갔어요**
げんざい【現在】：들어가 + 아요 → **들어가요**
みらい【未来】：들어가 + ㄹ 거예요 → **들어갈 거예요**

(44) 들어오다 [deureooda]

はいる【入る】

外から、ある範囲内へ移動する。

かこ【過去】：들어오 + 았어요 → **들어왔어요**
げんざい【現在】：들어오 + 아요 → **들어와요**
みらい【未来】：들어오 + ㄹ 거예요 → **들어올 거예요**

(45) 뛰다 [ttwida]

はしる【走る】。かける【駆ける】

足を素早く動かして前へ進む。

かこ【過去】：뛰 + 었어요 → 뛰었어요
げんざい【現在】：뛰 + 어요 → 뛰어요
みらい【未来】：뛰 + ㄹ 거예요 → 뛸 거예요

(46) 뛰어가다 [ttwieogada]

はしっていく【走って行く】。かける【駆ける】。かけよる【駆け寄る】。かけつける【駆付ける】。とんでいく【飛んで行く】

どこかに速く走って行く。

かこ【過去】：뛰어가 + 았어요 → 뛰어갔어요
げんざい【現在】：뛰어가 + 아요 → 뛰어가요
みらい【未来】：뛰어가 + ㄹ 거예요 → 뛰어갈 거예요

(47) 뜨다 [tteuda]

あける【開ける】

閉じていた目を開く。

かこ【過去】：뜨 + 었어요 → 떴어요
げんざい【現在】：뜨 + 어요 → 떠요
みらい【未来】：뜨 + ㄹ 거예요 → 뜰 거예요

(48) 만지다 [manjida]

さわる【触る】。まさぐる【弄る】。いじる【弄る】

手をつけて動かす。

かこ【過去】：만지 + 었어요 → 만졌어요
げんざい【現在】：만지 + 어요 → 만져요
みらい【未来】：만지 + ㄹ 거예요 → 만질 거예요

(49) 미끄러지다 [mikkeureojida]

すべる【滑る】。スリップする

つるつるの場所で一方向へ押されたり、転倒する。

かこ【過去】：미끄러지 + 었어요 → 미끄러졌어요
げんざい【現在】：미끄러지 + 어요 → 미끄러져요
みらい【未来】：미끄러지 + ㄹ 거예요 → 미끄러질 거예요

(50) 밀다 [milda]

おす【押す】

何かを動かすため、望む方向の反対側から力を加える。

かこ【過去】：밀 + 었어요 → 밀었어요
げんざい【現在】：밀 + 어요 → 밀어요
みらい【未来】：밀 + ㄹ 거예요 → 밀 거예요

(51) 바라보다 [baraboda]

ながめる【眺める】。みつめる【見詰める】。のぞむ【望む】

正面から見る。

かこ【過去】：바라보 + 았어요 → 바라봤어요
げんざい【現在】：바라보 + 아요 → 바라봐요
みらい【未来】：바라보 + ㄹ 거예요 → 바라볼 거예요

(52) 보다 [boda]

みる【見る】。ながめる【眺める】

目で対象の存在や外見を知る。

かこ【過去】：보 + 았어요 → 봤어요
げんざい【現在】：보 + 아요 → 봐요
みらい【未来】：보 + ㄹ 거예요 → 볼 거예요

(53) 서다 [seoda]

たつ【立つ】

人間や動物が地面に足をつけて体をまっすぐにする。

かこ【過去】：서 + 었어요 → 섰어요
げんざい【現在】：서 + 어요 → 서요
みらい【未来】：서 + ㄹ 거예요 → 설 거예요

(54) 쉬다 [swida]

やすむ【休む】。くつろぐ【寛ぐ】。きゅうそくする【休息する】。きゅうけいする【休憩する】

疲れをとるために体を楽にする。

かこ【過去】：쉬 + 었어요 → 쉬었어요
げんざい【現在】：쉬 + 어요 → 쉬어요
みらい【未来】：쉬 + ㄹ 거예요 → 쉴 거예요

(55) 안다 [anda]

だく【抱く】。いだく【抱く】

両腕を広げて胸の方に引っ張ったり、胸でかかえ持ったりする。

かこ【過去】：안 + 았어요 → 안았어요
げんざい【現在】：안 + 아요 → 안아요
みらい【未来】：안 + 을 거예요 → 안을 거예요

(56) 앉다 [anda]

すわる【座る】。かける【掛ける】。つく【着く】。こしをおろす【腰を下ろす】

上半身をまっすぐにした状態で、尻に体重を乗せて、他の物や床に腰を下ろす。

かこ【過去】：앉 + 았어요 → 앉았어요
げんざい【現在】：앉 + 아요 → 앉아요
みらい【未来】：앉 + 을 거예요 → 앉을 거예요

(57) 오다 [oda]

くる【来る】。ちかづく【近づく】。やってくる

何かが他の場所からこちらの方へ動く。

かこ【過去】：오 + 았어요 → 왔어요
げんざい【現在】：오 + 아요 → 와요
みらい【未来】：오 + ㄹ 거예요 → 올 거예요

(58) 올라가다 [ollagada]

あがる【上がる】。のぼる【上る・登る】

下から上へ、低い所から高い所へ行く。

かこ【過去】：올라가 + 았어요 → 올라갔어요
げんざい【現在】：올라가 + 아요 → 올라가요
みらい【未来】：올라가 + ㄹ 거예요 → 올라갈 거예요

(59) 올라오다 [ollaoda]

あがってくる【上がって来る】。のぼってくる【上って来る・登って来る】

低い所から高い所へ来る。

かこ【過去】：올라오 + 았어요 → 올라왔어요
げんざい【現在】：올라오 + 아요 → 올라와요
みらい【未来】：올라오 + ㄹ 거예요 → 올라올 거예요

(60) 울다 [ulda]

なく【泣く】

悲しみや痛み、喜びを抑え切れず涙を流す。また、そのように涙を流して声を出す。

かこ【過去】：울 + 었어요 → 울었어요
げんざい【現在】：울 + 어요 → 울어요
みらい【未来】：울 + ㄹ 거예요 → 울 거예요

(61) 움직이다 [umjigida]

うごく【動く】。うごかす【動かす】

姿勢や席などが変わる。また、姿勢や席などを変える。

かこ【過去】：움직이 + 었어요 → 움직였어요
げんざい【現在】：움직이 + 어요 → 움직여요
みらい【未来】：움직이 + ㄹ 거예요 → 움직일 거예요

(62) 웃다 [utda]

わらう【笑う】

嬉しかったり、満足したり、楽しかったりする時、顔の表情を崩して声を立てる。

かこ【過去】：웃 + 었어요 → 웃었어요
げんざい【現在】：웃 + 어요 → 웃어요
みらい【未来】：웃 + 을 거예요 → 웃을 거예요

(63) 일어나다 [ireonada]

おきる【起きる】。おきあがる【起き上がる・起き上る】。たちあがる【立ち上がる・立上がる】

横になっていたものが座ったり、座っていたものが立ったりする。

かこ【過去】：일어나 + 았어요 → 일어났어요
げんざい【現在】：일어나 + 아요 → 일어나요
みらい【未来】：일어나 + ㄹ 거예요 → 일어날 거예요

(64) 일어서다 [ireoseoda]

たちあがる【立ち上がる・立上がる】

座っていたものが立つ。

かこ【過去】：일어서 + 었어요 → 일어섰어요
げんざい【現在】：일어서 + 어요 → 일어서요
みらい【未来】：일어서 + ㄹ 거예요 → 일어설 거예요

(65) 잡다 [japda]

にぎる【握る】。つかむ【掴む・攫む】。とる【取る】。
つかまえる【摑まえる・捉まえる】。とらえる【捕える】

手でしっかりと握り持つ。

かこ【過去】：잡 + 았어요 → 잡았어요
げんざい【現在】：잡 + 아요 → 잡아요
みらい【未来】：잡 + 을 거예요 → 잡을 거예요

(66) 접다 [jeopda]

おる【折る】。たたむ【畳む】

布や紙などを曲げて重ねる。

かこ【過去】：접 + 었어요 → 접었어요
げんざい【現在】：접 + 어요 → 접어요
みらい【未来】：접 + 을 거예요 → 접을 거예요

(67) 지나가다 [jinagada]

すぎる【過ぎる】。とおる【通る】。とおりすぎる【通り過ぎる】。
とおりかかる【通りかかる】。へる【経る】

ある地域を通過して行く。

かこ【過去】：지나가 + 았어요 → 지나갔어요
げんざい【現在】：지나가 + 아요 → 지나가요
みらい【未来】：지나가 + ㄹ 거예요 → 지나갈 거예요

(68) 지르다 [jireuda]

さけぶ【叫ぶ】。どなる【怒鳴る】

大声を出す。

かこ【過去】：지르 + 었어요 → 질렀어요
げんざい【現在】：지르 + 어요 → 질러요
みらい【未来】：지르 + ㄹ 거예요 → 지를 거예요

(69) 차다 [chada]

ける【蹴る】。けとばす【蹴飛ばす】。けあげる【蹴上げる】。けりあげる【蹴り上げる】

足を伸ばして勢いよく突いたり、突いて飛ばす。

かこ【過去】：차 ＋ 았어요 → 찼어요
げんざい【現在】：차 ＋ 아요 → 차요
みらい【未来】：차 ＋ ㄹ 거예요 → 찰 거예요

(70) 쳐다보다 [cheodaboda]

みあげる【見上げる】。あおぎみる【仰ぎ見る】

下から上の方を見る。

かこ【過去】：쳐다보 ＋ 았어요 → 쳐다봤어요
げんざい【現在】：쳐다보 ＋ 아요 → 쳐다봐요
みらい【未来】：쳐다보 ＋ ㄹ 거예요 → 쳐다볼 거예요

(71) 치다 [chida]

うつ【打つ】。たたく【叩く】。なぐる【殴る】

手や他のものが何かに強くぶつかるようにする。

かこ【過去】：치 ＋ 었어요 → 쳤어요
げんざい【現在】：치 ＋ 어요 → 쳐요
みらい【未来】：치 ＋ ㄹ 거예요 → 칠 거예요

(72) 흔들다 [heundeulda]

ふる【振る】

何かを前後左右に何度も動かすようにする。

かこ【過去】：흔들 ＋ 었어요 → 흔들었어요
げんざい【現在】：흔들 ＋ 어요 → 흔들어요
みらい【未来】：흔들 ＋ ㄹ 거예요 → 흔들 거예요

(73) 기억나다 [gieongnada]

おもいだす【思い出す】

以前の姿、事実、知識、経験などが心や頭の中によみがえる。

かこ【過去】：기억나 + 았어요 → 기억났어요
げんざい【現在】：기억나 + 아요 → 기억나요
みらい【未来】：기억나 + ㄹ 거예요 → 기억날 거예요

(74) 모르다 [moreuda]

しらない【知らない】。わからない【分からない】

人・物・事実などを知らない、または分からない。

かこ【過去】：모르 + 았어요 → 몰랐어요
げんざい【現在】：모르 + 아요 → 몰라요
みらい【未来】：모르 + ㄹ 거예요 → 모를 거예요

(75) 믿다 [mitda]

しんじる【信じる】。しんじこむ【信じ込む】

何かを正しいとか事実だと思い込む。

かこ【過去】：믿 + 었어요 → 믿었어요
げんざい【現在】：믿 + 어요 → 믿어요
みらい【未来】：믿 + 을 거예요 → 믿을 거예요

(76) 바라다 [barada]

ねがう【願う】。のぞむ【望む】

考えや希望がかなうことを期待する。

かこ【過去】：바라 + 았어요 → 바랐어요
げんざい【現在】：바라 + 아요 → 바라요
みらい【未来】：바라 + ㄹ 거예요 → 바랄 거예요

(77) 보이다 [boida]

みせる【見せる】

目で対象の存在や見かけが分かるようにする。

かこ【過去】：보이 ＋ 었어요 → 보였어요
げんざい【現在】：보이 ＋ 어요 → 보여요
みらい【未来】：보이 ＋ ㄹ 거예요 → 보일 거예요

(78) 생각나다 [saenggangnada]

おもいだす【思い出す】

新しい考えが頭の中に浮かぶ。

かこ【過去】：생각나 ＋ 았어요 → 생각났어요
げんざい【現在】：생각나 ＋ 아요 → 생각나요
みらい【未来】：생각나 ＋ ㄹ 거예요 → 생각날 거예요

(79) 알다 [alda]

しる【知る】。わかる【分かる】。りかいする【理解する】

教育・経験・思考などを通じ、事物や状況への情報または知識を備える。

かこ【過去】：알 ＋ 았어요 → 알았어요
げんざい【現在】：알 ＋ 아요 → 알아요
みらい【未来】：알 ＋ ㄹ 거예요 → 알 거예요

(80) 알리다 [allida]

しらせる【知らせる】

知らなかったことや忘れていたことを知るようにする。

かこ【過去】：알리 ＋ 었어요 → 알렸어요
げんざい【現在】：알리 ＋ 어요 → 알려요
みらい【未来】：알리 ＋ ㄹ 거예요 → 알릴 거예요

(81) 외우다 [oeuda]

あんきする【暗記する】。おぼえる【覚える】。きおくする【記憶する】

言葉や文章を忘れないで頭の中に覚え込む。

かこ【過去】：외우 + 었어요 → 외웠어요
げんざい【現在】：외우 + 어요 → 외워요
みらい【未来】：외우 + ㄹ 거예요 → 외울 거예요

(82) 원하다 [wonhada]

ねがう【願う】。のぞむ【望む】。ほしい【欲しい】。ほっする【欲する】

何かを望んだり、しようとする。

かこ【過去】：원하 + 였어요 → 원했어요
げんざい【現在】：원하 + 여요 → 원해요
みらい【未来】：원하 + ㄹ 거예요 → 원할 거예요

(83) 잊다 [itda]

わすれる【忘れる】

覚えていたことが思い出せなくなる。

かこ【過去】：잊 + 었어요 → 잊었어요
げんざい【現在】：잊 + 어요 → 잊어요
みらい【未来】：잊 + 을 거예요 → 잊을 거예요

(84) 잊어버리다 [ijeobeorida]

わすれる【忘れる】

覚えていたことの一部、または全部が思い出せなくなる。

かこ【過去】：잊어버리 + 었어요 → 잊어버렸어요
げんざい【現在】：잊어버리 + 어요 → 잊어버려요
みらい【未来】：잊어버리 + ㄹ 거예요 → 잊어버릴 거예요

(85) 기르다 [gireuda]

そだてる【育てる】。かう【飼う】。やしなう【養う】

動植物に餌や養分をやって、保護して、成長させる。

かこ【過去】：기르 + 었어요 → 길렀어요
げんざい【現在】：기르 + 어요 → 길러요
みらい【未来】：기르 + ㄹ 거예요 → 기를 거예요

(86) 살다 [salda]

いきる【生きる】。せいぞんする【生存する】

生命を持っている。

かこ【過去】：살 + 았어요 → 살았어요
げんざい【現在】：살 + 아요 → 살아요
みらい【未来】：살 + ㄹ 거예요 → 살 거예요

(87) 죽다 [jukda]

しぬ【死ぬ】。しぼうする【死亡する】。かれる【枯れる】

生物が生命を失う。

かこ【過去】：죽 + 었어요 → 죽었어요
げんざい【現在】：죽 + 어요 → 죽어요
みらい【未来】：죽 + 을 거예요 → 죽을 거예요

(88) 지내다 [jinaeda]

すごす【過ごす】。くらす【暮らす】。せいかつする【生活する】

一定の程度や状態で生活したり生きていく。

かこ【過去】：지내 + 었어요 → 지냈어요
げんざい【現在】：지내 + 어요 → 지내요
みらい【未来】：지내 + ㄹ 거예요 → 지낼 거예요

(89) 태어나다 [taeeonada]

うまれる【生まれる】。しゅっしょうする・しゅっせいする【出生する】。たんじょうする【誕生する】

人間や動物の子が一定の形となって母親の胎内から出る。

かこ【過去】：태어나 + 았어요 → 태어났어요
げんざい【現在】：태어나 + 아요 → 태어나요
みらい【未来】：태어나 + ㄹ 거예요 → 태어날 거예요

(90) 감다 [gamda]

とじる【閉じる】。つぶる・つむる【瞑る】

まぶたで目を覆う。

かこ【過去】：감 + 았어요 → 감았어요
げんざい【現在】：감 + 아요 → 감아요
みらい【未来】：감 + 을 거예요 → 감을 거예요

(91) 깨다 [kkaeda]

さめる【覚める】。めざめる【目覚める】

眠っている状態などから、意識のはっきりした状態に戻る。また、そうさせる。

かこ【過去】：깨 + 었어요 → 깼어요
げんざい【現在】：깨 + 어요 → 깨요
みらい【未来】：깨 + ㄹ 거예요 → 깰 거예요

(92) 꾸다 [kkuda]

みる【見る】

寝ている間、夢の中で実際のように見て、聞いて、感じる。

かこ【過去】：꾸 + 었어요 → 꾸었어요
げんざい【現在】：꾸 + 어요 → 꾸어요
みらい【未来】：꾸 + ㄹ 거예요 → 꿀 거예요

(93) 눕다 [nupda]

よこになる【横になる】

人または動物の背中や脇腹がある所につくように体を横たえる。

かこ【過去】：눕 + 었어요 → **누웠어요**
げんざい【現在】：눕 + 어요 → **누워요**
みらい【未来】：눕 + ㄹ 거예요 → **누울 거예요**

(94) 다녀오다 [danyeooda]

いってくる【行って来る】

ある所に行って帰ってくる。

かこ【過去】：다녀오 + 았어요 → **다녀왔어요**
げんざい【現在】：다녀오 + 아요 → **다녀와요**
みらい【未来】：다녀오 + ㄹ 거예요 → **다녀올 거예요**

(95) 다니다 [danida]

かよう【通う】

あるところに何度も出入りする。

かこ【過去】：다니 + 었어요 → **다녔어요**
げんざい【現在】：다니 + 어요 → **다녀요**
みらい【未来】：다니 + ㄹ 거예요 → **다닐 거예요**

(96) 닦다 [dakda]

ふく【拭く】。ぬぐう【拭う】。ふきとる【拭き取る】

汚れを取り去るためにこする。

かこ【過去】：닦 + 았어요 → **닦았어요**
げんざい【現在】：닦 + 아요 → **닦아요**
みらい【未来】：닦 + 을 거예요 → **닦을 거예요**

(97) 씻다 [ssitda]

あらう【洗う】。あらいおとす【洗い落とす】。ながす【流す】

汚れや汚いものを取り除いて、きれいにする。

かこ【過去】：씻 ＋ 었어요 → 씻었어요
げんざい【現在】：씻 ＋ 어요 → 씻어요
みらい【未来】：씻 ＋ 을 거예요 → 씻을 거예요

(98) 일어나다 [ireonada]

おきる【起きる】

目を覚ます。

かこ【過去】：일어나 ＋ 았어요 → 일어났어요
げんざい【現在】：일어나 ＋ 아요 → 일어나요
みらい【未来】：일어나 ＋ ㄹ 거예요 → 일어날 거예요

(99) 자다 [jada]

ねむる【眠る】。ねる【寝る】

目を閉じて体と精神の活動を止め、しばらく休んでいる状態になる。

かこ【過去】：자 ＋ 았어요 → 잤어요
げんざい【現在】：자 ＋ 아요 → 자요
みらい【未来】：자 ＋ ㄹ 거예요 → 잘 거예요

(100) 잠자다 [jamjada]

ねる【寝る・寐る】。ねむる【眠る・睡る】

心身の活動が止まって、一時的に休む。

かこ【過去】：잠자 ＋ 았어요 → 잠잤어요
げんざい【現在】：잠자 ＋ 아요 → 잠자요
みらい【未来】：잠자 ＋ ㄹ 거예요 → 잠잘 거예요

(101) 주무시다 [jumusida]

おしずまる【御寝る】。およる【御寝る】。おやすみになる【お休みになる】

「寝る」の尊敬語。

かこ【過去】：주무시 + 었어요 → 주무셨어요
げんざい【現在】：주무시 + 어요 → 주무셔요
みらい【未来】：주무시 + ㄹ 거예요 → 주무실 거예요

(102) 구경하다 [gugyeonghada]

けんぶつする【見物する】

興味や関心を持って見る。

かこ【過去】：구경하 + 였어요 → 구경했어요
げんざい【現在】：구경하 + 여요 → 구경해요
みらい【未来】：구경하 + ㄹ 거예요 → 구경할 거예요

(103) 그리다 [geurida]

かく・えがく【描く】

鉛筆や筆などを利用して、線や色で物を表す。

かこ【過去】：그리 + 었어요 → 그렸어요
げんざい【現在】：그리 + 어요 → 그려요
みらい【未来】：그리 + ㄹ 거예요 → 그릴 거예요

(104) 노래하다 [noraehada]

うたう【歌う】

韻律に合わせて作った歌詞に曲をつけた音楽を声に出して歌う。

かこ【過去】：노래하 + 였어요 → 노래했어요
げんざい【現在】：노래하 + 여요 → 노래해요
みらい【未来】：노래하 + ㄹ 거예요 → 노래할 거예요

(105) 놀다 [nolda]

あそぶ【遊ぶ】

遊びなどをして、面白くて楽しい時間を過ごす。

かこ【過去】: 놀 + 았어요 → 놀았어요
げんざい【現在】: 놀 + 아요 → 놀아요
みらい【未来】: 놀 + ㄹ 거예요 → 놀 거예요

(106) 독서하다 [dokseohada]

どくしょする【読書する】

本を読む。

かこ【過去】: 독서하 + 였어요 → 독서했어요
げんざい【現在】: 독서하 + 여요 → 독서해요
みらい【未来】: 독서하 + ㄹ 거예요 → 독서할 거예요

(107) 등산하다 [deungsanhada]

とざんする【登山する】。やまのぼりする【山登りする】

運動や遊びなどの目的で山に登る。

かこ【過去】: 등산하 + 였어요 → 등산했어요
げんざい【現在】: 등산하 + 여요 → 등산해요
みらい【未来】: 등산하 + ㄹ 거예요 → 등산할 거예요

(108) 부르다 [bureuda]

うたう【歌う】

曲に合わせて歌を歌う。

かこ【過去】: 부르 + 었어요 → 불렀어요
げんざい【現在】: 부르 + 어요 → 불러요
みらい【未来】: 부르 + ㄹ 거예요 → 부를 거예요

(109) 불다 [bulda]

ふく【吹く】。ふきならす【吹き鳴らす】

管楽器を口につけ、息を吐いて音を出す。

かこ【過去】：불 + 었어요 → 불었어요
げんざい【現在】：불 + 어요 → 불어요
みらい【未来】：불 + ㄹ 거예요 → 불 거예요

(110) 산책하다 [sanchaekada]

さんさくする【散策する】。さんぽする【散歩する】

しばらく休んだり、健康のために近くをゆっくり歩く。

かこ【過去】：산책하 + 였어요 → 산책했어요
げんざい【現在】：산책하 + 여요 → 산책해요
みらい【未来】：산책하 + ㄹ 거예요 → 산책할 거예요

(111) 수영하다 [suyeonghada]

すいえいする【水泳する】。およぐ【泳ぐ】

水の中を泳ぐ。

かこ【過去】：수영하 + 였어요 → 수영했어요
げんざい【現在】：수영하 + 여요 → 수영해요
みらい【未来】：수영하 + ㄹ 거예요 → 수영할 거예요

(112) 여행하다 [yeohaenghada]

りょこうする【旅行する】。たびする【旅する】

家を離れて他の地域や外国の各所を見物しながら巡る。

かこ【過去】：여행하 + 였어요 → 여행했어요
げんざい【現在】：여행하 + 여요 → 여행해요
みらい【未来】：여행하 + ㄹ 거예요 → 여행할 거예요

(113) 운동하다 [undonghada]
うんどうする【運動する】
体を鍛えたり健康を保ったりするために体を動かす。

かこ【過去】：운동하 + 였어요 → 운동했어요
げんざい【現在】：운동하 + 여요 → 운동해요
みらい【未来】：운동하 + ㄹ 거예요 → 운동할 거예요

(114) 즐기다 [jeulgida]
たのしむ【楽しむ】
楽しく感じ、思いっきり享受する。

かこ【過去】：즐기 + 었어요 → 즐겼어요
げんざい【現在】：즐기 + 어요 → 즐겨요
みらい【未来】：즐기 + ㄹ 거예요 → 즐길 거예요

(115) 찍다 [jjikda]
うつす【写す】。とる【撮る】
ある対象をカメラでとらえ、その模様をフィルムに移す。

かこ【過去】：찍 + 었어요 → 찍었어요
げんざい【現在】：찍 + 어요 → 찍어요
みらい【未来】：찍 + 을 거예요 → 찍을 거예요

(116) 추다 [chuda]
おどる【踊る】。まう【舞う】
舞踊の動作をする。

かこ【過去】：추 + 었어요 → 췄어요
げんざい【現在】：추 + 어요 → 춰요
みらい【未来】：추 + ㄹ 거예요 → 출 거예요

(117) 춤추다 [chumchuda]

おどる【踊る】。まう【舞う】

音楽や規則的なリズムに合わせて身体を動かす。

かこ【過去】: 춤추 + 었어요 → 춤췄어요
げんざい【現在】: 춤추 + 어요 → 춤춰요
みらい【未来】: 춤추 + ㄹ 거예요 → 춤출 거예요

(118) 켜다 [kyeoda]

ひく【弾く】。かなでる【奏でる】。えんそうする【演奏する】

弦楽器の弦を弓でこすって音を出す。

かこ【過去】: 켜 + 었어요 → 켰어요
げんざい【現在】: 켜 + 어요 → 켜요
みらい【未来】: 켜 + ㄹ 거예요 → 켤 거예요

(119) 타다 [tada]

のる【乗る】

ブランコやシーソーなどの遊具の上に身を置いて動く。

かこ【過去】: 타 + 았어요 → 탔어요
げんざい【現在】: 타 + 아요 → 타요
みらい【未来】: 타 + ㄹ 거예요 → 탈 거예요

(120) 검사하다 [geomsahada]

けんさする【検査する】

ある出来事や対象について良し悪しや是非などを調べる。

かこ【過去】: 검사하 + 였어요 → 검사했어요
げんざい【現在】: 검사하 + 여요 → 검사해요
みらい【未来】: 검사하 + ㄹ 거예요 → 검사할 거예요

(121) 고치다 [gochida]

なおす【治す】

病気を回復させる。

かこ【過去】：고치 + 었어요 → **고쳤어요**
げんざい【現在】：고치 + 어요 → **고쳐요**
みらい【未来】：고치 + ㄹ 거예요 → **고칠 거예요**

(122) 바르다 [bareuda]

ぬる【塗る】

液体や粉などを物の表面にこすって、むらなくつける。

かこ【過去】：바르 + 았어요 → **발랐어요**
げんざい【現在】：바르 + 아요 → **발라요**
みらい【未来】：바르 + ㄹ 거예요 → **바를 거예요**

(123) 수술하다 [susulhada]

しゅじゅつする【手術する】。オペする

病気を治すために体の一部を切断したり縫ったりする。

かこ【過去】：수술하 + 였어요 → **수술했어요**
げんざい【現在】：수술하 + 여요 → **수술해요**
みらい【未来】：수술하 + ㄹ 거예요 → **수술할 거예요**

(124) 입원하다 [ibwonhada]

にゅういんする【入院する】

病気の治療のために一定期間、病院に入る。

かこ【過去】：입원하 + 였어요 → **입원했어요**
げんざい【現在】：입원하 + 여요 → **입원해요**
みらい【未来】：입원하 + ㄹ 거예요 → **입원할 거예요**

(125) 퇴원하다 [toewonhada]

たいいんする【退院する】

一定期間入院して治療を受けていた患者が、病院から出る。

かこ【過去】：퇴원하 ＋ 였어요 → **퇴원했어요**
げんざい【現在】：퇴원하 ＋ 여요 → **퇴원해요**
みらい【未来】：퇴원하 ＋ ㄹ 거예요 → **퇴원할 거예요**

(126) 먹다 [meokda]

たべる【食べる】。くう【食う・喰う】。くらう【食らう】

食べ物を口の中に入れて飲み込む。

かこ【過去】：먹 ＋ 었어요 → **먹었어요**
げんざい【現在】：먹 ＋ 어요 → **먹어요**
みらい【未来】：먹 ＋ 을 거예요 → **먹을 거예요**

(127) 마시다 [masida]

のむ【飲む】。すう【吸う】。くらう【食らう】

水などの液体を喉へ送り込む。

かこ【過去】：마시 ＋ 었어요 → **마셨어요**
げんざい【現在】：마시 ＋ 어요 → **마셔요**
みらい【未来】：마시 ＋ ㄹ 거예요 → **마실 거예요**

(128) 굽다 [gupda]

やく【焼く】

火に当てて食べられるようにする。

かこ【過去】：굽 ＋ 었어요 → **구웠어요**
げんざい【現在】：굽 ＋ 어요 → **구워요**
みらい【未来】：굽 ＋ ㄹ 거예요 → **구울 거예요**

(129) 깎다 [kkakda]

むく【剥く】

ナイフなどの道具で物の表面や果物などの皮を薄く剥がす。

かこ【過去】：깎 + 았어요 → 깎았어요
げんざい【現在】：깎 + 아요 → 깎아요
みらい【未来】：깎 + 을 거예요 → 깎을 거예요

(130) 끓다 [kkeulta]

わく【沸く】

液体が非常に熱くなって気泡がのぼりはじめる。

かこ【過去】：끓 + 었어요 → 끓었어요
げんざい【現在】：끓 + 어요 → 끓어요
みらい【未来】：끓 + 을 거예요 → 끓을 거예요

(131) 끓이다 [kkeurida]

にる【煮る】

水や液体の中に食物を入れて、火にかけて料理をする。

かこ【過去】：끓이 + 었어요 → 끓였어요
げんざい【現在】：끓이 + 어요 → 끓여요
みらい【未来】：끓이 + ㄹ 거예요 → 끓일 거예요

(132) 볶다 [bokda]

いためる【炒める】。いる【煎る・炒る・熬る】

水気を切った食べ物を火にかけて、かき混ぜながら調理する。

かこ【過去】：볶 + 았어요 → 볶았어요
げんざい【現在】：볶 + 아요 → 볶아요
みらい【未来】：볶 + 을 거예요 → 볶을 거예요

(133) 섞다 [seokda]

まぜる【混ぜる・交ぜる】。こんごうする【混合する】

二種類以上のものを一緒にする。

かこ【過去】：섞 + 었어요 → 섞었어요
げんざい【現在】：섞 + 어요 → 섞어요
みらい【未来】：섞 + 을 거예요 → 섞을 거예요

(134) 썰다 [sseolda]

きる【切る】。きざむ【刻む】

ナイフやのこぎりなどを、下の方に押しながら前後に動かし何かを切って複数の切れ端が出来る。

かこ【過去】：썰 + 었어요 → 썰었어요
げんざい【現在】：썰 + 어요 → 썰어요
みらい【未来】：썰 + ㄹ 거예요 → 썰 거예요

(135) 씹다 [ssipda]

かむ【噛む】。そしゃくする【咀嚼する】

人や動物が食べ物を口に入れて歯で細かく切ったり砕いたりする。

かこ【過去】：씹 + 었어요 → 씹었어요
げんざい【現在】：씹 + 어요 → 씹어요
みらい【未来】：씹 + 을 거예요 → 씹을 거예요

(136) 익다 [ikda]

にえる【煮える】。やける【焼ける】

肉・野菜・穀物などの生ものが熱せられ、味と性質が変わる。

かこ【過去】：익 + 었어요 → 익었어요
げんざい【現在】：익 + 어요 → 익어요
みらい【未来】：익 + 을 거예요 → 익을 거예요

(137) 찌다 [jjida]

むす【蒸す】。ふかす【蒸かす】

熱い蒸気で食べ物を熱して調理したり温める。

かこ【過去】：찌 + 었어요 → **쪘어요**
げんざい【現在】：찌 + 어요 → **쪄요**
みらい【未来】：찌 + ㄹ 거예요 → **찔 거예요**

(138) 타다 [tada]

こげる【焦げる】

熱い熱を受けて、黒色になるほどに焼けすぎる。

かこ【過去】：타 + 았어요 → **탔어요**
げんざい【現在】：타 + 아요 → **타요**
みらい【未来】：타 + ㄹ 거예요 → **탈 거예요**

(139) 튀기다 [twigida]

あげる【揚げる】

熱した油の中に材料を入れて、天ぷら・フライにする。

かこ【過去】：튀기 + 었어요 → **튀겼어요**
げんざい【現在】：튀기 + 어요 → **튀겨요**
みらい【未来】：튀기 + ㄹ 거예요 → **튀길 거예요**

(140) 갈아입다 [garaipda]

きがえる【着替える】

着ていた服を脱いで、別の服に替えて着る。

かこ【過去】：갈아입 + 었어요 → **갈아입었어요**
げんざい【現在】：갈아입 + 어요 → **갈아입어요**
みらい【未来】：갈아입 + 을 거예요 → **갈아입을 거예요**

(141) 끼다 [kkida]

はさむ【挟む】。さしこむ【差し込む】。はめる【填める】

何かに引っ掛かって落ちないように差し込む。

かこ【過去】：끼 ＋ 었어요 → 꼈어요
げんざい【現在】：끼 ＋ 어요 → 껴요
みらい【未来】：끼 ＋ ㄹ 거예요 → 낄 거예요

(142) 매다 [maeda]

むすぶ【結ぶ】

離れたり解けたりしないように、紐や縄の両端を組んでつなぐ。

かこ【過去】：매 ＋ 었어요 → 맸어요
げんざい【現在】：매 ＋ 어요 → 매요
みらい【未来】：매 ＋ ㄹ 거예요 → 맬 거예요

(143) 벗다 [beotda]

ぬぐ【脱ぐ】。はずす【外す】

身につけていた物や服などを取り去る。

かこ【過去】：벗 ＋ 었어요 → 벗었어요
げんざい【現在】：벗 ＋ 어요 → 벗어요
みらい【未来】：벗 ＋ 을 거예요 → 벗을 거예요

(144) 신다 [sinda]

はく【履く】

靴や靴下などの中に足を入れ、足の全部、または一部を覆う。

かこ【過去】：신 ＋ 었어요 → 신었어요
げんざい【現在】：신 ＋ 어요 → 신어요
みらい【未来】：신 ＋ 을 거예요 → 신을 거예요

(145) 쓰다 [sseuda]

かぶる【被る】

帽子やかつらなどを頭の上から覆う。

かこ【過去】：쓰 + 었어요 → **썼어요**
げんざい【現在】：쓰 + 어요 → **써요**
みらい【未来】：쓰 + ㄹ 거예요 → **쓸 거예요**

(146) 입다 [ipda]

きる【着る・著る】。はく【穿く】

衣類などを身につける。

かこ【過去】：입 + 었어요 → **입었어요**
げんざい【現在】：입 + 어요 → **입어요**
みらい【未来】：입 + 을 거예요 → **입을 거예요**

(147) 차다 [chada]

つける【着ける】。はめる

物を腰・手首・足首などに下げたり着けたり通す。

かこ【過去】：차 + 았어요 → **찼어요**
げんざい【現在】：차 + 아요 → **차요**
みらい【未来】：차 + ㄹ 거예요 → **찰 거예요**

(148) 기르다 [gireuda]

はやす【生やす】。のばす【伸ばす】

髪やひげなどを、生えて伸びた状態にする。

かこ【過去】：기르 + 었어요 → **길렀어요**
げんざい【現在】：기르 + 어요 → **길러요**
みらい【未来】：기르 + ㄹ 거예요 → **기를 거예요**

(149) 깎다 [kkakda]

そる【剃る】。かる【刈る】

草や毛などを短く切る。

かこ【過去】：깎 + 았어요 → 깎았어요
げんざい【現在】：깎 + 아요 → 깎아요
みらい【未来】：깎 + 을 거예요 → 깎을 거예요

(150) 드라이하다 [deuraihada]

ドライする

風が出る電気器具を使用して髪を乾かしたり、手いれをしたりする。

かこ【過去】：드라이하 + 였어요 → 드라이했어요
げんざい【現在】：드라이하 + 여요 → 드라이해요
みらい【未来】：드라이하 + ㄹ 거예요 → 드라이할 거예요

(151) 면도하다 [myeondohada]

そる【剃る】

顔や体に生えたひげや産毛を剃り落とす。

かこ【過去】：면도하 + 였어요 → 면도했어요
げんざい【現在】：면도하 + 여요 → 면도해요
みらい【未来】：면도하 + ㄹ 거예요 → 면도할 거예요

(152) 빗다 [bitda]

すく【梳く】。くしけずる【梳る】。けずる【梳る】

毛髪や毛をくしや手などで整える。

かこ【過去】：빗 + 었어요 → 빗었어요
げんざい【現在】：빗 + 어요 → 빗어요
みらい【未来】：빗 + 을 거예요 → 빗을 거예요

(153) 염색하다 [yeomsaekada]

せんしょくする【染色する】。そめる【染める】

布・糸・髪の毛などを染める。

かこ【過去】：염색하 + 였어요 → 염색했어요
げんざい【現在】：염색하 + 여요 → 염색해요
みらい【未来】：염색하 + ㄹ 거예요 → 염색할 거예요

(154) 이발하다 [ibalhada]

りはつする【理髪する】。ちょうはつする【調髪する】。せいはつする【整髪する】

頭髪を刈って形を整える。

かこ【過去】：이발하 + 였어요 → 이발했어요
げんざい【現在】：이발하 + 여요 → 이발해요
みらい【未来】：이발하 + ㄹ 거예요 → 이발할 거예요

(155) 파마하다 [pamahada]

パーマをかける

機械・薬品を用いて、毛髪をウェーブさせたり、ストレートにしたりして、長期間その髪型が崩れないようにする。

かこ【過去】：파마하 + 였어요 → 파마했어요
げんざい【現在】：파마하 + 여요 → 파마해요
みらい【未来】：파마하 + ㄹ 거예요 → 파마할 거예요

(156) 화장하다 [hwajanghada]

けしょうする【化粧する】

化粧品をつけたり、塗ったりして顔をきれいに飾る。

かこ【過去】：화장하 + 였어요 → 화장했어요
げんざい【現在】：화장하 + 여요 → 화장해요
みらい【未来】：화장하 + ㄹ 거예요 → 화장할 거예요

(157) 이사하다 [isahada]

ひっこす【引っ越す】

住んでいた所を離れて、他の所に移る。

かこ【過去】: 이사하 + 였어요 → 이사했어요
げんざい【現在】: 이사하 + 여요 → 이사해요
みらい【未来】: 이사하 + ㄹ 거예요 → 이사할 거예요

(158) 머무르다 [meomureuda]

とまる【泊まる】。とどまる【止まる · 留まる · 停まる】

途中で動きを止めたり、一時的にあるところに宿泊したりする。

かこ【過去】: 머무르 + 었어요 → 머물렀어요
げんざい【現在】: 머무르 + 어요 → 머물러요
みらい【未来】: 머무르 + ㄹ 거예요 → 머무를 거예요

(159) 묵다 [mukda]

とまる【泊まる】。やどる【宿る】

どこかで客としてとどまる。

かこ【過去】: 묵 + 었어요 → 묵었어요
げんざい【現在】: 묵 + 어요 → 묵어요
みらい【未来】: 묵 + 을 거예요 → 묵을 거예요

(160) 숙박하다 [sukbakada]

しゅくはくする【宿泊する】

旅館やホテルなどに泊まる。

かこ【過去】: 숙박하 + 였어요 → 숙박했어요
げんざい【現在】: 숙박하 + 여요 → 숙박해요
みらい【未来】: 숙박하 + ㄹ 거예요 → 숙박할 거예요

(161) 체류하다 [cheryuhada]

たいりゅうする【滞留する】。たいざいする【滞在する】。ざいりゅうする【在留する】

家を離れてよそに行ってそこにとどまる。

かこ【過去】：체류하 + 였어요 → 체류했어요
げんざい【現在】：체류하 + 여요 → 체류해요
みらい【未来】：체류하 + ㄹ 거예요 → 체류할 거예요

(162) 걸다 [geolda]

かける【掛ける】

ある物を落ちないようにどこかにつけてぶら下げる。

かこ【過去】：걸 + 었어요 → 걸었어요
げんざい【現在】：걸 + 어요 → 걸어요
みらい【未来】：걸 + ㄹ 거예요 → 걸 거예요

(163) 고치다 [gochida]

なおす【直す】

壊れたり使えなくなったりしたものを役に立つようにする。

かこ【過去】：고치 + 었어요 → 고쳤어요
げんざい【現在】：고치 + 어요 → 고쳐요
みらい【未来】：고치 + ㄹ 거예요 → 고칠 거예요

(164) 끄다 [kkeuda]

けす【消す】

燃えている火をなくならせる。

かこ【過去】：끄 + 었어요 → 껐어요
げんざい【現在】：끄 + 어요 → 꺼요
みらい【未来】：끄 + ㄹ 거예요 → 끌 거예요

(165) 빨다 [ppalda]

あらう【洗う】。せんたくする【洗濯する】

衣服などを水に入れて手でもんだり、洗濯機を利用して汚れを落としたりする。

かこ【過去】：빨 + 았어요 → 빨았어요
げんざい【現在】：빨 + 아요 → 빨아요
みらい【未来】：빨 + ㄹ 거예요 → 빨 거예요

(166) 설거지하다 [seolgeojihada]

さらあらいする【皿洗いする】。あらいものをする【洗い物をする】。しょっきあらいする【食器洗いする】

食事を終えた後、食器を洗って片付ける。

かこ【過去】：설거지하 + 였어요 → 설거지했어요
げんざい【現在】：설거지하 + 여요 → 설거지해요
みらい【未来】：설거지하 + ㄹ 거예요 → 설거지할 거예요

(167) 세탁하다 [setakada]

せんたくする【洗濯する】。せんじょうする【洗浄する】。クリーニングする

汚れた衣服を洗う。

かこ【過去】：세탁하 + 였어요 → 세탁했어요
げんざい【現在】：세탁하 + 여요 → 세탁해요
みらい【未来】：세탁하 + ㄹ 거예요 → 세탁할 거예요

(168) 정리하다 [jeongnihada]

せいりする【整理する】。ととのえる【整える】

乱れた状態にあるものを一か所に集めたり片づけたりする。

かこ【過去】：정리하 + 였어요 → 정리했어요
げんざい【現在】：정리하 + 여요 → 정리해요
みらい【未来】：정리하 + ㄹ 거예요 → 정리할 거예요

(169) 청소하다 [cheongsohada]

せいそうする【清掃する】。そうじする【掃除する】

汚いものやゴミ、ほこりなどをきれいに取り去る。

かこ【過去】：청소하 + 였어요 → 청소했어요
げんざい【現在】：청소하 + 여요 → 청소해요
みらい【未来】：청소하 + ㄹ 거예요 → 청소할 거예요

(170) 켜다 [kyeoda]

つける【付ける・点ける】

灯火やろうそくなどに火をつけたり、マッチやライターなどを利用して火を起こす。

かこ【過去】：켜 + 었어요 → 켰어요
げんざい【現在】：켜 + 어요 → 켜요
みらい【未来】：켜 + ㄹ 거예요 → 켤 거예요

(171) 말리다 [mallida]

かわかす【乾かす】。ほす【干す・乾す】。からす【涸らす】

水分を蒸発させてなくす。

かこ【過去】：말리 + 었어요 → 말렸어요
げんざい【現在】：말리 + 어요 → 말려요
みらい【未来】：말리 + ㄹ 거예요 → 말릴 거예요

(172) 삶다 [samda]

ゆでる【茹でる】

熱湯に入れて煮る。

かこ【過去】：삶 + 았어요 → 삶았어요
げんざい【現在】：삶 + 아요 → 삶아요
みらい【未来】：삶 + 을 거예요 → 삶을 거예요

(173) 쓸다 [sseulda]

はく【掃く】

掻き寄せて捨てる。

かこ【過去】：쓸 + 었어요 → 쓸었어요
げんざい【現在】：쓸 + 어요 → 쓸어요
みらい【未来】：쓸 + ㄹ 거예요 → 쓸 거예요

(174) 가져가다 [gajeogada]

もっていく【持っていく】。はこぶ【運ぶ】

あるものをある場所から他の場所へ移していく。

かこ【過去】：가져가 + 았어요 → 가져갔어요
げんざい【現在】：가져가 + 아요 → 가져가요
みらい【未来】：가져가 + ㄹ 거예요 → 가져갈 거예요

(175) 가져오다 [gajeooda]

もってくる【持ってくる】。はこぶ【運ぶ】

あるものをある場所から他の場所へ移してくる。

かこ【過去】：가져오 + 았어요 → 가져왔어요
げんざい【現在】：가져오 + 아요 → 가져와요
みらい【未来】：가져오 + ㄹ 거예요 → 가져올 거예요

(176) 거절하다 [geojeolhada]

きょぜつする【拒絶する】。きょひする【拒否する】。ことわる【断る】。えんりょする【遠慮する】

人からの頼みや提案、贈り物などを受け入れない。

かこ【過去】：거절하 + 였어요 → 거절했어요
げんざい【現在】：거절하 + 여요 → 거절해요
みらい【未来】：거절하 + ㄹ 거예요 → 거절할 거예요

(177) 걸다 [geolda]

かける【掛ける】

電話をする。

かこ【過去】: 걸 + 었어요 → 걸었어요
げんざい【現在】: 걸 + 어요 → 걸어요
みらい【未来】: 걸 + ㄹ 거예요 → 걸 거예요

(178) 기다리다 [gidarida]

まつ【待つ】

人や時期が来たり、あることが行われたりするまで時間を過ごす。

かこ【過去】: 기다리 + 었어요 → 기다렸어요
げんざい【現在】: 기다리 + 어요 → 기다려요
みらい【未来】: 기다리 + ㄹ 거예요 → 기다릴 거예요

(179) 나누다 [nanuda]

かわす【交わす】

言葉や話、挨拶などをやりとりする。

かこ【過去】: 나누 + 었어요 → 나눴어요
げんざい【現在】: 나누 + 어요 → 나눠요
みらい【未来】: 나누 + ㄹ 거예요 → 나눌 거예요

(180) 데려가다 [deryeogada]

つれていく【連れて行く】

連れて一緒に行く。

かこ【過去】: 데려가 + 았어요 → 데려갔어요
げんざい【現在】: 데려가 + 아요 → 데려가요
みらい【未来】: 데려가 + ㄹ 거예요 → 데려갈 거예요

(181) 데려오다 [deryeooda]
つれてくる【連れて来る】
連れて一緒に来る。

かこ【過去】：데려오 + 았어요 → 데려왔어요
げんざい【現在】：데려오 + 아요 → 데려와요
みらい【未来】：데려오 + ㄹ 거예요 → 데려올 거예요

(182) 데이트하다 [deiteuhada]
デートする
男女が付き合うために会う。

かこ【過去】：데이트하 + 였어요 → 데이트했어요
げんざい【現在】：데이트하 + 여요 → 데이트해요
みらい【未来】：데이트하 + ㄹ 거예요 → 데이트할 거예요

(183) 도와주다 [dowajuda]
たすける【助ける】。てつだう【手伝う】。てだすけする【手助けする】。サポートする
他人の仕事に力を貸す。

かこ【過去】：도와주 + 었어요 → 도와줬어요
げんざい【現在】：도와주 + 어요 → 도와줘요
みらい【未来】：도와주 + ㄹ 거예요 → 도와줄 거예요

(184) 돌려주다 [dollyeojuda]
かえす【返す】。へんきゃくする【返却する】。へんさいする【返済する】
借りたり奪ったりもらったりした物を持ち主に戻す。

かこ【過去】：돌려주 + 었어요 → 돌려줬어요
げんざい【現在】：돌려주 + 어요 → 돌려줘요
みらい【未来】：돌려주 + ㄹ 거예요 → 돌려줄 거예요

(185) 돕다 [dopda]

てつだう【手伝う】。たすける【助ける】。てだすけする【手助けする】

他人の仕事に力を貸したり、役に立つことをしたりする。

かこ【過去】：돕 + 았어요 → 도왔어요
げんざい【現在】：돕 + 아요 → 도와요
みらい【未来】：돕 + ㄹ 거예요 → 도울 거예요

(186) 드리다 [deurida]

さしあげる【差し上げる】

「与える」の謙譲語。何かを誰かに渡して持たせたり使わせたりする。

かこ【過去】：드리 + 었어요 → 드렸어요
げんざい【現在】：드리 + 어요 → 드려요
みらい【未来】：드리 + ㄹ 거예요 → 드릴 거예요

(187) 만나다 [mannada]

あう【会う】。であう【出会う】。めぐりあう【巡り合う】

誰かが行くとか来て、2人が対面する。

かこ【過去】：만나 + 았어요 → 만났어요
げんざい【現在】：만나 + 아요 → 만나요
みらい【未来】：만나 + ㄹ 거예요 → 만날 거예요

(188) 바꾸다 [bakkuda]

かえる【変える・替える・換える・代える】。
きりかえる【切り替える・切り換える】

元々あったものを無くして、他のものにかえる。

かこ【過去】：바꾸 + 었어요 → 바꿨어요
げんざい【現在】：바꾸 + 어요 → 바꿔요
みらい【未来】：바꾸 + ㄹ 거예요 → 바꿀 거예요

(189) 받다 [batda]

うける【受ける】。うけとる【受け取る】。もらう【貰う】

人が与えたり、送ったりしたものをもらう。

かこ【過去】：받 + 았어요 → 받았어요
げんざい【現在】：받 + 아요 → 받아요
みらい【未来】：받 + 을 거예요 → 받을 거예요

(190) 방문하다 [bangmunhada]

ほうもんする【訪問する】

人に会ったり、何かを見たりするためにその場所を訪ねる。

かこ【過去】：방문하 + 였어요 → 방문했어요
げんざい【現在】：방문하 + 여요 → 방문해요
みらい【未来】：방문하 + ㄹ 거예요 → 방문할 거예요

(191) 보내다 [bonaeda]

おくる【送る】。しおくる【仕送る】。おくりだす【送り出す】。やる【遣る】

人や物などを他のところに移動させる。

かこ【過去】：보내 + 었어요 → 보냈어요
げんざい【現在】：보내 + 어요 → 보내요
みらい【未来】：보내 + ㄹ 거예요 → 보낼 거예요

(192) 보다 [boda]

みる【観る】。かんしょうする【観賞する】。けんぶつする【見物する】。たのしむ【楽しむ】

目で対象を楽しんだり観賞したりする。

かこ【過去】：보 + 았어요 → 봤어요
げんざい【現在】：보 + 아요 → 봐요
みらい【未来】：보 + ㄹ 거예요 → 볼 거예요

(193) 뵈다 [boeda]

おめにかかる【お目にかかる】。うかがう【伺う】。おめみえする【お目見えする】

目上の人に会う。

かこ【過去】：뵈 + 었어요 → 뵀어요
げんざい【現在】：뵈 + 어요 → 봬요
みらい【未来】：뵈 + ㄹ 거예요 → 뵐 거예요

(194) 부탁하다 [butakada]

たのむ【頼む】。いらいする【依頼する】

何かをしてほしいと伝えて願う。

かこ【過去】：부탁하 + 였어요 → 부탁했어요
げんざい【現在】：부탁하 + 여요 → 부탁해요
みらい【未来】：부탁하 + ㄹ 거예요 → 부탁할 거예요

(195) 사귀다 [sagwida]

つきあう【付き合う】。こうさいする【交際する】

知り合って、親しくなる。

かこ【過去】：사귀 + 었어요 → 사귀었어요
げんざい【現在】：사귀 + 어요 → 사귀어요
みらい【未来】：사귀 + ㄹ 거예요 → 사귈 거예요

(196) 세배하다 [sebaehada]

セベする【歳拝する】

お正月に目上の人に対するあいさつとしてお辞儀をする。

かこ【過去】：세배하 + 였어요 → 세배했어요
げんざい【現在】：세배하 + 여요 → 세배해요
みらい【未来】：세배하 + ㄹ 거예요 → 세배할 거예요

(197) 소개하다 [sogaehada]

しょうかいする【紹介する】

知らない人同士の間に入り、両方を引き会わせる。

かこ【過去】: 소개하 + 였어요 → 소개했어요
げんざい【現在】: 소개하 + 여요 → 소개해요
みらい【未来】: 소개하 + ㄹ 거예요 → 소개할 거예요

(198) 신청하다 [sincheonghada]

しんせいする【申請する】。もうしこむ【申し込む】

団体や機関などに対しある行為をしてくれるよう正式に要求する。

かこ【過去】: 신청하 + 였어요 → 신청했어요
げんざい【現在】: 신청하 + 여요 → 신청해요
みらい【未来】: 신청하 + ㄹ 거예요 → 신청할 거예요

(199) 실례하다 [sillyehada]

しつれいする【失礼する】

言葉や行動が礼儀に外れる。

かこ【過去】: 실례하 + 였어요 → 실례했어요
げんざい【現在】: 실례하 + 여요 → 실례해요
みらい【未来】: 실례하 + ㄹ 거예요 → 실례할 거예요

(200) 싸우다 [ssauda]

けんかする【喧嘩する】。あらそう【争う】。たたかう【戦う】。いさかう【諍う】

言葉や力で勝とうとする。

かこ【過去】: 싸우 + 었어요 → 싸웠어요
げんざい【現在】: 싸우 + 어요 → 싸워요
みらい【未来】: 싸우 + ㄹ 거예요 → 싸울 거예요

(201) 안내하다 [annaehada]

あんないする【案内する】

ある内容を紹介して知らせる。

かこ【過去】: 안내하 + 였어요 → 안내했어요
げんざい【現在】: 안내하 + 여요 → 안내해요
みらい【未来】: 안내하 + ㄹ 거예요 → 안내할 거예요

(202) 약속하다 [yaksokada]

やくそくする【約束する】

他人と一定の行動をすることを前もって決める。

かこ【過去】: 약속하 + 였어요 → 약속했어요
げんざい【現在】: 약속하 + 여요 → 약속해요
みらい【未来】: 약속하 + ㄹ 거예요 → 약속할 거예요

(203) 얻다 [eotda]

もらう【貰う】。もらいうける【貰い受ける】

特別な努力や対価なしに与えられて自分のものとする。

かこ【過去】: 얻 + 었어요 → 얻었어요
げんざい【現在】: 얻 + 어요 → 얻어요
みらい【未来】: 얻 + 을 거예요 → 얻을 거예요

(204) 연락하다 [yeollakada]

れんらくする【連絡する】。つうちする【通知する】。つうほうする【通報する】

ある事実を伝えて知らせる。

かこ【過去】: 연락하 + 였어요 → 연락했어요
げんざい【現在】: 연락하 + 여요 → 연락해요
みらい【未来】: 연락하 + ㄹ 거예요 → 연락할 거예요

(205) 이기다 [igida]

かつ【勝つ】。うちかつ【打ち勝つ】。まかす【負かす】

賭け事・試合・ケンカなどで、相手を制して良い結果を出す。

かこ【過去】：이기 + 었어요 → 이겼어요
げんざい【現在】：이기 + 어요 → 이겨요
みらい【未来】：이기 + ㄹ 거예요 → 이길 거예요

(206) 인사하다 [insahada]

あいさつする【挨拶する】。えしゃくする【会釈する】

人に会った時や別れる時に礼を示す。

かこ【過去】：인사하 + 였어요 → 인사했어요
げんざい【現在】：인사하 + 여요 → 인사해요
みらい【未来】：인사하 + ㄹ 거예요 → 인사할 거예요

(207) 전하다 [jeonhada]

つたえる【伝える】。わたす【渡す】。とどける【届ける】

何かを相手に移す。

かこ【過去】：전하 + 였어요 → 전했어요
げんざい【現在】：전하 + 여요 → 전해요
みらい【未来】：전하 + ㄹ 거예요 → 전할 거예요

(208) 정하다 [jeonghada]

きめる【決める】。さだめる【定める】。けっていする【決定する】

多くの中から一つ選ぶ。

かこ【過去】：정하 + 였어요 → 정했어요
げんざい【現在】：정하 + 여요 → 정해요
みらい【未来】：정하 + ㄹ 거예요 → 정할 거예요

(209) 주다 [juda]

あたえる【与える】。やる【遣る】。くれる【呉れる】。あげる【上げる】

物などを他人に渡して持たせたり使わせたりする。

かこ【過去】：주 + 었어요 → 줬어요
げんざい【現在】：주 + 어요 → 줘요
みらい【未来】：주 + ㄹ 거예요 → 줄 거예요

(210) 지다 [jida]

まける【負ける】。やぶれる【敗れる】

競技や戦いなどで相手に勝てない。

かこ【過去】：지 + 었어요 → 졌어요
げんざい【現在】：지 + 어요 → 져요
みらい【未来】：지 + ㄹ 거예요 → 질 거예요

(211) 지키다 [jikida]

まもる【守る】。じゅんしゅする【遵守する】

約束や法律、礼儀作法、規定などに違反せずきちんと従う。

かこ【過去】：지키 + 었어요 → 지켰어요
げんざい【現在】：지키 + 어요 → 지켜요
みらい【未来】：지키 + ㄹ 거예요 → 지킬 거예요

(212) 찾아가다 [chajagada]

あいにいく【会いに行く】。たずねていく【訪ねて行く】。おとずれる【訪れる】。
ほうもんする【訪問する】

人に会うか、仕事をしに行く。

かこ【過去】：찾아가 + 았어요 → 찾아갔어요
げんざい【現在】：찾아가 + 아요 → 찾아가요
みらい【未来】：찾아가 + ㄹ 거예요 → 찾아갈 거예요

(213) 찾아오다 [chajaoda]

やってくる【やって来る】。たずねてくる【訪ねて来る】。おとずれてくる【訪れて来る】

人に会うか、仕事をしに来る。

かこ【過去】：찾아오 + 았어요 → **찾아왔어요**
げんざい【現在】：찾아오 + 아요 → **찾아와요**
みらい【未来】：찾아오 + ㄹ 거예요 → **찾아올 거예요**

(214) 초대하다 [chodaehada]

しょうたいする【招待する】。まねく【招く】。よぶ【呼ぶ】

催し・会・行事などに来てくれるように客を招く。

かこ【過去】：초대하 + 였어요 → **초대했어요**
げんざい【現在】：초대하 + 여요 → **초대해요**
みらい【未来】：초대하 + ㄹ 거예요 → **초대할 거예요**

(215) 축하하다 [chukahada]

しゅくがする【祝賀する】。いわう【祝う】

人のめでたい事についてうれしい気持ちを込めてあいさつする。

かこ【過去】：축하하 + 였어요 → **축하했어요**
げんざい【現在】：축하하 + 여요 → **축하해요**
みらい【未来】：축하하 + ㄹ 거예요 → **축하할 거예요**

(216) 취소하다 [chwisohada]

とりけす【取り消す】。ちゅうしする【中止する】。キャンセルする

すでに発表した事を無効とするか、約束したことや予定されている事を取りやめる。

かこ【過去】：취소하 + 였어요 → **취소했어요**
げんざい【現在】：취소하 + 여요 → **취소해요**
みらい【未来】：취소하 + ㄹ 거예요 → **취소할 거예요**

(217) 헤어지다 [heeojida]

わかれる【別れる】。はなれる【離れる】

一緒にいた人と離れる。

かこ【過去】: 헤어지 + 었어요 → 헤어졌어요
げんざい【現在】: 헤어지 + 어요 → 헤어져요
みらい【未来】: 헤어지 + ㄹ 거예요 → 헤어질 거예요

(218) 환영하다 [hwanyeonghada]

かんげいする【歓迎する】

来る人を喜んで暖かく迎える。

かこ【過去】: 환영하 + 였어요 → 환영했어요
げんざい【現在】: 환영하 + 여요 → 환영해요
みらい【未来】: 환영하 + ㄹ 거예요 → 환영할 거예요

(219) 갈아타다 [garatada]

のりかえる【乗り換える】

乗っていたものから降りて、別のものに換えて乗る。

かこ【過去】: 갈아타 + 았어요 → 갈아탔어요
げんざい【現在】: 갈아타 + 아요 → 갈아타요
みらい【未来】: 갈아타 + ㄹ 거예요 → 갈아탈 거예요

(220) 건너가다 [geonneogada]

わたる【渡る】。わたっていく【渡っていく】

川や橋、道路などを隔ててこちらからあちらに行く。

かこ【過去】: 건너가 + 았어요 → 건너갔어요
げんざい【現在】: 건너가 + 아요 → 건너가요
みらい【未来】: 건너가 + ㄹ 거예요 → 건너갈 거예요

(221) 건너다 [geonneoda]

わたる【渡る】

何かを越えたり通り過ぎたりして向うへ移動する。

かこ【過去】：건너 + 었어요 → **건넜어요**
げんざい【現在】：건너 + 어요 → **건너요**
みらい【未来】：건너 + ㄹ 거예요 → **건널 거예요**

(222) 내리다 [naerida]

おりる【降りる】

乗っている物から外に出て、ある所に着く。

かこ【過去】：내리 + 었어요 → **내렸어요**
げんざい【現在】：내리 + 어요 → **내려요**
みらい【未来】：내리 + ㄹ 거예요 → **내릴 거예요**

(223) 도착하다 [dochakada]

とうちゃくする【到着する】。つく【着く】

目的地に行きつく。

かこ【過去】：도착하 + 였어요 → **도착했어요**
げんざい【現在】：도착하 + 여요 → **도착해요**
みらい【未来】：도착하 + ㄹ 거예요 → **도착할 거예요**

(224) 막히다 [makida]

こむ【込む】。じゅうたいする【渋滞する】

道路に車が多くて、なかなか進まなくなる。

かこ【過去】：막히 + 었어요 → **막혔어요**
げんざい【現在】：막히 + 어요 → **막혀요**
みらい【未来】：막히 + ㄹ 거예요 → **막힐 거예요**

(225) 안전하다 [anjeonhada]

あんぜんだ【安全だ】

危険が生じたり事故が発生する可能性がない。

かこ【過去】：안전하 ＋ 였어요 → 안전했어요
げんざい【現在】：안전하 ＋ 여요 → 안전해요
みらい【未来】：안전하 ＋ ㄹ 거예요 → 안전할 거예요

(226) 운전하다 [unjeonhada]

うんてんする【運転する】

機械や自動車などを作動させる。

かこ【過去】：운전하 ＋ 였어요 → 운전했어요
げんざい【現在】：운전하 ＋ 여요 → 운전해요
みらい【未来】：운전하 ＋ ㄹ 거예요 → 운전할 거예요

(227) 위험하다 [wiheomhada]

きけんだ【危険だ】。あぶない【危ない】

損害や怪我の恐れがあるほど安全ではない。

かこ【過去】：위험하 ＋ 였어요 → 위험했어요
げんざい【現在】：위험하 ＋ 여요 → 위험해요
みらい【未来】：위험하 ＋ ㄹ 거예요 → 위험할 거예요

(228) 주차하다 [juchahada]

ちゅうしゃする【駐車する】

自動車などを一定の場所にとめておく。

かこ【過去】：주차하 ＋ 였어요 → 주차했어요
げんざい【現在】：주차하 ＋ 여요 → 주차해요
みらい【未来】：주차하 ＋ ㄹ 거예요 → 주차할 거예요

(229) 출발하다 [chulbalhada]

しゅっぱつする【出発する】。しゅったつする【出立する】

目的地に向かって出かける。

かこ【過去】：출발하 + 였어요 → 출발했어요
げんざい【現在】：출발하 + 여요 → 출발해요
みらい【未来】：출발하 + ㄹ 거예요 → 출발할 거예요

(230) 타다 [tada]

のる【乗る】

乗り物の中に入ったり、移動のために動物の上に上がる。

かこ【過去】：타 + 았어요 → 탔어요
げんざい【現在】：타 + 아요 → 타요
みらい【未来】：타 + ㄹ 거예요 → 탈 거예요

(231) 출근하다 [chulgeunhada]

しゅっきんする【出勤する】。しゅっしゃする【出社する】

働くために勤務先へ出る。

かこ【過去】：출근하 + 였어요 → 출근했어요
げんざい【現在】：출근하 + 여요 → 출근해요
みらい【未来】：출근하 + ㄹ 거예요 → 출근할 거예요

(232) 출퇴근하다 [chultoegeunhada]

しゅつたいきんする【出退勤する】

出勤したり退勤したりする。

かこ【過去】：출퇴근하 + 였어요 → 출퇴근했어요
げんざい【現在】：출퇴근하 + 여요 → 출퇴근해요
みらい【未来】：출퇴근하 + ㄹ 거예요 → 출퇴근할 거예요

(233) 취직하다 [chwijikada]

しゅうしょくする【就職する】。しゅうぎょうする【就業する】。しゅうろうする【就労する】

一定の職業を得て職場に行く。

かこ【過去】：취직하 + 였어요 → 취직했어요
げんざい【現在】：취직하 + 여요 → 취직해요
みらい【未来】：취직하 + ㄹ 거예요 → 취직할 거예요

(234) 퇴근하다 [toegeunhada]

たいきんする【退勤する】

職場で勤務が終わって、勤め先から退出する。

かこ【過去】：퇴근하 + 였어요 → 퇴근했어요
げんざい【現在】：퇴근하 + 여요 → 퇴근해요
みらい【未来】：퇴근하 + ㄹ 거예요 → 퇴근할 거예요

(235) 회의하다 [hoeuihada]

かいぎする【会議する】

何人もの人が集まって議論する。

かこ【過去】：회의하 + 였어요 → 회의했어요
げんざい【現在】：회의하 + 여요 → 회의해요
みらい【未来】：회의하 + ㄹ 거예요 → 회의할 거예요

(236) 거짓말하다 [geojinmalhada]

うそをつく【嘘を付く】。いつわる【偽る】

事実でないことを事実であるように偽って言う。

かこ【過去】：거짓말하 + 였어요 → 거짓말했어요
げんざい【現在】：거짓말하 + 여요 → 거짓말해요
みらい【未来】：거짓말하 + ㄹ 거예요 → 거짓말할 거예요

(237) 농담하다 [nongdamhada]

じょうだんをいう【冗談を言う】。ジョークをいう【ジョークを言う】。
ぎげんをいう【戯言を言う】

遊びで人をからかったり笑わせたりする言葉を言う。

かこ【過去】：농담하 + 였어요 → 농담했어요
げんざい【現在】：농담하 + 여요 → 농담해요
みらい【未来】：농담하 + ㄹ 거예요 → 농담할 거예요

(238) 대답하다 [daedapada]

こたえる【答える】。かいとうする【回答する】

問いや要求に対して該当することを言う。

かこ【過去】：대답하 + 였어요 → 대답했어요
げんざい【現在】：대답하 + 여요 → 대답해요
みらい【未来】：대답하 + ㄹ 거예요 → 대답할 거예요

(239) 대화하다 [daehwahada]

たいわする【対話する】。はなす【話す】。かいわする【会話する】。
おしゃべりする【御喋りする】

向かい合って話し合う。

かこ【過去】：대화하 + 였어요 → 했어요
げんざい【現在】：대화하 + 여요 → 해요
みらい【未来】：대화하 + ㄹ 거예요 → 할 거예요

(240) 드리다 [deurida]

もうしあげる【申し上げる】

目上の人に何かを言ったり挨拶をしたりする。

かこ【過去】：드리 + 었어요 → 드렸어요
げんざい【現在】：드리 + 어요 → 드려요
みらい【未来】：드리 + ㄹ 거예요 → 드릴 거예요

(241) 말하다 [malhada]

いう【言う】。かたる【語る】。はなす【話す】。のべる【述べる】

ある事実や自分の考え、または感情を言葉で表す。

かこ【過去】：말하 + 였어요 → 말했어요
げんざい【現在】：말하 + 여요 → 말해요
みらい【未来】：말하 + ㄹ 거예요 → 말할 거예요

(242) 묻다 [mutda]

とう【問う】。きく【聞く・訊く】。たずねる【尋ねる】

答えや説明を求めて言う。

かこ【過去】：묻 + 었어요 → 물었어요
げんざい【現在】：묻 + 어요 → 물어요
みらい【未来】：묻 + 을 거예요 → 물을 거예요

(243) 물어보다 [mureoboda]

きいてみる【聞いてみる】。たずねてみる【尋ねてみる】

分からないことを聞く。

かこ【過去】：물어보 + 았어요 → 물어봤어요
げんざい【現在】：물어보 + 아요 → 물어봐요
みらい【未来】：물어보 + ㄹ 거예요 → 물어볼 거예요

(244) 설명하다 [seolmyeonghada]

せつめいする【説明する】。とく【説く】

ある事柄について他人に分かりやすい言葉で述べる。

かこ【過去】：설명하 + 였어요 → 설명했어요
げんざい【現在】：설명하 + 여요 → 설명해요
みらい【未来】：설명하 + ㄹ 거예요 → 설명할 거예요

(245) 쓰다 [sseuda]

かく【書く】

鉛筆やペンなどの筆記用具で紙などに線をひいて文字をしるす。

かこ【過去】：쓰 + 었어요 → 썼어요
げんざい【現在】：쓰 + 어요 → 써요
みらい【未来】：쓰 + ㄹ 거예요 → 쓸 거예요

(246) 얘기하다 [yaegihada]

はなす【話す】。はなしあう【話し合う】

他の人と言葉を交わす。

かこ【過去】：얘기하 + 였어요 → 얘기했어요
げんざい【現在】：얘기하 + 여요 → 얘기해요
みらい【未来】：얘기하 + ㄹ 거예요 → 얘기할 거예요

(247) 읽다 [ikda]

よむ【読む】

文章を見て、意味を理解する。

かこ【過去】：읽 + 었어요 → 읽었어요
げんざい【現在】：읽 + 어요 → 읽어요
みらい【未来】：읽 + 을 거예요 → 읽을 거예요

(248) 질문하다 [jilmunhada]

しつもんする【質問する】。きく【聞く】。たずねる【尋ねる】

知らない点や知りたい点を尋ねる。

かこ【過去】：질문하 + 였어요 → 질문했어요
げんざい【現在】：질문하 + 여요 → 질문해요
みらい【未来】：질문하 + ㄹ 거예요 → 질문할 거예요

(249) 칭찬하다 [chingchanhada]

しょうさんする【賞賛する】。ほめる【褒める · 誉める】。たたえる【称える】。ほめたたえる【褒め称える】

人の良いところや善行などについて非常に優れていると評価し、そのことを言葉で表現する。

かこ【過去】: 칭찬하 + 였어요 → 칭찬했어요
げんざい【現在】: 칭찬하 + 여요 → 칭찬해요
みらい【未来】: 칭찬하 + ㄹ 거예요 → 칭찬할 거예요

(250) 끊다 [kkeunta]

きる【切る】

電話やインターネット上で言葉や考えのやり取りを中断する。

かこ【過去】: 끊 + 었어요 → 끊었어요
げんざい【現在】: 끊 + 어요 → 끊어요
みらい【未来】: 끊 + 을 거예요 → 끊을 거예요

(251) 부치다 [buchida]

おくる【送る】。だす【出す】。さしだす【差し出す】

手紙や物などを届ける。

かこ【過去】: 부치 + 었어요 → 부쳤어요
げんざい【現在】: 부치 + 어요 → 부쳐요
みらい【未来】: 부치 + ㄹ 거예요 → 부칠 거예요

(252) 줄이다 [jurida]

へらす【減らす】。げんしょうさせる【減少させる】。さげる【下げる】。おとす【落とす】。よわめる【弱める】。おとろえさせる【衰えさせる】

物の長さ、広さ、かさなどを元の水準より小さくする。

かこ【過去】: 줄이 + 었어요 → 줄였어요
げんざい【現在】: 줄이 + 어요 → 줄여요
みらい【未来】: 줄이 + ㄹ 거예요 → 줄일 거예요

(253) 줄다 [julda]

へる【減る】。げんしょうする【減少する】。ちぢむ【縮む】

物の長さや広さ、かさなどが元の水準より小さくなる。

かこ【過去】：줄 + 었어요 → 줄었어요
げんざい【現在】：줄 + 어요 → 줄어요
みらい【未来】：줄 + ㄹ 거예요 → 줄 거예요

(254) 비다 [bida]

あく【空く】。からである【空である】

ある空間に誰も、もしくは何もない。

かこ【過去】：비 + 었어요 → 비었어요
げんざい【現在】：비 + 어요 → 비어요
みらい【未来】：비 + ㄹ 거예요 → 빌 거예요

(255) 모자라다 [mojarada]

ふそくする【不足する】。たりない【足りない】

決まった数、量や程度に至らない。

かこ【過去】：모자라 + 았어요 → 모자랐어요
げんざい【現在】：모자라 + 아요 → 모자라요
みらい【未来】：모자라 + ㄹ 거예요 → 모자랄 거예요

(256) 늘다 [neulda]

ふえる【増える】。ます【増す】。のびる【伸びる】。ひろがる【広がる】

物体の長さや広さ、体積などが長くなったり大きくなったりする。

かこ【過去】：늘 + 었어요 → 늘었어요
げんざい【現在】：늘 + 어요 → 늘어요
みらい【未来】：늘 + ㄹ 거예요 → 늘 거예요

(257) 남다 [namda]

のこる【残る】。あまる【余る】

使いきれず、残りが出る。

かこ【過去】：남 + 았어요 → 남았어요
げんざい【現在】：남 + 아요 → 남아요
みらい【未来】：남 + 을 거예요 → 남을 거예요

(258) 남기다 [namgida]

のこす【残す】。とりのこす【取り残す】。あます【余す】

使い切らず、残るようにする。

かこ【過去】：남기 + 었어요 → 남겼어요
げんざい【現在】：남기 + 어요 → 남겨요
みらい【未来】：남기 + ㄹ 거예요 → 남길 거예요

(259) 오다 [oda]

ふる【降る】。やってくる

雨・雪などが降るか、寒さなどがおとずれる。

かこ【過去】：오 + 았어요 → 왔어요
げんざい【現在】：오 + 아요 → 와요
みらい【未来】：오 + ㄹ 거예요 → 올 거예요

(260) 불다 [bulda]

ふく【吹く】。おこる【起こる】

風が起きて、どちらかの方向へ動く。

かこ【過去】：불 + 었어요 → 불었어요
げんざい【現在】：불 + 어요 → 불어요
みらい【未来】：불 + ㄹ 거예요 → 불 거예요

(261) 내리다 [naerida]

ふる【降る】

雪や雨などが落ちて来る。

かこ【過去】：내리 ＋ 었어요 → 내렸어요
げんざい【現在】：내리 ＋ 어요 → 내려요
みらい【未来】：내리 ＋ ㄹ 거예요 → 내릴 거예요

(262) 그치다 [geuchida]

やむ【止む】。とまる【止まる】

続いていたこと、動き、現象などが続かなくなる。

かこ【過去】：그치 ＋ 었어요 → 그쳤어요
げんざい【現在】：그치 ＋ 어요 → 그쳐요
みらい【未来】：그치 ＋ ㄹ 거예요 → 그칠 거예요

(263) 배우다 [baeuda]

まなぶ【学ぶ】。ならう【習う】

新しい知識を得る。

かこ【過去】：배우 ＋ 었어요 → 배웠어요
げんざい【現在】：배우 ＋ 어요 → 배워요
みらい【未来】：배우 ＋ ㄹ 거예요 → 배울 거예요

(264) 가르치다 [gareuchida]

おしえる【教える】

知識や技術などを説明して習得させる。

かこ【過去】：가르치 ＋ 었어요 → 가르쳤어요
げんざい【現在】：가르치 ＋ 어요 → 가르쳐요
みらい【未来】：가르치 ＋ ㄹ 거예요 → 가르칠 거예요

(265) 팔다 [palda]

うる【売る】

代金と引き換えに品物や権利を相手に渡したり労働力を提供したりする。

かこ【過去】：팔 + 았어요 → 팔았어요
げんざい【現在】：팔 + 아요 → 팔아요
みらい【未来】：팔 + ㄹ 거예요 → 팔 거예요

(266) 팔리다 [pallida]

うられる【売られる】。うれる【売れる】

代金と引き換えに品物や権利が相手に渡されたり労働力が提供されたりする。

かこ【過去】：팔리 + 었어요 → 팔렸어요
げんざい【現在】：팔리 + 어요 → 팔려요
みらい【未来】：팔리 + ㄹ 거예요 → 파릴 거예요

(267) 올리다 [ollida]

あげる【上げる】。ひきあげる【引き上げる】。たかめる【高める】

値段や数値、気勢などを高くしたり多くしたりする。

かこ【過去】：올리 + 었어요 → 올렸어요
げんざい【現在】：올리 + 어요 → 올려요
みらい【未来】：올리 + ㄹ 거예요 → 올릴 거예요

(268) 사다 [sada]

かう【買う】。こうにゅうする【購入する】

金を払って品物や権利などを自分のものにする。

かこ【過去】：사 + 았어요 → 샀어요
げんざい【現在】：사 + 아요 → 사요
みらい【未来】：사 + ㄹ 거예요 → 살 거예요

(269) 빌리다 [billida]

かりる【借りる】

他人の物や金銭などを、後で返したり代金を支払う約束で、一定の期間使う。

かこ【過去】：빌리 + 었어요 → 빌렸어요
げんざい【現在】：빌리 + 어요 → 빌려요
みらい【未来】：빌리 + ㄹ 거예요 → 빌릴 거예요

(270) 벌다 [beolda]

かせぐ【稼ぐ】。もうける【儲ける】

仕事をして金を得たりためたりする。

かこ【過去】：벌 + 었어요 → 벌었어요
げんざい【現在】：벌 + 어요 → 벌어요
みらい【未来】：벌 + ㄹ 거예요 → 벌 거예요

(271) 들다 [deulda]

かかる【掛かる】

ある物事に金・時間・努力などが使われる。

かこ【過去】：들 + 었어요 → 들었어요
げんざい【現在】：들 + 어요 → 들어요
みらい【未来】：들 + ㄹ 거예요 → 들 거예요

(272) 깎다 [kkakda]

ねぎる【値切る】

値段、程度などを下げる。

かこ【過去】：깎 + 았어요 → 깎았어요
げんざい【現在】：깎 + 아요 → 깎아요
みらい【未来】：깎 + 을 거예요 → 깎을 거예요

(273) 갚다 [gapda]

かえす【返す】。へんさいする【返済する】

借りた物を元の所有者に戻す。

かこ【過去】：갚 + 았어요 → 갚았어요
げんざい【現在】：갚 + 아요 → 갚아요
みらい【未来】：갚 + 을 거예요 → 갚을 거예요

(274) 통화하다 [tonghwahada]

つうわする【通話する】

電話で話をする。

かこ【過去】：통화하 + 였어요 → 통화했어요
げんざい【現在】：통화하 + 여요 → 통화해요
みらい【未来】：통화하 + ㄹ 거예요 → 통화할 거예요

(275) 교환하다 [gyohwanhada]

こうかんする【交換する】

何かを別のものと取り替える。

かこ【過去】：교환하 + 였어요 → 교환했어요
げんざい【現在】：교환하 + 여요 → 교환해요
みらい【未来】：교환하 + ㄹ 거예요 → 교환할 거예요

(276) 배달하다 [baedalhada]

はいたつする【配達する】。でまえする【出前する】

郵便物や商品、食べ物を届ける。

かこ【過去】：배달하 + 였어요 → 배달했어요
げんざい【現在】：배달하 + 여요 → 배달해요
みらい【未来】：배달하 + ㄹ 거예요 → 배달할 거예요

(277) 선택하다 [seontaekada]

せんたくする【選択する】。えらぶ【選ぶ】

多数の中から必要なものを選び出す。

かこ【過去】：선택하 + 였어요 → 선택했어요
げんざい【現在】：선택하 + 여요 → 선택해요
みらい【未来】：선택하 + ㄹ 거예요 → 선택할 거예요

(278) 할인하다 [harinhada]

わりびきする【割引する】。わりびく【割り引く】。ディスカウントする

一定の価格から、ある割合の金額を引く。

かこ【過去】：할인하 + 였어요 → 할인했어요
げんざい【現在】：할인하 + 여요 → 할인해요
みらい【未来】：할인하 + ㄹ 거예요 → 할인할 거예요

(279) 환전하다 [hwanjeonhada]

りょうがえする【両替する】

ある国の貨幣を他国の貨幣と交換する。

かこ【過去】：환전하 + 였어요 → 환전했어요
げんざい【現在】：환전하 + 여요 → 환전해요
みらい【未来】：환전하 + ㄹ 거예요 → 환전할 거예요

(280) 결석하다 [gyeolseokada]

けっせきする【欠席する】

学校や会議などの公式的な場に出ない。

かこ【過去】：결석하 + 였어요 → 결석했어요
げんざい【現在】：결석하 + 여요 → 결석해요
みらい【未来】：결석하 + ㄹ 거예요 → 결석할 거예요

(281) 공부하다 [gongbuhada]

べんきょうする【勉強する】。べんがくする【勉学する】。がくしゅうする【学習する】

学問や技術を習って知識を得る。

かこ【過去】：공부하 + 였어요 → 공부했어요
げんざい【現在】：공부하 + 여요 → 공부해요
みらい【未来】：공부하 + ㄹ 거예요 → 공부할 거예요

(282) 교육하다 [gyoyukada]

きょういくする【教育する】

個人の能力を育てるため、知識・教養・技術などを教える。

かこ【過去】：교육하 + 였어요 → 교육했어요
げんざい【現在】：교육하 + 여요 → 교육해요
みらい【未来】：교육하 + ㄹ 거예요 → 교육할 거예요

(283) 복습하다 [bokseupada]

ふくしゅうする【復習する】

習ったことを繰り返し学習する。

かこ【過去】：복습하 + 였어요 → 복습했어요
げんざい【現在】：복습하 + 여요 → 복습해요
みらい【未来】：복습하 + ㄹ 거예요 → 복습할 거예요

(284) 숙제하다 [sukjehada]

しゅくだいをする【宿題する】

復習や予習のために児童・生徒に課される放課後の課題をする。

かこ【過去】：숙제하 + 였어요 → 숙제했어요
げんざい【現在】：숙제하 + 여요 → 숙제해요
みらい【未来】：숙제하 + ㄹ 거예요 → 숙제할 거예요

(285) 연습하다 [yeonseupada]

えんしゅうする【演習する】。れんしゅうする【練習する】

実際にするように繰り返し習う。

かこ【過去】：연습하 ＋ 였어요 → 연습했어요
げんざい【現在】：연습하 ＋ 여요 → 연습해요
みらい【未来】：연습하 ＋ ㄹ 거예요 → 연습할 거예요

(286) 예습하다 [yeseupada]

よしゅうする【予習する】

今後学ぶことを前もって学習する。

かこ【過去】：예습하 ＋ 였어요 → 예습했어요
げんざい【現在】：예습하 ＋ 여요 → 예습해요
みらい【未来】：예습하 ＋ ㄹ 거예요 → 예습할 거예요

(287) 입학하다 [ipakada]

にゅうがくする【入学する】

生徒・学生になって勉強するために学校に入る。

かこ【過去】：입학하 ＋ 였어요 → 입학했어요
げんざい【現在】：입학하 ＋ 여요 → 입학해요
みらい【未来】：입학하 ＋ ㄹ 거예요 → 입학할 거예요

(288) 졸업하다 [joreopada]

そつぎょうする【卒業する】

学校で決まった教科課程をすべて修了する。

かこ【過去】：졸업하 ＋ 였어요 → 졸업했어요
げんざい【現在】：졸업하 ＋ 여요 → 졸업해요
みらい【未来】：졸업하 ＋ ㄹ 거예요 → 졸업할 거예요

(289) 지각하다 [jigakada]

ちこくする【遅刻する】

決まった時間より遅れて出勤したり登校する。

かこ【過去】：지각하 + 였어요 → 지각했어요
げんざい【現在】：지각하 + 여요 → 지각해요
みらい【未来】：지각하 + ㄹ 거예요 → 지각할 거예요

(290) 출석하다 [chulseokada]

しゅっせきする【出席する】

授業や集会などに出て参加する。

かこ【過去】：출석하 + 였어요 → 출석했어요
げんざい【現在】：출석하 + 여요 → 출석해요
みらい【未来】：출석하 + ㄹ 거예요 → 출석할 거예요

한국어(かんこくご)

형용사(けいようし) 137

(1) 고프다 [gopeuda]

すく【空く】。へる【減る】

空腹で食べ物がほしい。

배가 고파요.

baega gopayo.

배+가 고프(고ㅍ)+아요.

고파요

배 : はら【腹】。おなか【お腹】。いちょう【胃腸】

가 : ある状態や状況に置かれた対象、または動作の主体を表す助詞。

고프다 : すく【空く】。へる【減る】

-아요 : (略待上称) ある事実を叙述したり質問、命令、勧誘する意を表す「終結語尾」。

<じょじゅつ【叙述】>

(2) 부르다 [bureuda]

いっぱいだ【一杯だ】。まんぷくだ【満腹だ】

飲食物を食べてお腹が満たされた感じがある。

배가 불러요.

baega bulleoyo.

배+가 부르(불ㄹ)+어요.

불러요

배 : はら【腹】。おなか【お腹】。いちょう【胃腸】

가 : ある状態や状況に置かれた対象、または動作の主体を表す助詞。

부르다 : いっぱいだ【一杯だ】。まんぷくだ【満腹だ】

-어요 : (略待上称) ある事実を叙述したり質問、命令、勧誘する意を表す「終結語尾」。

<じょじゅつ【叙述】>

(3) 아프다 [apeuda]

いたい【痛い】。びょうきになる【病気になる】。いたむ【痛む】

怪我をしたり病気になったりして、痛みや苦しみを覚える。

목이 아파요.
mogi apayo.

목+이 아프(아ㅍ)+아요.
아파요

목 : くび【首】
이 : ある状態や状況に置かれた対象、または動作の主体を表す助詞。
아프다 : いたい【痛い】。びょうきになる【病気になる】。いたむ【痛む】
-아요 : (略待上称) ある事実を叙述したり質問、命令、勧誘する意を表す「終結語尾」。
<じょじゅつ【叙述】>

(4) 고맙다 [gomapda]

ありがたい【有難い】

他人が自分に何かしてくれたことに対して、嬉しく恩返ししたいと思う。

도와줘서 고마워요.
dowajwoseo gomawoyo.

도와주+어서 고맙(고마우)+어요.
고마워요

도와주다 : たすける【助ける】。てつだう【手伝う】。てだすけする【手助けする】。サポートする
-어서 : 理由や根拠の意を表す「連結語尾」。
고맙다 : ありがたい【有難い】
-어요 : (略待上称) ある事実を叙述したり質問、命令、勧誘する意を表す「終結語尾」。
<じょじゅつ【叙述】>

(5) 괜찮다 [gwaenchanta]

なかなかいい

かなり良い方だ。

맛이 괜찮아요.
masi gwaenchanayo.

맛+이 괜찮+아요.

맛 : あじ【味】
이 : ある状態や状況に置かれた対象、または動作の主体を表す助詞。
괜찮다 : なかなかいい
-아요 : (略待上称) ある事実を叙述したり質問、命令、勧誘する意を表す「終結語尾」。
<じょじゅつ【叙述】>

(6) 귀엽다 [gwiyeopda]

かわいい【可愛い】

見た目がきれいで、愛らしい。

얼굴이 <u>귀여워요</u>.
eolguri gwiyeowoyo.

얼굴+이 <u>귀엽(귀여우)+어요</u>.
귀여워요

얼굴 : かおかたち【顔形】。かおだち【顔立ち】。ようぼう【容貌】
이 : ある状態や状況に置かれた対象、または動作の主体を表す助詞。
귀엽다 : かわいい【可愛い】
-어요 : (略待上称) ある事実を叙述したり質問、命令、勧誘する意を表す「終結語尾」。
<じょじゅつ【叙述】>

(7) 귀찮다 [gwichanta]

めんどうだ【面倒だ】

嫌で、厄介だ。

씻기가 <u>귀찮아요</u>.
ssitgiga gwichanayo.

씻+기+가 귀찮+아요.

씻다 : あらう【洗う】。あらいおとす【洗い落とす】。ながす【流す】
-기 : 前の言葉を名詞化する語尾。
가 : ある状態や状況に置かれた対象、または動作の主体を表す助詞。

귀찮다 : めんどうだ【面倒だ】
-아요 : (略待上称) ある事実を叙述したり質問、命令、勧誘する意を表す「終結語尾」。
<じょじゅつ【叙述】>

(8) 그립다 [geuripda]

なつかしい【懐かしい】

とても会いたい。

가족이 그리워요.
gajogi geuriwoyo.

가족+이 그립(그리우)+어요.
그리워요

가족 : かぞく【家族】
이 : ある状態や状況に置かれた対象、または動作の主体を表す助詞。
그립다 : なつかしい【懐かしい】
-어요 : (略待上称) ある事実を叙述したり質問、命令、勧誘する意を表す「終結語尾」。
<じょじゅつ【叙述】>

(9) 기쁘다 [gippeuda]

うれしい【嬉しい】

愉快で楽しい。

시험에 합격해서 기뻐요.
siheome hapgyeokaeseo gippeoyo.

시험+에 합격하+여서 기쁘(기ㅃ)+어요.
기뻐요

시험 : しけん【試験】。こうし【考試】。こうさ【考査】。テスト
에 : 前の言葉がある行為や感情などの対象であることを表す助詞。
합격하다 : ごうかくする【合格する】。うかる【受かる】
-여서 : 理由や根拠の意を表す「連結語尾」。
기쁘다 : うれしい【嬉しい】

-어요 : (略待上称) ある事実を叙述したり質問、命令、勧誘する意を表す「終結語尾」。
<じょじゅつ【叙述】>

(10) 답답하다 [dapdapada]

いきぐるしい【息苦しい】

息詰まったり、息がしにくい。

가슴이 답답해요.
gaseumi dapdapaeyo.

가슴+이 답답하+여요.
답답해요

가슴 : むね【胸】
이 : ある状態や状況に置かれた対象、または動作の主体を表す助詞。
답답하다 : いきぐるしい【息苦しい】
-여요 : (略待上称) ある事実を叙述したり質問、命令、勧誘する意を表す「終結語尾」。
<じょじゅつ【叙述】>

(11) 무섭다 [museopda]

こわい【恐い・怖い】。おそろしい【恐ろしい】

何かに近づきたくなかったり何かが起こりそうで不安である。

귀신이 무서워요.
gwisini museowoyo.

귀신+이 무섭(무서우)+어요.
무서워요

귀신 : しんれい【神霊】。かみ【神】
이 : ある状態や状況に置かれた対象、または動作の主体を表す助詞。
무섭다 : こわい【恐い・怖い】。おそろしい【恐ろしい】
-어요 : (略待上称) ある事実を叙述したり質問、命令、勧誘する意を表す「終結語尾」。
<じょじゅつ【叙述】>

(12) 반갑다 [bangapda]

なつかしい【懐かしい】。うれしい【嬉しい】

会いたかった人に会ったり、願っていたことが叶ったりして楽しい。

만나게 되어 반가워요.

mannage doeeo bangawoyo.

만나+[게 되]+어 반갑(반가우)+어요.

반가워요

만나다 : あう【会う】。であう【出会う】。めぐりあう【巡り合う】

-게 되다 : 前の言葉の表す状態や状況になるという意を表す表現。

-어 : 前の事柄が後の事柄の原因や理由であるという意を表す「連結語尾」。

반갑다 : なつかしい【懐かしい】。うれしい【嬉しい】

-어요 : (略待上称) ある事実を叙述したり質問、命令、勧誘する意を表す「終結語尾」。

<じょじゅつ【叙述】>

(13) 부끄럽다 [bukkeureopda]

はずかしい【恥ずかしい】。てれくさい【照れ臭い】

気恥ずかしく思ったりはにかんだりする。

칭찬해 주시니 부끄러워요.

chingchanhae jusini bukkeureowoyo.

칭찬하+[여 주]+시+니 부끄럽(부끄러우)+어요.

칭찬해 주시니 부끄러워요

칭찬하다 : しょうさんする【賞賛する】。ほめる【褒める・誉める】。たたえる【称える】。ほめたたえる【褒め称える】

-여 주다 : 他人のために前の言葉の表す行動をするという意を表す表現。

-시- : ある動作や状態の主体を敬う意を表す語尾。

-니 : 後にくる事柄に対して前の事柄が原因や根拠・前提になるという意を表す「連結語尾」。

부끄럽다 : はずかしい【恥ずかしい】。てれくさい【照れ臭い】

-어요 : (略待上称) ある事実を叙述したり質問、命令、勧誘する意を表す「終結語尾」。

<じょじゅつ【叙述】>

(14) 부럽다 [bureopda]

うらやましい【羨ましい】

他人の状態や所有物を見て、自分もそうありたいとかそれを手に入れたいと願う気持ちがある。

한국어 잘하는 사람이 부러워요.

hangugeo jalhaneun sarami bureowoyo.

한국어 잘하+는 사람+이 부럽(부러우)+어요.

부러워요

한국어 : かんこくご【韓国語】
잘하다 : できる【出来る】。うまい【上手い・巧い】
-는 : 前の言葉に連体修飾語の機能を持たせ、出来事や動作が現在進行中であるという意を表す語尾。
사람 : ひと【人】。にんげん【人間】。じんるい【人類】
이 : ある状態や状況に置かれた対象、または動作の主体を表す助詞。
부럽다 : うらやましい【羨ましい】
-어요 : (略待上称) ある事実を叙述したり質問、命令、勧誘する意を表す「終結語尾」。
<じょじゅつ【叙述】>

(15) 불쌍하다 [bulssanghada]

かわいそうだ【可哀想だ・可哀相だ】。きのどくだ【気の毒だ】

状況や暮らし向きが良くなくて、不憫に思って心を痛める。

주인을 잃은 강아지가 불쌍해요.

juineul ireun gangajiga bulssanghaeyo.

주인+을 잃+은 강아지+가 불쌍하+여요.

불쌍해요

주인 : しゅじん【主人】。ぬし【主】。もちぬし【持ち主】。あるじ【主】。しょゆうしゃ【所有者】。オーナー
을 : 動作が直接的に影響を及ぼす対象を表す助詞。
잃다 : うしなう【失う】。なくす【亡くす】
-은 : 前の言葉に連体修飾語の機能を持たせ、
出来事や動作が完了してその状態が続いているという意を表す語尾。
강아지 : こいぬ【子犬】。いぬころ【犬ころ】
가 : ある状態や状況に置かれた対象、または動作の主体を表す助詞。
불쌍하다 : かわいそうだ【可哀想だ・可哀相だ】。きのどくだ【気の毒だ】

-여요 : (略待上称) ある事実を叙述したり質問、命令、勧誘する意を表す「終結語尾」。
<じょじゅつ【叙述】>

(16) 섭섭하다 [seopseopada]

さびしい【寂しい】

物足りなくて心残りがある。

선생님과 헤어지기가 섭섭해요.
seonsaengnimgwa heeojigiga seopseopaeyo.

선생님+과 헤어지+기+가 섭섭하+여요.
섭섭해요

선생님 : せんせい【先生】
과 : 誰かにあることをする時に、その相手であることを表す助詞。
헤어지다 : わかれる【別れる】。はなれる【離れる】
-기 : 前の言葉を名詞化する語尾。
가 : ある状態や状況に置かれた対象、または動作の主体を表す助詞。
섭섭하다 : さびしい【寂しい】
-여요 : (略待上称) ある事実を叙述したり質問、命令、勧誘する意を表す「終結語尾」。
<じょじゅつ【叙述】>

(17) 소중하다 [sojunghada]

たいせつだ【大切だ】。だいじだ【大事だ】

非常に貴重である。

가족이 가장 소중해요.
gajogi gajang sojunghaeyo.

가족+이 가장 소중하+여요.
소중해요

가족 : かぞく【家族】
이 : ある状態や状況に置かれた対象、または動作の主体を表す助詞。
가장 : もっとも【最も】。いちばん【一番】。なによりも【何よりも】
소중하다 : たいせつだ【大切だ】。だいじだ【大事だ】

-여요 : (略待上称) ある事実を叙述したり質問、命令、勧誘する意を表す「終結語尾」。
<じょじゅつ【叙述】>

(18) 슬프다 [seulpeuda]

かなしい【悲しい・哀しい】

涙が出るほど心が痛んでつらい。

영화의 내용이 슬퍼요.
yeonghwae naeyongi seulpeoyo.

영화+의 내용+이 슬프(슬ㅍ)+어요.
슬퍼요

영화 : えいが【映画】
의 : 前の言葉が後ろの言葉に対し、所有、所在、関係、起源、主体の関係を持つことを表す助詞。
내용 : ないよう【内容】。いみ【意味】
이 : ある状態や状況に置かれた対象、または動作の主体を表す助詞。
슬프다 : かなしい【悲しい・哀しい】
-어요 : (略待上称) ある事実を叙述したり質問、命令、勧誘する意を表す「終結語尾」。
<じょじゅつ【叙述】>

(19) 시원하다 [siwonhada]

すずしい【涼しい】

暑くも寒くもなく、ほどよく冷ややかである。

바람이 시원해요.
barami siwonhaeyo.

바람+이 시원하+여요.
시원해요

바람 : かぜ【風】
이 : ある状態や状況に置かれた対象、または動作の主体を表す助詞。
시원하다 : すずしい【涼しい】
-여요 : (略待上称) ある事実を叙述したり質問、命令、勧誘する意を表す「終結語尾」。
<じょじゅつ【叙述】>

(20) 싫다 [silta]

いやだ【嫌だ】。きらいだ【嫌いだ】

気に入らない。

매운 음식이 <u>싫어요</u>.

maeun eumsigi sireoyo.

<u>맵(매우)+ㄴ</u> 음식+이 싫+어요.
　매운

맵다 : からい【辛い】
-ㄴ : 前の言葉に連体修飾語の機能を持たせ、現在の状態を表す「語尾」。
음식 : たべもの【食べ物】。のみもの【飲み物】
이 : ある状態や状況に置かれた対象、または動作の主体を表す助詞。
싫다 : いやだ【嫌だ】。きらいだ【嫌いだ】
-어요 : (略待上称) ある事実を叙述したり質問、命令、勧誘する意を表す「終結語尾」。
<じょじゅつ【叙述】>

(21) 외롭다 [oeropda]

さびしい【寂しい】。こころぼそい【心細い】

一人になったり頼るところがなくて寂しい。

지금 몹시 <u>외로워요</u>.

jigeum mopsi oerowoyo.

지금 몹시 <u>외롭(외로우)+어요</u>.
　　　　　외로워요

지금 : いま【今】。ただいま【ただ今】
몹시 : とても。たいへん【大変】。ひどく。ひじょうに【非常に】
외롭다 : さびしい【寂しい】。こころぼそい【心細い】
-어요 : (略待上称) ある事実を叙述したり質問、命令、勧誘する意を表す「終結語尾」。
<じょじゅつ【叙述】>

(22) 좋다 [jota]

よい【良い・善い】。うまい【旨い】

性質や内容などが立派で、満足できるくらいである。

이 물건은 품질이 좋아요.
i mulgeoneun pumjiri joayo.

이 물건+은 품질+이 좋+아요.

이：この
물건：もの【物】。ぶったい【物体】。ぶっぴん【物品】
은：文章の中である対象が話題であることを表す助詞。
품질：ひんしつ【品質】。しながら【品柄】
이：ある状態や状況に置かれた対象、または動作の主体を表す助詞。
좋다：よい【良い・善い】。うまい【旨い】
-아요：(略待上称) ある事実を叙述したり質問、命令、勧誘する意を表す「終結語尾」。
<じょじゅつ【叙述】>

(23) 죄송하다 [joesonghada]

もうしわけない【申し訳ない・申訳ない】

罪を犯したかのように、たいへんすまない。

늦어서 죄송해요.
neujeoseo joesonghaeyo.

늦+어서 죄송하+여요.
죄송해요

늦다：おくれる【遅れる】。ちこくする【遅刻する】。まにあわない【間に合わない】
-어서：理由や根拠の意を表す「連結語尾」。
죄송하다：もうしわけない【申し訳ない・申訳ない】
-여요：(略待上称) ある事実を叙述したり質問、命令、勧誘する意を表す「終結語尾」。
<じょじゅつ【叙述】>

(24) 즐겁다 [jeulgeopda]

たのしい【楽しい】

気に入って喜ばしく思い、うれしい。

여행은 언제나 즐거워요.

yeohaengeun eonjena jeulgeowoyo.

여행+은 언제나 즐겁(즐거우)+어요.

즐거워요

여행 : りょこう【旅行】。たび【旅】
은 : 文章の中である対象が話題であることを表す助詞。
언제나 : いつも【何時も】。つねに【常に】
즐겁다 : たのしい【楽しい】
-어요 : (略待上称) ある事実を叙述したり質問、命令、勧誘する意を表す「終結語尾」。
<じょじゅつ【叙述】>

(25) 급하다 [geupada]

いそぎだ【急ぎだ】

事情や都合上、速く処理しなければならない状態にある。

갑자기 급한 일이 생겼어요.

gapjagi geupan iri saenggyeosseoyo.

갑자기 급하+ㄴ 일+이 생기+었+어요.

급한 생겼어요

갑자기 : きゅうに【急に】
급하다 : いそぎだ【急ぎだ】
-ㄴ : 前の言葉に連体修飾語の機能を持たせ、現在の状態を表す「語尾」。
일 : こと【事】。よう【用】。じこ【事故】
이 : ある状態や状況に置かれた対象、または動作の主体を表す助詞。
생기다 : おきる【起きる】。おこる【起こる】。しょうずる【生ずる】。できる【出来る】
-었- : ある出来事が過去に完了したことや、その出来事の結果が現在まで持続している状況を表す語尾。
-어요 : (略待上称) ある事実を叙述したり質問、命令、勧誘する意を表す「終結語尾」。
<じょじゅつ【叙述】>

(26) 조용하다 [joyonghada]

しずかだ【静かだ · 閑かだ】。ものしずかだ【物静かだ】

口数が少なく、おとなしい。

도서관에서는 조용하게 말하세요.

doseogwaneseoneun joyonghage malhaseyo.

도서관+에서+는 조용하+게 말하+세요.

도서관 : としょかん【図書館】
에서 : 前の言葉が行動の行われる場所であることを表す助詞。
는 : 文章の中である対象が話題であることを表す助詞。
조용하다 : しずかだ【静かだ · 閑かだ】。ものしずかだ【物静かだ】
-게 : 前の事柄が後の事柄の目的 · 結果 · 方法 · 程度などになるという意を表す「連結語尾」。
말하다 : いう【言う】。かたる【語る】。はなす【話す】。のべる【述べる】
-세요 : (略待上称) 説明 · 疑問 · 命令 · 要請の意を表す「終結語尾」。<めいれい【命令】>

(27) 곧다 [gotda]

まっすぐだ【真っ直ぐだ】

道 · 線 · 姿勢などが曲がっていない。

허리를 곧게 펴세요.

heorireul gotge pyeoseyo.

허리+를 곧+게 펴+세요.

허리 : こし【腰】
를 : 動作が直接的に影響を及ぼす対象を表す助詞。
곧다 : まっすぐだ【真っ直ぐだ】
-게 : 前の事柄が後の事柄の目的 · 結果 · 方法 · 程度などになるという意を表す「連結語尾」。
펴다 : のばす【伸ばす】
-세요 : (略待上称) 説明 · 疑問 · 命令 · 要請の意を表す「終結語尾」。<めいれい【命令】>

(28) 까다롭다 [kkadaropda]

ややこしい

条件や方法が複雑で、扱いにくい。

이 문제는 까다로워요.
i munjeneun kkadarowoyo.

이 문제+는 까다롭(까다로우)+어요.
까따로워요

이 : この
문제 : もんだい【問題】
는 : 文章の中である対象が話題であることを表す助詞。
까다롭다 : ややこしい
-어요 : (略待上称) ある事実を叙述したり質問、命令、勧誘する意を表す「終結語尾」。
<じょじゅつ【叙述】>

(29) 깔끔하다 [kkalkkeumhada]

すっきりしている

見た目が端正で整っている。

방이 아주 깔끔해요.
bangi aju kkalkkeumhaeyo.

방+이 아주 깔끔하+여요.
깔끔해요

방 : へや【部屋】
이 : ある状態や状況に置かれた対象、または動作の主体を表す助詞。
아주 : ひじょうに【非常に】。とても。たいへん【大変】
깔끔하다 : すっきりしている
-여요 : (略待上称) ある事実を叙述したり質問、命令、勧誘する意を表す「終結語尾」。
<じょじゅつ【叙述】>

(30) 냉정하다 [naengjeonghada]

つめたい【冷たい】。つれない

態度に温かい情がなく、冷たい。

성격이 냉정해요.
seonggyeogi naengjeonghaeyo.

성격+이 냉정하+여요.
냉정해요

성격 : せいかく【性格】
이 : ある状態や状況に置かれた対象、または動作の主体を表す助詞。
냉정하다 : つめたい【冷たい】。つれない
-여요 : (略待上称) ある事実を叙述したり質問、命令、勧誘する意を表す「終結語尾」。
<じょじゅつ【叙述】>

(31) 너그럽다 [neogeureopda]

かんだいだ【寛大だ】

他人の事情をよく理解し、情け深い。

마음이 너그러워요.
maeumi neogeureowoyo.

마음+이 너그럽(너그러우)+어요.
너그러워요

마음 : こころ【心】。きぶん【気分】。きもち【気持ち】。かんじ【感じ】
이 : ある状態や状況に置かれた対象、または動作の主体を表す助詞。
너그럽다 : かんだいだ【寛大だ】
-어요 : (略待上称) ある事実を叙述したり質問、命令、勧誘する意を表す「終結語尾」。
<じょじゅつ【叙述】>

(32) 느긋하다 [neugeutada]

ゆったりとする。ゆっくりする。ゆるゆるとする【緩緩とする】

気持ちにゆとりがあって急がない。

숙제를 끝내서 마음이 느긋해요.
sukjereul kkeunnaeseo maeumi neugeutaeyo.

숙제+를 끝내+어서 마음+이 느긋하+여요.
끝내서 느긋해요

숙제 : しゅくだい【宿題】
를 : 動作が直接的に影響を及ぼす対象を表す助詞。
끝내다 : おえる【終える】。すます【済ます】
-어서 : 理由や根拠の意を表す「連結語尾」。
마음 : こころ【心】。きぶん【気分】。きもち【気持ち】。かんじ【感じ】
이 : ある状態や状況に置かれた対象、または動作の主体を表す助詞。
느긋하다 : ゆったりとする。ゆっくりする。ゆるゆるとする【緩緩とする】
-여요 : (略待上称) ある事実を叙述したり質問、命令、勧誘する意を表す「終結語尾」。
<じょじゅつ【叙述】>

(33) 다정하다 [dajeonghada]

やさしい【優しい】。おもいやりがある【思いやりがある】

優しくて情に厚い。

아버지는 가족들에게 무척 다정해요.
abeojineun gajokdeurege mucheok dajeonghaeyo.

아버지+는 가족+들+에게 무척 다정하+여요.
다정해요

아버지 : ちち【父】。ちちおや【父親】。おとうさん【御父さん】
는 : 文章の中である対象が話題であることを表す助詞。
가족 : かぞく【家族】
들 : 「複数」の意を付加する接尾辞。
에게 : 行動が行われる対象を表す助詞。
무척 : とても。ひじょうに【非常に】。たいへん【大変】
다정하다 : やさしい【優しい】。おもいやりがある【思いやりがある】
-여요 : (略待上称) ある事実を叙述したり質問、命令、勧誘する意を表す「終結語尾」。
<じょじゅつ【叙述】>

(34) 못되다 [motdoeda]

わるい【悪い】。ただしくない【正しくない】。ぜんでない【善でない】

性質や行動が道徳的に悪い。

동생은 못된 버릇이 있어요.

dongsaengeun motdoen beoreusi isseoyo.

동생+은 못되+ㄴ 버릇+이 있+어요.

못된

동생 : とししたのきょうだい【年下の兄弟】。おとうと【弟】。いもうと【妹】
은 : 文章の中である対象が話題であることを表す助詞。
못되다 : わるい【悪い】。ただしくない【正しくない】。ぜんでない【善でない】
-ㄴ : 前の言葉に連体修飾語の機能を持たせ、現在の状態を表す「語尾」。
버릇 : くせ【癖】
이 : ある状態や状況に置かれた対象、または動作の主体を表す助詞。
있다 : ある【有る・在る】
-어요 : (略待上称) ある事実を叙述したり質問、命令、勧誘する意を表す「終結語尾」。
<じょじゅつ【叙述】>

(35) 변덕스럽다 [byeondeokseureopda]

きまぐれだ【気紛れだ】

言葉や行動、感情などが変わりやすい。

요즘 날씨가 변덕스러워요.

yojeum nalssiga byeondeokseureowoyo.

요즘 날씨+가 변덕스럽(변덕스러우)+어요.

변덕스러워요

요즘 : さいきん【最近】。ちかごろ【近頃】。このごろ【この頃】
날씨 : てんき【天気】。きこう【気候】。てんこう【天候】。そらもよう【空模様】
가 : ある状態や状況に置かれた対象、または動作の主体を表す助詞。
변덕스럽다 : きまぐれだ【気紛れだ】
-어요 : (略待上称) ある事実を叙述したり質問、命令、勧誘する意を表す「終結語尾」。
<じょじゅつ【叙述】>

(36) 솔직하다 [soljikada]

そっちょくだ【率直だ】

嘘や偽りがない。

묻는 말에 솔직하게 대답하세요.

munneun mare soljikage daedapaseyo.

묻+는 말+에 솔직하+게 대답하+세요.

묻다 : とう【問う】。きく【聞く・訊く】。たずねる【尋ねる】
-는 : 前の言葉に連体修飾語の機能を持たせ、出来事や動作が現在進行中であるという意を表す語尾。
말 : ことば【言葉】
에 : 前の言葉がある行為や感情などの対象であることを表す助詞。
솔직하다 : そっちょくだ【率直だ】
-게 : 前の事柄が後の事柄の目的・結果・方法・程度などになるという意を表す「連結語尾」。
대답하다 : こたえる【答える】。かいとうする【回答する】
-세요 : (略待上称) 説明・疑問・命令・要請の意を表す「終結語尾」。<めいれい【命令】>

(37) 순수하다 [sunsuhada]

じゅんすいだ【純粋だ】

個人的な欲心や悪意がない。

순수하게 세상을 살고 싶어요.

sunsuhage sesangeul salgo sipeoyo.

순수하+게 세상+을 살+[고 싶]+어요.

순수하다 : じゅんすいだ【純粋だ】
-게 : 前の事柄が後の事柄の目的・結果・方法・程度などになるという意を表す「連結語尾」。
세상 : よ【世】。ちじょう【地上】
을 : 動作が直接的に影響を及ぼす対象を表す助詞。
살다 : くらす【暮らす】。せいかつする【生活する】
-고 싶다 : 前の言葉の表す行動をしたいという意を表す表現。
-어요 : (略待上称) ある事実を叙述したり質問、命令、勧誘する意を表す「終結語尾」。
<じょじゅつ【叙述】>

(38) 순진하다 [sunjinhada]

じゅんしんだ【純真だ】。ナイーブだ。じゅんすいだ【純粋だ】

心に飾りがなく誠実である。

그 사람은 어린아이처럼 순진해요.

geu sarameun eorinaicheoreom sunjinhaeyo.

그 사람+은 어린아이+처럼 순진하+여요.

순진해요

그 : その
사람 : ひと【人】。にんげん【人間】。じんるい【人類】
은 : 文章の中である対象が話題であることを表す助詞。
어린아이 : こども【子供】。じどう【児童】。しょうに【小児】
처럼 : 模様や程度が似ていたり同じであることを表す助詞。
순진하다 : じゅんしんだ【純真だ】。ナイーブだ。じゅんすいだ【純粋だ】
-여요 : (略待上称) ある事実を叙述したり質問、命令、勧誘する意を表す「終結語尾」。
<じょじゅつ【叙述】>

(39) 순하다 [sunhada]

おとなしい【大人しい】。やさしい【優しい】。おだやかだ【穏やかだ】

性質や態度などが優しくて素直である。

아이가 성격이 순해요.

aiga seonggyeogi sunhaeyo.

아이+가 성격+이 순하+여요.

순해요

아이 : こ【子】。こども【子供】
가 : ある状態や状況に置かれた対象、または動作の主体を表す助詞。
성격 : せいかく【性格】
이 : ある状態や状況に置かれた対象、または動作の主体を表す助詞。
순하다 : おとなしい【大人しい】。やさしい【優しい】。おだやかだ【穏やかだ】
-여요 : (略待上称) ある事実を叙述したり質問、命令、勧誘する意を表す「終結語尾」。
<じょじゅつ【叙述】>

(40) 활발하다 [hwalbalhada]

かっぱつだ【活発だ】

生き生きして力強い。

나는 활발한 사람이 좋아요.

naneun hwalbalhan sarami joayo.

나+는 활발하+ㄴ 사람+이 좋+아요.
활발한

나 : わたし【私】。ぼく【僕】。おれ【俺】。じぶん【自分】
는 : 文章の中である対象が話題であることを表す助詞。
활발하다 : かっぱつだ【活発だ】
-ㄴ : 前の言葉に連体修飾語の機能を持たせ、現在の状態を表す「語尾」。
사람 : ひと【人】。にんげん【人間】。じんるい【人類】
이 : ある状態や状況に置かれた対象、または動作の主体を表す助詞。
좋다 : よい【良い・善い】。すきだ【好きだ】
-아요 : (略待上称) ある事実を叙述したり質問、命令、勧誘する意を表す「終結語尾」。
<じょじゅつ【叙述】>

(41) 게으르다 [geeureuda]

ぶしょうだ【不精だ】。ものぐさだ

行動がのろく、身体を動かしたり仕事をするのを面倒くさがる。

게으른 사람은 성공하지 못해요.

geeureun sarameun seonggonghaji motaeyo.

게으르+ㄴ 사람+은 성공하+[지 못하]+여요.
게으른 성공하지 못해요

게으르다 : ぶしょうだ【不精だ】。ものぐさだ
-ㄴ : 前の言葉に連体修飾語の機能を持たせ、現在の状態を表す「語尾」。
사람 : ひと【人】。にんげん【人間】。じんるい【人類】
은 : 文章の中である対象が話題であることを表す助詞。
성공하다 : せいこうする【成功する】。じょうじゅする【成就する】
-지 못하다 : 前の言葉の表す行動をする能力に欠けていたり主語の意志通りにはならないという意を表す表現。

-여요 : (略待上称) ある事実を叙述したり質問、命令、勧誘する意を表す「終結語尾」。
<じょじゅつ【叙述】>

(42) 부지런하다 [bujireonhada]

きんべんだ【勤勉だ】。まじめだ【真面目だ】。まめまめしい【忠実忠実しい】

怠けなく、地道に努力する性向である。

부지런한 사람이 성공할 수 있어요.
bujireonhan sarami seonggonghal su isseoyo.

부지런하+ㄴ 사람+이 성공하+[ㄹ 수 있]+어요.
부지런한 성공할 수 있어요

부지런하다 : きんべんだ【勤勉だ】。まじめだ【真面目だ】。まめまめしい【忠実忠実しい】
-ㄴ : 前の言葉に連体修飾語の機能を持たせ、現在の状態を表す「語尾」。
사람 : ひと【人】。にんげん【人間】。じんるい【人類】
이 : ある状態や状況に置かれた対象、または動作の主体を表す助詞。
성공하다 : せいこうする【成功する】。じょうじゅする【成就する】
-ㄹ 수 있다 : ある行動や状態が可能であることを表す表現。
-어요 : (略待上称) ある事実を叙述したり質問、命令、勧誘する意を表す「終結語尾」。
<じょじゅつ【叙述】>

(43) 착하다 [chakada]

ぜんりょうだ【善良だ】。よい【良い】。やさしい【優しい】

気立てや行動などが穏やかで正しくて優しい。

그녀는 마음씨가 착해요.
geunyeoneun maeumssiga chakaeyo.

그녀+는 마음씨+가 착하+여요.
착해요

그녀 : かのじょ【彼女】
는 : 文章の中である対象が話題であることを表す助詞。
마음씨 : きだて【気立て】。こころだて【心立て】
가 : ある状態や状況に置かれた対象、または動作の主体を表す助詞。

착하다 : ぜんりょうだ【善良だ】。よい【良い】。やさしい【優しい】
-여요 : (略待上称) ある事実を叙述したり質問、命令、勧誘する意を表す「終結語尾」。
<じょじゅつ【叙述】>

(44) 친절하다 [chinjeolhada]

しんせつだ【親切だ】。やさしい【優しい】

人に接する態度が優しくて思いやりがある。

가게 주인은 모든 손님에게 친절해요.
gage juineun modeun sonnimege chinjeolhaeyo.

가게 주인+은 모든 손님+에게 친절하+여요.
친절해요

가게 : みせ【店】。しょうてん【商店】
주인 : しゅじん【主人】。ぬし【主】。もちぬし【持ち主】。あるじ【主】。しょゆうしゃ【所有者】。オーナー
은 : 文章の中である対象が話題であることを表す助詞。
모든 : すべての。あらゆる。ぜん【全】
손님 : きゃく【客】。こきゃく【顧客】。らいきゃく【来客】
에게 : 行動が行われる対象を表す助詞。
친절하다 : しんせつだ【親切だ】。やさしい【優しい】
-여요 : (略待上称) ある事実を叙述したり質問、命令、勧誘する意を表す「終結語尾」。
<じょじゅつ【叙述】>

(45) 날씬하다 [nalssinhada]

すらりとしている

スタイルがちょうど良いくらいに細くて長い。

모델은 몸매가 날씬해요.
modereun mommaega nalssinhaeyo.

모델+은 몸매+가 날씬하+여요.
날씬해요

모델 : モデル。ファッションモデル
은 : 文章の中である対象が話題であることを表す助詞。

몸매 : からだつき【体付き】
가 : ある状態や状況に置かれた対象、または動作の主体を表す助詞。
날씬하다 : すらりとしている
-여요 : (略待上称) ある事実を叙述したり質問、命令、勧誘する意を表す「終結語尾」。
<じょじゅつ【叙述】>

(46) 뚱뚱하다 [ttungttunghada]

でぶでぶだ。ふとっている【太っている】

太っていて体形がぽっちゃりしている。

요즘은 뚱뚱한 청소년이 많아졌어요.
yojeumeun ttungttunghan cheongsonyeoni manajeosseoyo.

요즘+은 뚱뚱하+ㄴ 청소년+이 많아지+었+어요.
뚱뚱한 많아졌어요

요즘 : さいきん【最近】。ちかごろ【近頃】。このごろ【この頃】
은 : 文章の中である対象が話題であることを表す助詞。
뚱뚱하다 : でぶでぶだ。ふとっている【太っている】
-ㄴ : 前の言葉に連体修飾語の機能を持たせ、現在の状態を表す「語尾」。
청소년 : せいしょうねん【青少年】
이 : ある状態や状況に置かれた対象、または動作の主体を表す助詞。
많아지다 : おおくなる【多くなる】。ふえる【増える】。ゆたかになる【豊かになる】
-었- : ある出来事が過去に完了したことや、その出来事の結果が現在まで持続している状況を表す語尾。
-어요 : (略待上称) ある事実を叙述したり質問、命令、勧誘する意を表す「終結語尾」。
<じょじゅつ【叙述】>

(47) 아름답다 [areumdapda]

うつくしい【美しい】。うるわしい【麗しい】

見える対象や声、色などが目と耳に楽しさや満足感を与えるくらいである。

여기 경치가 무척 아름다워요.
yeogi gyeongchiga mucheok areumdawoyo.

여기 경치+가 무척 아름답(아름다우)+어요.
아름다워요

여기 : ここ
경치 : けしき【景色】。ふうけい【風景】。けいかん【景観】。ながめ【眺め】
가 : ある状態や状況に置かれた対象、または動作の主体を表す助詞。
무척 : とても。ひじょうに【非常に】。たいへん【大変】
아름답다 : うつくしい【美しい】。うるわしい【麗しい】
-어요 : (略待上称) ある事実を叙述したり質問、命令、勧誘する意を表す「終結語尾」。
<じょじゅつ【叙述】>

(48) 어리다 [eorida]

おさない【幼い】

年齢が低い。

내 동생은 아직 어려요.
nae dongsaengeun ajik eoryeoyo.

나+의 동생+은 아직 어리+어요.
내 어려요

나 : わたし【私】。ぼく【僕】。おれ【俺】。じぶん【自分】
의 : 前の言葉が後ろの言葉に対し、所有、所在、関係、起源、主体の関係を持つことを表す助詞。
동생 : とししたのきょうだい【年下の兄弟】。おとうと【弟】。いもうと【妹】
은 : 文章の中である対象が話題であることを表す助詞。
아직 : まだ【未だ】
어리다 : おさない【幼い】
-어요 : (略待上称) ある事実を叙述したり質問、命令、勧誘する意を表す「終結語尾」。
<じょじゅつ【叙述】>

(49) 예쁘다 [yeppeuda]

きれいだ【綺麗だ・奇麗だ】。かわいい【可愛い】

目に見て心地よいほど美しい。

구름이 참 예뻐요.
gureumi cham yeppeoyo.

구름+이 참 예쁘(예ㅃ)+어요.
예뻐요

구름 : くも【雲】
이 : ある状態や状況に置かれた対象、または動作の主体を表す助詞。
참 : ほんとうに【本当に】。じつに【実に】。とても。まことに【誠に】
예쁘다 : きれいだ【綺麗だ・奇麗だ】。かわいい【可愛い】
-어요 : (略待上称) ある事実を叙述したり質問、命令、勧誘する意を表す「終結語尾」。
<じょじゅつ【叙述】>

(50) 젊다 [jeomda]

わかい【若い】

年齢が少なくて生気に満ちている。

이 회사에는 <u>젊은</u> 사람들이 많아요.
i hoesaeneun jeolmeun saramdeuri manayo.

이 회사+에+는 젊+은 사람+들+이 많+아요.

이 : これ【此れ】
회사 : かいしゃ【会社】
에 : 前の言葉が場所や席であることを表す助詞。
는 : 文章の中である対象が話題であることを表す助詞。
젊다 : わかい【若い】
-은 : 前の言葉に連体修飾語の機能を持たせ、現在の状態の意を表す語尾。
사람 : ひと【人】。にんげん【人間】。じんるい【人類】
들 : 「複数」の意を付加する接尾辞。
이 : ある状態や状況に置かれた対象、または動作の主体を表す助詞。
많다 : おおい【多い】。たくさんだ【沢山だ】。かずおおい【数多い】。ゆたかだ【豊かだ】
-아요 : (略待上称) ある事実を叙述したり質問、命令、勧誘する意を表す「終結語尾」。
<じょじゅつ【叙述】>

(51) 똑똑하다 [ttokttokada]

かしこい【賢い】。りこうだ【利口だ】

頭が良くてスマートだ。

친구는 <u>똑똑해서</u> 공부를 잘해요.
chinguneun ttokttokaeseo gongbureul jalhaeyo.

친구+는 똑똑하+여서 공부+를 잘하+여요.
똑똑해서 잘해요

친구 : とも【友】。ともだち【友達】。ゆうじん【友人】。ほうゆう【朋友】
는 : 文章の中である対象が話題であることを表す助詞。
똑똑하다 : かしこい【賢い】。りこうだ【利口だ】
-여서 : 理由や根拠の意を表す「連結語尾」。
공부 : べんきょう【勉強】。べんがく【勉学】。がくしゅう【学習】
를 : 動作が直接的に影響を及ぼす対象を表す助詞。
잘하다 : できる【出来る】。うまい【上手い・巧い】
-여요 : (略待上称) ある事実を叙述したり質問、命令、勧誘する意を表す「終結語尾」。
<じょじゅつ【叙述】>

(52) 못하다 [motada]

おとる【劣る】。およばない【及ばない】

他に比べて程度や水準がある程度に及ばない。

음식 맛이 예전보다 못해요.
eumsik masi yejeonboda motaeyo.

음식 맛+이 예전+보다 못하+여요.
못해요

음식 : たべもの【食べ物】。のみもの【飲み物】
맛 : あじ【味】
이 : ある状態や状況に置かれた対象、または動作の主体を表す助詞。
예전 : むかし【昔】。ひとむかし【一昔】。ずっとまえ【ずっと前】。ずっといぜん【ずっと以前】
보다 : 互いに差のある物事を比べるとき、比較の基準になるという意を表す助詞。
못하다 : おとる【劣る】。およばない【及ばない】
-여요 : (略待上称) ある事実を叙述したり質問、命令、勧誘する意を表す「終結語尾」。
<じょじゅつ【叙述】>

(53) 쉽다 [swipda]

かんたんだ【簡単だ】。よういだ【容易だ】。たやすい【容易い】

行うのに大変だったり、困難だったりしない。

시험 문제가 쉬웠어요.
siheom munjega swiwosseoyo.

시험 문제+가 쉽(쉬우)+었+어요.
쉬웠어요

시험 : しけん【試験】。こうし【考試】。こうさ【考査】。テスト
문제 : もんだい【問題】
가 : ある状態や状況に置かれた対象、または動作の主体を表す助詞。
쉽다 : かんたんだ【簡単だ】。よういだ【容易だ】。たやすい【容易い】
-었- : ある出来事が過去に完了したことや、その出来事の結果が現在まで持続している状況を表す語尾。
-어요 : (略待上称) ある事実を叙述したり質問、命令、勧誘する意を表す「終結語尾」。
<じょじゅつ【叙述】>

(54) 어렵다 [eoryeopda]

むずかしい【難しい】

行うのが複雑だったり、困難だったりする。

수학 문제는 항상 어려워요.
suhak munjeneun hangsang eoryeowoyo.

수학 문제+는 항상 어렵(어려우)+어요.
어려워요

수학 : すうがく【数学】
문제 : もんだい【問題】
는 : 文章の中である対象が話題であることを表す助詞。
항상 : いつも。つねに【常に】
어렵다 : むずかしい【難しい】
-어요 : (略待上称) ある事実を叙述したり質問、命令、勧誘する意を表す「終結語尾」。
<じょじゅつ【叙述】>

(55) 훌륭하다 [hullyunghada]

すばらしい【素晴らしい】。りっぱだ【立派だ】

賞賛に値するほど、非常に見事で抜きん出ていること。

이 차의 성능은 훌륭해요.
i chae seongneungeun hullyunghaeyo.

이 차+의 성능+은 훌륭하+여요.
훌륭해요

이 : この
차 : くるま【車】
의 : 前の言葉が後ろの言葉に対し、属性や数量を限定したり同格であることを表したりする助詞。
성능 : せいのう【性能】
은 : 文章の中である対象が話題であることを表す助詞。
훌륭하다 : すばらしい【素晴らしい】。りっぱだ【立派だ】
-여요 : (略待上称) ある事実を叙述したり質問、命令、勧誘する意を表す「終結語尾」。
<じょじゅつ【叙述】>

(56) 힘들다 [himdeulda]

たいへんだ【大変だ】

力を多く要するところがある。

이 동작은 너무 힘들어요.
i dongjageun neomu himdeureoyo.

이 동작+은 너무 힘들+어요.

이 : この
동작 : どうさ【動作】
은 : 文章の中である対象が話題であることを表す助詞。
너무 : あまりに
힘들다 : たいへんだ【大変だ】
-어요 : (略待上称) ある事実を叙述したり質問、命令、勧誘する意を表す「終結語尾」。
<じょじゅつ【叙述】>

(57) 궁금하다 [gunggeumhada]

しりたい【知りたい】

何かがとても知りたい。

무슨 화장품을 쓰는지 궁금해요?
museun hwajangpumeul sseuneunji gunggeumhaeyo?

무슨 화장품+을 쓰+는지 궁금하+여요?
궁금해요

무슨 : なに【何】。なんの。どの。どのような。どういう
화장품 : けしょうひん【化粧品】
을 : 動作が直接的に影響を及ぼす対象を表す助詞。
쓰다 : つかう【使う】。もちいる【用いる】。しようする【使用する】
-는지 : 次にくる事柄に関する漠然とした理由や判断の意を表す「連結語尾」。
궁금하다 : しりたい【知りたい】
-여요 : (略待上称) ある事実を叙述したり質問、命令、勧誘する意を表す「終結語尾」。
<しつもん【質問】>

(58) 옳다 [olta]

ただしい【正しい】

規範にかなっている。

그는 평생 옳은 삶을 살아 왔어요.
geuneun pyeongsaeng oreun salmeul sara wasseoyo.

그+는 평생 옳+은 삶+을 살+[아 오]+았+어요.
살아 왔어요

그 : かれ【彼】
는 : 文章の中である対象が話題であることを表す助詞。
평생 : いっしょう【一生】。しょうがい【生涯】
옳다 : ただしい【正しい】
-은 : 前の言葉に連体修飾語の機能を持たせ、現在の状態の意を表す語尾。
삶 : せい【生】。くらし【暮らし】
을 : 述語の名詞形目的語であることを表す助詞。
살다 : くらす【暮らす】。せいかつする【生活する】
-아 오다 : 前の言葉の表す行動や状態がある基準点に近づきながら引き続き進むという意を表す表現。
-았- : ある出来事が過去に完了したことや、その出来事の結果が現在まで持続している状況を表す語尾。
-어요 : (略待上称) ある事実を叙述したり質問、命令、勧誘する意を表す「終結語尾」。
<じょじゅつ【叙述】>

(59) 바쁘다 [bappeuda]

いそがしい【忙しい】。せわしい【忙しい】

すべきことが多かったり時間がなかったりして、他のことをする余裕がない。

식사를 못 할 정도로 바빠요.

siksareul mot hal jeongdoro bappayo.

식사+를 못 하+ㄹ 정도+로 바쁘(바ㅃ)+아요.
　　　　　할　　　　　　바빠요

식사 : しょくじ【食事】
를 : 動作が直接的に影響を及ぼす対象を表す助詞。
못 : 動詞が表す動作が不可能であるさま。
하다 : する【為る】。やる【遣る】。なす【成す・為す】
-ㄹ : 前の言葉に連体修飾語の機能を持たせる語尾。
정도 : ていど【程度】。どあい【度合・度合い】。ど【度】
로 : ある動作を行うための方法や方式を表す助詞。
바쁘다 : いそがしい【忙しい】。せわしい【忙しい】
-아요 : (略待上称) ある事実を叙述したり質問、命令、勧誘する意を表す「終結語尾」。
<じょじゅつ【叙述】>

(60) 한가하다 [hangahada]

ひまだ【暇だ】

忙しくなく、ゆったりしている。

학교가 방학이어서 한가해요.

hakgyoga banghagieoseo hangahaeyo.

학교+가 방학+이+어서 한가하+여요.
　　　　　　　　　　한가해요

학교 : がっこう【学校】
가 : ある状態や状況に置かれた対象、または動作の主体を表す助詞。
방학 : やすみ【休み】
이다 : 主語が指す対象の属性や部類を指定する意を表す叙述格助詞。
-어서 : 理由や根拠の意を表す「連結語尾」。
한가하다 : ひまだ【暇だ】

-여요 : (略待上称) ある事実を叙述したり質問、命令、勧誘する意を表す「終結語尾」。
<じょじゅつ【叙述】>

(61) 달다 [dalda]

あまい【甘い】

蜜や砂糖のような味がする。

초콜릿이 너무 달아요.
chokollisi neomu darayo.

초콜릿+이 너무 달+아요.

초콜릿 : チョコレート。チョコ
이 : ある状態や状況に置かれた対象、または動作の主体を表す助詞。
너무 : あまりに
달다 : あまい【甘い】
-아요 : (略待上称) ある事実を叙述したり質問、命令、勧誘する意を表す「終結語尾」。
<じょじゅつ【叙述】>

(62) 맛없다 [madeopda]

まずい。おいしくない

飲食物の味が良くない。

배가 불러서 다 맛없어요.
baega bulleoseo da maseopseoyo.

배+가 부르(불ㄹ)+어서 다 맛없+어요.
불러서

배 : はら【腹】。おなか【お腹】。いちょう【胃腸】
가 : ある状態や状況に置かれた対象、または動作の主体を表す助詞。
부르다 : いっぱいだ【一杯だ】。まんぷくだ【満腹だ】
-어서 : 理由や根拠の意を表す「連結語尾」。
다 : ぜんぶ【全部】。すべて【全て】。みな【皆】。のこらず【残らず】。もれなく
맛없다 : まずい。おいしくない

-어요 : (略待上称) ある事実を叙述したり質問、命令、勧誘する意を表す「終結語尾」。
<じょじゅつ【叙述】>

(63) 맛있다 [maditda]

おいしい【美味しい】。うまい【旨い・美味い】

味が良い。

어머니가 해 주신 음식이 제일 맛있어요.
eomeoniga hae jusin eumsigi jeil masisseoyo.

어머니+가 하+[여 주]+시+ㄴ 음식+이 제일 맛있+어요.
해 주신

어머니 : はは【母】。ははおや【母親】。じつぼ【実母】。おかあさん【お母さん】
가 : ある状態や状況に置かれた対象、または動作の主体を表す助詞。
하다 : する【為る】。かう【買う】。たく【炊く】
-여 주다 : 他人のために前の言葉の表す行動をするという意を表す表現。
-시- : ある動作や状態の主体を敬う意を表す語尾。
-ㄴ : 前の言葉に連体修飾語の機能を持たせ、
出来事や動作が完了してその状態が続いているという意を表す語尾。
음식 : たべもの【食べ物】。のみもの【飲み物】
이 : ある状態や状況に置かれた対象、または動作の主体を表す助詞。
제일 : いちばん【一番】。もっとも【最も】
맛있다 : おいしい【美味しい】。うまい【旨い・美味い】
-어요 : (略待上称) ある事実を叙述したり質問、命令、勧誘する意を表す「終結語尾」。
<じょじゅつ【叙述】>

(64) 맵다 [maepda]

からい【辛い】

唐辛子や辛子のように刺激的な味で舌がひりひりする。

김치가 너무 매워요.
gimchiga neomu maewoyo.

김치+가 너무 맵(매우)+어요.
매워요

김치 : キムチ
가 : ある状態や状況に置かれた対象、または動作の主体を表す助詞。
너무 : あまりに
맵다 : からい【辛い】
-어요 : (略待上称) ある事実を叙述したり質問、命令、勧誘する意を表す「終結語尾」。
<じょじゅつ【叙述】>

(65) 시다 [sida]

すっぱい【酸っぱい】。すい【酸い】

酢の味がする。

과일이 모두 셔요.
gwairi modu syeoyo.

과일+이 모두 시+어요.
셔요

과일 : くだもの・かぶつ【果物】。フルーツ
이 : ある状態や状況に置かれた対象、または動作の主体を表す助詞。
모두 : みんな。みな【皆】。すべて
시다 : すっぱい【酸っぱい】。すい【酸い】
-어요 : (略待上称) ある事実を叙述したり質問、命令、勧誘する意を表す「終結語尾」。
<じょじゅつ【叙述】>

(66) 시원하다 [siwonhada]

対訳語無し

食べ物がほどよく冷たくて爽やかだったり、すっきりするほど熱かったりする。

국물이 시원해요.
gungmuri siwonhaeyo.

국물+이 시원하+여요.
시원해요

국물 : しる・つゆ【汁】。だし【出し】
이 : ある状態や状況に置かれた対象、または動作の主体を表す助詞。

시원하다 : 食べ物がほどよく冷たくて爽やかだったり、すっきりするほど熱かったりする。
-여요 : (略待上称) ある事実を叙述したり質問、命令、勧誘する意を表す「終結語尾」。
<じょじゅつ【叙述】>

(67) 싱겁다 [singgeopda]

うすい【薄い】

食べ物が塩辛くない。

찌개에 물을 넣어서 싱거워요.

jjigaee mureul neoeoseo singgeowoyo.

찌개+에 물+을 넣+어서 싱겁(싱거우)+어요.
싱거워요

찌개 : チゲ
에 : 前の言葉が行為や作用が影響を及ぼす対象であることを表す助詞。
물 : みず【水】。のみみず【飲み水】
을 : 動作が直接的に影響を及ぼす対象を表す助詞。
넣다 : いれる【入れる】
-어서 : 理由や根拠の意を表す「連結語尾」。
싱겁다 : うすい【薄い】
-어요 : (略待上称) ある事実を叙述したり質問、命令、勧誘する意を表す「終結語尾」。
<じょじゅつ【叙述】>

(68) 쓰다 [sseuda]

にがい【苦い】

薬の味のようだ。

아이가 먹기에 약이 너무 써요.

aiga meokgie yagi neomu sseoyo.

아이+가 먹+기+에 약+이 너무 쓰(ㅆ)+어요.
써요

아이 : こ【子】。こども【子供】
가 : ある状態や状況に置かれた対象、または動作の主体を表す助詞。

먹다 : のむ【飲む】。ふくようする【服用する】
-기 : 前の言葉を名詞化する語尾。
에 : 前の言葉が何かの条件、環境、状態であることを表す助詞。
약 : くすり【薬】
이 : ある状態や状況に置かれた対象、または動作の主体を表す助詞。
너무 : あまりに
쓰다 : にがい【苦い】
-어요 : (略待上称) ある事実を叙述したり質問、命令、勧誘する意を表す「終結語尾」。
<じょじゅつ【叙述】>

(69) 짜다 [jjada]

しおからい【塩辛い】。しょっぱい。からい【辛い】

塩のような味がする。

소금을 많이 넣어서 국물이 짜요.

sogeumeul mani neoeoseo gungmuri jjayo.

소금+을 많이 넣+어서 국물+이 짜+아요.
짜요

소금 : しお【塩】。しょくえん【食塩】
을 : 動作が直接的に影響を及ぼす対象を表す助詞。
많이 : おおく【多く】。たくさん【沢山】。かずおおく【数多く】。ゆたかに【豊かに】
넣다 : いれる【入れる】
-어서 : 理由や根拠の意を表す「連結語尾」。
국물 : しる・つゆ【汁】。だし【出し】
이 : ある状態や状況に置かれた対象、または動作の主体を表す助詞。
짜다 : しおからい【塩辛い】。しょっぱい。からい【辛い】
-아요 : (略待上称) ある事実を叙述したり質問、命令、勧誘する意を表す「終結語尾」。
<じょじゅつ【叙述】>

(70) 깨끗하다 [kkaekkeutada]

きれいだ【綺麗だ】

よごれがなく清潔だ。

화장실이 정말 깨끗해요.

hwajangsiri jeongmal kkaekkeutaeyo.

화장실+이 정말 깨끗하+여요.
깨끗해요

화장실 : けしょうしつ【化粧室】。おてあらい【お手洗い】。トイレ
이 : ある状態や状況に置かれた対象、または動作の主体を表す助詞。
정말 : ほんとうに・ほんとに【本当】。じつに【実に】。しんに【真に】
깨끗하다 : きれいだ【綺麗だ】
-여요 : (略待上称) ある事実を叙述したり質問、命令、勧誘する意を表す「終結語尾」。
<じょじゅつ【叙述】>

(71) 더럽다 [deoreopda]

きたない【汚い】。きたならしい【汚らしい】

垢や汚れなどがついていて清潔でなく小汚い。

차가 더러워서 세차를 했어요.
chaga deoreowoseo sechareul haesseoyo.

차+가 더럽(더러우)+어서 세차+를 하+였+어요.
더러워서 했어요

차 : くるま【車】
가 : ある状態や状況に置かれた対象、または動作の主体を表す助詞。
더럽다 : きたない【汚い】。きたならしい【汚らしい】
-어서 : 理由や根拠の意を表す「連結語尾」。
세차 : せんしゃ【洗車】
를 : 動作が直接的に影響を及ぼす対象を表す助詞。
하다 : する【為る】。やる【遣る】。なす【成す・為す】
-였- : ある出来事が過去に完了したことや、その出来事の結果が現在まで持続している状況を表す語尾。
-어요 : (略待上称) ある事実を叙述したり質問、命令、勧誘する意を表す「終結語尾」。
<じょじゅつ【叙述】>

(72) 불편하다 [bulpyeonhada]

ふべんだ【不便だ】

利用するのに便利ではない。

이곳은 교통이 불편해요.
igoseun gyotongi bulpyeonhaeyo.

이곳+은 교통+이 불편하+여요.
불편해요

이곳 : ここ【此処・此所・此・是・爰・茲】。こちら【此方】。こっち【此方】
은 : 文章の中である対象が話題であることを表す助詞。
교통 : こうつう【交通】。つうこう【通行】
이 : ある状態や状況に置かれた対象、または動作の主体を表す助詞。
불편하다 : ふべんだ【不便だ】
-여요 : (略待上称) ある事実を叙述したり質問、命令、勧誘する意を表す「終結語尾」。
<じょじゅつ【叙述】>

(73) 시끄럽다 [sikkeureopda]

うるさい。さわがしい【騒がしい】。そうぞうしい【騒々しい】

聞きたくないくらい物音が大きくてやかましい。

시끄러운 소리가 들려요.
sikkeureoun soriga deullyeoyo.

시끄럽(시끄러우)+ㄴ 소리+가 들리+어요.
시끄러운 들려요

시끄럽다 : うるさい。さわがしい【騒がしい】。そうぞうしい【騒々しい】
-ㄴ : 前の言葉に連体修飾語の機能を持たせ、現在の状態を表す「語尾」。
소리 : おと【音】
가 : ある状態や状況に置かれた対象、または動作の主体を表す助詞。
들리다 : きこえる【聞こえる】
-어요 : (略待上称) ある事実を叙述したり質問、命令、勧誘する意を表す「終結語尾」。
<じょじゅつ【叙述】>

(74) 조용하다 [joyonghada]

しずかだ【静かだ・閑かだ】。ものしずかだ【物静かだ】。ひっそりとする

物音がしない。

거리가 <u>조용해요</u>.
georiga joyonghaeyo.

거리+가 <u>조용하+여요</u>.
조용해요

거리 : まち【街・町】。とおり【通り】
가 : ある状態や状況に置かれた対象、または動作の主体を表す助詞。
조용하다 : しずかだ【静かだ・閑かだ】。ものしずかだ【物静かだ】。ひっそりとする
-여요 : (略待上称) ある事実を叙述したり質問、命令、勧誘する意を表す「終結語尾」。
<じょじゅつ【叙述】>

(75) 지저분하다 [jijeobunhada]

きたない【汚い】。きたならしい【汚らしい】。ちらかっている【散らかっている】

ある空間に物が乱雑に広がっていて乱れている。

길이 너무 <u>지저분해요</u>.
giri neomu jijeobunhaeyo.

길+이 너무 <u>지저분하+여요</u>.
지저분해요

길 : みち【道・路】。どうろ【道路】
이 : ある状態や状況に置かれた対象、または動作の主体を表す助詞。
너무 : あまりに
지저분하다 : きたない【汚い】。きたならしい【汚らしい】。ちらかっている【散らかっている】
-여요 : (略待上称) ある事実を叙述したり質問、命令、勧誘する意を表す「終結語尾」。
<じょじゅつ【叙述】>

(76) 비싸다 [bissada]

たかい【高い】。こうかだ【高価だ】

商品の値段や何かをするのにかかる費用が普通より高い。

백화점은 시장보다 가격이 비싸요.
baekwajeomeun sijangboda gagyeogi bissayo.

백화점+은 시장+보다 가격+이 비싸+아요.
비싸요

백화점 : ひゃっかてん【百貨店】。デパート
은 : 文章の中である対象が話題であることを表す助詞。
시장 : いちば【市場】。マーケット
보다 : 互いに差のある物事を比べるとき、比較の基準になるという意を表す助詞。
가격 : かかく【価格】。ねだん【値段】。ねうち【値打ち】。プライス
이 : ある状態や状況に置かれた対象、または動作の主体を表す助詞。
비싸다 : たかい【高い】。こうかだ【高価だ】
-아요 : (略待上称) ある事実を叙述したり質問、命令、勧誘する意を表す「終結語尾」。
<じょじゅつ【叙述】>

(77) 싸다 [ssada]

やすい【安い】

値段が普通より低い。

이 동네는 집값이 싸요.
i dongneneun jipgapsi ssayo.

이 동네+는 집값+이 싸+아요.
싸요

이 : この
동네 : むら【村】
는 : 文章の中である対象が話題であることを表す助詞。
집값 : じゅうたくかかく【住宅価格】
이 : ある状態や状況に置かれた対象、または動作の主体を表す助詞。
싸다 : やすい【安い】
-아요 : (略待上称) ある事実を叙述したり質問、命令、勧誘する意を表す「終結語尾」。
<じょじゅつ【叙述】>

(78) 덥다 [deopda]

あつい【暑い】

肌で感じる気温が高い。

여름이 지났는데도 더워요.

yeoreumi jinanneundedo deowoyo.

여름+이 지나+았+는데도 덥(더우)+어요.
지났는데도 더워요

여름 : なつ【夏】
이 : ある状態や状況に置かれた対象、または動作の主体を表す助詞。
지나다 : すぎる【過ぎる】。たつ【経つ】。へる【経る】
-았- : ある出来事が過去に完了したことや、その出来事の結果が現在まで持続している状況を表す語尾。
-는데도 : 前にくる言葉の表す状況とは関係なく、後にくる言葉の表す状況が起こるという意を表す表現。
덥다 : あつい【暑い】
-어요 : (略待上称) ある事実を叙述したり質問、命令、勧誘する意を表す「終結語尾」。
<じょじゅつ【叙述】>

(79) 따뜻하다 [ttatteutada]

あたたかい【暖かい】

暑すぎず、程よい気温である。

날씨가 따뜻해요.

nalssiga ttatteutaeyo.

날씨+가 따뜻하+여요.
따뜻해요

날씨 : てんき【天気】。きこう【気候】。てんこう【天候】。そらもよう【空模様】
가 : ある状態や状況に置かれた対象、または動作の主体を表す助詞。
따뜻하다 : あたたかい【暖かい】
-여요 : (略待上称) ある事実を叙述したり質問、命令、勧誘する意を表す「終結語尾」。
<じょじゅつ【叙述】>

(80) 맑다 [makda]

はれる【晴れる】

雲や霧がなく、天気がいい。

가을 하늘은 푸르고 맑아요.

gaeul haneureun pureugo malgayo.

가을 하늘+은 푸르+고 맑+아요.

가을 : あき【秋】
하늘 : てん【天】。そら【空】
은 : 文章の中である対象が話題であることを表す助詞。
푸르다 : あおい【青い】。あおあおとする【青青とする】
-고 : 二つ以上の対等な事柄を並べ立てるのに用いる「連結語尾」。
맑다 : はれる【晴れる】
-아요 : (略待上称) ある事実を叙述したり質問、命令、勧誘する意を表す「終結語尾」。
<じょじゅつ【叙述】>

(81) 선선하다 [seonseonhada]

すずしい【涼しい】

少し冷たくてひやりとする。

이제 아침저녁으로 선선해요.

ije achimjeonyeogeuro seonseonhaeyo.

이제 아침저녁+으로 선선하+여요.
선선해요

이제 : ただいま【只今・唯今】
아침저녁 : あさゆう【朝夕】
으로 : 時間を表す助詞。
선선하다 : すずしい【涼しい】
-여요 : (略待上称) ある事実を叙述したり質問、命令、勧誘する意を表す「終結語尾」。
<じょじゅつ【叙述】>

(82) 쌀쌀하다 [ssalssalhada]

はださむい【肌寒い】。うすらさむい【うすら寒い】

やや寒く感じられるほど空気が冷たい。

바람이 꽤 <u>쌀쌀해요</u>.

barami kkwae ssalssalhaeyo.

바람+이 꽤 <u>쌀쌀하+여요</u>.
　　　　쌀쌀해요

바람 : かぜ【風】
이 : ある状態や状況に置かれた対象、または動作の主体を表す助詞。
꽤 : かなり
쌀쌀하다 : はださむい【肌寒い】。うすらさむい【うすら寒い】
-여요 : (略待上称) ある事実を叙述したり質問、命令、勧誘する意を表す「終結語尾」。
<じょじゅつ【叙述】>

(83) 춥다 [chupda]

さむい【寒い】

大気の温度が低い。

날이 <u>추우니</u> 따뜻하게 입으세요.

nari chuuni ttatteutage ibeuseyo.

날+이 <u>춥(추우)+니</u> 따뜻하+게 입+으세요.
　　　추우니

날 : てんこう【天候】。ひより【日和】
이 : ある状態や状況に置かれた対象、または動作の主体を表す助詞。
춥다 : さむい【寒い】
-니 : 後にくる事柄に対して前の事柄が原因や根拠・前提になるという意を表す「連結語尾」。
따뜻하다 : あたたかい【暖かい】
-게 : 前の事柄が後の事柄の目的・結果・方法・程度などになるという意を表す「連結語尾」。
입다 : きる【着る・著る】。はく【穿く】
-으세요 : (略待上称) 説明・疑問・命令・要請の意を表す「終結語尾」。<めいれい【命令】>

(84) 흐리다 [heurida]

どんよりする

雲や霧のせいで天気が良くない。

안개 때문에 흐려서 앞이 안 보여요.

angae ttaemune heuryeoseo api an boyeoyo.

안개 때문+에 흐리+어서 앞+이 안 보이+어요.
흐려서 보여요

안개 : きり【霧】
때문 : ため【為】。せい【所為】
에 : 前の言葉が原因であることを表す助詞。
흐리다 : どんよりする
-어서 : 理由や根拠の意を表す「連結語尾」。
앞 : まえ【前】。ぜんめん【前面】
이 : ある状態や状況に置かれた対象、または動作の主体を表す助詞。
안 : 否定や反対の意を表す語。
보이다 : みえる【見える】
-어요 : (略待上称) ある事実を叙述したり質問、命令、勧誘する意を表す「終結語尾」。
<じょじゅつ【叙述】>

(85) 가늘다 [ganeulda]

ほそい【細い】

物の幅が狭い、または太くなく長い。

저는 손가락이 가늘어요.

jeoneun songaragi ganeureoyo.

저+는 손가락+이 가늘+어요.

저 : わたくし【私】
는 : 文章の中である対象が話題であることを表す助詞。
손가락 : ゆび【指】
이 : ある状態や状況に置かれた対象、または動作の主体を表す助詞。
가늘다 : ほそい【細い】

-어요 : (略待上称) ある事実を叙述したり質問、命令、勧誘する意を表す「終結語尾」。
<じょじゅつ【叙述】>

(86) 같다 [gatda]

おなじだ【同じだ】

互いに異ならない。

저는 여동생과 키가 같아요.

jeoneun yeodongsaenggwa kiga gatayo.

저+는 여동생+과 키+가 같+아요.

저 : わたくし【私】
는 : 文章の中である対象が話題であることを表す助詞。
여동생 : いもうと【妹】
과 : 比較の対象、または基準となる対象であることを表す助詞。
키 : せ【背】。せたけ【背丈】。しんちょう【身長】。みのたけ【身の丈】
가 : ある状態や状況に置かれた対象、または動作の主体を表す助詞。
같다 : おなじだ【同じだ】
-아요 : (略待上称) ある事実を叙述したり質問、命令、勧誘する意を表す「終結語尾」。
<じょじゅつ【叙述】>

(87) 굵다 [gukda]

ふとい【太い】

長い物体の周囲が太いか、または幅が広い。

저는 허리가 굵어요.

jeoneun heoriga gulgeoyo.

저+는 허리+가 굵+어요.

저 : わたくし【私】
는 : 文章の中である対象が話題であることを表す助詞。
허리 : こし【腰】
가 : ある状態や状況に置かれた対象、または動作の主体を表す助詞。
굵다 : ふとい【太い】

-어요 : (略待上称) ある事実を叙述したり質問、命令、勧誘する意を表す「終結語尾」。
<じょじゅつ【叙述】>

(88) 길다 [gilda]

ながい【長い】

物体の端からもう片方の端までとても離れている。

치마 길이가 길어요.
chima giriga gireoyo.

치마 길이+가 길+어요.

치마 : スカート
길이 : ながさ【長さ】。たけ【丈】
가 : ある状態や状況に置かれた対象、または動作の主体を表す助詞。
길다 : ながい【長い】
-어요 : (略待上称) ある事実を叙述したり質問、命令、勧誘する意を表す「終結語尾」。
<じょじゅつ【叙述】>

(89) 깊다 [gipda]

ふかい【深い】

上から底まであるいは外から内までの距離が長い。

물이 깊으니 들어가지 마세요.
muri gipeuni deureogaji maseyo.

물+이 깊+으니 들어가+[지 말(마)]+세요.
들어가지 마세요

물 : みず【水】
이 : ある状態や状況に置かれた対象、または動作の主体を表す助詞。
깊다 : ふかい【深い】
-으니 : 後にくる事柄に対して前の事柄がその原因や根拠・前提になるという意を表す「連結語尾」。
들어가다 : はいる【入る】
-지 말다 : 前の言葉の表す行動を禁止するという意を表す表現。
-세요 : (略待上称) 説明・疑問・命令・要請の意を表す「終結語尾」。<めいれい【命令】>

(90) 낮다 [natda]

ひくい【低い】

上から下までの間隔が短い。

저는 굽이 낮은 구두를 즐겨 신어요.

jeoneun gubi najeun gudureul jeulgyeo sineoyo.

저+는 굽+이 낮+은 구두+를 즐기+어 신+어요.

즐겨

저 : わたくし【私】
는 : 文章の中である対象が話題であることを表す助詞。
굽 : かかと・きびす【踵】
이 : ある状態や状況に置かれた対象、または動作の主体を表す助詞。
낮다 : ひくい【低い】
-은 : 前の言葉に連体修飾語の機能を持たせ、現在の状態の意を表す語尾。
구두 : くつ【靴】
를 : 動作が直接的に影響を及ぼす対象を表す助詞。
즐기다 : たのしむ【楽しむ】。このむ【好む】。たしなむ【嗜む】
-어 : 前の事柄が後の事柄より先に行われたか、後の事柄の方法や手段になるという意を表す「連結語尾」。
신다 : はく【履く】
-어요 : (略待上称) ある事実を叙述したり質問、命令、勧誘する意を表す「終結語尾」。
<じょじゅつ【叙述】>

(91) 넓다 [neolda]

ひろい【広い】

面や床などの面積が広い。

넓은 이마를 가리려고 앞머리를 내렸어요.

neolbeun imareul gariryeogo ammeorireul naeryeosseoyo.

넓+은 이마+를 가리+려고 앞머리+를 내리+었+어요.

내렸어요

넓다 : ひろい【広い】
-은 : 前の言葉に連体修飾語の機能を持たせ、現在の状態の意を表す語尾。
이마 : ひたい【額】。おでこ

를 : 動作が直接的に影響を及ぼす対象を表す助詞。
가리다 : さえぎる【遮る】。ふさぐ【塞ぐ】
-려고 : ある行動をする意図や欲望があるという意を表す「連結語尾」。
앞머리 : まえがみ【前髪】
를 : 動作が直接的に影響を及ぼす対象を表す助詞。
내리다 : おろす【下ろす】。さげる【下げる】
-었- : ある出来事が過去に完了したことや、その出来事の結果が現在まで持続している状況を表す語尾。
-어요 : (略待上称) ある事実を叙述したり質問、命令、勧誘する意を表す「終結語尾」。
<じょじゅつ【叙述】>

(92) 높다 [nopda]

たかい【高い】

下から上までの間が長い。

서울에는 높은 빌딩이 많아요.

seoureneun nopeun bildingi manayo.

서울+에+는 높+은 빌딩+이 많+아요.

서울 : ソウル
에 : 前の言葉が場所や席であることを表す助詞。
는 : 文章の中である対象が話題であることを表す助詞。
높다 : たかい【高い】
-은 : 前の言葉に連体修飾語の機能を持たせ、現在の状態の意を表す語尾。
빌딩 : ビル
이 : ある状態や状況に置かれた対象、または動作の主体を表す助詞。
많다 : おおい【多い】。たくさんだ【沢山だ】。かずおおい【数多い】。ゆたかだ【豊かだ】
-아요 : (略待上称) ある事実を叙述したり質問、命令、勧誘する意を表す「終結語尾」。
<じょじゅつ【叙述】>

(93) 다르다 [dareuda]

ことなる【異なる】。ちがう【違う】。そういする【相違する】

二つの対象が同じでない。

저는 언니와 성격이 많이 달라요.

jeoneun eonniwa seonggyeogi mani dallayo.

저+는 언니+와 성격+이 많이 다르(달ㄹ)+아요.
달라요

저 : わたくし【私】
는 : 文章の中である対象が話題であることを表す助詞。
언니 : おねえさん【お姉さん】。あね【姉】
와 : 比較の対象や基準となる対象であることを表す助詞。
성격 : せいかく【性格】
이 : ある状態や状況に置かれた対象、または動作の主体を表す助詞。
많이 : おおく【多く】。たくさん【沢山】。かずおおく【数多く】。ゆたかに【豊かに】
다르다 : ことなる【異なる】。ちがう【違う】。そういする【相違する】
-아요 : (略待上称) ある事実を叙述したり質問、命令、勧誘する意を表す「終結語尾」。
<じょじゅつ【叙述】>

(94) 닮다 [damda]

にる【似る】。にかよう【似通う】

二つ以上の人や物が互いにほとんど同じ形や性質を持つ。

저는 언니와 안 닮았어요.
jeoneun eonniwa an dalmasseoyo.

저+는 언니+와 안 닮+았+어요.

저 : わたくし【私】
는 : 文章の中である対象が話題であることを表す助詞。
언니 : おねえさん【お姉さん】。あね【姉】
와 : 比較の対象や基準となる対象であることを表す助詞。
안 : 否定や反対の意を表す語。
닮다 : にる【似る】。にかよう【似通う】
-았- : ある出来事が過去に完了したことや、その出来事の結果が現在まで持続している状況を表す語尾。
-어요 : (略待上称) ある事実を叙述したり質問、命令、勧誘する意を表す「終結語尾」。
<じょじゅつ【叙述】>

(95) 두껍다 [dukkeopda]

あつい【厚い】

平たい物の両方の面の隔たりが大きい。

고기를 두껍게 썰어서 잘 안 익어요.
gogireul dukkeopge sseoreoseo jal an igeoyo.

고기+를 두껍+게 썰+어서 잘 안 익+어요.

고기 : にく【肉】
를 : 動作が直接的に影響を及ぼす対象を表す助詞。
두껍다 : あつい【厚い】
-게 : 前の事柄が後の事柄の目的・結果・方法・程度などになるという意を表す「連結語尾」。
썰다 : きる【切る】。きざむ【刻む】
-어서 : 理由や根拠の意を表す「連結語尾」。
잘 : ちょうどよく
안 : 否定や反対の意を表す語。
익다 : にえる【煮える】。やける【焼ける】
-어요 : (略待上称) ある事実を叙述したり質問、命令、勧誘する意を表す「終結語尾」。
<じょじゅつ【叙述】>

(96) 똑같다 [ttokgatda]

おなじだ【同じだ】。ひとしい【等しい】

物事の模様、分量、性質などに差異がない。

저와 똑같은 이름을 가진 사람들이 많아요.
jeowa ttokgateun ireumeul gajin saramdeuri manayo.

저+와 똑같+은 이름+을 가지+ㄴ 사람+들+이 많+아요.
가진

저 : わたくし【私】
와 : 比較の対象や基準となる対象であることを表す助詞。
똑같다 : おなじだ【同じだ】。ひとしい【等しい】
-은 : 前の言葉に連体修飾語の機能を持たせ、現在の状態の意を表す語尾。
이름 : めい【名】。なまえ【名前】
을 : 動作が直接的に影響を及ぼす対象を表す助詞。
가지다 : もつ【持つ】。しょゆうする【所有する】。ほゆうする【保有する】
-ㄴ : 前の言葉に連体修飾語の機能を持たせ、
出来事や動作が完了してその状態が続いているという意を表す語尾。
사람 : ひと【人】。にんげん【人間】。じんるい【人類】
들 : 「複数」の意を付加する接尾辞。
이 : ある状態や状況に置かれた対象、または動作の主体を表す助詞。

많다 : おおい【多い】。たくさんだ【沢山だ】。かずおおい【数多い】。ゆたかだ【豊かだ】
-아요 : (略待上称) ある事実を叙述したり質問、命令、勧誘する意を表す「終結語尾」。
<じょじゅつ【叙述】>

(97) 멋있다 [meoditda]

すてきだ【素敵だ】。かっこいい【格好いい】。りっぱだ【立派だ】

とても良くてすばらしい。

새로 산 옷인데 멋있어요?
saero san osinde meosisseoyo?

새로 사+ㄴ 옷+이+ㄴ데 멋있+어요?
산 옷인데

새로 : あらためて【改めて】。ふたたび【再び】。ことあたらしい【事新しい】
사다 : かう【買う】。こうにゅうする【購入する】
-ㄴ : 前の言葉に連体修飾語の機能を持たせ、
出来事や動作が完了してその状態が続いているという意を表す語尾。
옷 : ふく【服】。ころも【衣】。いふく【衣服】。いしょう【衣装】
이다 : 主語が指す対象の属性や部類を指定する意を表す叙述格助詞。
-ㄴ데 : 何かを言うための前置きとして、それと関連した状況を前もって述べるという意を表す「連結語尾」。
멋있다 : すてきだ【素敵だ】。かっこいい【格好いい】。りっぱだ【立派だ】
-어요 : (略待上称) ある事実を叙述したり質問、命令、勧誘する意を表す「終結語尾」。
<しつもん【質問】>

(98) 비슷하다 [biseutada]

にている【似ている】。にかよっている【似通っている】

二つ以上の大きさ・模様・状態・性質などが全く同じではないが似た部分が多い。

학교 건물이 모두 비슷해요.
hakgyo geonmuri modu biseutaeyo.

학교 건물+이 모두 비슷하+여요.
비슷해요

학교 : がっこう【学校】
건물 : たてもの【建物】
이 : ある状態や状況に置かれた対象、または動作の主体を表す助詞。
모두 : みんな。みな【皆】。すべて
비슷하다 : にている【似ている】。にかよっている【似通っている】
-여요 : (略待上称) ある事実を叙述したり質問、命令、勧誘する意を表す「終結語尾」。
<じょじゅつ【叙述】>

(99) 얇다 [yalda]

うすい【薄い】

厚みが少ない。

얇은 옷을 입고 나와서 좀 추워요.
yalbeun oseul ipgo nawaseo jom chuwoyo.

얇+은 옷+을 입+고 나오+아서 좀 춥(추우)+어요.
나와서 추워요

얇다 : うすい【薄い】
-은 : 前の言葉に連体修飾語の機能を持たせ、現在の状態の意を表す語尾。
옷 : ふく【服】。ころも【衣】。いふく【衣服】。いしょう【衣装】
을 : 動作が直接的に影響を及ぼす対象を表す助詞。
입다 : きる【着る・著る】。はく【穿く】
-고 : 前の言葉の表す動作やその結果が、
次にくる動作が行われる間にもそのまま持続されるという意を表す「連結語尾」。
나오다 : でる【出る】
-아서 : 理由や根拠の意を表す「連結語尾」。
좀 : すこし【少し】。わずか【僅か・纔か】。ちょっと【一寸・鳥渡】
춥다 : さむい【寒い】
-어요 : (略待上称) ある事実を叙述したり質問、命令、勧誘する意を表す「終結語尾」。
<じょじゅつ【叙述】>

(100) 작다 [jakda]

ちいさい【小さい】

長さ・広さ・嵩などが他のものや普通のものより劣る。

언니는 키가 저보다 작아요.
eonnineun kiga jeoboda jagayo.

언니+는 키+가 저+보다 작+아요.

언니 : おねえさん【お姉さん】。あね【姉】
는 : 文章の中である対象が話題であることを表す助詞。
키 : せ【背】。せたけ【背丈】。しんちょう【身長】。みのたけ【身の丈】
가 : ある状態や状況に置かれた対象、または動作の主体を表す助詞。
저 : わたくし【私】
보다 : 互いに差のある物事を比べるとき、比較の基準になるという意を表す助詞。
작다 : ちいさい【小さい】
-아요 : (略待上称) ある事実を叙述したり質問、命令、勧誘する意を表す「終結語尾」。
<じょじゅつ【叙述】>

(101) 좁다 [jopda]

せまい【狭い】

地面や床などの面積が少ない。

여기는 주차장이 좁아요.
yeogineun juchajangi jobayo.

여기+는 주차장+이 좁+아요.

여기 : ここ
는 : 文章の中である対象が話題であることを表す助詞。
주차장 : ちゅうしゃじょう【駐車場】。パーキング
이 : ある状態や状況に置かれた対象、または動作の主体を表す助詞。
좁다 : せまい【狭い】
-아요 : (略待上称) ある事実を叙述したり質問、命令、勧誘する意を表す「終結語尾」。
<じょじゅつ【叙述】>

(102) 짧다 [jjalda]

みじかい【短い】

空間や物体の端から端までの隔たりが小さくて近い。

긴 머리를 짧게 잘랐어요.
gin meorireul jjalge jallasseoyo.

길(기)+ㄴ 머리+를 짧+게 자르(잘ㄹ)+았+어요.
긴 잘랐어요

길다 : ながい【長い】
-ㄴ : 前の言葉に連体修飾語の機能を持たせ、現在の状態を表す「語尾」。
머리 : かみ【髪】。かみのけ【髪の毛】。とうはつ【頭髪】
를 : 動作が直接的に影響を及ぼす対象を表す助詞。
짧다 : みじかい【短い】
-게 : 前の事柄が後の事柄の目的・結果・方法・程度などになるという意を表す「連結語尾」。
자르다 : きる【切る】。たちきる【断ち切る・断切る・裁ち切る・截ち切る】。カットする
-았- : ある出来事が過去に完了したことや、その出来事の結果が現在まで持続している状況を表す語尾。
-어요 : (略待上称) ある事実を叙述したり質問、命令、勧誘する意を表す「終結語尾」。
<じょじゅつ【叙述】>

(103) 크다 [keuda]

おおきい【大きい】。たかい【高い】

長さ・広さ・高さ・かさなどが普通の水準を超える。

피자가 생각보다 훨씬 커요.
pijaga saenggakboda hwolssin keoyo.

피자+가 생각+보다 훨씬 크(ㅋ)+어요.
커요

피자 : ピザ。ピッツァ
가 : ある状態や状況に置かれた対象、または動作の主体を表す助詞。
생각 : かんがえ【考え】。そうぞう【想像】
보다 : 互いに差のある物事を比べるとき、比較の基準になるという意を表す助詞。
훨씬 : はるかに【遥かに】
크다 : おおきい【大きい】。たかい【高い】
-어요 : (略待上称) ある事実を叙述したり質問、命令、勧誘する意を表す「終結語尾」。
<じょじゅつ【叙述】>

(104) 화려하다 [hwaryeohada]

はでだ【派手だ】

艶やかで美しく、キラキラしてきれいだ。

방 안을 화려하게 꾸몄어요.

bang aneul hwaryeohage kkumyeosseoyo.

방 안+을 화려하+게 꾸미+었+어요.
꾸몄어요

방 : へや【部屋】
안 : なか【中】。ないぶ【内部】。うち【内】。おく【奥】
을 : 動作が直接的に影響を及ぼす対象を表す助詞。
화려하다 : はでだ【派手だ】
-게 : 前の事柄が後の事柄の目的・結果・方法・程度などになるという意を表す「連結語尾」。
꾸미다 : かざる【飾る】。よそおう【装う】
-었- : ある出来事が過去に完了したことや、その出来事の結果が現在まで持続している状況を表す語尾。
-어요 : (略待上称) ある事実を叙述したり質問、命令、勧誘する意を表す「終結語尾」。
<じょじゅつ【叙述】>

(105) 가볍다 [gabyeopda]

かるい【軽い】

重量が少ない。

이 노트북은 아주 가벼워요.

i noteubugeun aju gabyeowoyo.

이 노트북+은 아주 가볍(가벼우)+어요.
가벼워요

이 : この
노트북 : ノートパソコン。ノートがたパーソナルコンピューター【ノート型パーソナルコンピューター】。ノートPC
은 : 文章の中である対象が話題であることを表す助詞。
아주 : ひじょうに【非常に】。とても。たいへん【大変】
가볍다 : かるい【軽い】

-어요 : (略待上称) ある事実を叙述したり質問、命令、勧誘する意を表す「終結語尾」。
<じょじゅつ【叙述】>

(106) 강하다 [ganghada]

つよい【強い】

力が強い。

오늘은 바람이 강하게 불고 있어요.
oneureun barami ganghage bulgo isseoyo.

오늘+은 바람+이 강하+게 불+[고 있]+어요.

오늘 : きょう【今日】。ほんじつ【本日】
은 : 文章の中である対象が話題であることを表す助詞。
바람 : かぜ【風】
이 : ある状態や状況に置かれた対象、または動作の主体を表す助詞。
강하다 : つよい【強い】
-게 : 前の事柄が後の事柄の目的・結果・方法・程度などになるという意を表す「連結語尾」。
불다 : ふく【吹く】。おこる【起こる】
-고 있다 : 前の言葉の表す行動が引き続き行われるという意を表す表現。
-어요 : (略待上称) ある事実を叙述したり質問、命令、勧誘する意を表す「終結語尾」。
<じょじゅつ【叙述】>

(107) 무겁다 [mugeopda]

おもい【重い】

目方が多い。

저는 보기보다 무거워요.
jeoneun bogiboda mugeowoyo.

저+는 보+기+보다 무겁(무거우)+어요.
무거워요

저 : わたくし【私】
는 : 文章の中である対象が話題であることを表す助詞。
보다 : みる【見る】。ながめる【眺める】

-기 : 前の言葉を名詞化する語尾。
보다 : 互いに差のある物事を比べるとき、比較の基準になるという意を表す助詞。
무겁다 : おもい【重い】
-어요 : (略待上称) ある事実を叙述したり質問、命令、勧誘する意を表す「終結語尾」。
<じょじゅつ【叙述】>

(108) 부드럽다 [budeureopda]

やわらかい【柔らかい】。なめらかだ【滑らかだ】

肌触りがざらざらしていなくて柔らかい。

이 운동화는 가볍고 안쪽이 부드러워요.
i undonghwaneun gabyeopgo anjjogi budeureowoyo.

이 운동화+는 가볍+고 안쪽+이 부드럽(부드러우)+어요.
부드러워요

이 : この
운동화 : うんどうぐつ【運動靴】
는 : 文章の中である対象が話題であることを表す助詞。
가볍다 : かるい【軽い】
-고 : 二つ以上の対等な事柄を並べ立てるのに用いる「連結語尾」。
안쪽 : うちがわ【内側】。ないぶ【内部】。ないめん【内面】
이 : ある状態や状況に置かれた対象、または動作の主体を表す助詞。
부드럽다 : やわらかい【柔らかい】。なめらかだ【滑らかだ】
-어요 : (略待上称) ある事実を叙述したり質問、命令、勧誘する意を表す「終結語尾」。
<じょじゅつ【叙述】>

(109) 새롭다 [saeropda]

あたらしい【新しい】

今までのものと違ったり今までにない。

요즘 새로운 취미가 생겼어요?
yojeum saeroun chwimiga saenggyeosseoyo?

요즘 새롭(새로우)+ㄴ 취미+가 생기+었+어요?
새로운 생겼어요

요즘 : さいきん【最近】。ちかごろ【近頃】。このごろ【この頃】
새롭다 : あたらしい【新しい】
-ㄴ : 前の言葉に連体修飾語の機能を持たせ、現在の状態を表す「語尾」。
취미 : しゅみ【趣味】
가 : ある状態や状況に置かれた対象、または動作の主体を表す助詞。
생기다 : できる【出来る】。しょうずる【生ずる】
-었- : ある出来事が過去に完了したことや、その出来事の結果が現在まで持続している状況を表す語尾。
-어요 : (略待上称) ある事実を叙述したり質問、命令、勧誘する意を表す「終結語尾」。<しつもん【質問】>

(110) 느리다 [neurida]

おそい【遅い】

ある行動をするのに長く時間がかかる。

저는 걸음이 느려요.
jeoneun georeumi neuryeoyo.

저+는 걸음+이 느리+어요.
느려요

저 : わたくし【私】
는 : 文章の中である対象が話題であることを表す助詞。
걸음 : あゆみ【歩み】。ほこう【歩行】
이 : ある状態や状況に置かれた対象、または動作の主体を表す助詞。
느리다 : おそい【遅い】
-어요 : (略待上称) ある事実を叙述したり質問、命令、勧誘する意を表す「終結語尾」。
<じょじゅつ【叙述】>

(111) 빠르다 [ppareuda]

はやい【速い】

ある動作をするのにかかる時間が短い。

제 친구는 말이 너무 빨라요.
je chinguneun mari neomu ppallayo.

저+의 친구+는 말+이 너무 빠르(빨ㄹ)+아요.
제 빨라요

저 : わたくし【私】
의 : 前の言葉が後ろの言葉に対し、所有、所在、関係、起源、主体の関係を持つことを表す助詞。
친구 : とも【友】。ともだち【友達】。ゆうじん【友人】。ほうゆう【朋友】
는 : 文章の中である対象が話題であることを表す助詞。
말 : ことば【言葉】
이 : ある状態や状況に置かれた対象、または動作の主体を表す助詞。
너무 : あまりに
빠르다 : はやい【速い】
-아요 : (略待上称) ある事実を叙述したり質問、命令、勧誘する意を表す「終結語尾」。
<じょじゅつ【叙述】>

(112) 뜨겁다 [tteugeopda]

あつい【熱い】

ものの温度が高い。

국물이 뜨거우니 조심하세요.
gungmuri tteugeouni josimhaseyo.

국물+이 뜨겁(뜨거우)+니 조심하+세요.
뜨거우니

국물 : しる・つゆ【汁】。だし【出し】
이 : ある状態や状況に置かれた対象、または動作の主体を表す助詞。
뜨겁다 : あつい【熱い】
-니 : 後にくる事柄に対して前の事柄が原因や根拠・前提になるという意を表す「連結語尾」。
조심하다 : つつしむ【慎む】。きをつける【気を付ける】
-세요 : (略待上称) 説明・疑問・命令・要請の意を表す「終結語尾」。<めいれい【命令】>

(113) 차갑다 [chagapda]

つめたい【冷たい】。ひえている【冷えている】。ひえびえしている【冷え冷えしている】

肌に触る感覚が冷たい。

이 물은 차갑지 않아요.
i mureun chagapji anayo.

이 물+은 차갑+[지 않]+아요.

이 : この
물 : みず【水】。のみみず【飲み水】
은 : 文章の中である対象が話題であることを表す助詞。
차갑다 : つめたい【冷たい】。ひえている【冷えている】。ひえびえしている【冷え冷えしている】
-지 않다 : 前の言葉の表す行為や状態を否定する意を表す表現。
-아요 : (略待上称) ある事実を叙述したり質問、命令、勧誘する意を表す「終結語尾」。
<じょじゅつ【叙述】>

(114) 차다 [chada]

つめたい【冷たい】。ひえている【冷えている】

温度が低くて温かい感じがない。

저는 손이 찬 편이에요.

jeoneun soni chan pyeonieyo.

저+는 손+이 차+[ㄴ 편이]+에요.

찬 편이에요

저 : わたくし【私】
는 : 文章の中である対象が話題であることを表す助詞。
손 : て【手】
이 : ある状態や状況に置かれた対象、または動作の主体を表す助詞。
차다 : つめたい【冷たい】。ひえている【冷えている】
-ㄴ 편이다 : ある事実について断定して述べるより、だいたいそういう傾向がある、
またはそれに属すると述べるのに用いる表現。
-에요 : (略待上称) ある事実を叙述したり質問する意を表す「終結語尾」。<じょじゅつ【叙述】>

(115) 밝다 [bakda]

あかるい【明るい】

ある物体から発する光が明るい。

조명이 너무 밝아서 눈이 부셔요.

jomyeongi neomu balgaseo nuni busyeoyo.

조명+이 너무 밝+아서 눈+이 부시+어요.

부셔요

조명 : しょうめい【照明】
이 : ある状態や状況に置かれた対象、または動作の主体を表す助詞。
너무 : あまりに
밝다 : あかるい【明るい】
-아서 : 理由や根拠の意を表す「連結語尾」。
눈 : め【目・眼】
이 : ある状態や状況に置かれた対象、または動作の主体を表す助詞。
부시다 : まぶしい【眩しい】。まばゆい【眩い】
-어요 : (略待上称) ある事実を叙述したり質問、命令、勧誘する意を表す「終結語尾」。
<じょじゅつ【叙述】>

(116) 어둡다 [eodupda]

くらい【暗い】

光が無いか弱くて、明るくない。

해가 져서 밖이 <u>어두워요</u>.
haega jeoseo bakki eoduwoyo.

해+가 <u>지+어서</u> 밖+이 <u>어둡(어두우)+어요</u>.
져서 **어두워요**

해 : ひ【日】。たいよう【太陽】
가 : ある状態や状況に置かれた対象、または動作の主体を表す助詞。
지다 : しずむ【沈む】。くれる【暮れる】
-어서 : 理由や根拠の意を表す「連結語尾」。
밖 : そと【外】。おくがい【屋外】。こがい【戸外】
이 : ある状態や状況に置かれた対象、または動作の主体を表す助詞。
어둡다 : くらい【暗い】
-어요 : (略待上称) ある事実を叙述したり質問、命令、勧誘する意を表す「終結語尾」。
<じょじゅつ【叙述】>

(117) 까맣다 [kkamata]

まっくろい【真っ黒い】

明かりがまったくない夜空のように濃い黒。

머리를 <u>까맣게</u> 염색했어요.
meorireul kkamake yeomsaekaesseoyo.

머리+를 까맣+게 염색하+였+어요.
염색했어요

머리 : かみ【髪】。かみのけ【髪の毛】。とうはつ【頭髪】
를 : 動作が直接的に影響を及ぼす対象を表す助詞。
까맣다 : まっくろい【真っ黒い】
-게 : 前の事柄が後の事柄の目的・結果・方法・程度などになるという意を表す「連結語尾」。
염색하다 : せんしょくする【染色する】。そめる【染める】
-였- : ある出来事が過去に完了したことや、その出来事の結果が現在まで持続している状況を表す語尾。
-어요 : (略待上称) ある事実を叙述したり質問、命令、勧誘する意を表す「終結語尾」。
<じょじゅつ【叙述】>

(118) 검다 [geomda]

くろい【黒い】

光のない夜空のように色が暗くて濃い。

햇볕에 살이 검게 탔어요.
haetbyeote sari geomge tasseoyo.

햇볕+에 살+이 검+게 타+았+어요.
탔어요

햇볕 : ひざし【日差し】。てんぴ【天日】。にっこう【日光】
에 : 前の言葉が原因であることを表す助詞。
살 : はだ【肌】。ひふ【皮膚】
이 : ある状態や状況に置かれた対象、または動作の主体を表す助詞。
검다 : くろい【黒い】
-게 : 前の事柄が後の事柄の目的・結果・方法・程度などになるという意を表す「連結語尾」。
타다 : やける【焼ける】。ひやけする【日焼けする】
-았- : ある出来事が過去に完了したことや、その出来事の結果が現在まで持続している状況を表す語尾。
-어요 : (略待上称) ある事実を叙述したり質問、命令、勧誘する意を表す「終結語尾」。
<じょじゅつ【叙述】>

(119) 노랗다 [norata]

きいろい【黄色い】

色がバナナやレモンのようだ。

저 사람은 머리 색깔이 노래요.
jeo sarameun meori saekkkari noraeyo.

저 사람+은 머리 색깔+이 노랗+아요.
노래요

저 : あの【彼の】
사람 : ひと【人】。にんげん【人間】。じんるい【人類】
은 : 文章の中である対象が話題であることを表す助詞。
머리 : かみ【髪】。かみのけ【髪の毛】。とうはつ【頭髪】
색깔 : いろ【色】。しきさい【色彩】
이 : ある状態や状況に置かれた対象、または動作の主体を表す助詞。
노랗다 : きいろい【黄色い】
-아요 : (略待上称) ある事実を叙述したり質問、命令、勧誘する意を表す「終結語尾」。
<じょじゅつ【叙述】>

(120) 붉다 [bukda]

あかい【赤い】

色が血液や熟れた唐辛子のような色である。

붉은 태양이 떠오르고 있어요.
bulgeun taeyangi tteooreugo isseoyo.

붉+은 태양+이 떠오르+[고 있]+어요.

붉다 : あかい【赤い】
-은 : 前の言葉に連体修飾語の機能を持たせ、現在の状態の意を表す語尾。
태양 : たいよう【太陽】
이 : ある状態や状況に置かれた対象、または動作の主体を表す助詞。
떠오르다 : うかぶ【浮かぶ】。うく【浮く】。うかびあがる【浮び上がる】。うきあがる【浮き上がる】。のぼる【昇る】
-고 있다 : 前の言葉の表す行動が引き続き行われるという意を表す表現。
-어요 : (略待上称) ある事実を叙述したり質問、命令、勧誘する意を表す「終結語尾」。
<じょじゅつ【叙述】>

(121) 빨갛다 [ppalgata]

あかい【赤い】

血液や熟れた唐辛子のように鮮明な赤色である。

코가 왜 이렇게 빨개요?

koga wae ireoke ppalgaeyo?

코+가 왜 이렇+게 빨갛+아요?
빨개요

코 : はな【鼻】
가 : ある状態や状況に置かれた対象、または動作の主体を表す助詞。
왜 : なぜ【何故】。どうして。なんで【何で】
이렇다 : こうだ
-게 : 前の事柄が後の事柄の目的・結果・方法・程度などになるという意を表す「連結語尾」。
빨갛다 : あかい【赤い】
-아요 : (略待上称) ある事実を叙述したり質問、命令、勧誘する意を表す「終結語尾」。<しつもん【質問】>

(122) 파랗다 [parata]

あおい【青い】

晴れた空や澄んだ海のように、明るくて鮮やかに青い。

왜 이마에 멍이 파랗게 들었어요?

wae imae meongi parake deureosseoyo?

왜 이마+에 멍+이 파랗+게 들+었+어요?

왜 : なぜ【何故】。どうして。なんで【何で】
이마 : ひたい【額】。おでこ
에 : 前の言葉が場所や席であることを表す助詞。
멍 : あざ【痣】
이 : ある状態や状況に置かれた対象、または動作の主体を表す助詞。
파랗다 : あおい【青い】
-게 : 前の事柄が後の事柄の目的・結果・方法・程度などになるという意を表す「連結語尾」。
들다 : びょうきになる【病気になる】。びょうきにかかる【病気に掛かる】
-었- : ある出来事が過去に完了したことや、その出来事の結果が現在まで持続している状況を表す語尾。
-어요 : (略待上称) ある事実を叙述したり質問、命令、勧誘する意を表す「終結語尾」。<しつもん【質問】>

(123) 푸르다 [pureuda]

あおい【青い】。あおあおとする【青青とする】

晴れた秋空や深い海、生き生きとした草の色ように、明るくて鮮やかだ。

바다가 넓고 <u>푸르러요</u>.
badaga neolgo pureureoyo.

바다+가 넓+고 <u>푸르+어요(러요)</u>.
푸르러요

바다 : うみ【海】。かいよう【海洋】
가 : ある状態や状況に置かれた対象、または動作の主体を表す助詞。
넓다 : ひろい【広い】
-고 : 二つ以上の対等な事柄を並べ立てるのに用いる「連結語尾」。
푸르다 : あおい【青い】。あおあおとする【青青とする】
-어요 : (略待上称) ある事実を叙述したり質問、命令、勧誘する意を表す「終結語尾」。
<じょじゅつ【叙述】>

(124) 하얗다 [hayata]

しろい【白い】

雪や牛乳のように、明るくて鮮明に白い。

눈이 내려서 세상이 <u>하얗게</u> 변했어요.
nuni naeryeoseo sesangi hayake byeonhaesseoyo.

눈+이 <u>내리+어서</u> 세상+이 하얗+게 <u>변하+였+어요</u>.
내려서 변했어요

눈 : ゆき【雪】
이 : ある状態や状況に置かれた対象、または動作の主体を表す助詞。
내리다 : ふる【降る】
-어서 : 理由や根拠の意を表す「連結語尾」。
세상 : よ【世】。ちじょう【地上】
이 : ある状態や状況に置かれた対象、または動作の主体を表す助詞。
하얗다 : しろい【白い】
-게 : 前の事柄が後の事柄の目的・結果・方法・程度などになるという意を表す「連結語尾」。
변하다 : かわる【変わる】

-였- : ある出来事が過去に完了したことや、その出来事の結果が現在まで持続している状況を表す語尾。
-어요 : (略待上称) ある事実を叙述したり質問、命令、勧誘する意を表す「終結語尾」。
<じょじゅつ【叙述】>

(125) 희다 [hida]

しろい【白い】

雪や牛乳の色のように明るくて鮮やかだ。

동생은 얼굴이 희고 머리카락이 까매요.

dongsaengeun eolguri huigo meorikaragi kkamaeyo.

동생+은 얼굴+이 희+고 머리카락+이 까맣+아요.
까매요

동생 : とししたのきょうだい【年下の兄弟】。おとうと【弟】。いもうと【妹】
은 : 文章の中である対象が話題であることを表す助詞。
얼굴 : かお【顔】。つら・おもて【面】。がんめん【顔面】
이 : ある状態や状況に置かれた対象、または動作の主体を表す助詞。
희다 : しろい【白い】
-고 : 二つ以上の対等な事柄を並べ立てるのに用いる「連結語尾」。
머리카락 : かみのけ【髪の毛】
이 : ある状態や状況に置かれた対象、または動作の主体を表す助詞。
까맣다 : まっくろい【真っ黒い】
-아요 : (略待上称) ある事実を叙述したり質問、命令、勧誘する意を表す「終結語尾」。
<じょじゅつ【叙述】>

(126) 많다 [manta]

おおい【多い】。たくさんだ【沢山だ】。かずおおい【数多い】。ゆたかだ【豊かだ】

数や量、程度などが一定の基準を超える。

저는 호기심이 많아요.

jeoneun hogisimi manayo.
저+는 호기심+이 많+아요.

저 : わたくし【私】

는 : 文章の中である対象が話題であることを表す助詞。
호기심 : こうきしん【好奇心】
이 : ある状態や状況に置かれた対象、または動作の主体を表す助詞。
많다 : おおい【多い】。たくさんだ【沢山だ】。かずおおい【数多い】。ゆたかだ【豊かだ】
-아요 : (略待上称) ある事実を叙述したり質問、命令、勧誘する意を表す「終結語尾」。
<じょじゅつ【叙述】>

(127) 부족하다 [bujokada]

たりない【足りない】。ふそくする【不足する】。ものたりない【物足りない】

必要な量や基準に足りないか、十分でない。

사업을 하기에 돈이 많이 부족해요.
saeobeul hagie doni mani bujokaeyo.

사업+을 하+기+에 돈+이 많이 부족하+여요.
부족해요

사업 : じぎょう【事業】。ビジネス
을 : 動作が直接的に影響を及ぼす対象を表す助詞。
하다 : する【為る】。やる【遣る】。なす【成す・為す】
-기 : 前の言葉を名詞化する語尾。
에 : 前の言葉が何かの条件、環境、状態であることを表す助詞。
돈 : かね【金】。おかね【お金】。かへい【貨幣】。きんせん【金銭】
이 : ある状態や状況に置かれた対象、または動作の主体を表す助詞。
많이 : おおく【多く】。たくさん【沢山】。かずおおく【数多く】。ゆたかに【豊かに】
부족하다 : たりない【足りない】。ふそくする【不足する】。ものたりない【物足りない】
-여요 : (略待上称) ある事実を叙述したり質問、命令、勧誘する意を表す「終結語尾」。
<じょじゅつ【叙述】>

(128) 적다 [jeokda]

すくない【少ない】

数量、程度が一定基準に及ばない。

배고픈데 음식 양이 너무 적어요.
baegopeunde eumsik yangi neomu jeogeoyo.
배고프+ㄴ데 음식 양+이 너무 적+어요.
배고픈데

배고프다 : くうふくだ【空腹だ】。おなかがすいている【お腹がすいている】
-ㄴ데 : 何かを言うための前置きとして、それと関連した状況を前もって述べるという意を表す「連結語尾」。
음식 : たべもの【食べ物】。のみもの【飲み物】
양 : りょう【量】
이 : ある状態や状況に置かれた対象、または動作の主体を表す助詞。
너무 : あまりに
적다 : すくない【少ない】
-어요 : (略待上称) ある事実を叙述したり質問、命令、勧誘する意を表す「終結語尾」。
<じょじゅつ【叙述】>

(129) 낫다 [natda]

まさる【勝る】。ましだ

あるものが他のものよりもっと良い。

몸이 아플 때에는 쉬는 것이 제일 나아요.
momi apeul ttaeeneun swineun geosi jeil naayo.

몸+이 아프+[ㄹ 때]+에+는 쉬+[는 것]+이 제일 낫(나)+아요.
아플 때에는 나아요

몸 : からだ【体・身体】。しんたい【身体】
이 : ある状態や状況に置かれた対象、または動作の主体を表す助詞。
아프다 : いたい【痛い】。びょうきになる【病気になる】。いたむ【痛む】
-ㄹ 때 : ある行動や状況が起こっている間やその時期、またそのようなことが起こった場合を表す表現。
에 : 前の言葉が時間や時期であることを表す助詞。
는 : 文章の中である対象が話題であることを表す助詞。
쉬다 : やすむ【休む】。くつろぐ【寛ぐ】。きゅうそくする【休息する】。きゅうけいする【休憩する】
-는 것 : 名詞でないものを文中で名詞化し、「이다」の前にくるようにするのに用いる表現。
이 : ある状態や状況に置かれた対象、または動作の主体を表す助詞。
제일 : いちばん【一番】。もっとも【最も】
낫다 : まさる【勝る】。ましだ
-아요 : (略待上称) ある事実を叙述したり質問、命令、勧誘する意を表す「終結語尾」。
<じょじゅつ【叙述】>

(130) 분명하다 [bunmyeonghada]

はっきりしている。あきらかだ【明らかだ】。めいはくだ【明白だ】

姿や声・音がかすんでいなくてはっきりしている。

크고 분명한 목소리로 말해 주세요.
keugo bunmyeonghan moksoriro malhae juseyo.

크+고 분명하+ㄴ 목소리+로 말하+[여 주]+세요.
분명한 말해 주세요

크다 : おおきい【大きい】
-고 : 二つ以上の対等な事柄を並べ立てるのに用いる「連結語尾」。
분명하다 : はっきりしている。あきらかだ【明らかだ】。めいはくだ【明白だ】
-ㄴ : 前の言葉に連体修飾語の機能を持たせ、現在の状態を表す「語尾」。
목소리 : こえ【声】
로 : ある動作を行うための方法や方式を表す助詞。
말하다 : いう【言う】。かたる【語る】。はなす【話す】。のべる【述べる】
-여 주다 : 他人のために前の言葉の表す行動をするという意を表す表現。
-세요 : (略待上称) 説明・疑問・命令・要請の意を表す「終結語尾」。<ようせい【要請】>

(131) 심하다 [simhada]

ひどい。はげしい【激しい】。きつい。すごい
度を超している。

감기에 심하게 걸렸어요.
gamgie simhage geollyeosseoyo.

감기+에 심하+게 걸리+었+어요.
걸렸어요

감기 : かぜ【風邪】。かんぼう【感冒】
에 : 前の言葉がある行為や感情などの対象であることを表す助詞。
심하다 : ひどい。はげしい【激しい】。きつい。すごい
-게 : 前の事柄が後の事柄の目的・結果・方法・程度などになるという意を表す「連結語尾」。
걸리다 : かかる【掛かる】
-었- : ある出来事が過去に完了したことや、その出来事の結果が現在まで持続している状況を表す語尾。
-어요 : (略待上称) ある事実を叙述したり質問、命令、勧誘する意を表す「終結語尾」。
<じょじゅつ【叙述】>

(132) 알맞다 [almatda]

ほどよい【程好い】。てきとうだ【適当だ】

一定の基準や条件、程度に過不足なく一致して、ちょうどよい状態である。

물 온도가 목욕하기에 딱 알맞아요.

mul ondoga mogyokagie ttak almajayo.

물 온도+가 목욕하+기+에 딱 알맞+아요.

물 : みず【水】。のみみず【飲み水】
온도 : おんど【温度】
가 : ある状態や状況に置かれた対象、または動作の主体を表す助詞。
목욕하다 : ふろにはいる【風呂に入る】。にゅうよくする【入浴する】
-기 : 前の言葉を名詞化する語尾。
에 : 前の言葉が何かの条件、環境、状態であることを表す助詞。
딱 : ぴったり。ぴたっと。きっちり。かっきり。きっかり
알맞다 : ほどよい【程好い】。てきとうだ【適当だ】
-아요 : (略待上称) ある事実を叙述したり質問、命令、勧誘する意を表す「終結語尾」。
<じょじゅつ【叙述】>

(133) 적당하다 [jeokdanghada]

てきとうだ【適当だ】

基準、条件、程度にほどよくあてはまる。

하루 수면 시간은 일곱 시간 정도가 적당해요.

haru sumyeon siganeun ilgop sigan jeongdoga jeokdanghaeyo.

하루 수면 시간+은 일곱 시간 정도+가 적당하+여요.
적당해요

하루 : いちにち【一日】
수면 : すいみん【睡眠】
시간 : じかん【時間】
은 : 文章の中である対象が話題であることを表す助詞。
일곱 : ななつ【七つ】。しち・なな【七】
시간 : じかん【時間】
정도 : ていど【程度】。ほど。くらい

가 : ある状態や状況に置かれた対象、または動作の主体を表す助詞。
적당하다 : てきとうだ【適当だ】
-여요 : (略待上称) ある事実を叙述したり質問、命令、勧誘する意を表す「終結語尾」。
<じょじゅつ【叙述】>

(134) 정확하다 [jeonghwakada]

せいかくだ【正確だ】

正しくて確実である。

정확한 한국어 발음을 하고 싶어요.
jeonghwakan hangugeo bareumeul hago sipeoyo.

정확하+ㄴ 한국어 발음+을 하+[고 싶]+어요.
정확한

정확하다 : せいかくだ【正確だ】
-ㄴ : 前の言葉に連体修飾語の機能を持たせ、現在の状態を表す「語尾」。
한국어 : かんこくご【韓国語】
발음 : はつおん【発音】
을 : 動作が直接的に影響を及ぼす対象を表す助詞。
하다 : する【為る】。やる【遣る】。なす【成す・為す】
-고 싶다 : 前の言葉の表す行動をしたいという意を表す表現。
-어요 : (略待上称) ある事実を叙述したり質問、命令、勧誘する意を表す「終結語尾」。
<じょじゅつ【叙述】>

(135) 중요하다 [jungyohada]

じゅうようだ【重要だ】

貴重で必ず必要である。

살을 뺄 때는 운동이 중요해요.
sareul ppael ttaeneun undongi jungyohaeyo.

살+을 빼+[ㄹ 때]+는 운동+이 중요하+여요.
뺄 때는 중요해요

살 : にく【肉】

을 : 動作が直接的に影響を及ぼす対象を表す助詞。
빼다 : へらす【減らす】。おとす【落とす】
-ㄹ 때 : ある行動や状況が起こっている間やその時期、またそのようなことが起こった場合を表す表現。
는 : 文章の中である対象が話題であることを表す助詞。
운동 : うんどう【運動】
이 : ある状態や状況に置かれた対象、または動作の主体を表す助詞。
중요하다 : じゅうようだ【重要だ】
-여요 : (略待上称) ある事実を叙述したり質問、命令、勧誘する意を表す「終結語尾」。
<じょじゅつ【叙述】>

(136) 진하다 [jinhada]

こい【濃い】

液体が薄くなく、濃度が高い。

커피가 너무 진해요.
keopiga neomu jinhaeyo.

커피+가 너무 진하+여요.
진해요

커피 : コーヒー
가 : ある状態や状況に置かれた対象、または動作の主体を表す助詞。
너무 : あまりに
진하다 : こい【濃い】
-여요 : (略待上称) ある事実を叙述したり質問、命令、勧誘する意を表す「終結語尾」。
<じょじゅつ【叙述】>

(137) 충분하다 [chungbunhada]

じゅうぶんだ【十分だ・充分だ】。たりる【足りる】

不足がなく、余裕がある。

저는 이 빵 하나면 충분해요.
jeoneun i ppang hanamyeon chungbunhaeyo.

저+는 이 빵 하나+이+면 충분하+여요.
하나면 충분해요

저 : わたくし【私】
는 : 文章の中である対象が話題であることを表す助詞。
이 : この
빵 : パン
하나 : ひとつ【一つ】。いち【一・壱】
이다 : 主語が指す対象の属性や部類を指定する意を表す叙述格助詞。
-면 : 後にくる事柄に対する根拠や条件になるという意を表す「連結語尾」。
충분하다 : じゅうぶんだ【十分だ・充分だ】。たりる【足りる】
-여요 : (略待上称) ある事実を叙述したり質問、命令、勧誘する意を表す「終結語尾」。
<じょじゅつ【叙述】>

필수(ひっす)

문법(ぶんぽう)

1. 모음 : 사람이 목청을 울려 내는 소리로, 공기의 흐름이 방해를 받지 않고 나는 소리.

ぼいん・ぼおん【母音】
人が声帯を響かせて出す音で、空気の流れが妨害を受けずに出る音。

(1) ㅏ : 한글 자모의 열다섯째 글자. 이름은 '아'이고 중성으로 쓴다.

ハングル字母の15番目の文字。名称は「ア」で、「中声（母音）」として使われる。

(2) ㅑ : 한글 자모의 열여섯째 글자. 이름은 '야'이고 중성으로 쓴다.

ハングル字母の16番目の文字。名称は「ヤ」で、「中声（母音）」として使われる。

(3) ㅓ : 한글 자모의 열일곱째 글자. 이름은 '어'이고 중성으로 쓴다.

ハングル字母の17番目の文字。名称は「オ」で、「中声（母音）」として使われる。

(4) ㅕ : 한글 자모의 열여덟째 글자. 이름은 '여'이고 중성으로 쓴다.

ハングル字母の18番目の文字。名称は「ヨ」で、「中声（母音）」として使われる。

(5) ㅗ : 한글 자모의 열아홉째 글자. 이름은 '오'이고 중성으로 쓴다.

ハングル字母の19番目の文字。名称は「オ」で、「中声（母音）」として使われる。

(6) ㅛ : 한글 자모의 스무째 글자. 이름은 '요'이고 중성으로 쓴다.

ハングル字母の20番目の文字。名称は「ヨ」で、「中声（母音）」として使われる。

(7) ㅜ : 한글 자모의 스물한째 글자. 이름은 '우'이고 중성으로 쓴다.

ハングル字母の21番目の文字。名称は「ウ」で、「中声（母音）」として使われる。

(8) ㅠ : 한글 자모의 스물두째 글자. 이름은 '유'이고 중성으로 쓴다.

ハングル字母の22番目の文字。名称は「ユ」で、「中声（母音）」として使われる。

(9) ㅡ : 한글 자모의 스물셋째 글자. 이름은 '으'이고 중성으로 쓴다.

ハングル字母の23番目の文字。名称は「ウ」で、「中声（母音）」として使われる。

(10) ㅣ : 한글 자모의 스물넷째 글자. 이름은 '이'이고 중성으로 쓴다.

ハングル字母の24番目の文字。名称は「イ」で、「中声（母音）」として使われる。

(11) ㅚ : 한글 자모 'ㅗ'와 'ㅣ'를 모아 쓴 글자. 이름은 '외'이고 중성으로 쓴다.

ハングル字母の「ㅗ」と「ㅣ」を合わせて書いた文字。名称は「ウェ」で、「中声（二重母音）」として使われる。

(12) ㅟ : 한글 자모 'ㅜ'와 'ㅣ'를 모아 쓴 글자. 이름은 '위'이고 중성으로 쓴다.

ハングル字母の「ㅜ」と「ㅣ」を合わせて書いた文字。名称は「ウィ」で、「中声（二重母音）」として使われる。

(13) ㅐ : 한글 자모 'ㅏ'와 'ㅣ'를 모아 쓴 글자. 이름은 '애'이고 중성으로 쓴다.

ハングル字母の「ㅏ」と「ㅣ」を合わせて書いた文字。名称は「エ」で、「中声（母音）」として使われる。

(14) ㅔ : 한글 자모 'ㅓ'와 'ㅣ'를 모아 쓴 글자. 이름은 '에'이고 중성으로 쓴다.

ハングル字母の「ㅓ」と「ㅣ」を合わせて書いた文字。名称は「エ」で、「中声（母音）」として使われる。

(15) ㅒ : 한글 자모 'ㅑ'와 'ㅣ'를 모아 쓴 글자. 이름은 '얘'이고 중성으로 쓴다.

ハングル字母の「ㅑ」と「ㅣ」を合わせて書いた文字。名称は「エ」で、「中声（二重母音）」として使われる。

(16) ㅖ : 한글 자모 'ㅕ'와 'ㅣ'를 모아 쓴 글자. 이름은 '예'이고 중성으로 쓴다.

ハングル字母の「ㅕ」と「ㅣ」を合わせて書いた文字。名称は「エ」で、「中声（二重母音）」として使われる。

(17) ㅘ : 한글 자모 'ㅗ'와 'ㅏ'를 모아 쓴 글자. 이름은 '와'이고 중성으로 쓴다.

ハングル字母の「ㅗ」と「ㅏ」を合わせて書いた文字。名称は「ワ」で、「中声（二重母音）」として使われる。

(18) ㅝ : 한글 자모 'ㅜ'와 'ㅓ'를 모아 쓴 글자. 이름은 '워'이고 중성으로 쓴다.

ハングル字母の「ㅜ」と「ㅓ」を合わせて書いた文字。名称は「ウォ」で、「中声（二重母音）」として使われる。

(19) ㅙ : 한글 자모 'ㅗ'와 'ㅐ'를 모아 쓴 글자. 이름은 '왜'이고 중성으로 쓴다.

ハングル字母の「ㅗ」と「ㅐ」を合わせて書いた文字。名称は「ウェ」で、「中声（二重母音）」として使われる。

(20) ㅞ : 한글 자모 'ㅜ'와 'ㅔ'를 모아 쓴 글자. 이름은 '웨'이고 중성으로 쓴다.

ハングル字母の「ㅜ」と「ㅔ」を合わせて書いた文字。名称は「ウェ」で、「中声（二重母音）」として使われる。

(21) ㅢ : 한글 자모 'ㅡ'와 'ㅣ'를 모아 쓴 글자. 이름은 '의'이고 중성으로 쓴다.

ハングル字母の「ㅡ」と「ㅣ」を合わせて書いた文字。名称は「ウィ」で、「中声（二重母音）」として使われる。

ㅏ	ㅓ	ㅗ	ㅜ	ㅡ	ㅣ	ㅐ	ㅔ	ㅚ	ㅟ

ㅑ	ㅕ	ㅛ	ㅠ	ㅒ	ㅖ	ㅘ	ㅝ	ㅙ	ㅞ	ㅢ

ㅣ + ㅏ = ㅑ　　ㅣ + ㅓ = ㅕ　　ㅣ + ㅗ = ㅛ　　ㅣ + ㅜ = ㅠ

ㅗ + ㅏ = ㅘ　　ㅜ + ㅓ = ㅝ　　ㅗ + ㅐ = ㅙ　　ㅜ + ㅔ = ㅞ

ㅡ + ㅣ = ㅢ

ㅏ	ㅑ	ㅓ	ㅕ	ㅗ	ㅛ	ㅜ	ㅠ	ㅡ	ㅣ
a	ya	eo	yeo	o	yo	u	yu	eu	i

ㅐ	ㅔ	ㅒ	ㅖ	ㅙ	ㅞ	ㅚ	ㅟ	ㅘ	ㅝ	ㅢ
ae	e	yae	ye	wae	we	oe	wi	wa	wo	ui

2. 자음 : 목, 입, 혀 등의 발음 기관에 의해 장애를 받으며 나는 소리.

しいん・しおん【子音】
喉・口・舌などの発音器官に妨げられて発せられる音。

(1) ㄱ : 한글 자모의 첫째 글자. 이름은 기역으로 소리를 낼 때 혀뿌리가 목구멍을 막는 모양을 본떠 만든 글자이다.

ハングル字母の1番目の文字。名称は「キヨッ」で、
音を出すとき舌の根が喉を防ぐ模様をまねして作った文字。

(2) ㄴ : 한글 자모의 둘째 글자. 이름은 '니은'으로 소리를 낼 때 혀끝이 윗잇몸에 붙는 모양을 본떠 만든 글자이다.

ハングル字母の2番目の文字。名称は「ニウン」で、
音を出すとき舌先が上歯茎につく模様をまねして作った文字。

(3) ㄷ : 한글 자모의 셋째 글자. 이름은 '디귿'으로, 소리를 낼 때 혀의 모습은 'ㄴ'과 같지만 더 세게 발음되므로 한 획을 더해 만든 글자이다.

ハングル字母の3番目の文字。名称は「ティグッ」で、音を出すとき舌の形は「ㄴ」と同じだが、
より強く発音するため一画を加えて作った文字。

(4) ㄹ : 한글 자모의 넷째 글자. 이름은 '리을'로 혀끝을 윗잇몸에 가볍게 대었다가 떼면서 내는 소리를 나타낸다.

ハングル字母の4番目の文字。名称は「リウル」で、舌先を上の歯茎に軽くつけてから離して出す音を表す。

(5) ㅁ : 한글 자모의 다섯째 글자. 이름은 '미음'으로, 소리를 낼 때 다물어지는 두 입술 모양을 본떠서 만든 글자이다.

ハングル字母の5番目の文字。名称は「ミウム」で、音を出す時につぐまれる唇の模様を真似て作った字。

(6) ㅂ : 한글 자모의 여섯째 글자. 이름은 '비읍'으로, 소리를 낼 때의 입술 모양은 'ㅁ'과 같지만 더 세게 발음되므로 'ㅁ'에 획을 더해서 만든 글자이다.

ハングル字母の6番目の文字。名称は「ビウプ」で、音を出す時、唇の模様は「ㅁ」と同じだが、
さらに強く発音されるため、「ㅁ」に画をさらに加えて作った文字。

(7) ㅅ : 한글 자모의 일곱째 글자. 이름은 '시옷'으로 이의 모양을 본떠서 만든 글자이다.

ハングル字母の7番目の文字。名称は「シオッ」で、歯の模様を模して作った字。

(8) ㅇ : 한글 자모의 여덟째 글자. 이름은 '이응'으로 목구멍의 모양을 본떠서 만든 글자이다. 초성으로 쓰일 때 소리가 없다.

ハングル字母の8番目の文字。名称は「イウン」で、喉の丸い形をかたどって作った字である。
初声で使われる時は発音しない。

(9) ㅈ : 한글 자모의 아홉째 글자. 이름은 '지읒'으로, 'ㅅ'보다 소리가 더 세게 나므로 'ㅅ'에 한 획을 더해 만든 글자이다.

ハングル字母の9番目の文字。名称は「チウッ」で「ㅅ」より音が強く、「ㅅ」に一画を加えて作った文字。

(10) ㅊ : 한글 자모의 열째 글자. 이름은 '치읓'으로 '지읒'보다 소리가 거세게 나므로 '지읒'에 한 획을 더해서 만든 글자이다.

ハングル字母の10番目の文字。名称は「チウッ」で「ㅈ」より音が強く、「ㅈ」にさらに一画を加えて作った文字。

(11) ㅋ : 한글 자모의 열한째 글자. 이름은 '키읔'으로 'ㄱ'보다 소리가 거세게 나므로 'ㄱ'에 한 획을 더하여 만든 글자이다.

ハングル字母の11番目の文字。名称は「キウッ」で「ㄱ」より音が強く、「ㄱ」にさらに一画を加えて作った文字。

(12) ㅌ : 한글 자모의 열두째 글자. 이름은 '티읕'으로, 'ㄷ'보다 소리가 거세게 나므로 'ㄷ'에 한 획을 더하여 만든 글자이다.

ハングル字母の12番目の文字。名称は「ティウッ」で「ㄷ」より音が強く、「ㄷ」にさらに一画を加えて作った文字。

(13) ㅍ : 한글 자모의 열셋째 글자. 이름은 '피읖'으로, 'ㅁ, ㅂ'보다 소리가 거세게 나므로 'ㅁ'에 획을 더하여 만든 글자이다.

ハングル字母の13番目の文字。名称は「ピウッ」で「ㅁ、ㅂ」より音が強く、「ㅁ」にさらに一画を加えて作った文字。

(14) ㅎ : 한글 자모의 열넷째 글자. 이름은 '히읗'으로, 이 글자의 소리는 목청에서 나므로 목구멍을 본떠 만든 'ㅇ'의 경우와 같지만 'ㅇ'보다 더 세게 나므로 'ㅇ'에 획을 더하여 만든 글자이다.

ハングル字母の14番目の文字。名称は「ヒウッ」で、この字の音は喉から出るため、喉の形をかたどって作った「ㅇ」の場合と同じだが、「ㅇ」より音が強く、「ㅇ」にさらに一画を加えて作った文字。

(15) ㄲ : 한글 자모 'ㄱ'을 겹쳐 쓴 글자. 이름은 쌍기역으로, 'ㄱ'의 된소리이다.

ハングル字母の「ㄱ」を重ねて書いた文字。名称は「サンギヨク」で、「ㄱ」の硬音である。

(16) ㄸ : 한글 자모 ′ㄷ′을 겹쳐 쓴 글자. 이름은 쌍디귿으로, ′ㄷ′의 된소리이다.

ハングル字母の「ㄷ」を重ねて書いた文字。名称は「サンディグッ」で、「ㄷ」の硬音である。

(17) ㅃ : 한글 자모 ‘ㅂ’을 겹쳐 쓴 글자. 이름은 쌍비읍으로, ‘ㅂ’의 된소리이다.

ハングル字母の「ㅂ」を重ねて書いた文字。名称は「サンビウプ」で、「ㅂ」の硬音である。

(18) ㅆ : 한글 자모 ‘ㅅ’을 겹쳐 쓴 글자. 이름은 쌍시옷으로, ‘ㅅ’의 된소리이다.

ハングル字母の「ㅅ」を重ねて書いた文字。名称は「サンシオッ」で、「ㅅ」の硬音である。

(19) ㅉ : 한글 자모 ‘ㅈ’을 겹쳐 쓴 글자. 이름은 쌍지읒으로, ‘ㅈ’의 된소리이다.

ハングル字母の「ㅈ」を重ねて書いた文字。名称は「サンジウッ」で、「ㅈ」の硬音。

ㄱ	ㄴ	ㄷ	ㄹ	ㅁ	ㅂ	ㅅ	ㅇ	ㅈ	ㅊ	ㅋ	ㅌ	ㅍ	ㅎ
g,k	n	d,t	r,l	m	b,p	s	ng	j	ch	k	t	p	h

ㄲ	ㄸ	ㅃ	ㅆ	ㅉ
kk	tt	pp	ss	jj

ㄱ	ㄴ	ㄷ	ㄹ	ㅁ	ㅂ	ㅅ	ㅇ	ㅈ	ㅎ
ㅋ		ㅌ			ㅍ			ㅊ	
ㄲ		ㄸ			ㅃ	ㅆ		ㅉ	

3. 음절 : 모음, 모음과 자음, 자음과 모음, 자음과 모음과 자음이 어울려 한 덩어리로 내는 말소리의 단위.

おんせつ【音節】
母音、母音と子音、子音と母音、子音と母音と子音が一つになって発音される単位。

1) 모음(ぼいん · ぼおん【母音】)

예 (れい【例】) : 아, 어, 오, 우……

2) 자음(しいん · しおん【子音】) + 모음(ぼいん · ぼおん【母音】)

예 (れい【例】) : 가, 도, 루, 슈……

3) 모음(ぼいん · ぼおん【母音】) + 자음(しいん · しおん【子音】)

예 (れい【例】) : 악, 얌, 임, 윤……

4) 자음(しいん · しおん【子音】) + 모음(ぼいん · ぼおん【母音】) + 자음(しいん · しおん【子音】)

예 (れい【例】) : 각, 남, 당, 균……

	ㄱ	ㄴ	ㄷ	ㄹ	ㅁ	ㅂ	ㅅ	ㅇ	ㅈ	ㅊ	ㅋ	ㅌ	ㅍ	ㅎ
ㅏ	가	나	다	라	마	바	사	아	자	차	카	타	파	하
ㅓ	거	너	더	러	머	버	서	어	저	처	커	터	퍼	허
ㅗ	고	노	도	로	모	보	소	오	조	초	코	토	포	호
ㅜ	구	누	두	루	무	부	수	우	주	추	쿠	투	푸	후
ㅡ	그	느	드	르	므	브	스	으	즈	츠	크	트	프	흐
ㅣ	기	니	디	리	미	비	시	이	지	치	키	티	피	히
ㅐ	개	내	대	래	매	배	새	애	재	채	캐	태	패	해
ㅔ	게	네	데	레	메	베	세	에	제	체	케	테	페	헤
ㅚ	괴	뇌	되	뢰	뫼	뵈	쇠	외	죄	최	쾨	퇴	푀	회
ㅟ	귀	뉘	뒤	뤼	뮈	뷔	쉬	위	쥐	취	퀴	튀	퓌	휘
ㅑ	갸	냐	댜	랴	먀	뱌	샤	야	쟈	챠	캬	탸	퍄	햐
ㅕ	겨	녀	뎌	려	며	벼	셔	여	져	쳐	켜	텨	펴	혀
ㅛ	교	뇨	됴	료	묘	뵤	쇼	요	죠	쵸	쿄	툐	표	효
ㅠ	규	뉴	듀	류	뮤	뷰	슈	유	쥬	츄	큐	튜	퓨	휴
ㅒ	걔	냬	댸	럐	먜	뱨	섀	얘	쟤	챼	컈	턔	퍠	햬
ㅖ	계	녜	뎨	례	몌	볘	셰	예	졔	쳬	켸	톄	폐	혜
ㅘ	과	놔	돠	롸	뫄	봐	솨	와	좌	촤	콰	톼	퐈	화
ㅝ	궈	눠	둬	뤄	뭐	붜	숴	워	줘	춰	쿼	퉈	풔	훠
ㅙ	괘	놰	돼	뢔	뫠	봬	쇄	왜	좨	쵀	쾌	퇘	퐤	홰
ㅞ	궤	눼	뒈	뤠	뭬	붸	쉐	웨	줴	췌	퀘	퉤	풰	훼
ㅢ	긔	늬	듸	릐	믜	븨	싀	의	즤	츼	킈	틔	픠	희

4. 품사 : 단어를 기능, 형태, 의미에 따라 나눈 갈래.

ひんし【品詞】
単語をその職能・形態・意味によって分類した種別。

• **체언** : 문장에서 명사, 대명사, 수사와 같이 문장의 주어나 목적어 등의 기능을 하는 말.

たいげん【体言】
文において、名詞や代名詞、数詞のように文の主語や目的語などの機能をする語。

• **용언** : 문법에서, 동사나 형용사와 같이 문장에서 서술어의 기능을 하는 말.

ようげん【用言】
文法で、動詞や形容詞のように文の中で述語の機能をする語。

1) **본용언** : 문장의 주체를 주되게 서술하면서 보조 용언의 도움을 받는 용언.

ほんようげん【本用言】
文の主体を主に叙述して、補助用言の助けを受ける用言。

2) **보조 용언** : 본용언과 연결되어 그 뜻을 보충해 주는 용언.

ほじょようげん【補助用言】
本用言にくっついてその意味を補充する用言。

• **수식언** : 문법에서, 관형어나 부사어와 같이 뒤에 오는 체언이나 용언을 꾸미거나 한정하는 말.

しゅうしょくご【修飾語】
文法で、連体修飾語や連用修飾語のように後に来る体言や用言を修飾したり、限定する語。

---

1. **명사** : 사물의 이름을 나타내는 품사.

めいし【名詞】
ものの名前を言い表す品詞。

2. **대명사** : 다른 명사를 대신하여 사람, 장소, 사물 등을 가리키는 낱말.

だいめいし【代名詞】
他の名詞の代わりに人や場所、物などを示す言葉。

3. **수사** : 수량이나 순서를 나타내는 말.

すうし【数詞】
数量や順序を表す言葉。

4. **동사** : 사람이나 사물의 움직임을 나타내는 품사.

どうし【動詞】
人や事物の動きを表す品詞。

5. **형용사** : 사람이나 사물의 성질이나 상태를 나타내는 품사.

けいようし【形容詞】
人や事物の性質や状態をあらわす品詞。

• **활용** : 문법적 관계를 나타내기 위해 용언의 꼴을 조금 바꿈.

かつよう【活用】
文法的関係を表わすため、用言の形を少し変えること。

1) **규칙 활용** : 문법에서, 동사나 형용사가 활용을 할 때 어간의 형태가 변하지 않고 일반적인 어미가 붙어 변화하는 것.

きそくかつよう【規則活用】
文法用語で、動詞や形容詞が活用する時に語幹の形は変わらず一般的な語尾がついて変化すること。

2) **불규칙 활용** : 문법에서, 동사나 형용사가 활용을 할 때 어간의 형태가 변하거나 예외적인 어미가 붙어 변화하는 것.

ふきそくかつよう【不規則活用】
文法で、動詞や形容詞が活用をするとき、語幹の形が変わるか、
例外的な語尾がついて変化すること。

활용(かつよう【活用】) 형태(けいたい【形態】)	어간(ごかん【語幹】) + 어미(ごび【語尾】)	불규칙(ふきそく【不規則】) 부분(ぶぶん【部分】)	불규칙 용언 (ふきそくようげん【不規則用言】)
물어	묻- + -어	묻- → 물-	싣다, 붇다, 일컫다···
지어	짓- + -어	짓- → 지-	젓다, 붓다, 잇다···
누워	눕- + -어	눕- → 누우	줍다, 굽다, 깁다···
흘러	흐르- + -어	흐르- → 흘ㄹ	부르다, 타오르다, 누르다···
하얘	하얗- + -아	-얗어- → 얘	빨갛다, 까맣다, 뽀얗다···

1) **어간** : 동사나 형용사가 활용할 때에 변하지 않는 부분.

ごかん【語幹】
動詞や形容詞が活用する時に変化しない部分。

2) **어미** : 용언이나 '-이다'에서 활용할 때 형태가 달라지는 부분.

ごび【語尾】
用言や「이다」の活用の時、形態が変化する部分。

① **어말 어미** : 동사, 형용사, 서술격 조사가 활용될 때 맨 뒤에 오는 어미.

ごまつごび【語末語尾】
動詞、形容詞、叙述格助詞が活用されるとき、最後にくる語尾。

㉠ **종결 어미** : 한 문장을 끝맺는 기능을 하는 어말 어미.

しゅうけつごび【終結語尾】
文を終わらせる機能をする語末語尾。

㉡ **전성 어미** : 동사나 형용사의 어간에 붙어 동사나 형용사가 명사, 관형사, 부사와 같은 다른 품사의 기능을 가지도록 하는 어미.

てんせいごび【転成語尾】
動詞や形容詞の語幹に付いて、動詞や形容詞に名詞、連体詞、副詞のような他の品詞の機能を持たせる語尾。

㉢ **연결 어미** : 어간에 붙어 다음 말에 연결하는 기능을 하는 어미.

れんけつごび【連結語尾】
語幹にくっつき、次にくる言葉をつなげる機能をする語尾。

② **선어말 어미** : 어말 어미 앞에 놓여 높임이나 시제 등을 나타내는 어미.

せんごまつごび【先語末語尾】
語末語尾の前で敬意や時制などを表す語尾。

<table>
<tr><th colspan="3">어미 (ごび【語尾】)</th><th colspan="2">예 (れい【例】)</th></tr>
<tr><td rowspan="12">어말 어미
(ごまつごび
【語末語尾】)</td><td rowspan="5">종결 어미
(しゅうけつごび
【終結語尾】)</td><td>서술형
(叙述形)</td><td colspan="2">-다, -네, -ㅂ니다/습니다…</td></tr>
<tr><td>의문형
(ぎもんけい
【疑問形】)</td><td colspan="2">-는가, -니, -ㄹ까…</td></tr>
<tr><td>감탄형
(かんたんけい
【感嘆形】)</td><td colspan="2">-구나, -네…</td></tr>
<tr><td>명령형
(めいれいけい
【命令形】)</td><td colspan="2">-(으)세요, -어라/-아라/-여라</td></tr>
<tr><td>청유형
(かんゆうけい
【勧誘形】)</td><td colspan="2">-자, -ㅂ시다/-읍시다, -세…</td></tr>
<tr><td>연결 어미
(れんけつごび
【連結語尾】)</td><td colspan="3">-고, -며/으며, -지만, -거나, -어서, -려고/-으려고,
-면/-으면…</td></tr>
<tr><td rowspan="6">전성 어미
(てんせいごび
【転成語尾】</td><td>명사형 어미
(めいしけいごび
【名詞形語尾】)</td><td colspan="2">-ㅁ/-음, -기</td></tr>
<tr><td rowspan="4">관형사형 어미
(れんたいけいごび
【連体形語尾】)</td><td>과거
(かこ【過去】)</td><td>-ㄴ/-은</td></tr>
<tr><td>현재
(げんざい【現在】)</td><td>-는</td></tr>
<tr><td>미래
(みらい【未来】)</td><td>-ㄹ/-을</td></tr>
<tr><td>중단/반복
(ちゅうだん【中断】/
はんぷく【反復】)</td><td>-던</td></tr>
<tr><td>부사형 어미
(ふくしけいごび
【副詞形語尾】)</td><td colspan="2">-게, -도록, -듯이, -이</td></tr>
<tr><td rowspan="5">선어말 어미
(せんごまつご
び
【先語末語尾】)</td><td colspan="2">주체(しゅたい【主体】) 높임(けいご【敬語】)</td><td colspan="2">-시-/-으시-</td></tr>
<tr><td colspan="2" rowspan="4">시제
(じせい【時制】)</td><td>과거
(かこ【過去】)</td><td>-았-/-었-/-
였-</td></tr>
<tr><td>현재
(げんざい【現在】)</td><td>-ㄴ-/-는-</td></tr>
<tr><td>미래
(みらい【未来】)</td><td>-ㄹ-/-을-</td></tr>
<tr><td>회상
(かいそう【回想】)</td><td>-더-</td></tr>
</table>

6. **관형사** : 체언 앞에 쓰여 그 체언의 내용을 꾸며 주는 기능을 하는 말.

かんけいし【冠形詞】。れんたいし【連体詞】
体言の前について、その体言の内容を修飾する機能をする言葉。
「世界的」「改革的」など「～的」を用いる語も韓国語の冠形詞には含まれるため、日本語の連体詞より意味範囲は広い。

7. **부사** : 주로 동사나 형용사 앞에 쓰여 그 뜻을 분명하게 하는 말.

ふくし【副詞】
主に動詞や形容詞の前に使われて、その意味をはっきり表す語。

8. **조사** : 명사, 대명사, 수사, 부사, 어미 등에 붙어 그 말과 다른 말과의 문법적 관계를 표시하거나 그 말의 뜻을 도와주는 품사.

じょし【助詞】
名詞、代名詞、数詞、副詞、語尾などに付いて、その語と他の語との文法的な関係を示したり、その語の意味を強調したりする品詞。

1) **격 조사** : 명사나 명사구 뒤에 붙어 그 말이 서술어에 대하여 가지는 문법적 관계를 나타내는 조사.

かくじょし【格助詞】
名詞や名詞句に付いて、それが述語に対してどのような文法的関係にあるかを示す助詞。

① **주격 조사** : 문장에서 서술어에 대한 주어의 자격을 표시하는 조사.

しゅかくじょし【主格助詞】
文において、述語に対する主語の資格を表す助詞。

② **목적격 조사** : 문장에서 서술어에 대한 목적어의 자격을 표시하는 조사.

もくてきかくじょし【目的格助詞】
文の中で述語に対する目的語の資格を表す助詞。

③ **서술격 조사** : 문장 안에서 체언이나 체언 구실을 하는 말 뒤에 붙어 이들을 서술어로 만드는 격 조사.

じょじゅつかくじょし【叙述格助詞】
文の中で体言および体言の機能をする言葉に後接して、その言葉を述語にする格助詞。

④ **보격 조사** : 문장 안에서, 체언이 서술어의 보어임을 표시하는 격 조사.

ほかくじょし【補格助詞】
文の中で体言が述語の補語であるという意を表す格助詞。

⑤ **관형격 조사** : 문장 안에서 앞에 오는 체언이 뒤에 오는 체언을 꾸며 주는 구실을 하게 하는 조사.

れんたいかくじょし【連体格助詞】
文の中で前の体言につき、その体言が後の体言を修飾できるようにする助詞。

⑥ **부사격 조사** : 문장 안에서, 체언이 서술어에 대하여 장소, 도구, 자격, 원인, 시간 등과 같은 부사로서의 자격을 가지게 하는 조사.

ふくしかくじょし【副詞格助詞】
文の中で、述語に対して場所・道具・資格・原因・時間などのような副詞としての資格を体言に持たせる助詞。

⑦ **호격 조사** : 문장에서 체언이 독립적으로 쓰여 부르는 말의 역할을 하게 하는 조사.

こかくじょし【呼格助詞】
文において、体言が独立的に使われて、呼びかけに用いられる助詞。

2) **보조사** : 체언, 부사, 활용 어미 등에 붙어서 특별한 의미를 더해 주는 조사.

ほじょし【補助詞】
体言・副詞・活用語尾などについて特別な意味を付け加える助詞。

3) **접속 조사** : 두 단어를 이어 주는 기능을 하는 조사.

せつぞくじょし【接続助詞】
二つの単語をつなぐ働きをする助詞。

<table>
<tr><td rowspan="7">격 조사
(かくじょし【格助詞】)</td><td>주격 조사
(しゅかくじょし【主格助詞】)</td><td>이/가, 께서, 에서</td></tr>
<tr><td>목적격 조사
(もくてきかくじょし【目的格助詞】)</td><td>을/를</td></tr>
<tr><td>보격 조사
(ほかくじょし【補格助詞】)</td><td>이/가</td></tr>
<tr><td>부사격 조사
(ふくしかくじょし【副詞格助詞】)</td><td>에, 에서, 에게, 한테, 께, (으)로, (으)로서, (으)로써, 와/과, 하고, (이)랑, 처럼, 만큼, 같이, 보다</td></tr>
<tr><td>관형격 조사
(れんたいかくじょし【連体格助詞】)</td><td>의</td></tr>
<tr><td>서술격 조사
(じょじゅつかくじょし【叙述格助詞】)</td><td>이다</td></tr>
<tr><td>호격 조사
(こかくじょし【呼格助詞】)</td><td>아, 야, 이시여</td></tr>
<tr><td>보조사
(ほじょし【補助詞】)</td><td colspan="2">은/는, 만, 도, 까지, 부터, 마저, 조차, 밖에…</td></tr>
<tr><td>접속 조사
(せつぞくじょし【接続助詞】)</td><td colspan="2">와/과, 하고, (이)랑, (이)며</td></tr>
</table>

9. **감탄사** : 느낌이나 부름, 응답 등을 나타내는 말의 품사.

かんどうし【感動詞】
感じたことや呼び、応答などを表す語の品詞。

5. 문장 성분 : 주어, 서술어, 목적어 등과 같이 한 문장을 구성하는 요소.

ぶんのせいぶん【文の成分】
主語・述語・目的語などのように、一つの文を構成する要素。

1. **주어** : 문장의 주요 성분의 하나로, 주로 문장의 앞에 나와서 동작이나 상태의 주체가 되는 말.

しゅご【主語】
文の主要成分の一つで、主に文の最初に出て動作や状態の主体を表す語。

1) 체언 + 주격 조사 : たいげん【体言】 + しゅかくじょし【主格助詞】

2) 체언 + 보조사 : たいげん【体言】 + ほじょし【補助詞】

2. **목적어** : 타동사가 쓰인 문장에서 동작의 대상이 되는 말.

もくてきご【目的語】
他動詞が使われた文で、動作の対象になる語。

1) 체언 + 목적격 조사 : たいげん【体言】 + もくてきかくじょし【目的格助詞】

2) 체언 + 보조사 : たいげん【体言】 + ほじょし【補助詞】

3. **서술어** : 문장에서 주어의 성질, 상태, 움직임 등을 나타내는 말.

じゅつご【述語】
文の中で主語の性質・状態・動きなどを表す語。

1) 용언 종결형 : ようげん【用言】 しゅうけつけい【終結形】

2) 체언 + 서술격 조사 '이다' : たいげん【体言】 + じょじゅつかくじょし【叙述格助詞】 '이다'

4. **보어** : 주어와 서술어만으로는 뜻이 완전하지 못할 때 보충하여 문장의 뜻을 완전하게 하는 문장 성분.

ほご【補語】
主語と述語だけでは意味が完全でないとき、補って文の意味を完全にする文の成分。

1) 체언 + 보격 조사 : たいげん【体言】 + ほかくじょし【補格助詞】

2) 체언 + 보조사 : たいげん【体言】 + ほじょし【補助詞】

5. **관형어** : 체언 앞에서 그 내용을 꾸며 주는 문장 성분.

れんたいしゅうしょくご【連体修飾語】
体言の前でその内容を修飾する文の成分。

1) 관형사 : かんけいし【冠形詞】。れんたいし【連体詞】

2) 체언 + 관형격 조사 '의' : たいげん【体言】 + れんたいかくじょし【連体格助詞】 '의'

3) 용언 어간 + 관형사형 어미 '-은/ㄴ, -는, -을/ㄹ, -던'

: ようげん【用言】 ごかん【語幹】 + れんたいけいごび【連体形語尾】 '-은/ㄴ, -는, -을/ㄹ, -던'

6. **부사어** : 문장 안에서, 용언의 뜻을 분명하게 하는 문장 성분.

れんようしゅうしょくご【連用修飾語】
文の中で、用言の意味をより明確にさせる文の成分。

1) 부사 : ふくし【副詞】

2) 부사 + 보조사 : ふくし【副詞】 + ほじょし【補助詞】

3) 용언 어간 + 부사형 어미 '-게' :
ようげん【用言】 ごかん【語幹】 + ふくしけいごび【副詞形語尾】 '-게'

7. **독립어** : 문장의 다른 성분과 밀접한 관계없이 독립적으로 쓰는 말.

どくりつご【独立語】
文の他の成分と密接な関係を結ばず、独立的に用いられる語。

1) 감탄사 : かんどうし【感動詞】

2) 체언 + 호격 조사 : たいげん【体言】 + こかくじょし【呼格助詞】

6. 어순 : 한 문장 안에서 주어, 목적어, 서술어 등의 문장 성분이 나오는 순서.

ごじゅん【語順】
一つの文の中で、主語・目的語・述語などの文の成分が配列される順序。

1) 주어 + 서술어(자동사)

しゅご【主語】 + じゅつご【述語】(じどうし【自動詞】)

예 (れい【例】) : 바람이 불어요.

2) 주어 + 서술어(형용사)

しゅご【主語】 + じゅつご【述語】(けいようし【形容詞】)

예 (れい【例】) : 날씨가 좋아요.

3) 주어 + 서술어(체언+서술격 조사 '이다')

しゅご【主語】 + じゅつご【述語】(たいげん【体言】+ じょじゅつかくじょし【叙述格助詞】 '이다')

예 (れい【例】) : 이것이 책상이다.

4) 주어 + 목적어 + 서술어(타동사)

しゅご【主語】 + もくてきご【目的語】 + じゅつご【述語】(たどうし【他動詞】)

예 (れい【例】) : 친구가 밥을 먹어요.

5) 주어 + 목적어 + 필수 부사어 + 서술어(타동사)

しゅご【主語】 + もくてきご【目的語】 + ひっす【必須】 れんようしゅうしょくご【連用修飾語】 + じゅつご【述語】(たどうし【他動詞】)

예 (れい【例】) : 어머니께서 용돈을 나에게 주셨다.

1) 체언(명사/대명사/수사)이/가 + 형용사 어간어미
<주어> <서술어>

2) 체언이/가 + 체언을/를 + 타동사 어간어미
<주어> <목적어> <서술어>

7. 띄어쓰기 : 글을 쓸 때, 각 낱말마다 띄어서 쓰는 일. 또는 그것에 관한 규칙.

わかちがき【分かち書き】。はなちがき【放ち書き】
文や語を記す際、言葉と言葉の間をあけて書くこと。または、それに関する規則。

1) 체언조사 (띄어쓰기) 용언 어간어미

たいげん【体言】じょし【助詞】 (わかちがき【分かち書き】)
ようげん【用言】 ごかん【語幹】ごび【語尾】

예 (れい【例】) : 밥을 (わかちがき【分かち書き】) 먹어요

2) 관형사 (띄어쓰기) 명사

かんけいし【冠形詞】 (わかちがき【分かち書き】) めいし【名詞】

예 (れい【例】) : 새 (わかちがき【分かち書き】) 옷

3) 용언 어간관형사형 어미 '-은/-ㄴ, -는, -을/-ㄹ, -던' (띄어쓰기) 명사

ようげん【用言】 ごかん【語幹】れんたいけいごび【連体形語尾】'-은/-ㄴ, -는, -을/-ㄹ, -던
(わかちがき【分かち書き】) めいし【名詞】

예 (れい【例】) : 기다리는 (わかちがき【分かち書き】) 사람
/ 좋은 (わかちがき【分かち書き】) 사람

4) 형용사 어간부사형 어미 '-게' (띄어쓰기) 용언 어간어미

けいようし【形容詞】 ごかん【語幹】ふくしけいごび【副詞形語尾】'-게' (わかちがき【分かち書き】)
ようげん【用言】 ごかん【語幹】ごび【語尾】

예 (れい【例】) : 행복하게 (わかちがき【分かち書き】) 살자

5) 명사인 (띄어쓰기) 명사

めいし【名詞】인 (わかちがき【分かち書き】) めいし【名詞】

예 (れい【例】) : 대학생인 (わかちがき【分かち書き】) 친구

8. 문장 부호 : 문장의 뜻을 정확히 전달하고, 문장을 읽고 이해하기 쉽도록 쓰는 부호.

くとうてん【句読点】
文の意味を正確に伝え、文を読んでわかりやすくするために添える符号。

1) 마침표 (.) : 문장을 끝맺거나 연월일을 표시하거나 특정한 의미가 있는 날을 표시하거나 장, 절, 항 등을 표시하는 문자나 숫자 다음에 쓰는 문장 부호.

しゅうしふ【終止符】。ピリオド
文を終えたり、年月日や特定の意味がある日付、章・節・項などを表示する文字や数字の後ろに打つ符号。

2) 물음표 (?) : 의심이나 의문을 나타내거나 적절한 말을 쓰기 어렵거나 모르는 내용임을 나타낼 때 쓰는 문장 부호.

ぎもんふ【疑問符】。クェスチョンマーク
疑いや疑問、分からない事柄を表したり、適切な言葉を使いにくい時に用いる符号。

3) 느낌표 (!) : 강한 느낌을 표현할 때 문장 마지막에 쓰는 문장 부호 '!'의 이름.

かんたんふ【感嘆符】
強い感情を表現するとき、文の最後に使う符合「！」の名称。

4) 쉼표 (,) : 어구를 나열하거나 문장의 연결 관계를 나타내는 문장 부호.

とうてん【読点】
語句を並べたり文のつながりを表す符号。

5) 줄임표 (……) : 할 말을 줄였을 때나 말이 없음을 나타낼 때에 쓰는 문장 부호.

しょうりゃくきごう【省略記号】
言いたいことを省略したり、言いたいことがないことを表すのに用いる符号。

< 참고(さんこう) 문헌(ぶんけん) >

고려대학교 한국어대사전, 고려대학교 민족문화연구원, 2009
우리말샘, 국립국어원, 2016
표준국어대사전, 국립국어원, 1999
한국어교육 문법 자료편, 한글파크, 2016
한국어 교육학 사전, 하우, 2014
한국어기초사전, 국립국어원, 2016
한국어 문법 총론 Ⅰ, 집문당, 2015

한국어 동사 290 형용사 137 にほんご(ほんやく)

발　행 | 2024년 6월 10일
저　자 | 주식회사 한글2119연구소
펴낸이 | 한건희
펴낸곳 | 주식회사 부크크
출판사등록 | 2014.07.15.(제2014-16호)
주　소 | 서울특별시 금천구 가산디지털1로 119 SK트윈타워 A동 305호
전　화 | 1670-8316
이메일 | info@bookk.co.kr

ISBN | 979-11-410-8871-2

www.bookk.co.kr

한국어(ภาษาเกาหลี)

동사(คำกริยา) 290

형용사(คำคุณศัพท์) 137

ภาษาไทย(타이어)
หนังสือแปล(번역판)

※ 이 책의 폰트는 '함초롬 바탕체'를 사용하였습니다.

< 저자(ผู้แต่ง) >

㈜한글2119연구소

- 연구개발전담부서
- ISO 9001 : 품질경영시스템 인증
- ISO 14001 : 환경경영시스템 인증
- 이메일(อีเมล) : gjh0675@naver.com

< 동영상(ภาพเคลื่อนไหว) 자료(ข้อมูล) >

HANPUK_ภาษาไทย(การแปล)
https://www.youtube.com/@HANPUK_Thai

HANPUK

제 2024153361 호

연구개발전담부서 인정서

1. 전담부서명: 연구개발전담부서

   [소속기업명: (주)한글2119연구소]

2. 소　재　지: 인천광역시 부평구 마장로264번길 33
   상가동 제지하층 제2호 (산곡동, 뉴서울아파트)

3. 신고 연월일: 2024년 05월 02일

과학기술정보통신부

「기초연구진흥 및 기술개발지원에 관한 법률」 제14조의 2제1항 및 같은 법 시행령 제27조제1항에 따라 위와 같이 기업의 연구개발전담부서로 인정합니다.

2024년 5월 13일

한국산업기술진흥협회장

G-CERTI *certificate*

hereby certifies that

Hangul 2119 Research Institute Co., Ltd.

Rm. 2, Lower level, Sangga-dong, 33, Majang-ro 264beon-gil,
Bupyeong-gu, Incheon, Korea

meets the Standard Requirements & Scope as following

ISO 9001:2015
Quality Management Systems

Creation of Media Content, Publication
of Korean Paper and Electronic Textbooks, Production
and Release of Albums for Korean Language Education

Certificate No:	**GIS-6934-QC**	**Code**	**: 08, 39**
Initial Date	**: 2024-05-21**	**Issue Date**	**: 2024-05-21**
Expiry Date	**: 2027-05-20**	**Valid Period**	**: 2024-05-21 ~ 2027-05-20**

Signed for and on behalf of GCERTI
President I.K.Cho

G-CERTI *certificate*

hereby certifies that

Hangul 2119 Research Institute Co., Ltd.

Rm. 2, Lower level, Sangga-dong, 33, Majang-ro 264beon-gil,
Bupyeong-gu, Incheon, Korea

meets the Standard Requirements & Scope as following

ISO 14001:2015
Environmental Management Systems

Creation of Media Content, Publication
of Korean Paper and Electronic Textbooks, Production and
Release of Albums for Korean Language Education

Certificate No:	**GIS-6934-EC**	**Code**	**: 08, 39**
Initial Date	**: 2024-05-21**	**Issue Date**	**: 2024-05-21**
Expiry Date	**: 2027-05-20**	**Valid Period**	**: 2024-05-21 ~ 2027-05-20**

Signed for and on behalf of GCERTI
President I.K.Cho

< 목차(สารบัญ) >

한국어(ภาษาเกาหลี)

동사(คำกริยา) 290

(1) 들리다 [deullida]

ได้ยิน, ได้ฟัง

เสียงที่ได้ยินผ่านหูได้รับการรับรู้

อดีต : 들리 + 었어요 → **들렸어요**
ปัจจุบัน : 들리 + 어요 → **들려요**
อนาคต : 들리 + ㄹ 거예요 → **들릴 거예요**

(2) 메다 [meda]

แบก, สะพาย, หาม

นำสิ่งของขึ้นมาวางไว้ที่ไหล่หรือหลัง

อดีต : 메 + 었어요 → **멨어요**
ปัจจุบัน : 메 + 어요 → **메요**
อนาคต : 메 + ㄹ 거예요 → **멜 거예요**

(3) 보이다 [boida]

เห็น, มองเห็น

รู้รูปร่างหรือการมีอยู่ของวัตถุได้ด้วยตา

อดีต : 보이 + 었어요 → **보였어요**
ปัจจุบัน : 보이 + 어요 → **보여요**
อนาคต : 보이 + ㄹ 거예요 → **보일 거예요**

(4) 귀여워하다 [gwiyeowohada]

รักใคร่, เอ็นดู

ปฏิบัติต่อผู้ที่มีอายุน้อยกว่าตนหรือสัตว์อย่างรักใคร่และเอ็นดู

อดีต : 귀여워하 + 였어요 → **귀여워했어요**
ปัจจุบัน : 귀여워하 + 여요 → **귀여워해요**
อนาคต : 귀여워하 + ㄹ 거예요 → **귀여워할 거예요**

(5) 기뻐하다 [gippeohada]

ดีใจ, ดีอกดีใจ, ปีติยินดี, สนุกสนาน, เพลิดเพลิน

รู้สึกอารมณ์ดีและสนุกสนาน

อดีต : 기뻐하 + 였어요 → **기뻐했어요**
ปัจจุบัน : 기뻐하 + 여요 → **기뻐해요**
อนาคต : 기뻐하 + ㄹ 거예요 → **기뻐할 거예요**

(6) 놀라다 [nollada]

ตกใจ, ตกตื่น, สะดุ้งตกใจ, ผวา

หัวใจเต้นหรือตึงเครียดชั่วครู่เพราะประสบกับสิ่งที่ไม่คาดคิดหรือหวาดกลัว

อดีต : 놀라 + 았어요 → **놀랐어요**
ปัจจุบัน : 놀라 + 아요 → **놀라요**
อนาคต : 놀라 + ㄹ 거예요 → **놀랄 거예요**

(7) 느끼다 [neukkida]

รู้สึก

รับรู้การกระตุ้นใด ๆ โดยผ่านอวัยวะรับรู้ความรู้สึก เช่น จมูกหรือผิวหนัง

อดีต : 느끼 + 었어요 → **느꼈어요**
ปัจจุบัน : 느끼 + 어요 → **느껴요**
อนาคต : 느끼 + ㄹ 거예요 → **느낄 거예요**

(8) 슬퍼하다 [seulpeohada]

เศร้า, เศร้าโศก, เสียใจ, รู้สึกเศร้าโศก, รู้สึกเสียใจ

รู้สึกเจ็บปวดและทุกข์ทรมานจนน้ำตาจะไหล

อดีต : 슬퍼하 + 였어요 → **슬퍼했어요**
ปัจจุบัน : 슬퍼하 + 여요 → **슬퍼해요**
อนาคต : 슬퍼하 + ㄹ 거예요 → **슬퍼할 거예요**

(9) 싫어하다 [sireohada]

ไม่ชอบ, ไม่ถูกใจ, ไม่ชอบใจ, ไม่นิยม, เกลียด

ไม่พอใจหรือไม่ปรารถนาสิ่งใดๆ

อดีต : 싫어하 + 였어요 → **싫어했어요**
ปัจจุบัน : 싫어하 + 여요 → **싫어해요**
อนาคต : 싫어하 + ㄹ 거예요 → **싫어할 거예요**

(10) 안되다 [andoeda]

ไม่ได้, ไม่บรรลุผล

งานหรือปรากฏการณ์ เป็นต้น ไม่สำเร็จไปได้ด้วยดี

อดีต : 안되 + 었어요 → **안됐어요**
ปัจจุบัน : 안되 + 어요 → **안돼요**
อนาคต : 안되 + ㄹ 거예요 → **안될 거예요**

(11) 좋아하다 [joahada]

ชอบ, ชื่นชม

มีความรู้สึกที่ดีเกี่ยวกับสิ่งใด ๆ

อดีต : 좋아하 + 였어요 → **좋아했어요**
ปัจจุบัน : 좋아하 + 여요 → **좋아해요**
อนาคต : 좋아하 + ㄹ 거예요 → **좋아할 거예요**

(12) 즐거워하다 [jeulgeowohada]

ร่าเริง, เบิกบาน, รื่นรมย์, เพลิดเพลิน

น่าพอใจแสดีใจ

อดีต : 즐거워하 + 였어요 → **즐거워했어요**
ปัจจุบัน : 즐거워하 + 여요 → **즐거워해요**
อนาคต : 즐거워하 + ㄹ 거예요 → **즐거워할 거예요**

(13) 화나다 [hwanada]

โกรธ

ไม่พอใจ ไม่สบอารมณ์เป็นอย่างยิ่ง และอารมณ์ไม่ดี

อดีต : 화나 + 았어요 → **화났어요**
ปัจจุบัน : 화나 + 아요 → **화나요**
อนาคต : 화나 + ㄹ 거예요 → **화날 거예요**

(14) 화내다 [hwanaeda]

โมโห, แสดงความโกรธ

อารมณ์เสียเป็นอย่างมากจนแสดงอารมณ์โกรธออกมา

อดีต : 화내 + 었어요 → **화냈어요**
ปัจจุบัน : 화내 + 어요 → **화내요**
อนาคต : 화내 + ㄹ 거예요 → **화낼 거예요**

(15) 자랑하다 [jaranghada]

อวด, โอ้อวด, คุยโว, คุยโม้

พูดแสดงหรือโอ้อวดว่า ตนเอง หรือคนหรือสิ่งของที่เกี่ยวข้องกับตนเองเป็นสิ่งที่ดีเลิศหรือควรแก่การได้รับคำชมจากผู้อื่น

อดีต : 자랑하 + 였어요 → **자랑했어요**
ปัจจุบัน : 자랑하 + 여요 → **자랑해요**
อนาคต : 자랑하 + ㄹ 거예요 → **자랑할 거예요**

(16) 조심하다 [josimhada]

ระวัง, ระมัดระวัง

ระมัดระวังคำพูดหรือการกระทำ เป็นต้น เพื่อไม่ให้ประสบกับเรื่องที่ไม่ดี

อดีต : 조심하 + 였어요 → **조심했어요**
ปัจจุบัน : 조심하 + 여요 → **조심해요**
อนาคต : 조심하 + ㄹ 거예요 → **조심할 거예요**

(17) 늙다 [neukda]

แก่, ชรา

มีอายุมาก

อดีต : 늙 + 었어요 → **늙었어요**
ปัจจุบัน : 늙 + 어요 → **늙어요**
อนาคต : 늙 + 을 거예요 → **늙을 거예요**

(18) 못생기다 [motsaenggida]

ไม่สวย, ไม่หล่อ, น่าเกลียด, ขี้เหร่

รูปร่างหน้าตาด้อยกว่าปกติ

อดีต : 못생기 + 었어요 → **못생겼어요**
ปัจจุบัน : 못생기 + 어요 → **못생겨요**
อนาคต : 못생기 + ㄹ 거예요 → **못생길 거예요**

(19) 빼다 [ppaeda]

ลด(น้ำหนัก, ความอ้วน)

ทำให้เนื้อหนังและน้ำหนัก เป็นต้น ลดลง

อดีต : 빼 + 었어요 → **뺐어요**
ปัจจุบัน : 빼 + 어요 → **빼요**
อนาคต : 빼 + ㄹ 거예요 → **뺄 거예요**

(20) 잘생기다 [jalsaenggida]

หน้าตาดี, หล่อ, สวย

รูปร่างหน้าตาของคนสมบูรณ์ไร้ที่ติ

อดีต : 잘생기 + 었어요 → **잘생겼어요**
ปัจจุบัน : 잘생기 + 어요 → **잘생겨요**
อนาคต : 잘생기 + ㄹ 거예요 → **잘생길 거예요**

(21) 찌다 [jjida]

อ้วนขึ้น, มีเนื้อมีหนังขึ้น

อ้วนมากขึ้นเพราะมีเนื้อมีหนังตามร่างกาย

อดีต : 찌 + 었어요 → 쪘어요
ปัจจุบัน : 찌 + 어요 → 쪄요
อนาคต : 찌 + ㄹ 거예요 → 찔 거예요

(22) 못하다 [motada]

ไม่สามารถทำได้, ทำไม่ได้

ไม่สามารถทำเรื่องใด ๆ ให้ถึงเกณฑ์ที่กำหนดหรือไม่มีความสามารถในการทำเรื่องดังกล่าว

อดีต : 못하 + 였어요 → 못했어요
ปัจจุบัน : 못하 + 여요 → 못해요
อนาคต : 못하 + ㄹ 거예요 → 못할 거예요

(23) 잘못하다 [jalmotada]

ทำผิด, ทำพลาด, ทำผิดพลาด

ทำให้ผิดหรือไม่ถูกต้อง

อดีต : 잘못하 + 였어요 → 잘못했어요
ปัจจุบัน : 잘못하 + 여요 → 잘못해요
อนาคต : 잘못하 + ㄹ 거예요 → 잘못할 거예요

(24) 잘하다 [jalhada]

เก่ง, ดี

ทำให้เคยชินและอย่างมีฝีมือ

อดีต : 잘하 + 였어요 → 잘했어요
ปัจจุบัน : 잘하 + 여요 → 잘해요
อนาคต : 잘하 + ㄹ 거예요 → 잘할 거예요

(25) 가다 [gada]

ไป

เคลื่อนออกจากสถานที่แห่งใดแห่งหนึ่งไปยังสถานที่อื่น

อดีต : 가 + 았어요 → **갔어요**
ปัจจุบัน : 가 + 아요 → **가요**
อนาคต : 가 + ㄹ 거예요 → **갈 거예요**

(26) 가리키다 [garikida]

ชี้, ชี้ให้ดู

เหยียดนิ้วหรือหันสิ่งของไปสู่ทิศทางหรือเป้าใด ๆ เพื่อให้ผู้อื่นรู้สิ่งนั้น

อดีต : 가리키 + 었어요 → **가리켰어요**
ปัจจุบัน : 가리키 + 어요 → **가리켜요**
อนาคต : 가리키 + ㄹ 거예요 → **가리킬 거예요**

(27) 감다 [gamda]

ล้าง, สระ, อาบ, อาบน้ำ

ทำความสะอาดศีรษะหรือร่างกายด้วยน้ำ

อดีต : 감 + 았어요 → **감았어요**
ปัจจุบัน : 감 + 아요 → **감아요**
อนาคต : 감 + 을 거예요 → **감을 거예요**

(28) 걷다 [geotda]

เดิน

เคลื่อนที่เปลี่ยนตำแหน่งโดยยกเท้าก้าวสลับไปบนพื้น

อดีต : 걷 + 었어요 → **걸었어요**
ปัจจุบัน : 걷 + 어요 → **걸어요**
อนาคต : 걷 + 을 거예요 → **걸을 거예요**

(29) 걸어가다 [georeogada]

เดินไป, ก้าวเดินไป

ขยับขามุ่งหน้าไปยังทิศทางที่เป็นจุดหมายปลายทาง

อดีต : 걸어가 + 았어요 → 걸어갔어요
ปัจจุบัน : 걸어가 + 아요 → 걸어가요
อนาคต : 걸어가 + ㄹ 거예요 → 걸어갈 거예요

(30) 걸어오다 [georeooda]

เดินมา

เคลื่อนที่มาโดยขยับขามุ่งหน้าไปยังจุดหมายปลายทาง

อดีต : 걸어오 + 았어요 → 걸어왔어요
ปัจจุบัน : 걸어오 + 아요 → 걸어와요
อนาคต : 걸어오 + ㄹ 거예요 → 걸어올 거예요

(31) 꺼내다 [kkeonaeda]

นำออกมา, หยิบออก, เอาออกมา

ทำให้สิ่งของที่อยู่ข้างในออกมาข้างนอก

อดีต : 꺼내 + 었어요 → 꺼냈어요
ปัจจุบัน : 꺼내 + 어요 → 꺼내요
อนาคต : 꺼내 + ㄹ 거예요 → 꺼낼 거예요

(32) 나오다 [naoda]

ออกมา

ออกมาจากด้านในสู่ด้านนอก

อดีต : 나오 + 았어요 → 나왔어요
ปัจจุบัน : 나오 + 아요 → 나와요
อนาคต : 나오 + ㄹ 거예요 → 나올 거예요

(33) 내려가다 [naeryeogada]

ลงไป

จากข้างบนไปข้างล่าง

อดีต : 내려가 + 았어요 → **내려갔어요**
ปัจจุบัน : 내려가 + 아요 → **내려가요**
อนาคต : 내려가 + ㄹ 거예요 → **내려갈 거예요**

(34) 내려오다 [naeryeooda]

ลงมา

จากที่สูงลงสู่ที่ต่ำหรือลงมาจากบนสู่ล่าง

อดีต : 내려오 + 았어요 → **내려왔어요**
ปัจจุบัน : 내려오 + 아요 → **내려와요**
อนาคต : 내려오 + ㄹ 거예요 → **내려올 거예요**

(35) 넘어지다 [neomeojida]

ล้มลง

คนที่ยืนอยู่หรือวัตถุที่ตั้งอยู่เสียศูนย์ เอนไปทางด้านใดด้านหนึ่งแลล้มลง

อดีต : 넘어지 + 었어요 → **넘어졌어요**
ปัจจุบัน : 넘어지 + 어요 → **넘어져요**
อนาคต : 넘어지 + ㄹ 거예요 → **넘어질 거예요**

(36) 넣다 [neota]

วาง

ทำให้เข้าไปในพื้นที่ใดๆ

อดีต : 넣 + 었어요 → **넣었어요**
ปัจจุบัน : 넣 + 어요 → **넣어요**
อนาคต : 넣 + 을 거예요 → **넣을 거예요**

(37) 놓다 [nota]

ปล่อย, วาง

แบมือหรือผ่อนแรงจากสภาพที่จับหรือกดวัตถุใด ๆ ไว้ด้วยมือทำให้สิ่งของที่จับไว้หลุดออกไปจากมือ

อดีต : 놓 + 았어요 → **놓았어요**
ปัจจุบัน : 놓 + 아요 → **놓아요**
อนาคต : 놓 + 을 거예요 → **놓을 거예요**

(38) 누르다 [nureuda]

กด

เพิ่มน้ำหนักโดยลงแรงจากด้านบนลงไปด้านล่างต่อบางส่วนหรือส่วนทั้งหมดของสิ่งของ

อดีต : 누르 + 었어요 → **눌렀어요**
ปัจจุบัน : 누르 + 어요 → **눌러요**
อนาคต : 누르 + ㄹ 거예요 → **누를 거예요**

(39) 달리다 [dallida]

วิ่ง

วิ่งไปหรือมาอย่างเร็ว

อดีต : 달리 + 었어요 → **달렸어요**
ปัจจุบัน : 달리 + 어요 → **달려요**
อนาคต : 달리 + ㄹ 거예요 → **달릴 거예요**

(40) 던지다 [deonjida]

โยน, ขว้าง, ปา

ขยับแขนแล้วส่งสิ่งของที่อยู่ในมือไปในอากาศ

อดีต : 던지 + 었어요 → **던졌어요**
ปัจจุบัน : 던지 + 어요 → **던져요**
อนาคต : 던지 + ㄹ 거예요 → **던질 거예요**

(41) 돌리다 [dollida]

หมุน, ทำให้หมุน

ทำให้สิ่งใดเคลื่อนไหวเป็นรูปวงกลม

อดีต : 돌리 + 었어요 → **돌렸어요**
ปัจจุบัน : 돌리 + 어요 → **돌려요**
อนาคต : 돌리 + ㄹ 거예요 → **돌릴 거예요**

(42) 듣다 [deutda]

ฟัง, ได้ยิน

เข้าใจเสียงได้ด้วยหู

อดีต : 듣 + 었어요 → **들었어요**
ปัจจุบัน : 듣 + 어요 → **들어요**
อนาคต : 듣 + 을 거예요 → **들을 거예요**

(43) 들어가다 [deureogada]

เข้าไป, ดิ่งไป, ตรงไป

จากข้างนอกไปยังข้างใน

อดีต : 들어가 + 았어요 → **들어갔어요**
ปัจจุบัน : 들어가 + 아요 → **들어가요**
อนาคต : 들어가 + ㄹ 거예요 → **들어갈 거예요**

(44) 들어오다 [deureooda]

เข้ามา, เดินเข้ามา

เคลื่อนที่จากด้านนอกไปทางด้านในของขอบเขตใด ๆ

อดีต : 들어오 + 았어요 → **들어왔어요**
ปัจจุบัน : 들어오 + 아요 → **들어와요**
อนาคต : 들어오 + ㄹ 거예요 → **들어올 거예요**

(45) 뛰다 [ttwida]

วิ่ง

เคลื่อนไหวเท้าอย่างว่องไวและไปข้างหน้าอย่างรวดเร็ว

อดีต : 뛰 + 었어요 → **뛰었어요**
ปัจจุบัน : 뛰 + 어요 → **뛰어요**
อนาคต : 뛰 + ㄹ 거예요 → **뛸 거예요**

(46) 뛰어가다 [ttwieogada]

วิ่งไป

วิ่งไปสู่สถานที่ใด ๆ อย่างรวดเร็ว

อดีต : 뛰어가 + 았어요 → **뛰어갔어요**
ปัจจุบัน : 뛰어가 + 아요 → **뛰어가요**
อนาคต : 뛰어가 + ㄹ 거예요 → **뛰어갈 거예요**

(47) 뜨다 [tteuda]

ลืม(ตา)

ลืมตา

อดีต : 뜨 + 었어요 → **떴어요**
ปัจจุบัน : 뜨 + 어요 → **떠요**
อนาคต : 뜨 + ㄹ 거예요 → **뜰 거예요**

(48) 만지다 [manjida]

แตะ, แตะต้อง, สัมผัส, ลูบ, คลำ, ลูบคลำ

แตะมือไว้ที่ใดที่หนึ่งและขยับมือไปมา

อดีต : 만지 + 었어요 → **만졌어요**
ปัจจุบัน : 만지 + 어요 → **만져요**
อนาคต : 만지 + ㄹ 거예요 → **만질 거예요**

(49) 미끄러지다 [mikkeureojida]

ลื่นล้ม, ลื่นไถล

ลื่นไถลหรือลื่นล้มไปทางใดทางหนึ่ง

อดีต : 미끄러지 + 었어요 → **미끄러졌어요**
ปัจจุบัน : 미끄러지 + 어요 → **미끄러져요**
อนาคต : 미끄러지 + ㄹ 거예요 → **미끄러질 거예요**

(50) 밀다 [milda]

ผลัก, ดัน, ดุน

ส่งกำลังไปจากทางฝั่งตรงข้ามกับทิศทางที่ต้องการเพื่อเคลื่อนย้ายอะไร

อดีต : 밀 + 었어요 → **밀었어요**
ปัจจุบัน : 밀 + 어요 → **밀어요**
อนาคต : 밀 + ㄹ 거예요 → **밀 거예요**

(51) 바라보다 [baraboda]

มอง, มองดู

มองตรงไปข้างหน้า

อดีต : 바라보 + 았어요 → **바라봤어요**
ปัจจุบัน : 바라보 + 아요 → **바라봐요**
อนาคต : 바라보 + ㄹ 거예요 → **바라볼 거예요**

(52) 보다 [boda]

มอง, ดู, เห็น

รู้ถึงลักษณะภายนอกหรือการมีอยู่ของวัตถุด้วยตา

อดีต : 보 + 았어요 → **봤어요**
ปัจจุบัน : 보 + 아요 → **봐요**
อนาคต : 보 + ㄹ 거예요 → **볼 거예요**

(53) 서다 [seoda]

ยืน

คนหรือสัตว์แตะเท้าไว้ที่พื้นและทำให้ร่างกายยืนตรงได้

อดีต : 서 + 었어요 → 섰어요
ปัจจุบัน : 서 + 어요 → 서요
อนาคต : 서 + ㄹ 거예요 → 설 거예요

(54) 쉬다 [swida]

พัก, หยุด, พักผ่อน, ผ่อนคลาย

ทำให้ร่างกายผ่อนคลาย เพื่อกำจัดความเหนื่อยล้า

อดีต : 쉬 + 었어요 → 쉬었어요
ปัจจุบัน : 쉬 + 어요 → 쉬어요
อนาคต : 쉬 + ㄹ 거예요 → 쉴 거예요

(55) 안다 [anda]

กอด, โอบกอด, สวมกอด

กางแขนทั้งสองข้างออกแล้วดึงเข้ามาทางด้านหน้าอกหรือทำให้อยู่ข้างในอก

อดีต : 안 + 았어요 → 안았어요
ปัจจุบัน : 안 + 아요 → 안아요
อนาคต : 안 + 을 거예요 → 안을 거예요

(56) 앉다 [anda]

นั่ง

ใส่น้ำหนักตัวลงไปบนก้นแล้ววางตัวไว้บนสิ่งของอื่นหรือบนพื้นจากในสภาพตรงของร่างกายส่วนบน

อดีต : 앉 + 았어요 → 앉았어요
ปัจจุบัน : 앉 + 아요 → 앉아요
อนาคต : 앉 + 을 거예요 → 앉을 거예요

(57) 오다 [oda]

มา

สิ่งใดเคลื่อนไหวจากที่หนึ่งไปยังอีกที่

อดีต : 오 + 았어요 → **왔어요**
ปัจจุบัน : 오 + 아요 → **와요**
อนาคต : 오 + ㄹ 거예요 → **올 거예요**

(58) 올라가다 [ollagada]

ขึ้นไป, ขึ้นบน, ปีนขึ้นไป, ไต่ขึ้นไป

ไปจากข้างล่างไปข้างบน จากที่ต่ำไปสูง

อดีต : 올라가 + 았어요 → **올라갔어요**
ปัจจุบัน : 올라가 + 아요 → **올라가요**
อนาคต : 올라가 + ㄹ 거예요 → **올라갈 거예요**

(59) 올라오다 [ollaoda]

ขึ้นมา, ปีนขึ้นมา, ไต่ขึ้นมา

ขึ้นจากที่ต่ำไปยังที่สูง

อดีต : 올라오 + 았어요 → **올라왔어요**
ปัจจุบัน : 올라오 + 아요 → **올라와요**
อนาคต : 올라오 + ㄹ 거예요 → **올라올 거예요**

(60) 울다 [ulda]

ร้อง, ร้องไห้

น้ำตาไหลโดยที่อดกลั้นไม่อยู่ เนื่องจากเศร้า เสียใจ หรือดีใจเป็นอย่างมาก หรือส่งเสียงพร้อมกับน้ำตาไหลในลักษณะดังกล่าว

อดีต : 울 + 었어요 → **울었어요**
ปัจจุบัน : 울 + 어요 → **울어요**
อนาคต : 울 + ㄹ 거예요 → **울 거예요**

(61) 움직이다 [umjigida]

เคลื่อนไหว, เปลี่ยนที่, เปลี่ยนตำแหน่ง, ขยับ

ตำแหน่งหรือท่าทางถูกเปลี่ยน หรือเปลี่ยนตำแหน่งหรือท่าทาง

อดีต : 움직이 + 였어요 → **움직였어요**
ปัจจุบัน : 움직이 + 어요 → **움직여요**
อนาคต : 움직이 + ㄹ 거예요 → **움직일 거예요**

(62) 웃다 [utda]

ยิ้ม, หัวเราะ

ส่งเสียงหรือทำให้ใบหน้าบานเต็มที่ตอนที่ตลกขบขัน ดีใจ หรือพอใจ

อดีต : 웃 + 었어요 → **웃었어요**
ปัจจุบัน : 웃 + 어요 → **웃어요**
อนาคต : 웃 + 을 거예요 → **웃을 거예요**

(63) 일어나다 [ireonada]

ลุกขึ้น, ยืนขึ้น

เคยนอนอยู่แล้วก็ลุกขึ้นนั่งหรือเคยนั่งอยู่แล้วลุกขึ้นยืน

อดีต : 일어나 + 았어요 → **일어났어요**
ปัจจุบัน : 일어나 + 아요 → **일어나요**
อนาคต : 일어나 + ㄹ 거예요 → **일어날 거예요**

(64) 일어서다 [ireoseoda]

ยืน, ลุกขึ้นยืน, ยืนขึ้น

เคลื่อนขึ้นจากท่านั่ง

อดีต : 일어서 + 었어요 → **일어섰어요**
ปัจจุบัน : 일어서 + 어요 → **일어서요**
อนาคต : 일어서 + ㄹ 거예요 → **일어설 거예요**

(65) 잡다 [japda]

จับ

จับด้วยมือและไม่ปล่อย

อดีต : 잡 + 았어요 → 잡았어요
ปัจจุบัน : 잡 + 아요 → 잡아요
อนาคต : 잡 + 을 거예요 → 잡을 거예요

(66) 접다 [jeopda]

พับ, ทบ

พับผ้าหรือกระดาษ เป็นต้น แล้วทำให้ซ้อนทับกัน

อดีต : 접 + 었어요 → 접었어요
ปัจจุบัน : 접 + 어요 → 접어요
อนาคต : 접 + 을 거예요 → 접을 거예요

(67) 지나가다 [jinagada]

ผ่านไป

ไปโดยผ่านสถานที่ใด

อดีต : 지나가 + 았어요 → 지나갔어요
ปัจจุบัน : 지나가 + 아요 → 지나가요
อนาคต : 지나가 + ㄹ 거예요 → 지나갈 거예요

(68) 지르다 [jireuda]

ตะโกน, ตะเบ็ง, แผดเสียง

เปล่งเสียงออกมาอย่างดัง

อดีต : 지르 + 었어요 → 질렀어요
ปัจจุบัน : 지르 + 어요 → 질러요
อนาคต : 지르 + ㄹ 거예요 → 지를 거예요

(69) 차다 [chada]

เตะ

ยื่นเท้าออกไปและปักใส่หรืองัดสิ่งใด ๆ ขึ้นอย่างสุดแรง

อดีต : 차 + 았어요 → **찼어요**
ปัจจุบัน : 차 + 아요 → **차요**
อนาคต : 차 + ㄹ 거예요 → **찰 거예요**

(70) 쳐다보다 [cheodaboda]

มองดู, มอง

มองจากข้างล่างขึ้นบน

อดีต : 쳐다보 + 았어요 → **쳐다봤어요**
ปัจจุบัน : 쳐다보 + 아요 → **쳐다봐요**
อนาคต : 쳐다보 + ㄹ 거예요 → **쳐다볼 거예요**

(71) 치다 [chida]

ตบ, ตี, ทุบ, ชก, ต่อย

ทำให้มือหรือสิ่งของอื่นกระทบอย่างแรงกับบางสิ่ง

อดีต : 치 + 었어요 → **쳤어요**
ปัจจุบัน : 치 + 어요 → **쳐요**
อนาคต : 치 + ㄹ 거예요 → **칠 거예요**

(72) 흔들다 [heundeulda]

เขย่า, แกว่ง

ทำให้สิ่งใด ๆ เคลื่อนไหวไปทางซ้ายขวา หรือหน้าหลังอยู่เรื่อย ๆ

อดีต : 흔들 + 었어요 → **흔들었어요**
ปัจจุบัน : 흔들 + 어요 → **흔들어요**
อนาคต : 흔들 + ㄹ 거예요 → **흔들 거예요**

(73) 기억나다 [gieongnada]

จำได้, นึกออก

รูปร่าง เหตุการณ์ ความรู้หรือประสบการณ์ เป็นต้น ในอดีตผุดขึ้นในจิตใจหรือความคิด

อดีต : 기억나 + 았어요 → **기억났어요**
ปัจจุบัน : 기억나 + 아요 → **기억나요**
อนาคต : 기억나 + ㄹ 거예요 → **기억날 거예요**

(74) 모르다 [moreuda]

ไม่รู้จัก, ไม่รู้, ไม่ทราบ, ไม่เข้าใจ

ไม่รู้จักหรือไม่สามารถเข้าใจคน วัตถุ หรือข้อเท็จจริง เป็นต้น

อดีต : 모르 + 았어요 → **몰랐어요**
ปัจจุบัน : 모르 + 아요 → **몰라요**
อนาคต : 모르 + ㄹ 거예요 → **모를 거예요**

(75) 믿다 [mitda]

เชื่อ, เชื่อถือ, ยึดถือ, ไว้ใจ

คิดว่าสิ่งใดถูกต้องหรือเป็นความจริง

อดีต : 믿 + 었어요 → **믿었어요**
ปัจจุบัน : 믿 + 어요 → **믿어요**
อนาคต : 믿 + 을 거예요 → **믿을 거예요**

(76) 바라다 [barada]

ปรารถนา, คาดหวัง, หวัง

คาดหวังให้สิ่งใด ๆ สำเร็จลุล่วงตามที่คิดหรือหวังไว้

อดีต : 바라 + 았어요 → **바랐어요**
ปัจจุบัน : 바라 + 아요 → **바라요**
อนาคต : 바라 + ㄹ 거예요 → **바랄 거예요**

(77) 보이다 [boida]

มองเห็น, เห็น

ทำให้รับรู้การมีอยู่หรือรูปร่างภายนอกของเป้าหมายด้วยสายตา

อดีต : 보이 + 었어요 → **보였어요**
ปัจจุบัน : 보이 + 어요 → **보여요**
อนาคต : 보이 + ㄹ 거예요 → **보일 거예요**

(78) 생각나다 [saenggangnada]

คิดออก, นึกออก, นึกได้, นึกขึ้นได้

ความคิดใหม่ ๆ เกิดขึ้นในใจ

อดีต : 생각나 + 았어요 → **생각났어요**
ปัจจุบัน : 생각나 + 아요 → **생각나요**
อนาคต : 생각나 + ㄹ 거예요 → **생각날 거예요**

(79) 알다 [alda]

รู้, ทราบ

มีความรู้หรือรู้ข้อมูลที่เกี่ยวกับสถานการณ์หรือสิ่งต่าง ๆ โดยผ่านความคิด ประสบการณ์หรือการศึกษา เป็นต้น

อดีต : 알 + 았어요 → **알았어요**
ปัจจุบัน : 알 + 아요 → **알아요**
อนาคต : 알 + ㄹ 거예요 → **알 거예요**

(80) 알리다 [allida]

บอกให้ทราบ, แจ้งให้ทราบ, บอกให้รู้

ทำให้รู้หรือทำให้เข้าใจในสิ่งที่ไม่รู้หรือสิ่งที่ลืมไปแล้ว

อดีต : 알리 + 었어요 → **알렸어요**
ปัจจุบัน : 알리 + 어요 → **알려요**
อนาคต : 알리 + ㄹ 거예요 → **알릴 거예요**

(81) 외우다 [oeuda]

ท่องจำ, จดจำ, จำ

จำคำพูดหรือตัวอักษรได้และไม่ลืม

อดีต : 외우 + 었어요 → **외웠어요**
ปัจจุบัน : 외우 + 어요 → **외워요**
อนาคต : 외우 + ㄹ 거예요 → **외울 거예요**

(82) 원하다 [wonhada]

ต้องการ, ปรารถนา, ประสงค์, หวัง

ปรารถนาหรือตั้งใจทำสิ่งใด ๆ

อดีต : 원하 + 였어요 → **원했어요**
ปัจจุบัน : 원하 + 여요 → **원해요**
อนาคต : 원하 + ㄹ 거예요 → **원할 거예요**

(83) 잊다 [itda]

ลืม

ไม่สามารถจำหรือนึกสิ่งที่เคยรู้มาก่อนแล้วครั้งหนึ่งได้

อดีต : 잊 + 었어요 → **잊었어요**
ปัจจุบัน : 잊 + 어요 → **잊어요**
อนาคต : 잊 + 을 거예요 → **잊을 거예요**

(84) 잊어버리다 [ijeobeorida]

ลืม, ลืมเสียแล้ว, จำไม่ได้, นึกไม่ออก

ไม่สามารถจำสิ่งที่เคยรู้ครั้งหนึ่งได้ทั้งหมดหรือไม่สามารถจำได้เลย

อดีต : 잊어버리 + 었어요 → **잊어버렸어요**
ปัจจุบัน : 잊어버리 + 어요 → **잊어버려요**
อนาคต : 잊어버리 + ㄹ 거예요 → **잊어버릴 거예요**

(85) 기르다 [gireuda]

เลี้ยง, เพาะ, ปลูก

ให้อาหารหรือสารที่เป็นประโยชน์กับสัตว์และพืชและคอยปกป้องทำให้เติบโต

อดีต : 기르 + 었어요 → **길렀어요**
ปัจจุบัน : 기르 + 어요 → **길러요**
อนาคต : 기르 + ㄹ 거예요 → **기를 거예요**

(86) 살다 [salda]

มีชีวิต, ดำรงชีวิต, มีชีวิตอยู่

ดำเนินชีวิตอยู่

อดีต : 살 + 았어요 → **살았어요**
ปัจจุบัน : 살 + 아요 → **살아요**
อนาคต : 살 + ㄹ 거예요 → **살 거예요**

(87) 죽다 [jukda]

ตาย

สิ่งมีชีวิตสูญสิ้นชีวิต

อดีต : 죽 + 었어요 → **죽었어요**
ปัจจุบัน : 죽 + 어요 → **죽어요**
อนาคต : 죽 + 을 거예요 → **죽을 거예요**

(88) 지내다 [jinaeda]

อยู่, ใช้ชีวิต, ดำเนินชีวิต, ทำมาหากิน

อยู่อาศัยหรือดำเนินชีวิตไปด้วยสภาพหรือระดับใด ๆ

อดีต : 지내 + 었어요 → **지냈어요**
ปัจจุบัน : 지내 + 어요 → **지내요**
อนาคต : 지내 + ㄹ 거예요 → **지낼 거예요**

(89) 태어나다 [taeeonada]

เกิด, กำเนิด, ถือกำเนิด

คนหรือสัตว์ เป็นต้น มีลักษณะเป็นรูปเป็นร่างแล้วออกมาจากนอกร่างกายของแม่

อดีต : 태어나 + 았어요 → **태어났어요**
ปัจจุบัน : 태어나 + 아요 → **태어나요**
อนาคต : 태어나 + ㄹ 거예요 → **태어날 거예요**

(90) 감다 [gamda]

ปิดตา, หลับตา

ปิดตาด้วยเปลือกตา

อดีต : 감 + 았어요 → **감았어요**
ปัจจุบัน : 감 + 아요 → **감아요**
อนาคต : 감 + 을 거예요 → **감을 거예요**

(91) 깨다 [kkaeda]

ตื่น, ตื่นนอน, ทำให้ตื่น, ทำให้ตื่นนอน

พ้นจากสภาพที่นอนหลับและมีสติสัมปชัญญะ หรือทำให้เป็นเช่นนั้น

อดีต : 깨 + 었어요 → **깼어요**
ปัจจุบัน : 깨 + 어요 → **깨요**
อนาคต : 깨 + ㄹ 거예요 → **깰 거예요**

(92) 꾸다 [kkuda]

ฝัน

ได้เห็น ได้ยินเสียงและมีความรู้สึกเหมือนเรื่องจริงในความฝันขณะที่นอนหลับ

อดีต : 꾸 + 었어요 → **꾸었어요**
ปัจจุบัน : 꾸 + 어요 → **꾸어요**
อนาคต : 꾸 + ㄹ 거예요 → **꿀 거예요**

(93) 눕다 [nupda]

นอน, นอนเหยียดตัว, เอนลงนอน, เอนตัวลง

คนหรือสัตว์ เป็นต้น วางตัวลงเป็นแนวนอน เพื่อให้หลังหรือสีข้างสัมผัสกับที่ใด ๆ

อดีต : 눕 + 었어요 → **누웠어요**
ปัจจุบัน : 눕 + 어요 → **누워요**
อนาคต : 눕 + ㄹ 거예요 → **누울 거예요**

(94) 다녀오다 [danyeooda]

ไปมา, ไป...มา

ไปยังที่ใดๆแล้วกลับมา

อดีต : 다녀오 + 았어요 → **다녀왔어요**
ปัจจุบัน : 다녀오 + 아요 → **다녀와요**
อนาคต : 다녀오 + ㄹ 거예요 → **다녀올 거예요**

(95) 다니다 [danida]

ไป ๆ มา ๆ, ไปมาหาสู่

ไปหรือมาสถานที่ใด ๆ อย่างต่อเนื่อง

อดีต : 다니 + 었어요 → **다녔어요**
ปัจจุบัน : 다니 + 어요 → **다녀요**
อนาคต : 다니 + ㄹ 거예요 → **다닐 거예요**

(96) 닦다 [dakda]

เช็ด, ถู, ขัด

ถูเพื่อกำจัดสิ่งสกปรกให้หมดไป

อดีต : 닦 + 았어요 → **닦았어요**
ปัจจุบัน : 닦 + 아요 → **닦아요**
อนาคต : 닦 + 을 거예요 → **닦을 거예요**

(97) 씻다 [ssitda]

ล้าง, ชำระล้าง

ทำให้สะอาดโดยกำจัดคราบหรือสิ่งสกปรกให้หมดไป

อดีต : 씻 + 었어요 → **씻었어요**
ปัจจุบัน : 씻 + 어요 → **씻어요**
อนาคต : 씻 + 을 거예요 → **씻을 거예요**

(98) 일어나다 [ireonada]

ตื่น, ตื่นนอน

ตื่นขึ้นจากการนอนหลับ

อดีต : 일어나 + 았어요 → **일어났어요**
ปัจจุบัน : 일어나 + 아요 → **일어나요**
อนาคต : 일어나 + ㄹ 거예요 → **일어날 거예요**

(99) 자다 [jada]

นอน, นอนหลับ

อยู่ในสภาพที่หลับตา หยุดทำกิจกรรมทางด้านร่างกายและจิตใจ และพักผ่อนเป็นระยะเวลาหนึ่ง

อดีต : 자 + 았어요 → **잤어요**
ปัจจุบัน : 자 + 아요 → **자요**
อนาคต : 자 + ㄹ 거예요 → **잘 거예요**

(100) 잠자다 [jamjada]

นอน, นอนหลับ

ร่างกายและสติหยุดทำกิจกรรมและพักผ่อนในช่วงระยะเวลาหนึ่ง

อดีต : 잠자 + 았어요 → **잠잤어요**
ปัจจุบัน : 잠자 + 아요 → **잠자요**
อนาคต : 잠자 + ㄹ 거예요 → **잠잘 거예요**

(101) 주무시다 [jumusida]

นอน, นอนหลับ

(คำยกย่อง)นอน

อดีต : 주무시 + 었어요 → **주무셨어요**
ปัจจุบัน : 주무시 + 어요 → **주무셔요**
อนาคต : 주무시 + ㄹ 거예요 → **주무실 거예요**

(102) 구경하다 [gugyeonghada]

ชม, ดู, เยี่ยมชม, เที่ยวชม

มีความสนใจหรือความสนุกสนานในการดู

อดีต : 구경하 + 였어요 → **구경했어요**
ปัจจุบัน : 구경하 + 여요 → **구경해요**
อนาคต : 구경하 + ㄹ 거예요 → **구경할 거예요**

(103) 그리다 [geurida]

วาด, วาดภาพ

แสดงวัตถุเป็นเส้นหรือสี โดยใช้ดินสอหรือพู่กัน

อดีต : 그리 + 었어요 → **그렸어요**
ปัจจุบัน : 그리 + 어요 → **그려요**
อนาคต : 그리 + ㄹ 거예요 → **그릴 거예요**

(104) 노래하다 [noraehada]

ร้องเพลง

ส่งเสียงร้องเพลงที่มีทำนองดนตรีกับเนื้อร้องที่แต่งขึ้นอย่างเหมาะกับกฎการสัมผัสจังหวะ

อดีต : 노래하 + 였어요 → **노래했어요**
ปัจจุบัน : 노래하 + 여요 → **노래해요**
อนาคต : 노래하 + ㄹ 거예요 → **노래할 거예요**

(105) 놀다 [nolda]

เล่น, เที่ยวเล่น

ทำการสันทนาการ เป็นต้น และใช้เวลาอย่างสนุกและเพลิดเพลิน

อดีต : 놀 + 았어요 → **놀았어요**
ปัจจุบัน : 놀 + 아요 → **놀아요**
อนาคต : 놀 + ㄹ 거예요 → **놀 거예요**

(106) 독서하다 [dokseohada]

อ่านหนังสือ, อ่านตำรา

อ่านหนังสือ

อดีต : 독서하 + 였어요 → **독서했어요**
ปัจจุบัน : 독서하 + 여요 → **독서해요**
อนาคต : 독서하 + ㄹ 거예요 → **독서할 거예요**

(107) 등산하다 [deungsanhada]

ปีนเขา, ไต่เขา, ขึ้นเขา

ขึ้นไปบนภูเขาด้วยจุดประสงค์เพื่อเป็นการออกกำลังกายหรือการเล่น เป็นต้น

อดีต : 등산하 + 였어요 → **등산했어요**
ปัจจุบัน : 등산하 + 여요 → **등산해요**
อนาคต : 등산하 + ㄹ 거예요 → **등산할 거예요**

(108) 부르다 [bureuda]

ร้องเพลง, ขับเพลง

ร้องเพลงตามทำนอง

อดีต : 부르 + 었어요 → **불렀어요**
ปัจจุบัน : 부르 + 어요 → **불러요**
อนาคต : 부르 + ㄹ 거예요 → **부를 거예요**

(109) 불다 [bulda]

เป่า(ปี่, แตร)

เปล่งเสียงออกมาโดยการแตะเครื่องดนตรีประเภทเป่าไว้ที่ปากแล้วเป่าลม

อดีต : 불 + 었어요 → **불었어요**
ปัจจุบัน : 불 + 어요 → **불어요**
อนาคต : 불 + ㄹ 거예요 → **불 거예요**

(110) 산책하다 [sanchaekada]

เดินเล่น

เดินอย่างช้า ๆ ในละแวกใกล้เคียงเพื่อพักผ่อนชั่วครู่หรือเพื่อสุขภาพ

อดีต : 산책하 + 였어요 → **산책했어요**
ปัจจุบัน : 산책하 + 여요 → **산책해요**
อนาคต : 산책하 + ㄹ 거예요 → **산책할 거예요**

(111) 수영하다 [suyeonghada]

ว่ายน้ำ

ว่ายน้ำในน้ำ

อดีต : 수영하 + 였어요 → **수영했어요**
ปัจจุบัน : 수영하 + 여요 → **수영해요**
อนาคต : 수영하 + ㄹ 거예요 → **수영할 거예요**

(112) 여행하다 [yeohaenghada]

ท่องเที่ยว, ไปเที่ยว, เดินทาง

ออกจากบ้านไปยังสถานที่อื่นๆหรือไปต่างประเทศเพื่อเดินทางเที่ยวชมสถานที่

อดีต : 여행하 + 였어요 → **여행했어요**
ปัจจุบัน : 여행하 + 여요 → **여행해요**
อนาคต : 여행하 + ㄹ 거예요 → **여행할 거예요**

(113) 운동하다 [undonghada]

ออกกำลังกาย, ออกกายบริหาร

เคลื่อนไหวร่างกายเพื่อสุขภาพหรือฝึกฝนร่างกาย

อดีต : 운동하 + 였어요 → **운동했어요**
ปัจจุบัน : 운동하 + 여요 → **운동해요**
อนาคต : 운동하 + ㄹ 거예요 → **운동할 거예요**

(114) 즐기다 [jeulgida]

สนุกสนาน, รื่นรมย์, บันเทิงเริงใจ

สนุกสนานเพลิดเพลินอย่างเต็มที่

อดีต : 즐기 + 었어요 → **즐겼어요**
ปัจจุบัน : 즐기 + 어요 → **즐겨요**
อนาคต : 즐기 + ㄹ 거예요 → **즐길 거예요**

(115) 찍다 [jjikda]

ถ่าย(รูป, หนัง, ละคร)

ถ่ายเป้าหมายใด ๆ ด้วยกล้องแล้วย้ายรูปร่างนั้นไปที่ฟิล์ม

อดีต : 찍 + 었어요 → **찍었어요**
ปัจจุบัน : 찍 + 어요 → **찍어요**
อนาคต : 찍 + 을 거예요 → **찍을 거예요**

(116) 추다 [chuda]

เต้น

ทำท่าของการเต้น

อดีต : 추 + 었어요 → **췄어요**
ปัจจุบัน : 추 + 어요 → **춰요**
อนาคต : 추 + ㄹ 거예요 → **출 거예요**

(117) 춤추다 [chumchuda]

เต้น, เต้นรำ, เต้นระบำ, รำ

เคลื่อนไหวร่างกายตามดนตรีหรือจังหวะที่มีระเบียบ

อดีต : 춤추 + 었어요 → 춤췄어요
ปัจจุบัน : 춤추 + 어요 → 춤춰요
อนาคต : 춤추 + ㄹ 거예요 → 춤출 거예요

(118) 켜다 [kyeoda]

สี(ไวโอลิน)

เปล่งเสียงโดยสีสายดนตรีของเครื่องสายด้วยคันสี

อดีต : 켜 + 었어요 → 켰어요
ปัจจุบัน : 켜 + 어요 → 켜요
อนาคต : 켜 + ㄹ 거예요 → 켤 거예요

(119) 타다 [tada]

ขึ้น, ขี่

ขึ้นไปอยู่บนเครื่องเล่นต่าง ๆ เช่น ชิงช้า กระดานหก เป็นต้น แล้วเคลื่อนไหว

อดีต : 타 + 았어요 → 탔어요
ปัจจุบัน : 타 + 아요 → 타요
อนาคต : 타 + ㄹ 거예요 → 탈 거예요

(120) 검사하다 [geomsahada]

ตรวจ, ตรวจสอบ

ตรวจสอบเรื่องราวหรือเป้าหมายใด ๆ ให้รู้ว่าถูกหรือผิด ดีหรือไม่ดี

อดีต : 검사하 + 였어요 → 검사했어요
ปัจจุบัน : 검사하 + 여요 → 검사해요
อนาคต : 검사하 + ㄹ 거예요 → 검사할 거예요

(121) 고치다 [gochida]

รักษา

รักษาโรคให้หาย

อดีต : 고치 + 었어요 → **고쳤어요**
ปัจจุบัน : 고치 + 어요 → **고쳐요**
อนาคต : 고치 + ㄹ 거예요 → **고칠 거예요**

(122) 바르다 [bareuda]

ทา, ปาด

ทาของเหลวหรือผง เป็นต้น บนพื้นผิวของวัตถุอย่างราบเรียบเสมอกัน

อดีต : 바르 + 았어요 → **발랐어요**
ปัจจุบัน : 바르 + 아요 → **발라요**
อนาคต : 바르 + ㄹ 거예요 → **바를 거예요**

(123) 수술하다 [susulhada]

ผ่าตัด, ทำศัลยกรรม

ตัด ต่อ ผ่าหรือตกแต่งส่วนใดส่วนหนึ่งของร่างกายเพื่อรักษาโรค

อดีต : 수술하 + 였어요 → **수술했어요**
ปัจจุบัน : 수술하 + 여요 → **수술해요**
อนาคต : 수술하 + ㄹ 거예요 → **수술할 거예요**

(124) 입원하다 [ibwonhada]

เข้าโรงพยาบาล, นอนโรงพยาบาล

เข้าไปอยู่ในโรงพยาบาลในระยะเวลาที่กำหนดเพื่อรักษาโรค

อดีต : 입원하 + 였어요 → **입원했어요**
ปัจจุบัน : 입원하 + 여요 → **입원해요**
อนาคต : 입원하 + ㄹ 거예요 → **입원할 거예요**

(125) 퇴원하다 [toewonhada]

ออกจากโรงพยาบาล

ผู้ป่วยที่พักอยู่ในโรงพยาบาลเป็นระยะเวลา หนึ่ง ๆ และรับการรักษา ออกจากโรงพยาบาล

อดีต : 퇴원하 + 였어요 → **퇴원했어요**
ปัจจุบัน : 퇴원하 + 여요 → **퇴원해요**
อนาคต : 퇴원하 + ㄹ 거예요 → **퇴원할 거예요**

(126) 먹다 [meokda]

กิน

เอาอาหาร เป็นต้น ใส่เข้าไปในท้องโดยผ่านปาก

อดีต : 먹 + 었어요 → **먹었어요**
ปัจจุบัน : 먹 + 어요 → **먹어요**
อนาคต : 먹 + 을 거예요 → **먹을 거예요**

(127) 마시다 [masida]

ดื่ม, กิน

ทำให้ของเหลว น้ำ เป็นต้น ผ่านลำคอไป

อดีต : 마시 + 었어요 → **마셨어요**
ปัจจุบัน : 마시 + 어요 → **마셔요**
อนาคต : 마시 + ㄹ 거예요 → **마실 거예요**

(128) 굽다 [gupda]

ย่าง, ปิ้ง

ทำให้อาหารสุกบนไฟ

อดีต : 굽 + 었어요 → **구웠어요**
ปัจจุบัน : 굽 + 어요 → **구워요**
อนาคต : 굽 + ㄹ 거예요 → **구울 거예요**

(129) 깎다 [kkakda]

ปอก, เหลา

หั่นผิวของสิ่งของหรือเปลือกผลไม้ออกบาง ๆ ด้วยอุปกรณ์เช่นมีด

อดีต : 깎 + 았어요 → **깎았어요**
ปัจจุบัน : 깎 + 아요 → **깎아요**
อนาคต : 깎 + 을 거예요 → **깎을 거예요**

(130) 끓다 [kkeulta]

เดือด

ของเหลวร้อนขึ้นเป็นอย่างมาก จึงมีควันพุ่งออกมา

อดีต : 끓 + 었어요 → **끓었어요**
ปัจจุบัน : 끓 + 어요 → **끓어요**
อนาคต : 끓 + 을 거예요 → **끓을 거예요**

(131) 끓이다 [kkeurida]

ต้ม

ทำอาหารโดยการใส่อาหารลงในน้ำหรือของเหลวแล้วทำให้ร้อน

อดีต : 끓이 + 었어요 → **끓였어요**
ปัจจุบัน : 끓이 + 어요 → **끓여요**
อนาคต : 끓이 + ㄹ 거예요 → **끓일 거예요**

(132) 볶다 [bokda]

ผัด

วางอาหารที่ไม่ค่อยเปียกไว้บนไฟแล้วคนไปมาเพื่อทำให้สุก

อดีต : 볶 + 았어요 → **볶았어요**
ปัจจุบัน : 볶 + 아요 → **볶아요**
อนาคต : 볶 + 을 거예요 → **볶을 거예요**

(133) 섞다 [seokda]

ผสม, รวม

รวมสองสิ่งขึ้นไปให้อยู่ในที่เดียว

อดีต : 섞 + 었어요 → **섞었어요**
ปัจจุบัน : 섞 + 어요 → **섞어요**
อนาคต : 섞 + 을 거예요 → **섞을 거예요**

(134) 썰다 [sseolda]

หั่น, ซอย

ทาบมีดหรือเลื่อย เป็นต้น พร้อมทั้งกดลงด้านล่าง และเคลื่อนใบมีดไปมาหน้าหลัง เพื่อตัดหรือทำให้สิ่งใด ๆ เป็นหลาย ๆ ชิ้น

อดีต : 썰 + 었어요 → **썰었어요**
ปัจจุบัน : 썰 + 어요 → **썰어요**
อนาคต : 썰 + ㄹ 거예요 → **썰 거예요**

(135) 씹다 [ssipda]

เคี้ยว

คนหรือสัตว์ใส่อาหารในปากแล้วตัดอย่างละเอียดหรือบดอย่างนุ่มนวลด้วยฟัน

อดีต : 씹 + 었어요 → **씹었어요**
ปัจจุบัน : 씹 + 어요 → **씹어요**
อนาคต : 씹 + 을 거예요 → **씹을 거예요**

(136) 익다 [ikda]

สุก

อาหารสด เช่น เนื้อสัตว์ ผัก ธัญญาหาร เป็นต้น ได้รับความร้อนทำให้รสชาติและลักษณะเปลี่ยนแปลงไป

อดีต : 익 + 었어요 → **익었어요**
ปัจจุบัน : 익 + 어요 → **익어요**
อนาคต : 익 + 을 거예요 → **익을 거예요**

(137) 찌다 [jjida]

นึ่ง, ตุ๋น, อบ

อุ่นหรือทำให้อาหารสุกโดยไอน้ำร้อน

อดีต : 찌 + 었어요 → **쪘어요**
ปัจจุบัน : 찌 + 어요 → **쪄요**
อนาคต : 찌 + ㄹ 거예요 → **찔 거예요**

(138) 타다 [tada]

ไหม้, เกรียม, ไหม้เกรียม

สุกมากเกินไปจนเปลี่ยนเป็นสีดำเพราะได้รับความร้อนที่ร้อน

อดีต : 타 + 았어요 → **탔어요**
ปัจจุบัน : 타 + 아요 → **타요**
อนาคต : 타 + ㄹ 거예요 → **탈 거예요**

(139) 튀기다 [twigida]

ทอด, เจียว

ทำให้พองตัวโดยใส่ลงไปในน้ำมันเดือด

อดีต : 튀기 + 었어요 → **튀겼어요**
ปัจจุบัน : 튀기 + 어요 → **튀겨요**
อนาคต : 튀기 + ㄹ 거예요 → **튀길 거예요**

(140) 갈아입다 [garaipda]

เปลี่ยนชุด, ถอดเปลี่ยนชุด

ถอดเสื้อผ้าที่ใส่อยู่และเปลี่ยนใส่เสื้อผ้าชุดอื่น

อดีต : 갈아입 + 었어요 → **갈아입었어요**
ปัจจุบัน : 갈아입 + 어요 → **갈아입어요**
อนาคต : 갈아입 + 을 거예요 → **갈아입을 거예요**

(141) 끼다 [kkida]

ใส่, สวม

วางหรือใส่ไว้ให้ติดอยู่ที่สิ่งใด ๆ และไม่ตกหล่น

อดีต : 끼 + 었어요 → **꼈어요**
ปัจจุบัน : 끼 + 어요 → **껴요**
อนาคต : 끼 + ㄹ 거예요 → **낄 거예요**

(142) 매다 [maeda]

รัด, ผูก, มัด, ผูกมัด

มัดปลายทั้งสองของเชือกหรือสิ่งที่เป็นเส้นไว้เพื่อไม่ให้หลุดแยกออกมาหรือคลายออก

อดีต : 매 + 었어요 → **맸어요**
ปัจจุบัน : 매 + 어요 → **매요**
อนาคต : 매 + ㄹ 거예요 → **맬 거예요**

(143) 벗다 [beotda]

ถอด

ถอดสิ่งของหรือเสื้อผ้า เป็นต้น ที่ติดอยู่ที่ร่างกายคนออกมา

อดีต : 벗 + 었어요 → **벗었어요**
ปัจจุบัน : 벗 + 어요 → **벗어요**
อนาคต : 벗 + 을 거예요 → **벗을 거예요**

(144) 신다 [sinda]

สวม, ใส่

การสอดเท้าเข้าไปในรองเท้าหรือถุงเท้า เป็นต้น และคลุมทุกส่วนหรือส่วนใดส่วนหนึ่งของเท้า

อดีต : 신 + 었어요 → **신었어요**
ปัจจุบัน : 신 + 어요 → **신어요**
อนาคต : 신 + 을 거예요 → **신을 거예요**

(145) 쓰다 [sseuda]

สวม, ใส่

คลุมหมวกหรือวิกผม เป็นต้น ไว้ที่ศีรษะ

อดีต : 쓰 + 었어요 → 썼어요
ปัจจุบัน : 쓰 + 어요 → 써요
อนาคต : 쓰 + ㄹ 거예요 → 쓸 거예요

(146) 입다 [ipda]

สวม, ใส่

นำเสื้อผ้ามาห่อหุ้มร่างกายด้วยวิธีการสวมหรือใส่

อดีต : 입 + 었어요 → 입었어요
ปัจจุบัน : 입 + 어요 → 입어요
อนาคต : 입 + 을 거예요 → 입을 거예요

(147) 차다 [chada]

คาด, พก, ติด, กลัด, ห้อย, เหน็บ, ใส่, สวม

ห้อย แขวน ใส่ ด้วยการผูกมัดสิ่งของที่เอว ข้อมือหรือข้อเท้า เป็นต้น

อดีต : 차 + 았어요 → 찼어요
ปัจจุบัน : 차 + 아요 → 차요
อนาคต : 차 + ㄹ 거예요 → 찰 거예요

(148) 기르다 [gireuda]

เลี้ยง, ปลูก

ทำให้หนวดหรือเส้นผม เป็นต้น ได้ยาวขึ้นและดูดีขึ้น

อดีต : 기르 + 었어요 → 길렀어요
ปัจจุบัน : 기르 + 어요 → 길러요
อนาคต : 기르 + ㄹ 거예요 → 기를 거예요

(149) 깎다 [kkakda]

ตัด, โกน

ตัดหญ้าหรือขนต่าง ๆ ให้สั้น

อดีต : 깎 + 았어요 → 깎았어요
ปัจจุบัน : 깎 + 아요 → 깎아요
อนาคต : 깎 + 을 거예요 → 깎을 거예요

(150) 드라이하다 [deuraihada]

เป่าผม

เป่าผมให้แห้งหรือทำผมด้วยเครื่องใช้ไฟฟ้าที่มีลมพ่นออกมา

อดีต : 드라이하 + 였어요 → 드라이했어요
ปัจจุบัน : 드라이하 + 여요 → 드라이해요
อนาคต : 드라이하 + ㄹ 거예요 → 드라이할 거예요

(151) 면도하다 [myeondohada]

โกน

กำจัดหนวดหรือขนอ่อนที่ขึ้นตามใบหน้าหรือร่างกาย

อดีต : 면도하 + 였어요 → 면도했어요
ปัจจุบัน : 면도하 + 여요 → 면도해요
อนาคต : 면도하 + ㄹ 거예요 → 면도할 거예요

(152) 빗다 [bitda]

หวี, แปรง, สาง

จัดเส้นผมหรือขนด้วยหวีหรือมือ เป็นต้น ให้เรียบร้อย

อดีต : 빗 + 었어요 → 빗었어요
ปัจจุบัน : 빗 + 어요 → 빗어요
อนาคต : 빗 + 을 거예요 → 빗을 거예요

(153) 염색하다 [yeomsaekada]

ย้อม, ย้อมสี

ทำให้ติดสี ในผ้า ด้าย เส้นผมหรือสิ่งอื่น

อดีต : 염색하 + 였어요 → **염색했어요**
ปัจจุบัน : 염색하 + 여요 → **염색해요**
อนาคต : 염색하 + ㄹ 거예요 → **염색할 거예요**

(154) 이발하다 [ibalhada]

ตัดผม

ตัดเล็มเส้นผม

อดีต : 이발하 + 였어요 → **이발했어요**
ปัจจุบัน : 이발하 + 여요 → **이발해요**
อนาคต : 이발하 + ㄹ 거예요 → **이발할 거예요**

(155) 파마하다 [pamahada]

ดัดผม

ทำผมให้เป็นลอนหรือทำให้ยืดตรงด้วยเครื่องมือหรือน้ำยาเพื่อให้สามารถอยู่ในสภาพดังกล่าวได้เป็นระยะเวลานาน

อดีต : 파마하 + 였어요 → **파마했어요**
ปัจจุบัน : 파마하 + 여요 → **파마해요**
อนาคต : 파마하 + ㄹ 거예요 → **파마할 거예요**

(156) 화장하다 [hwajanghada]

แต่งหน้า

ตกแต่งใบหน้าอย่างสวยงามโดยทาหรือปัดเครื่องสำอางลงไป

อดีต : 화장하 + 였어요 → **화장했어요**
ปัจจุบัน : 화장하 + 여요 → **화장해요**
อนาคต : 화장하 + ㄹ 거예요 → **화장할 거예요**

(157) 이사하다 [isahada]

ย้าย, โยกย้าย, เคลื่อนย้าย

ออกจากที่ที่เคยอยู่แล้วย้ายไปที่อื่น

อดีต : 이사하 + 였어요 → **이사했어요**
ปัจจุบัน : 이사하 + 여요 → **이사해요**
อนาคต : 이사하 + ㄹ 거예요 → **이사할 거예요**

(158) 머무르다 [meomureuda]

พักแรม, หยุดพัก

หยุดพักระหว่างทาง หรือพักแรมในที่ใด ๆ ชั่วคราว

อดีต : 머무르 + 었어요 → **머물렀어요**
ปัจจุบัน : 머무르 + 어요 → **머물러요**
อนาคต : 머무르 + ㄹ 거예요 → **머무를 거예요**

(159) 묵다 [mukda]

พัก, พักค้างคืน

ไปพักที่ใด ๆ ในฐานะลูกค้าหรือแขก

อดีต : 묵 + 었어요 → **묵었어요**
ปัจจุบัน : 묵 + 어요 → **묵어요**
อนาคต : 묵 + 을 거예요 → **묵을 거예요**

(160) 숙박하다 [sukbakada]

เข้าพักแรม, พักค้างคืน(ในโรงแรม)

นอนหลับและพักแรมในโรงแรมหรือที่พักแรม เป็นต้น

อดีต : 숙박하 + 였어요 → **숙박했어요**
ปัจจุบัน : 숙박하 + 여요 → **숙박해요**
อนาคต : 숙박하 + ㄹ 거예요 → **숙박할 거예요**

(161) 체류하다 [cheryuhada]

พำนัก, พักอาศัย, พัก, อาศัย

ออกจากบ้านแล้วไปพักอยู่ที่ใด ๆ

อดีต : 체류하 + 였어요 → **체류했어요**
ปัจจุบัน : 체류하 + 여요 → **체류해요**
อนาคต : 체류하 + ㄹ 거예요 → **체류할 거예요**

(162) 걸다 [geolda]

แขวน, ห้อย, ติด

แขวนวัตถุใด ๆ ไว้ที่ใดที่หนึ่งเพื่อไม่ให้หล่นลงมา

อดีต : 걸 + 었어요 → **걸었어요**
ปัจจุบัน : 걸 + 어요 → **걸어요**
อนาคต : 걸 + ㄹ 거예요 → **걸 거예요**

(163) 고치다 [gochida]

ซ่อม, ซ่อมแซม, ปะ

ซ่อมแซมสิ่งของที่เสียหรือใช้ไม่ได้แล้วทำให้ใช้ได้อีกครั้ง

อดีต : 고치 + 었어요 → **고쳤어요**
ปัจจุบัน : 고치 + 어요 → **고쳐요**
อนาคต : 고치 + ㄹ 거예요 → **고칠 거예요**

(164) 끄다 [kkeuda]

ดับ(ไฟ)

ทำให้ไฟที่ไหม้ไม่ให้ไหม้

อดีต : 끄 + 었어요 → **껐어요**
ปัจจุบัน : 끄 + 어요 → **꺼요**
อนาคต : 끄 + ㄹ 거예요 → **끌 거예요**

(165) 빨다 [ppalda]

ซัก(ผ้า)

ใส่น้ำแช่เสื้อแล้วขยำด้วยมือหรือใช้เครื่องซักผ้าทำให้ขี้ไคลหมดไป

อดีต : 빨 + 았어요 → **빨았어요**
ปัจจุบัน : 빨 + 아요 → **빨아요**
อนาคต : 빨 + ㄹ 거예요 → **빨 거예요**

(166) 설거지하다 [seolgeojihada]

ล้างจาน, ล้างชาม

ล้างจานแล้วจัดการหลังจากที่กินอาหารเสร็จ

อดีต : 설거지하 + 였어요 → **설거지했어요**
ปัจจุบัน : 설거지하 + 여요 → **설거지해요**
อนาคต : 설거지하 + ㄹ 거예요 → **설거지할 거예요**

(167) 세탁하다 [setakada]

ซัก, ซักล้าง

ซักเสื้อผ้าที่สกปรก เป็นต้น

อดีต : 세탁하 + 였어요 → **세탁했어요**
ปัจจุบัน : 세탁하 + 여요 → **세탁해요**
อนาคต : 세탁하 + ㄹ 거예요 → **세탁할 거예요**

(168) 정리하다 [jeongnihada]

จัด, เก็บ, จัดเก็บ, จัดการ, จัดให้เป็นระเบียบ

รวมหรือจัดเก็บสิ่งที่อยู่ในสภาพที่กระจัดกระจายหรือยุ่งเหยิงให้อยู่ในที่เดียวกัน

อดีต : 정리하 + 였어요 → **정리했어요**
ปัจจุบัน : 정리하 + 여요 → **정리해요**
อนาคต : 정리하 + ㄹ 거예요 → **정리할 거예요**

(169) 청소하다 [cheongsohada]

ทำความสะอาด, ปัดกวาดเช็ดถู

เก็บกวาดสิ่งที่สกปรกหรือเลอะเทอะให้สะอาด

อดีต : 청소하 + 였어요 → **청소했어요**
ปัจจุบัน : 청소하 + 여요 → **청소해요**
อนาคต : 청소하 + ㄹ 거예요 → **청소할 거예요**

(170) 켜다 [kyeoda]

ติด(ไฟ), จุด(ไฟ)

ติดไฟที่เทียนหรือโคมไฟ เป็นต้น หรือทำให้เกิดไฟด้วยไฟแช็คหรือไม้ขีดไฟ เป็นต้น

อดีต : 켜 + 었어요 → **켰어요**
ปัจจุบัน : 켜 + 어요 → **켜요**
อนาคต : 켜 + ㄹ 거예요 → **켤 거예요**

(171) 말리다 [mallida]

ตากแห้ง, ทำให้แห้ง, ทำให้แห้งผาก

ทำให้ความชื้นระเหยและหมดไปทั้งหมด

อดีต : 말리 + 었어요 → **말렸어요**
ปัจจุบัน : 말리 + 어요 → **말려요**
อนาคต : 말리 + ㄹ 거예요 → **말릴 거예요**

(172) 삶다 [samda]

ต้ม

เติมน้ำแล้วต้มให้เดือด

อดีต : 삶 + 았어요 → **삶았어요**
ปัจจุบัน : 삶 + 아요 → **삶아요**
อนาคต : 삶 + 을 거예요 → **삶을 거예요**

(173) 쓸다 [sseulda]

กวาด

ดันออกโดยทำให้รวมอยู่ในที่เดียวกันแล้วทำให้โล่ง

อดีต : 쓸 + 었어요 → 쓸었어요
ปัจจุบัน : 쓸 + 어요 → 쓸어요
อนาคต : 쓸 + ㄹ 거예요 → 쓸 거예요

(174) 가져가다 [gajeogada]

ย้ายไป, นำไป, เอาไป, ถือไป

ย้ายสิ่งของใดจากที่หนึ่งไปยังที่อื่น

อดีต : 가져가 + 았어요 → 가져갔어요
ปัจจุบัน : 가져가 + 아요 → 가져가요
อนาคต : 가져가 + ㄹ 거예요 → 가져갈 거예요

(175) 가져오다 [gajeooda]

ยกมา, ย้ายมา, นำมา, ถือมา, เอามา

ย้ายสิ่งของใดจากที่หนึ่งมายังที่อื่น

อดีต : 가져오 + 았어요 → 가져왔어요
ปัจจุบัน : 가져오 + 아요 → 가져와요
อนาคต : 가져오 + ㄹ 거예요 → 가져올 거예요

(176) 거절하다 [geojeolhada]

ปฏิเสธ, ไม่ยอมรับ

ไม่ยอมรับของขวัญ ข้อเสนอ หรือคำขอร้อง เป็นต้น ของคนอื่น

อดีต : 거절하 + 였어요 → 거절했어요
ปัจจุบัน : 거절하 + 여요 → 거절해요
อนาคต : 거절하 + ㄹ 거예요 → 거절할 거예요

(177) 걸다 [geolda]

โทร

โทรศัพท์

อดีต : 걸 + 었어요 → 걸었어요
ปัจจุบัน : 걸 + 어요 → 걸어요
อนาคต : 걸 + ㄹ 거예요 → 걸 거예요

(178) 기다리다 [gidarida]

รอ, รอคอย

รอเวลาให้คนหรือโอกาสมา หรือจนกว่างานใดงานหนึ่งจะสำเร็จลุล่วง

อดีต : 기다리 + 었어요 → 기다렸어요
ปัจจุบัน : 기다리 + 어요 → 기다려요
อนาคต : 기다리 + ㄹ 거예요 → 기다릴 거예요

(179) 나누다 [nanuda]

ทักทายกัน, พูดคุยกัน, คุยกัน

แลกเปลี่ยนคำพูด สนทนา หรือทักทาย เป็นต้น

อดีต : 나누 + 었어요 → 나눴어요
ปัจจุบัน : 나누 + 어요 → 나눠요
อนาคต : 나누 + ㄹ 거예요 → 나눌 거예요

(180) 데려가다 [deryeogada]

พาไป, นำไป

ทำให้ตามตัวเองมาแล้วไปด้วยกัน

อดีต : 데려가 + 았어요 → 데려갔어요
ปัจจุบัน : 데려가 + 아요 → 데려가요
อนาคต : 데려가 + ㄹ 거예요 → 데려갈 거예요

(181) 데려오다 [deryeooda]

พามา, นำมา, รับมา, รับกลับมา

มาด้วยโดยทำให้ตามตัวเองมา

อดีต : 데려오 + 았어요 → **데려왔어요**
ปัจจุบัน : 데려오 + 아요 → **데려와요**
อนาคต : 데려오 + ㄹ 거예요 → **데려올 거예요**

(182) 데이트하다 [deiteuhada]

นัด, นัดพบ, นัดหมาย, ออกเดท

ชายหนุ่มกับหญิงสาวพบกันเพื่อจะคบหากัน

อดีต : 데이트하 + 였어요 → **데이트했어요**
ปัจจุบัน : 데이트하 + 여요 → **데이트해요**
อนาคต : 데이트하 + ㄹ 거예요 → **데이트할 거예요**

(183) 도와주다 [dowajuda]

ช่วยเหลือ, เกื้อกูล, ส่งเสริม, สนับสนุน

ช่วยเหลือทางด้านแรงหรือเกื้อกูลงานของคนอื่น

อดีต : 도와주 + 었어요 → **도와줬어요**
ปัจจุบัน : 도와주 + 어요 → **도와줘요**
อนาคต : 도와주 + ㄹ 거예요 → **도와줄 거예요**

(184) 돌려주다 [dollyeojuda]

คืน, คืนให้, คืนกลับ, ใช้คืน, ชำระคืน, ส่งคืน

คืนหรือให้สิ่งที่ได้ยืม แย่งมาหรือได้มากลับให้แก่เจ้าของ

อดีต : 돌려주 + 었어요 → **돌려줬어요**
ปัจจุบัน : 돌려주 + 어요 → **돌려줘요**
อนาคต : 돌려주 + ㄹ 거예요 → **돌려줄 거예요**

(185) 돕다 [dopda]

ช่วย, ช่วยเหลือ

ช่วยเหลือหรือสนับสนุนงานของผู้อื่น

อดีต : 돕 + 았어요 → **도왔어요**
ปัจจุบัน : 돕 + 아요 → **도와요**
อนาคต : 돕 + ㄹ 거예요 → **도울 거예요**

(186) 드리다 [deurida]

มอบ, มอบให้

(คำยกย่อง)ยื่นอะไรให้แก่ผู้อื่นเพื่อให้เก็บหรือใช้

อดีต : 드리 + 었어요 → **드렸어요**
ปัจจุบัน : 드리 + 어요 → **드려요**
อนาคต : 드리 + ㄹ 거예요 → **드릴 거예요**

(187) 만나다 [mannada]

พบ, เจอ

คนใด ๆ ไปหรือมาทำให้ทั้งสองมาเผชิญกัน

อดีต : 만나 + 았어요 → **만났어요**
ปัจจุบัน : 만나 + 아요 → **만나요**
อนาคต : 만나 + ㄹ 거예요 → **만날 거예요**

(188) 바꾸다 [bakkuda]

เปลี่ยน

ทำให้สิ่งที่มีอยู่เดิมหายไปและนำสิ่งใหม่เข้ามาแทนที่

อดีต : 바꾸 + 었어요 → **바꿨어요**
ปัจจุบัน : 바꾸 + 어요 → **바꿔요**
อนาคต : 바꾸 + ㄹ 거예요 → **바꿀 거예요**

(189) 받다 [batda]

ได้รับ

มีสิ่งที่คนอื่นให้หรือส่งมาให้

อดีต : 받 + 았어요 → **받았어요**
ปัจจุบัน : 받 + 아요 → **받아요**
อนาคต : 받 + 을 거예요 → **받을 거예요**

(190) 방문하다 [bangmunhada]

เยี่ยม, ไปเยี่ยมเยียน

ไปหายังสถานที่ใด ๆ เพื่อพบคนหรือดูสิ่งใด ๆ

อดีต : 방문하 + 였어요 → **방문했어요**
ปัจจุบัน : 방문하 + 여요 → **방문해요**
อนาคต : 방문하 + ㄹ 거예요 → **방문할 거예요**

(191) 보내다 [bonaeda]

ส่ง

ทำให้ไปด้วยวัตถุประสงค์หรือหน้าที่ใด ๆ

อดีต : 보내 + 었어요 → **보냈어요**
ปัจจุบัน : 보내 + 어요 → **보내요**
อนาคต : 보내 + ㄹ 거예요 → **보낼 거예요**

(192) 보다 [boda]

ดู, ชม

เพลิดเพลินหรือชมวัตถุด้วยตา

อดีต : 보 + 았어요 → **봤어요**
ปัจจุบัน : 보 + 아요 → **봐요**
อนาคต : 보 + ㄹ 거예요 → **볼 거예요**

(193) 뵈다 [boeda]

เข้าพบ, เข้าเยี่ยม, เข้าคารวะ

พบผู้อาวุโส

อดีต : 뵈 + 었어요 → 뵀어요
ปัจจุบัน : 뵈 + 어요 → 봬요
อนาคต : 뵈 + ㄹ 거예요 → 뵐 거예요

(194) 부탁하다 [butakada]

ขอร้อง, ร้องขอ, รบกวน, ฝากทำ

ขอร้องหรือฝากให้ช่วยงานใด ๆ

อดีต : 부탁하 + 였어요 → 부탁했어요
ปัจจุบัน : 부탁하 + 여요 → 부탁해요
อนาคต : 부탁하 + ㄹ 거예요 → 부탁할 거예요

(195) 사귀다 [sagwida]

คบ, คบหา, เป็นมิตร

ต่างฝ่ายต่างรู้จักและคบหากันอย่างสนิทสนม

อดีต : 사귀 + 었어요 → 사귀었어요
ปัจจุบัน : 사귀 + 어요 → 사귀어요
อนาคต : 사귀 + ㄹ 거예요 → 사귈 거예요

(196) 세배하다 [sebaehada]

กราบคารวะผู้อาวุโสในวันขึ้นปีใหม่

คารวะผู้อาวุโสเพื่อเป็นการทักทายในวันขึ้นปีใหม่

อดีต : 세배하 + 였어요 → 세배했어요
ปัจจุบัน : 세배하 + 여요 → 세배해요
อนาคต : 세배하 + ㄹ 거예요 → 세배할 거예요

(197) 소개하다 [sogaehada]

แนะนำ, ทำให้รู้จัก

เชื่อมความสัมพันธ์ระหว่างผู้คนที่ไม่รู้จักกันและกันเพื่อให้ทั้งสองฝ่ายได้รู้จักกัน

อดีต : 소개하 + 였어요 → **소개했어요**
ปัจจุบัน : 소개하 + 여요 → **소개해요**
อนาคต : 소개하 + ㄹ 거예요 → **소개할 거예요**

(198) 신청하다 [sincheonghada]

ยื่นเอกสาร, สมัคร

เรียกร้องให้ทำงานบางอย่างให้อย่างเป็นทางการแก่องค์กรหรือหน่วยงาน เป็นต้น

อดีต : 신청하 + 였어요 → **신청했어요**
ปัจจุบัน : 신청하 + 여요 → **신청해요**
อนาคต : 신청하 + ㄹ 거예요 → **신청할 거예요**

(199) 실례하다 [sillyehada]

เสียมารยาท, ผิดมารยาท, ไม่สุภาพ

คำพูดหรือการกระทำผิดไปจากมารยาท

อดีต : 실례하 + 였어요 → **실례했어요**
ปัจจุบัน : 실례하 + 여요 → **실례해요**
อนาคต : 실례하 + ㄹ 거예요 → **실례할 거예요**

(200) 싸우다 [ssauda]

ทะเลาะ, วิวาท, ทะเลาะวิวาท

โต้เถียงหรือทะเลาะด้วยคำพูดหรือใช้แรงเพื่อเอาชนะ

อดีต : 싸우 + 었어요 → **싸웠어요**
ปัจจุบัน : 싸우 + 어요 → **싸워요**
อนาคต : 싸우 + ㄹ 거예요 → **싸울 거예요**

(201) 안내하다 [annaehada]

แนะนำ, ชี้แนะ, ชี้นำ, บอกกล่าว

แนะนำเนื้อหาบางอย่างแล้วจึงแจ้งให้ทราบ

อดีต : 안내하 + 였어요 → **안내했어요**
ปัจจุบัน : 안내하 + 여요 → **안내해요**
อนาคต : 안내하 + ㄹ 거예요 → **안내할 거예요**

(202) 약속하다 [yaksokada]

นัด, นัดหมาย, สัญญา, ทำสัญญา

กำหนดล่วงหน้าว่าจะทำเรื่องใดกับผู้อื่น

อดีต : 약속하 + 였어요 → **약속했어요**
ปัจจุบัน : 약속하 + 여요 → **약속해요**
อนาคต : 약속하 + ㄹ 거예요 → **약속할 거예요**

(203) 얻다 [eotda]

รับ, ได้, ได้รับ, รับไว้

รับเอาไว้โดยไม่มีค่าตอบแทนหรือความสามารถพิเศษ

อดีต : 얻 + 었어요 → **얻었어요**
ปัจจุบัน : 얻 + 어요 → **얻어요**
อนาคต : 얻 + 을 거예요 → **얻을 거예요**

(204) 연락하다 [yeollakada]

ติดต่อ, ติดต่อสื่อสาร, ไปมาหาสู่

บอกแสนแจ้งข้อเท็จจริงใด ๆ

อดีต : 연락하 + 였어요 → **연락했어요**
ปัจจุบัน : 연락하 + 여요 → **연락해요**
อนาคต : 연락하 + ㄹ 거예요 → **연락할 거예요**

(205) 이기다 [igida]

ชนะ, พิชิต

ได้ผลลัพธ์ที่ดีกว่าโดยกดขี่ฝ่ายตรงข้ามในการท้าพนัน การแข่งขัน การต่อสู้ เป็นต้น

อดีต : 이기 + 었어요 → 이겼어요
ปัจจุบัน : 이기 + 어요 → 이겨요
อนาคต : 이기 + ㄹ 거예요 → 이길 거예요

(206) 인사하다 [insahada]

ทักทาย

แสดงมารยาทเมื่อพบหรือลาจากกัน

อดีต : 인사하 + 였어요 → 인사했어요
ปัจจุบัน : 인사하 + 여요 → 인사해요
อนาคต : 인사하 + ㄹ 거예요 → 인사할 거예요

(207) 전하다 [jeonhada]

ให้, มอบให้, ยกให้, ถวายให้, ส่งต่อ

เคลื่อนย้ายหยิบยกเอาของสิ่งใด ๆ มอบให้แก่ผู้รับ

อดีต : 전하 + 였어요 → 전했어요
ปัจจุบัน : 전하 + 여요 → 전해요
อนาคต : 전하 + ㄹ 거예요 → 전할 거예요

(208) 정하다 [jeonghada]

ตัดสินใจ, กำหนด

เลือกเอาเพียงหนึ่งเดียวในบรรดาหลาย ๆ สิ่ง

อดีต : 정하 + 였어요 → 정했어요
ปัจจุบัน : 정하 + 여요 → 정해요
อนาคต : 정하 + ㄹ 거예요 → 정할 거예요

(209) 주다 [juda]

ให้, มอบ, ยื่นให้, มอบให้

ให้สิ่งของ เป็นต้น แก่คนอื่นเพื่อทำให้ใช้หรือมีไว้

อดีต : 주 + 었어요 → **줬어요**
ปัจจุบัน : 주 + 어요 → **줘요**
อนาคต : 주 + ㄹ 거예요 → **줄 거예요**

(210) 지다 [jida]

แพ้, พ่ายแพ้, ปราชัย

ไม่สามารถเอาชนะฝ่ายตรงข้ามได้ในการแข่งขันหรือการทะเลาะต่อสู้ เป็นต้น

อดีต : 지 + 었어요 → **졌어요**
ปัจจุบัน : 지 + 어요 → **져요**
อนาคต : 지 + ㄹ 거예요 → **질 거예요**

(211) 지키다 [jikida]

รักษา, เชื่อฟัง, ทำตาม

ไม่ผิดคำสัญญา กฎหมาย มารยาท หรือระเบียบการ เป็นต้น และปฏิบัติตามเป็นอย่างดี

อดีต : 지키 + 었어요 → **지켰어요**
ปัจจุบัน : 지키 + 어요 → **지켜요**
อนาคต : 지키 + ㄹ 거예요 → **지킬 거예요**

(212) 찾아가다 [chajagada]

ไปหา, ไปพบ

ไปเพื่อทำงานใด ๆ หรือพบคน

อดีต : 찾아가 + 았어요 → **찾아갔어요**
ปัจจุบัน : 찾아가 + 아요 → **찾아가요**
อนาคต : 찾아가 + ㄹ 거예요 → **찾아갈 거예요**

(213) 찾아오다 [chajaoda]

มาหา

มาเพื่อทำงานใด ๆ หรือพบคน

อดีต : 찾아오 + 았어요 → **찾아왔어요**
ปัจจุบัน : 찾아오 + 아요 → **찾아와요**
อนาคต : 찾아오 + ㄹ 거예요 → **찾아올 거예요**

(214) 초대하다 [chodaehada]

เชิญ, เชื้อเชิญ, เรียนเชิญ

ขอร้องให้ผู้อื่นมาเข้าร่วม เช่น เชิญมาร่วมงานประชุม เรียนเชิญมาร่วมงานกิจกรรม

อดีต : 초대하 + 였어요 → **초대했어요**
ปัจจุบัน : 초대하 + 여요 → **초대해요**
อนาคต : 초대하 + ㄹ 거예요 → **초대할 거예요**

(215) 축하하다 [chukahada]

แสดงความยินดี, อวยพร

กล่าวทักทายเกี่ยวกับเรื่องที่ดีของผู้อื่นด้วยความดีใจ

อดีต : 축하하 + 였어요 → **축하했어요**
ปัจจุบัน : 축하하 + 여요 → **축하해요**
อนาคต : 축하하 + ㄹ 거예요 → **축하할 거예요**

(216) 취소하다 [chwisohada]

ยกเลิก, เลิกล้ม, ตัดออก

เก็บคืนสิ่งที่ประกาศไว้แล้ว หรือยกเลิกเรื่องที่ถูกกำหนดไว้หรือสิ่งที่นัดหมายไว้

อดีต : 취소하 + 였어요 → **취소했어요**
ปัจจุบัน : 취소하 + 여요 → **취소해요**
อนาคต : 취소하 + ㄹ 거예요 → **취소할 거예요**

(217) 헤어지다 [heeojida]

แยก, จากกัน, ลาจาก

แยกจากคนที่เคยอยู่ด้วยกัน

อดีต : 헤어지 + 었어요 → **헤어졌어요**
ปัจจุบัน : 헤어지 + 어요 → **헤어져요**
อนาคต : 헤어지 + ㄹ 거예요 → **헤어질 거예요**

(218) 환영하다 [hwanyeonghada]

ต้อนรับ, ต้อนรับขับสู้

ต้อนรับผู้ที่มาอย่างปลื้มปีติและน่ายินดี

อดีต : 환영하 + 였어요 → **환영했어요**
ปัจจุบัน : 환영하 + 여요 → **환영해요**
อนาคต : 환영하 + ㄹ 거예요 → **환영할 거예요**

(219) 갈아타다 [garatada]

ต่อ, เปลี่ยนขึ้น(รถ, เรือ, เครื่องบิน, รถไฟ)

ลงจากยานพาหนะที่ขึ้นก่อนหน้านี้ ไปขึ้นยานพาหนะชนิดอื่น

อดีต : 갈아타 + 았어요 → **갈아탔어요**
ปัจจุบัน : 갈아타 + 아요 → **갈아타요**
อนาคต : 갈아타 + ㄹ 거예요 → **갈아탈 거예요**

(220) 건너가다 [geonneogada]

ข้ามไป, ข้ามฝั่งไป

ไปยังด้านโน้นจากด้านนี้โดยผ่านแม่น้ำ สะพาน ถนน เป็นต้น

อดีต : 건너가 + 았어요 → **건너갔어요**
ปัจจุบัน : 건너가 + 아요 → **건너가요**
อนาคต : 건너가 + ㄹ 거예요 → **건너갈 거예요**

(221) 건너다 [geonneoda]

ข้าม, ผ่าน

เคลื่อนย้ายไปยังฝั่งตรงข้ามโดยผ่านหรือข้ามอะไรไป

อดีต : 건너 + 었어요 → **건넜어요**
ปัจจุบัน : 건너 + 어요 → **건너요**
อนาคต : 건너 + ㄹ 거예요 → **건널 거예요**

(222) 내리다 [naerida]

ลงที่(สถานที่), ลงจาก(ยานพาหนะ)

ออกมาจากที่เคยนั่งอยู่สู่ข้างนอกแล้วสัมผัสที่ใด

อดีต : 내리 + 었어요 → **내렸어요**
ปัจจุบัน : 내리 + 어요 → **내려요**
อนาคต : 내리 + ㄹ 거예요 → **내릴 거예요**

(223) 도착하다 [dochakada]

มาถึง, เยือน

มาถึงสถานที่ที่เป็นจุดหมาย

อดีต : 도착하 + 였어요 → **도착했어요**
ปัจจุบัน : 도착하 + 여요 → **도착해요**
อนาคต : 도착하 + ㄹ 거예요 → **도착할 거예요**

(224) 막히다 [makida]

ติด, ติดขัด

มีรถที่ถนนมากทำให้รถไม่สามารถไปได้อย่างสะดวก

อดีต : 막히 + 었어요 → **막혔어요**
ปัจจุบัน : 막히 + 어요 → **막혀요**
อนาคต : 막히 + ㄹ 거예요 → **막힐 거예요**

(225) 안전하다 [anjeonhada]

ปลอดภัย, ไม่มีอันตราย, ไร้อุบัติเหตุ, มีสวัสดิภาพ

ไม่มีความห่วงกังวลว่าจะเกิดอันตรายหรือจะเกิดอุบัติเหตุ

อดีต : 안전하 + 였어요 → **안전했어요**
ปัจจุบัน : 안전하 + 여요 → **안전해요**
อนาคต : 안전하 + ㄹ 거예요 → **안전할 거예요**

(226) 운전하다 [unjeonhada]

ขับ, ขับขี่, ควบคุม

ควบคุมการเคลื่อนไหวของรถยนต์หรือเครื่องจักร

อดีต : 운전하 + 였어요 → **운전했어요**
ปัจจุบัน : 운전하 + 여요 → **운전해요**
อนาคต : 운전하 + ㄹ 거예요 → **운전할 거예요**

(227) 위험하다 [wiheomhada]

อันตราย, เป็นอันตราย, เป็นภัย

ไม่ปลอดภัยเพราะมีโอกาสที่จะได้รับความเสียหายหรือได้รับบาดเจ็บ

อดีต : 위험하 + 였어요 → **위험했어요**
ปัจจุบัน : 위험하 + 여요 → **위험해요**
อนาคต : 위험하 + ㄹ 거예요 → **위험할 거예요**

(228) 주차하다 [juchahada]

จอดรถ

หยุดรถ เช่น รถยนต์ ไว้ในสถานที่หนึ่ง ๆ

อดีต : 주차하 + 였어요 → **주차했어요**
ปัจจุบัน : 주차하 + 여요 → **주차해요**
อนาคต : 주차하 + ㄹ 거예요 → **주차할 거예요**

(229) 출발하다 [chulbalhada]

ออกเดินทาง

ออกเดินทางไปมุ่งหน้าไปสถานที่ใด ๆ

อดีต : 출발하 + 였어요 → **출발했어요**
ปัจจุบัน : 출발하 + 여요 → **출발해요**
อนาคต : 출발하 + ㄹ 거예요 → **출발할 거예요**

(230) 타다 [tada]

ขี่, ขึ้น

ขึ้นบนยานพาหนะหรือร่างกายของสัตว์ที่ใช้เป็นยานพาหนะ

อดีต : 타 + 았어요 → **탔어요**
ปัจจุบัน : 타 + 아요 → **타요**
อนาคต : 타 + ㄹ 거예요 → **탈 거예요**

(231) 출근하다 [chulgeunhada]

ไปทำงาน, มาทำงาน

ออกไปหรือออกมาที่สถานที่ทำงานเพื่อทำงาน

อดีต : 출근하 + 였어요 → **출근했어요**
ปัจจุบัน : 출근하 + 여요 → **출근해요**
อนาคต : 출근하 + ㄹ 거예요 → **출근할 거예요**

(232) 출퇴근하다 [chultoegeunhada]

เดินทางไปหรือกลับจากที่ทำงาน

ออกไปทำงานในที่ทำงานหรือกลับเข้ามาจากที่ทำงานหลังจากเสร็จงาน

อดีต : 출퇴근하 + 였어요 → **출퇴근했어요**
ปัจจุบัน : 출퇴근하 + 여요 → **출퇴근해요**
อนาคต : 출퇴근하 + ㄹ 거예요 → **출퇴근할 거예요**

(233) 취직하다 [chwijikada]

ได้งาน, ได้งานทำ, เข้าทำงาน

ได้รับตำแหน่งงานหนึ่ง ๆ และไปทำงาน

อดีต : 취직하 + 였어요 → **취직했어요**
ปัจจุบัน : 취직하 + 여요 → **취직해요**
อนาคต : 취직하 + ㄹ 거예요 → **취직할 거예요**

(234) 퇴근하다 [toegeunhada]

เลิกงาน, กลับจากสถานที่ทำงาน

กลับไปหรือกลับมาถึงบ้านโดยเลิกงานในที่ทำงาน

อดีต : 퇴근하 + 였어요 → **퇴근했어요**
ปัจจุบัน : 퇴근하 + 여요 → **퇴근해요**
อนาคต : 퇴근하 + ㄹ 거예요 → **퇴근할 거예요**

(235) 회의하다 [hoeuihada]

การประชุม, การปรึกษาหารือ

หลายคนรวมตัวกันแล้วปรึกษาหารือกัน

อดีต : 회의하 + 였어요 → **회의했어요**
ปัจจุบัน : 회의하 + 여요 → **회의해요**
อนาคต : 회의하 + ㄹ 거예요 → **회의할 거예요**

(236) 거짓말하다 [geojinmalhada]

โกหก, พูดปด, พูดเท็จ, พูดโกหก, พูดไม่จริง, กล่าวเท็จ, ปดโป้, โกหกพกลม

พูดแต่งเรื่องที่ไม่จริงให้เหมือนเป็นเรื่องจริง

อดีต : 거짓말하 + 였어요 → **거짓말했어요**
ปัจจุบัน : 거짓말하 + 여요 → **거짓말해요**
อนาคต : 거짓말하 + ㄹ 거예요 → **거짓말할 거예요**

(237) 농담하다 [nongdamhada]

ล้อเล่น, แกล้งเล่น, หยอกล้อ

พูดล้อเล่นเพื่อหยอกล้อคนอื่นหรือทำให้หัวเราะ

อดีต : 농담하 + 였어요 → **농담했어요**
ปัจจุบัน : 농담하 + 여요 → **농담해요**
อนาคต : 농담하 + ㄹ 거예요 → **농담할 거예요**

(238) 대답하다 [daedapada]

ตอบ

พูดสิ่งที่เกี่ยวข้องกับสิ่งที่ถามหรือต้องการ

อดีต : 대답하 + 였어요 → **대답했어요**
ปัจจุบัน : 대답하 + 여요 → **대답해요**
อนาคต : 대답하 + ㄹ 거예요 → **대답할 거예요**

(239) 대화하다 [daehwahada]

สนทนา, พูดคุย, พูดคุยแลกเปลี่ยนความคิดเห็น, คุยกัน

พบหน้ากันและพูดคุยแลกเปลี่ยนกัน

อดีต : 대화하 + 였어요 → **했어요**
ปัจจุบัน : 대화하 + 여요 → **해요**
อนาคต : 대화하 + ㄹ 거예요 → **할 거예요**

(240) 드리다 [deurida]

ให้, กล่าว, คำนับ

พูดคำพูดบางอย่างหรือทักทายแก่ผู้ใหญ่

อดีต : 드리 + 었어요 → **드렸어요**
ปัจจุบัน : 드리 + 어요 → **드려요**
อนาคต : 드리 + ㄹ 거예요 → **드릴 거예요**

(241) 말하다 [malhada]

พูด, บอก, กล่าว, เล่า

แสดงข้อเท็จจริงใด ๆ หรือความคิดหรือความรู้สึกของตัวเองเป็นคำพูด

อดีต : 말하 + 였어요 → **말했어요**
ปัจจุบัน : 말하 + 여요 → **말해요**
อนาคต : 말하 + ㄹ 거예요 → **말할 거예요**

(242) 묻다 [mutda]

ถาม, ซัก

พูดเรียกร้องให้ตอบหรืออธิบาย

อดีต : 묻 + 었어요 → **물었어요**
ปัจจุบัน : 묻 + 어요 → **물어요**
อนาคต : 묻 + 을 거예요 → **물을 거예요**

(243) 물어보다 [mureoboda]

ถาม, ลองถาม

ถามเพื่อให้ทราบเกี่ยวกับสิ่งใด

อดีต : 물어보 + 았어요 → **물어봤어요**
ปัจจุบัน : 물어보 + 아요 → **물어봐요**
อนาคต : 물어보 + ㄹ 거예요 → **물어볼 거예요**

(244) 설명하다 [seolmyeonghada]

อธิบาย, พูดอธิบาย

พูดบอกสิ่งใด ๆ แก่ผู้อื่นให้เข้าใจได้ง่าย

อดีต : 설명하 + 였어요 → **설명했어요**
ปัจจุบัน : 설명하 + 여요 → **설명해요**
อนาคต : 설명하 + ㄹ 거예요 → **설명할 거예요**

(245) 쓰다 [sseuda]

เขียน

เขียนตัวอักษรตามที่กำหนดโดยใช้อุปกรณ์การเขียนลากเส้นบนกระดาษ เป็นต้น

อดีต : 쓰 + 었어요 → **썼어요**
ปัจจุบัน : 쓰 + 어요 → **써요**
อนาคต : 쓰 + ㄹ 거예요 → **쓸 거예요**

(246) 얘기하다 [yaegihada]

สนทนา, เจรจา, พูดคุย, คุย

ส่งและรับคำพูดกับคนอื่น

อดีต : 얘기하 + 였어요 → **얘기했어요**
ปัจจุบัน : 얘기하 + 여요 → **얘기해요**
อนาคต : 얘기하 + ㄹ 거예요 → **얘기할 거예요**

(247) 읽다 [ikda]

อ่าน

ดูหนังสือแล้วรู้ความหมาย

อดีต : 읽 + 었어요 → **읽었어요**
ปัจจุบัน : 읽 + 어요 → **읽어요**
อนาคต : 읽 + 을 거예요 → **읽을 거예요**

(248) 질문하다 [jilmunhada]

ถาม, ซักถาม, สอบถาม

ถามถึงสิ่งที่ไม่รู้หรือสิ่งที่อยากรู้

อดีต : 질문하 + 였어요 → **질문했어요**
ปัจจุบัน : 질문하 + 여요 → **질문해요**
อนาคต : 질문하 + ㄹ 거예요 → **질문할 거예요**

(249) 칭찬하다 [chingchanhada]

ชมเชย, เยินยอ, ชื่นชม

แสดงจิตใจที่ถือจุดที่ดี งานที่ทำดี หรือสิ่งอื่นให้อย่างดีมากด้วยคำพูด

อดีต : 칭찬하 + 였어요 → **칭찬했어요**
ปัจจุบัน : 칭찬하 + 여요 → **칭찬해요**
อนาคต : 칭찬하 + ㄹ 거예요 → **칭찬할 거예요**

(250) 끊다 [kkeunta]

วางสาย(โทรศัพท์), ปิด, เลิกใช้(อินเตอร์เน็ต)

ทำให้การแลกเปลี่ยนคำพูดหรือความคิดทางโทรศัพท์หรืออินเตอร์เน็ตเสร็จสิ้น

อดีต : 끊 + 었어요 → **끊었어요**
ปัจจุบัน : 끊 + 어요 → **끊어요**
อนาคต : 끊 + 을 거예요 → **끊을 거예요**

(251) 부치다 [buchida]

ส่ง

ส่งจดหมายหรือสิ่งของ เป็นต้น

อดีต : 부치 + 었어요 → **부쳤어요**
ปัจจุบัน : 부치 + 어요 → **부쳐요**
อนาคต : 부치 + ㄹ 거예요 → **부칠 거예요**

(252) 줄이다 [jurida]

ลด, ทำให้สั้นลง, ทำให้เล็กลง, ทำให้น้อยลง

ทำให้ความยาว ความกว้างหรือปริมาตรของวัตถุใด ๆ เล็กลงกว่าเดิม

อดีต : 줄이 + 었어요 → **줄였어요**
ปัจจุบัน : 줄이 + 어요 → **줄여요**
อนาคต : 줄이 + ㄹ 거예요 → **줄일 거예요**

(253) 줄다 [julda]

เล็กลง, น้อยลง, ลดลง

ความยาวหรือความกว้าง ปริมาตรของวัตถุ เป็นต้น เล็กลงกว่าเดิม

อดีต : 줄 + 었어요 → **줄었어요**
ปัจจุบัน : 줄 + 어요 → **줄어요**
อนาคต : 줄 + ㄹ 거예요 → **줄 거예요**

(254) 비다 [bida]

ว่าง, เปล่า, ว่างเปล่า, โล่ง

ไม่มีอะไรเลยแม้แต่นิดเดียวในบริเวณใดๆ

อดีต : 비 + 었어요 → **비었어요**
ปัจจุบัน : 비 + 어요 → **비어요**
อนาคต : 비 + ㄹ 거예요 → **빌 거예요**

(255) 모자라다 [mojarada]

ขาด, ขาดแคลน, ไม่พอ, ไม่เพียงพอ

ไม่ถึงจำนวนหรือปริมาณที่ถูกกำหนดไว้

อดีต : 모자라 + 았어요 → **모자랐어요**
ปัจจุบัน : 모자라 + 아요 → **모자라요**
อนาคต : 모자라 + ㄹ 거예요 → **모자랄 거예요**

(256) 늘다 [neulda]

ยืด, ขยาย, ขยายออก, เพิ่มขึ้น, กว้างขึ้น, ยาวขึ้น, มากขึ้น

ความกว้าง ความยาว ปริมาตร เป็นต้น ของวัตถุที่ยาวหรือเพิ่มมากขึ้นกว่าสภาพเดิม

อดีต : 늘 + 었어요 → **늘었어요**
ปัจจุบัน : 늘 + 어요 → **늘어요**
อนาคต : 늘 + ㄹ 거예요 → **늘 거예요**

(257) 남다 [namda]

เหลือ, มีเหลือ, เหลืออยู่

ไม่ใช่ทั้งหมดแต่มีส่วนที่เหลือ

อดีต : 남 + 았어요 → **남았어요**
ปัจจุบัน : 남 + 아요 → **남아요**
อนาคต : 남 + 을 거예요 → **남을 거예요**

(258) 남기다 [namgida]

เหลือ, ทำให้เหลือ

ทำให้มีส่วนที่เหลือโดยไม่ให้หมดไปทั้งหมด

อดีต : 남기 + 었어요 → **남겼어요**
ปัจจุบัน : 남기 + 어요 → **남겨요**
อนาคต : 남기 + ㄹ 거예요 → **남길 거예요**

(259) 오다 [oda]

ตก, ปรอย, เข้ามา, มาเยือน

ฝนหรือหิมะ เป็นต้น ตกลงมาหรือได้ประสบกับความหนาว

อดีต : 오 + 았어요 → **왔어요**
ปัจจุบัน : 오 + 아요 → **와요**
อนาคต : 오 + ㄹ 거예요 → **올 거예요**

(260) 불다 [bulda]

(ลม)พัด

ลมเกิดขึ้นแล้วเคลื่อนไหวไปยังทิศทางใด ๆ

อดีต : 불 + 었어요 → **불었어요**
ปัจจุบัน : 불 + 어요 → **불어요**
อนาคต : 불 + ㄹ 거예요 → **불 거예요**

(261) 내리다 [naerida]

(ฝน, หิมะ)ตก, (น้ำค้าง)ลง

ฝนหรือหิมะ เป็นต้น ตกลงมา

อดีต : 내리 + 었어요 → **내렸어요**
ปัจจุบัน : 내리 + 어요 → **내려요**
อนาคต : 내리 + ㄹ 거예요 → **내릴 거예요**

(262) 그치다 [geuchida]

หยุด

งาน การเคลื่อนไหว หรือปรากฏการณ์ต่าง ๆ ที่เกิดขึ้นก่อนหน้านี้ ไม่เป็นไปอย่างต่อเนื่องและหยุดชะงัก

อดีต : 그치 + 었어요 → **그쳤어요**
ปัจจุบัน : 그치 + 어요 → **그쳐요**
อนาคต : 그치 + ㄹ 거예요 → **그칠 거예요**

(263) 배우다 [baeuda]

เรียน, เล่าเรียน, เรียนรู้, ศึกษา

ได้รับความรู้ใหม่

อดีต : 배우 + 었어요 → **배웠어요**
ปัจจุบัน : 배우 + 어요 → **배워요**
อนาคต : 배우 + ㄹ 거예요 → **배울 거예요**

(264) 가르치다 [gareuchida]

สอน, สั่งสอน, ให้การศึกษา, ให้ความรู้

อธิบายความรู้หรือเทคนิค เป็นต้น ให้รู้แจ้ง

อดีต : 가르치 + 었어요 → **가르쳤어요**
ปัจจุบัน : 가르치 + 어요 → **가르쳐요**
อนาคต : 가르치 + ㄹ 거예요 → **가르칠 거예요**

(265) 팔다 [palda]

ขาย, จำหน่าย

รับมูลค่าแล้วมอบสิ่งของหรือสิทธิให้แก่ผู้อื่นหรือเสนอความพยายาม เป็นต้น

อดีต : 팔 + 았어요 → **팔았어요**
ปัจจุบัน : 팔 + 아요 → **팔아요**
อนาคต : 팔 + ㄹ 거예요 → **팔 거예요**

(266) 팔리다 [pallida]

ถูกขาย, ถูกจำหน่าย

สิ่งของหรือสิทธิถูกมอบหมายให้แก่ผู้อื่นหรือความพยายามหรือสิ่งอื่นถูกเสนอโดยได้รับมูลค่า

อดีต : 팔리 + 었어요 → **팔렸어요**
ปัจจุบัน : 팔리 + 어요 → **팔려요**
อนาคต : 팔리 + ㄹ 거예요 → **파릴 거예요**

(267) 올리다 [ollida]

เพิ่มทวีขึ้น, ทำให้เพิ่มขึ้น, ทำให้สูงขึ้น

ทำให้ราคา ผลลัพธ์ เรี่ยวแรง เป็นต้น สูงขึ้นหรือมากขึ้น

อดีต : 올리 + 었어요 → **올렸어요**
ปัจจุบัน : 올리 + 어요 → **올려요**
อนาคต : 올리 + ㄹ 거예요 → **올릴 거예요**

(268) 사다 [sada]

ซื้อ

ให้เงินไปแล้วทำให้สิ่งของหรือสิทธิ์บางอย่างมาเป็นของตนเอง

อดีต : 사 + 았어요 → **샀어요**
ปัจจุบัน : 사 + 아요 → **사요**
อนาคต : 사 + ㄹ 거예요 → **살 거예요**

(269) 빌리다 [billida]

ยืม, กู้, เช่า

ใช้สิ่งของ เงิน ฯลฯ เป็นระยะเวลาหนึ่ง ๆ โดยนัดกันว่าจะให้คืนหรือให้ค่าตอบแทนทีหลัง

อดีต : 빌리 + 었어요 → **빌렸어요**
ปัจจุบัน : 빌리 + 어요 → **빌려요**
อนาคต : 빌리 + ㄹ 거예요 → **빌릴 거예요**

(270) 벌다 [beolda]

หาเงิน, ได้เงิน, ได้รับเงิน

ได้รับหรือรวมเงินได้เพราะทำงาน

อดีต : 벌 + 었어요 → **벌었어요**
ปัจจุบัน : 벌 + 어요 → **벌어요**
อนาคต : 벌 + ㄹ 거예요 → **벌 거예요**

(271) 들다 [deulda]

ใช้, เสีย

เงิน เวลา หรือความพยายาม เป็นต้น ได้ถูกใช้ไปกับงานสิ่งใด

อดีต : 들 + 었어요 → **들었어요**
ปัจจุบัน : 들 + 어요 → **들어요**
อนาคต : 들 + ㄹ 거예요 → **들 거예요**

(272) 깎다 [kkakda]

ลด, ตัด

ลดราคา จำนวนเงิน ระดับ เป็นต้น

อดีต : 깎 + 았어요 → **깎았어요**
ปัจจุบัน : 깎 + 아요 → **깎아요**
อนาคต : 깎 + 을 거예요 → **깎을 거예요**

(273) 갚다 [gapda]

คืน, คืนให้, ใช้คืน, ชำระคืน

คืนสิ่งที่ยืมมากลับไป

อดีต : 갚 + 았어요 → **갚았어요**
ปัจจุบัน : 갚 + 아요 → **갚아요**
อนาคต : 갚 + 을 거예요 → **갚을 거예요**

(274) 통화하다 [tonghwahada]

คุยโทรศัพท์, พูดโทรศัพท์, ติดต่อทางโทรศัพท์

พูดคุยกันทางโทรศัพท์

อดีต : 통화하 + 였어요 → **통화했어요**
ปัจจุบัน : 통화하 + 여요 → **통화해요**
อนาคต : 통화하 + ㄹ 거예요 → **통화할 거예요**

(275) 교환하다 [gyohwanhada]

แลก, เปลี่ยน, แลกเปลี่ยน

เปลี่ยนสิ่งหนึ่งไปเป็นอีกสิ่งหนึ่ง

อดีต : 교환하 + 였어요 → **교환했어요**
ปัจจุบัน : 교환하 + 여요 → **교환해요**
อนาคต : 교환하 + ㄹ 거예요 → **교환할 거예요**

(276) 배달하다 [baedalhada]

เอาไปให้, ส่งให้, จัดส่งให้

เอาไปรษณียภัณฑ์หรือสิ่งของ อาหาร เป็นต้น ไปให้

อดีต : 배달하 + 였어요 → **배달했어요**
ปัจจุบัน : 배달하 + 여요 → **배달해요**
อนาคต : 배달하 + ㄹ 거예요 → **배달할 거예요**

(277) 선택하다 [seontaekada]

เลือก, คัดเลือก

เลือกสิ่งที่ต้องการจากหลาย ๆ สิ่ง

อดีต : 선택하 + 였어요 → **선택했어요**
ปัจจุบัน : 선택하 + 여요 → **선택해요**
อนาคต : 선택하 + ㄹ 거예요 → **선택할 거예요**

(278) 할인하다 [harinhada]

ลด, ลดราคา

ลดราคาให้จำนวนหนึ่งจากราคาที่ถูกกำหนด

อดีต : 할인하 + 였어요 → **할인했어요**
ปัจจุบัน : 할인하 + 여요 → **할인해요**
อนาคต : 할인하 + ㄹ 거예요 → **할인할 거예요**

(279) 환전하다 [hwanjeonhada]

แลกเปลี่ยนเงินตรา, แลกเปลี่ยนเงิน, แลกเงิน

แลกเปลี่ยนธนบัตรของประเทศหนึ่งกันกับธนบัตรของประเทศอื่น

อดีต : 환전하 + 였어요 → **환전했어요**
ปัจจุบัน : 환전하 + 여요 → **환전해요**
อนาคต : 환전하 + ㄹ 거예요 → **환전할 거예요**

(280) 결석하다 [gyeolseokada]

ขาดเรียน, ขาดงาน, ไม่มาเข้าร่วม

ไม่มาในที่ที่เป็นทางการ เช่น โรงเรียนหรือการประชุม

อดีต : 결석하 + 였어요 → **결석했어요**
ปัจจุบัน : 결석하 + 여요 → **결석해요**
อนาคต : 결석하 + ㄹ 거예요 → **결석할 거예요**

(281) 공부하다 [gongbuhada]

เรียน, ศึกษา, เรียนรู้

เรียนวิชาหรือทักษะและได้รับความรู้

อดีต : 공부하 + 였어요 → **공부했어요**
ปัจจุบัน : 공부하 + 여요 → **공부해요**
อนาคต : 공부하 + ㄹ 거예요 → **공부할 거예요**

(282) 교육하다 [gyoyukada]

สอน, ศึกษา, ฝึกฝน, อบรม, บ่มเพาะ, ให้การศึกษา

สอนความรู้ บุคลิกภาพ ทักษะ เป็นต้น เพื่อบ่มเพาะความสามารถเฉพาะบุคคล

อดีต : 교육하 + 였어요 → **교육했어요**
ปัจจุบัน : 교육하 + 여요 → **교육해요**
อนาคต : 교육하 + ㄹ 거예요 → **교육할 거예요**

(283) 복습하다 [bokseupada]

ทบทวนบทเรียน, อ่านซ้ำ

อ่านหรือทวบทวนในสิ่งที่เรียนมาแล้ว

อดีต : 복습하 + 였어요 → **복습했어요**
ปัจจุบัน : 복습하 + 여요 → **복습해요**
อนาคต : 복습하 + ㄹ 거예요 → **복습할 거예요**

(284) 숙제하다 [sukjehada]

ทำการบ้าน

ทำงานที่สั่งให้แก่นักเรียนทำหลังจากเลิกเรียน เพื่อให้เป็นการทบทวนหรือการเตรียมบทเรียน

อดีต : 숙제하 + 였어요 → **숙제했어요**
ปัจจุบัน : 숙제하 + 여요 → **숙제해요**
อนาคต : 숙제하 + ㄹ 거예요 → **숙제할 거예요**

(285) 연습하다 [yeonseupada]

ฝึกซ้อม, ซ้อม, ฝึกหัด, ฝึกฝน

ฝึกฝนซ้ำๆ เหมือนกับที่ปฏิบัติจริง

อดีต : 연습하 + 였어요 → **연습했어요**
ปัจจุบัน : 연습하 + 여요 → **연습해요**
อนาคต : 연습하 + ㄹ 거예요 → **연습할 거예요**

(286) 예습하다 [yeseupada]

เตรียมบทเรียน, อ่านล่วงหน้า

อ่านสิ่งที่จะเรียนในวันข้างหน้าไว้ล่วงหน้า

อดีต : 예습하 + 였어요 → **예습했어요**
ปัจจุบัน : 예습하 + 여요 → **예습해요**
อนาคต : 예습하 + ㄹ 거예요 → **예습할 거예요**

(287) 입학하다 [ipakada]

เข้าโรงเรียน, เข้าเรียน

เป็นนักเรียนแล้วเข้าโรงเรียนไปเพื่อเรียนหนังสือ

อดีต : 입학하 + 였어요 → **입학했어요**
ปัจจุบัน : 입학하 + 여요 → **입학해요**
อนาคต : 입학하 + ㄹ 거예요 → **입학할 거예요**

(288) 졸업하다 [joreopada]

สำเร็จการศึกษา, จบการศึกษา, ได้รับปริญญา

นักเรียนเรียนจบครบหลักสูตรทั้งหมดที่กำหนดไว้ในโรงเรียน

อดีต : 졸업하 + 였어요 → **졸업했어요**
ปัจจุบัน : 졸업하 + 여요 → **졸업해요**
อนาคต : 졸업하 + ㄹ 거예요 → **졸업할 거예요**

(289) 지각하다 [jigakada]

มาสาย, มาช้า

เข้าโรงเรียนหรือเข้าทำงานสายกว่าเวลาที่กำหนด

อดีต : 지각하 + 였어요 → 지각했어요
ปัจจุบัน : 지각하 + 여요 → 지각해요
อนาคต : 지각하 + ㄹ 거예요 → 지각할 거예요

(290) 출석하다 [chulseokada]

เข้าเรียน, เข้าร่วม

เข้าไปและมีส่วนร่วมในชั่วโมงเรียนหรือกลุ่มสมาคม เป็นต้น

อดีต : 출석하 + 였어요 → 출석했어요
ปัจจุบัน : 출석하 + 여요 → 출석해요
อนาคต : 출석하 + ㄹ 거예요 → 출석할 거예요

한국어(ภาษาเกาหลี)

형용사(คำคุณศัพท์) 137

(1) 고프다 [gopeuda]

หิว, หิวข้าว

อยากรับประทานอาหารเพราะท้องว่าง

배가 고파요.

baega gopayo.

배+가 고프(고ㅍ)+아요.

고파요

배 : ท้อง, พุง

가 : คำชี้ที่ใช้แสดงสิ่งที่อยู่ในสถานการณ์หรือสภาพใด ๆ หรือผู้ที่เป็นประธานของอากัปกริยา

고프다 : หิว, หิวข้าว

-아요 : (ใช้ในการยกย่องอย่างไม่เป็นทางการ)วิภัตติปัจจัยลงท้ายประโยคที่แสดงการบอกเล่า การถาม การสั่ง หรือการชักชวนเรื่องใด ๆ <การพูดตามลำดับ>

(2) 부르다 [bureuda]

อิ่ม, อิ่มท้อง, อิ่มข้าว

มีความรู้สึกที่รับประทานอาหารแล้วอาหารเต็มท้อง

배가 불러요.

baega bulleoyo.

배+가 부르(불ㄹ)+어요.

불러요

배 : ท้อง, พุง

가 : คำชี้ที่ใช้แสดงสิ่งที่อยู่ในสถานการณ์หรือสภาพใด ๆ หรือผู้ที่เป็นประธานของอากัปกริยา

부르다 : อิ่ม, อิ่มท้อง, อิ่มข้าว

-어요 : (ใช้ในการยกย่องอย่างไม่เป็นทางการ)วิภัตติปัจจัยลงท้ายประโยคที่แสดงการบอกเล่า การถาม การสั่ง หรือการชักชวนเรื่องใด ๆ <การพูดตามลำดับ>

(3) 아프다 [apeuda]

ปวด, เจ็บ

รู้สึกทรมานหรือเจ็บปวดเนื่องจากเป็นโรคหรือได้รับบาดเจ็บ

목이 아파요.
mogi apayo.

목+이 아프(아ㅍ)+아요.
아파요

목 : คอ
이 : คำชี้ที่ใช้แสดงสิ่งที่อยู่ในสถานการณ์หรือสภาพใด ๆ หรือผู้ที่เป็นประธานของอากัปกริยา
아프다 : ปวด, เจ็บ
-아요 : (ใช้ในการยกย่องอย่างไม่เป็นทางการ)วิภัตติปัจจัยลงท้ายประโยคที่แสดงการบอกเล่า การถาม การสั่ง หรือการชักชวนเรื่องใด ๆ <การพูดตามลำดับ>

(4) 고맙다 [gomapda]

ขอบคุณ, รู้สึกขอบคุณ
รู้สึกซาบซึ้งใจและอยากตอบแทนที่ผู้อื่นทำอะไรเพื่อตนเอง

도와줘서 고마워요.
dowajwoseo gomawoyo.

도와주+어서 고맙(고마우)+어요.
고마워요

도와주다 : ช่วยเหลือ, เกื้อกูล, ส่งเสริม, สนับสนุน
-어서 : วิภัตติปัจจัยเชื่อมระหว่างประโยคที่แสดงเหตุผลหรือสาเหตุ
고맙다 : ขอบคุณ, รู้สึกขอบคุณ
-어요 : (ใช้ในการยกย่องอย่างไม่เป็นทางการ)วิภัตติปัจจัยลงท้ายประโยคที่แสดงการบอกเล่า การถาม การสั่ง หรือการชักชวนเรื่องใด ๆ <การพูดตามลำดับ>

(5) 괜찮다 [gwaenchanta]

ดี, ใช้ได้, ไม่เลว, พอใช้ได้
ดีทีเดียว

맛이 괜찮아요.
masi gwaenchanayo.

맛+이 괜찮+아요.

맛 : รส, รสชาติ
이 : คำชี้ที่ใช้แสดงสิ่งที่อยู่ในสถานการณ์หรือสภาพใด ๆ หรือผู้ที่เป็นประธานของอากัปกริยา
괜찮다 : ดี, ใช้ได้, ไม่เลว, พอใช้ได้
-아요 : (ใช้ในการยกย่องอย่างไม่เป็นทางการ)วิภัตติปัจจัยลงท้ายประโยคที่แสดงการบอกเล่า การถาม การสั่ง หรือการชักชวนเรื่องใด ๆ <การพูดตามลำดับ>

(6) 귀엽다 [gwiyeopda]

น่ารัก, น่าเอ็นดู, สวยน่ารัก, รักใคร่เอ็นดู, น่ารักน่าชัง

ดูน่ารักและน่าเอ็นดู

얼굴이 귀여워요.
eolguri gwiyeowoyo.

얼굴+이 귀엽(귀여우)+어요.
귀여워요

얼굴 : หน้า, ใบหน้า, หน้าตา
이 : คำชี้ที่ใช้แสดงสิ่งที่อยู่ในสถานการณ์หรือสภาพใด ๆ หรือผู้ที่เป็นประธานของอากัปกริยา
귀엽다 : น่ารัก, น่าเอ็นดู, สวยน่ารัก, รักใคร่เอ็นดู, น่ารักน่าชัง
-어요 : (ใช้ในการยกย่องอย่างไม่เป็นทางการ)วิภัตติปัจจัยลงท้ายประโยคที่แสดงการบอกเล่า การถาม การสั่ง หรือการชักชวนเรื่องใด ๆ <การพูดตามลำดับ>

(7) 귀찮다 [gwichanta]

น่ารำคาญ, น่าเบื่อหน่าย, น่าเบื่อ, เซ็ง, ไม่ชอบ, น่าหงุดหงิด, ขี้เกียจ

ไม่ชอบและรู้สึกรำคาญใจ

씻기가 귀찮아요.
ssitgiga gwichanayo.

씻+기+가 귀찮+아요.

씻다 : ล้าง, ชำระล้าง
-기 : วิภัตติปัจจัยที่ทำให้คำข้างหน้ามีหน้าที่เป็นคำนาม
가 : คำชี้ที่ใช้แสดงสิ่งที่อยู่ในสถานการณ์หรือสภาพใด ๆ หรือผู้ที่เป็นประธานของอากัปกริยา
귀찮다 : น่ารำคาญ, น่าเบื่อหน่าย, น่าเบื่อ, เซ็ง, ไม่ชอบ, น่าหงุดหงิด, ขี้เกียจ
-아요 : (ใช้ในการยกย่องอย่างไม่เป็นทางการ)วิภัตติปัจจัยลงท้ายประโยคที่แสดงการบอกเล่า การถาม การสั่ง หรือการชักชวนเรื่องใด ๆ <การพูดตามลำดับ>

(8) 그립다 [geuripda]

คิดถึง, อาลัย, คะนึงถึง

อยากเห็นหรือพบอย่างมาก

가족이 <u>그리워요</u>.
gajogi geuriwoyo.

가족+이 <u>그립(그리우)+어요</u>.
그리워요

가족 : ครอบครัว
이 : คำชี้ที่ใช้แสดงสิ่งที่อยู่ในสถานการณ์หรือสภาพใด ๆ หรือผู้ที่เป็นประธานของอากัปกริยา
그립다 : คิดถึง, อาลัย, คะนึงถึง
-어요 : (ใช้ในการยกย่องอย่างไม่เป็นทางการ)วิภัตติปัจจัยลงท้ายประโยคที่แสดงการบอกเล่า การถาม การสั่ง หรือการชักชวนเรื่องใด ๆ <การพูดตามลำดับ>

(9) 기쁘다 [gippeuda]

ดีใจ, ยินดี, ดีอกดีใจ, ปลื้มใจ, สุขใจ, ปีติ, ปลาบปลื้ม, ปลื้มปีติ

อารมณ์ดีมากและสนุกสนาน

시험에 합격해서 <u>기뻐요</u>.
siheome hapgyeokaeseo gippeoyo.

시험+에 합격하+여서 <u>기쁘(기ㅃ)+어요</u>.
기뻐요

시험 : การสอบ
에 : คำชี้ที่แสดงว่าคำพูดข้างหน้าเป็นเป้าหมายของความรู้สึกหรือการกระทำใด ๆ เป็นต้น
합격하다 : ผ่าน, สอบได้, สอบผ่าน

-여서 : วิภัตติปัจจัยเชื่อมระหว่างประโยคที่แสดงเหตุผลหรือสาเหตุ
기쁘다 : ดีใจ, ยินดี, ดีอกดีใจ, ปลื้มใจ, สุขใจ, ปีติ, ปลาบปลื้ม, ปลื้มปีติ
-어요 : (ใช้ในการยกย่องอย่างไม่เป็นทางการ)วิภัตติปัจจัยลงท้ายประโยคที่แสดงการบอกเล่า การถาม การสั่ง หรือการชักชวนเรื่องใด ๆ <การพูดตามลำดับ>

(10) 답답하다 [dapdapada]

หายใจติดขัด

ไม่สามารถหายใจได้สะดวกหรือหายใจยาก

가슴이 답답해요.
gaseumi dapdapaeyo.

가슴+이 답답하+여요.
답답해요

가슴 : ใจ, อก, หัวอก
이 : คำชี้ที่ใช้แสดงสิ่งที่อยู่ในสถานการณ์หรือสภาพใด ๆ หรือผู้ที่เป็นประธานของอากัปกริยา
답답하다 : หายใจติดขัด
-여요 : (ใช้ในการยกย่องอย่างไม่เป็นทางการ)วิภัตติปัจจัยลงท้ายประโยคที่แสดงการบอกเล่า การถาม การสั่ง หรือการชักชวนเรื่องใด ๆ <การพูดตามลำดับ>

(11) 무섭다 [museopda]

กลัว, น่ากลัว

อยากหลีกเลี่ยงเป้าหมายใด ๆ หรือกลัวว่าจะเกิดเรื่องใด ๆ ขึ้น

귀신이 무서워요.
gwisini museowoyo.

귀신+이 무섭(무서우)+어요.
무서워요

귀신 : ผี, ภูตผี, ปีศาจ, เทพเจ้า
이 : คำชี้ที่ใช้แสดงสิ่งที่อยู่ในสถานการณ์หรือสภาพใด ๆ หรือผู้ที่เป็นประธานของอากัปกริยา
무섭다 : กลัว, น่ากลัว
-어요 : (ใช้ในการยกย่องอย่างไม่เป็นทางการ)วิภัตติปัจจัยลงท้ายประโยคที่แสดงการบอกเล่า การถาม การสั่ง หรือการชักชวนเรื่องใด ๆ <การพูดตามลำดับ>

(12) 반갑다 [bangapda]

ยินดี, ดีใจ, เบิกบานใจ

พบคนที่เคยอยากพบหรือสิ่งที่ปรารถนาสำเร็จลุล่วงทำให้จิตใจเบิกบานและดีใจ

만나게 되어 반가워요.

mannage doeeo bangawoyo.

만나+[게 되]+어 반갑(반가우)+어요.

반가워요

만나다 : พบ, เจอ

-게 되다 : สำนวนที่แสดงว่าคำพูดข้างหน้าได้กลายเป็นสภาพหรือสถานการณ์ที่ปรากฏ

-어 : วิภัตติปัจจัยเชื่อมระหว่างประโยคที่แสดงการที่คำพูดข้างหน้าเป็นสาเหตุหรือเหตุผลของคำพูดตามมาข้างหลัง

반갑다 : ยินดี, ดีใจ, เบิกบานใจ

-어요 : (ใช้ในการยกย่องอย่างไม่เป็นทางการ)วิภัตติปัจจัยลงท้ายประโยคที่แสดงการบอกเล่า การถาม การสั่ง หรือการชักชวนเรื่องใด ๆ <การพูดตามลำดับ>

(13) 부끄럽다 [bukkeureopda]

อาย, เขิน, เขินอาย, ขวยเขิน, เหนียมอาย

ขวยเขินหรือเหนียมอาย

칭찬해 주시니 부끄러워요.

chingchanhae jusini bukkeureowoyo.

칭찬하+[여 주]+시+니 부끄럽(부끄러우)+어요.

칭찬해 주시니 부끄러워요

칭찬하다 : ชมเชย, เยินยอ, ชื่นชม

-여 주다 : สำนวนที่แสดงว่าทำการกระทำที่ปรากฏในคำพูดข้างหน้าเพื่อผู้อื่น

-시- : วิภัตติปัจจัยที่ใช้แสดงความหมายซึ่งยกย่องประธานของอาการกริยาหรือสภาพใด ๆ

-니 : วิภัตติปัจจัยเชื่อมระหว่างประโยคที่แสดงว่าคำพูดในประโยคหน้าเป็นเหตุผล สาเหตุหรือเงื่อนไขเกี่ยวกับคำพูดในประโยคหลัง

부끄럽다 : อาย, เขิน, เขินอาย, ขวยเขิน, เหนียมอาย

-어요 : (ใช้ในการยกย่องอย่างไม่เป็นทางการ)วิภัตติปัจจัยลงท้ายประโยคที่แสดงการบอกเล่า การถาม การสั่ง หรือการชักชวนเรื่องใด ๆ <การพูดตามลำดับ>

(14) 부럽다 [bureopda]

อิจฉา, ริษยา, อิจฉาริษยา

เนื่องจากเห็นสิ่งของหรือสถานภาพที่ดูดีของคนอื่น ตนเองจึงมีใจหวังที่จะครอบครองสิ่งของหรือต้องการให้บรรลุในเรื่องนั้น

한국어 잘하는 사람이 부러워요.

hangugeo jalhaneun sarami bureowoyo.

한국어 잘하+는 사람+이 부럽(부러우)+어요.

부러워요

한국어 : ภาษาเกาหลี
잘하다 : เก่ง, ดี
-는 : วิภัตติปัจจัยที่แสดงการที่ทำให้คำพูดข้างหน้าทำหน้าที่เป็นคุณศัพท์ขยายนามและเหตุการณ์หรืออากัปกิริยาเกิดขึ้นในปัจจุบัน
사람 : คน, มนุษย์
이 : คำชี้ที่ใช้แสดงสิ่งที่อยู่ในสถานการณ์หรือสภาพใด ๆ หรือผู้ที่เป็นประธานของอากัปกริยา
부럽다 : อิจฉา, ริษยา, อิจฉาริษยา
-어요 : (ใช้ในการยกย่องอย่างไม่เป็นทางการ)วิภัตติปัจจัยลงท้ายประโยคที่แสดงการบอกเล่า การถาม การสั่ง หรือการชักชวนเรื่องใด ๆ <การพูดตามลำดับ>

(15) 불쌍하다 [bulssanghada]

น่าสงสาร, น่าเห็นใจ, น่าเห็นอกเห็นใจ, น่าเวทนา

สถานการณ์หรือสภาพไม่ดีทำให้น่าเห็นใจหรือจิตใจเศร้าหมอง

주인을 잃은 강아지가 불쌍해요.

juineul ireun gangajiga bulssanghaeyo.

주인+을 잃+은 강아지+가 불쌍하+여요.

불쌍해요

주인 : เจ้าของ
을 : คำชี้ที่แสดงเป้าหมายที่การกระทำส่งผลกระทบโดยตรง
잃다 : เสีย, สูญเสีย
-은 :
วิภัตติปัจจัยที่แสดงการที่ทำให้คำพูดข้างหน้าทำหน้าที่เป็นคุณศัพท์ขยายนามและเหตุการณ์หรืออากัปกิริยานั้นเสร็จสิ้นไปแล้วและยังคงสภาพดังกล่าวอย่างต่อเนื่องอยู่
강아지 : ลูกสุนัข, ลูกหมา
가 : คำชี้ที่ใช้แสดงสิ่งที่อยู่ในสถานการณ์หรือสภาพใด ๆ หรือผู้ที่เป็นประธานของอากัปกริยา

불쌍하다 : น่าสงสาร, น่าเห็นใจ, น่าเห็นอกเห็นใจ, น่าเวทนา
-여요 : (ใช้ในการยกย่องอย่างไม่เป็นทางการ)วิภัตติปัจจัยลงท้ายประโยคที่แสดงการบอกเล่า การถาม การสั่ง หรือการชักชวนเรื่องใด ๆ <การพูดตามลำดับ>

(16) 섭섭하다 [seopseopada]

ผิดหวัง, เสียดาย, เสียใจ, เสียความรู้สึก, เศร้าใจ

เสียใจและเสียดาย

선생님과 헤어지기가 섭섭해요.
seonsaengnimgwa heeojigiga seopseopaeyo.

선생님+과 헤어지+기+가 섭섭하+여요.
섭섭해요

선생님 : ครู, อาจารย์
과 : กับ...
헤어지다 : แยก, จากกัน, ลาจาก
-기 : วิภัตติปัจจัยที่ทำให้คำข้างหน้ามีหน้าที่เป็นคำนาม
가 : คำชี้ที่ใช้แสดงสิ่งที่อยู่ในสถานการณ์หรือสภาพใด ๆ หรือผู้ที่เป็นประธานของอากัปกริยา
섭섭하다 : ผิดหวัง, เสียดาย, เสียใจ, เสียความรู้สึก, เศร้าใจ
-여요 : (ใช้ในการยกย่องอย่างไม่เป็นทางการ)วิภัตติปัจจัยลงท้ายประโยคที่แสดงการบอกเล่า การถาม การสั่ง หรือการชักชวนเรื่องใด ๆ <การพูดตามลำดับ>

(17) 소중하다 [sojunghada]

มีคุณค่า, มีความหมาย, มีความสำคัญ

มีความสำคัญเป็นอย่างมาก

가족이 가장 소중해요.
gajogi gajang sojunghaeyo.

가족+이 가장 소중하+여요.
소중해요

가족 : ครอบครัว
이 : คำชี้ที่ใช้แสดงสิ่งที่อยู่ในสถานการณ์หรือสภาพใด ๆ หรือผู้ที่เป็นประธานของอากัปกริยา
가장 : ที่สุด, อย่างที่สุด

소중하다 : มีคุณค่า, มีความหมาย, มีความสำคัญ
-여요 : (ใช้ในการยกย่องอย่างไม่เป็นทางการ)วิภัตติปัจจัยลงท้ายประโยคที่แสดงการบอกเล่า การถาม การสั่ง หรือการชักชวนเรื่องใด ๆ <การพูดตามลำดับ>

(18) 슬프다 [seulpeuda]

เศร้า, เศร้าโศก, เสียใจ

ปวดใจและทุกข์ทรมานใจจนน้ำตาจะไหล

영화의 내용이 슬퍼요.

yeonghwae naeyongi seulpeoyo.

영화+의 내용+이 슬프(슬ㅍ)+어요.

슬퍼요

영화 : ภาพยนตร์, หนัง
의 : คำชี้ที่แสดงว่าคำพูดข้างหน้ามีความสัมพันธ์กับประธาน แหล่งกำเนิด ความสัมพันธ์ วัตถุดิบ การสังกัด การเป็นเจ้าของต่อคำพูดข้างหลัง
내용 : เนื้อหา, เนื้อความ, เนื้อเรื่อง, สาระ ความหมาย, ใจความสำคัญ, แก่นสาร, เนื้อหาสาระ
이 : คำชี้ที่ใช้แสดงสิ่งที่อยู่ในสถานการณ์หรือสภาพใด ๆ หรือผู้ที่เป็นประธานของอากัปกริยา
슬프다 : เศร้า, เศร้าโศก, เสียใจ
-어요 : (ใช้ในการยกย่องอย่างไม่เป็นทางการ)วิภัตติปัจจัยลงท้ายประโยคที่แสดงการบอกเล่า การถาม การสั่ง หรือการชักชวนเรื่องใด ๆ <การพูดตามลำดับ>

(19) 시원하다 [siwonhada]

เย็น, เย็นสบาย

ไม่ร้อนและไม่หนาว เย็นสบายกำลังพอดี

바람이 시원해요.

barami siwonhaeyo.

바람+이 시원하+여요.

시원해요

바람 : ลม
이 : คำชี้ที่ใช้แสดงสิ่งที่อยู่ในสถานการณ์หรือสภาพใด ๆ หรือผู้ที่เป็นประธานของอากัปกริยา
시원하다 : เย็น, เย็นสบาย

-여요 : (ใช้ในการยกย่องอย่างไม่เป็นทางการ)วิภัตติปัจจัยลงท้ายประโยคที่แสดงการบอกเล่า การถาม การสั่ง หรือการชักชวนเรื่องใด ๆ <การพูดตามลำดับ>

(20) 싫다 [silta]

ไม่ชอบ, ไม่ถูกใจ

ไม่ถูกใจ

매운 음식이 싫어요.

maeun eumsigi sireoyo.

맵(매우)+ㄴ 음식+이 싫+어요.
매운

맵다 : เผ็ด, เผ็ดร้อน
-ㄴ : วิภัตติปัจจัยที่ทำให้คำพูดข้างหน้าทำหน้าที่เป็นคุณศัพท์ขยายนามและแสดงถึงสภาพที่เป็นอยู่ในปัจจุบัน
음식 : อาหารและเครื่องดื่ม
이 : คำชี้ที่ใช้แสดงสิ่งที่อยู่ในสถานการณ์หรือสภาพใด ๆ หรือผู้ที่เป็นประธานของอากัปกริยา
싫다 : ไม่ชอบ, ไม่ถูกใจ
-어요 : (ใช้ในการยกย่องอย่างไม่เป็นทางการ)วิภัตติปัจจัยลงท้ายประโยคที่แสดงการบอกเล่า การถาม การสั่ง หรือการชักชวนเรื่องใด ๆ <การพูดตามลำดับ>

(21) 외롭다 [oeropda]

เหงา, หงอยเหงา, เหงียบเหงา, เปล่าเปลี่ยว, โดดเดี่ยว, เดียวดาย

เหงาเพราะอยู่คนเดียวหรือไม่มีที่ให้พักพิง

지금 몹시 외로워요.

jigeum mopsi oerowoyo.

지금 몹시 외롭(외로우)+어요.
외로워요

지금 : เดี๋ยวนี้, ตอนนี้, ประเดี๋ยวนี้
몹시 : อย่างมาก, อย่างหนัก, อย่างแสนสาหัส, อย่างรุนแรง
외롭다 : เหงา, หงอยเหงา, เหงียบเหงา, เปล่าเปลี่ยว, โดดเดี่ยว, เดียวดาย
-어요 : (ใช้ในการยกย่องอย่างไม่เป็นทางการ)วิภัตติปัจจัยลงท้ายประโยคที่แสดงการบอกเล่า การถาม การสั่ง หรือการชักชวนเรื่องใด ๆ <การพูดตามลำดับ>

(22) 좋다 [jota]

ดี, เยี่ยม, ดีเยี่ยม, ยอดเยี่ยม

คุณสมบัติหรือเนื้อหา เป็นต้น ของสิ่งใด ๆ ยอดเยี่ยมจึงน่าพอใจ

이 물건은 품질이 좋아요.

i mulgeoneun pumjiri joayo.

이 물건+은 품질+이 좋+아요.

이 : นี่

물건 : สิ่งของ, ของ, วัตถุ

은 : คำชี้ที่แสดงว่าเป้าหมายใด ๆ เป็นหัวข้อเรื่องในประโยค

품질 : คุณภาพ

이 : คำชี้ที่ใช้แสดงสิ่งที่อยู่ในสถานการณ์หรือสภาพใด ๆ หรือผู้ที่เป็นประธานของอากัปกริยา

좋다 : ดี, เยี่ยม, ดีเยี่ยม, ยอดเยี่ยม

-아요 : (ใช้ในการยกย่องอย่างไม่เป็นทางการ)วิภัตติปัจจัยลงท้ายประโยคที่แสดงการบอกเล่า การถาม การสั่ง หรือการชักชวนเรื่องใด ๆ <การพูดตามลำดับ>

(23) 죄송하다 [joesonghada]

ขอโทษ, ขออภัย, รู้สึกผิด, รู้สึกขอโทษในสิ่งที่ทำ

ขอโทษเป็นอย่างมากราวกับได้ทำความผิดลงไป

늦어서 죄송해요.

neujeoseo joesonghaeyo.

늦+어서 죄송하+여요.

죄송해요

늦다 : สาย, ไม่ทัน, ช้า

-어서 : วิภัตติปัจจัยเชื่อมระหว่างประโยคที่แสดงเหตุผลหรือสาเหตุ

죄송하다 : ขอโทษ, ขออภัย, รู้สึกผิด, รู้สึกขอโทษในสิ่งที่ทำ

-여요 : (ใช้ในการยกย่องอย่างไม่เป็นทางการ)วิภัตติปัจจัยลงท้ายประโยคที่แสดงการบอกเล่า การถาม การสั่ง หรือการชักชวนเรื่องใด ๆ <การพูดตามลำดับ>

(24) 즐겁다 [jeulgeopda]

ร่าเริง, เพลิดเพลิน, เบิกบาน, สำราญ, สนุกสนาน

ถูกใจ พอใจและดีใจ

여행은 언제나 즐거워요.

yeohaengeun eonjena jeulgeowoyo.

여행+은 언제나 즐겁(즐거우)+어요.

즐거워요

여행 : การท่องเที่ยว, การไปเที่ยว, การเดินทาง

은 : คำชี้ที่แสดงว่าเป้าหมายใด ๆ เป็นหัวข้อเรื่องในประโยค

언제나 : เมื่อใดก็ตาม, เสมอ ๆ

즐겁다 : ร่าเริง, เพลิดเพลิน, เบิกบาน, สำราญ, สนุกสนาน

-어요 : (ใช้ในการยกย่องอย่างไม่เป็นทางการ)วิภัตติปัจจัยลงท้ายประโยคที่แสดงการบอกเล่า การถาม การสั่ง หรือการชักชวนเรื่องใด ๆ <การพูดตามลำดับ>

(25) 급하다 [geupada]

เร่งรีบ, เร่งด่วน, รีบเร่ง, ฉุกละหุก, ฉุกเฉิน

อยู่ในสภาพที่จะต้องจัดการสถานการณ์หรือเรื่องราวอย่างรวดเร็ว

갑자기 급한 일이 생겼어요.

gapjagi geupan iri saenggyeosseoyo.

갑자기 급하+ㄴ 일+이 생기+었+어요.

급한 생겼어요

갑자기 : อย่างไม่ทันรู้ตัว, อย่างกะทันหัน, โดยฉับพลัน, ทันทีทันใด

급하다 : เร่งรีบ, เร่งด่วน, รีบเร่ง, ฉุกละหุก, ฉุกเฉิน

-ㄴ : วิภัตติปัจจัยที่ทำให้คำพูดข้างหน้าทำหน้าที่เป็นคุณศัพท์ขยายนามและแสดงถึงสภาพที่เป็นอยู่ในปัจจุบัน

일 : เรื่อง

이 : คำชี้ที่ใช้แสดงสิ่งที่อยู่ในสถานการณ์หรือสภาพใด ๆ หรือผู้ที่เป็นประธานของอากัปกริยา

생기다 : เกิด, เกิด...ขึ้น

-었- :

วิภัตติปัจจัยที่แสดงว่าเหตุการณ์ใดๆเสร็จสมบูรณ์ไปแล้วในอดีตหรือแสดงสถานการณ์ที่ผลลัพธ์ของเหตุการณ์ดังกล่าวต่อเนื่องจนถึงปัจจุบัน

-어요 : (ใช้ในการยกย่องอย่างไม่เป็นทางการ)วิภัตติปัจจัยลงท้ายประโยคที่แสดงการบอกเล่า การถาม การสั่ง

หรือการชักชวนเรื่องใด ๆ <การพูดตามลำดับ>

(26) 조용하다 [joyonghada]

ไม่ค่อยพูด, เงียบ ๆ, นิ่ง ๆ

พูดน้อยและมีนิสัยที่สุภาพเรียบร้อย

도서관에서는 조용하게 말하세요.

doseogwaneseoneun joyonghage malhaseyo.

도서관+에서+는 조용하+게 말하+세요.

도서관 : หอสมุด, ห้องสมุด
에서 : คำชี้ที่แสดงว่าคำพูดข้างหน้าเป็นสถานที่ที่การกระทำบรรลุผล
는 : คำชี้ที่แสดงว่าเป้าหมายใด ๆ เป็นหัวข้อเรื่องในประโยค
조용하다 : ไม่ค่อยพูด, เงียบ ๆ, นิ่ง ๆ
-게 : วิภัตติปัจจัยเชื่อมระหว่างประโยคที่แสดงว่าคำพูดข้างหน้าชี้บอกระดับ วิธีการ ผลลัพธ์หรือวัตถุประสงค์ หรืออื่นๆ ของสิ่งที่อยู่ในเนื้อหาข้างหลัง
말하다 : พูด, บอก, กล่าว, เล่า
-세요 : (ใช้ในการยกย่องอย่างไม่เป็นทางการ)วิภัตติปัจจัยลงท้ายประโยคที่แสดงความหมายของการอธิบาย การถาม การสั่ง หรือการขอร้อง <คำสั่ง>

(27) 곧다 [gotda]

ตรง, เสมอ

ถนน เส้น ท่า เป็นต้น ตรงและไม่คดโค้ง

허리를 곧게 펴세요.

heorireul gotge pyeoseyo.

허리+를 곧+게 펴+세요.

허리 : เอว
를 : คำชี้ที่แสดงเป้าหมายที่การกระทำส่งผลกระทบโดยตรง
곧다 : ตรง, เสมอ
-게 : วิภัตติปัจจัยเชื่อมระหว่างประโยคที่แสดงว่าคำพูดข้างหน้าชี้บอกระดับ วิธีการ ผลลัพธ์หรือวัตถุประสงค์ หรืออื่นๆ ของสิ่งที่อยู่ในเนื้อหาข้างหลัง
펴다 : ยืด, เอน, เหยียด

-세요 : (ใช้ในการยกย่องอย่างไม่เป็นทางการ)วิภัตติปัจจัยลงท้ายประโยคที่แสดงความหมายของการอธิบาย การถาม การสั่ง หรือการขอร้อง <คำสั่ง>

(28) 까다롭다 [kkadaropda]

ยุ่งยาก, ซับซ้อน, พัวพัน, ยาก, ลำบาก, เต็มไปด้วยความยุ่งยาก, เต็มไปด้วยความลำบาก

เงื่อนไขหรือวิธีการมีความซับซ้อนและเข้มงวดจึงไม่สามารถทำได้ง่าย ๆ

이 문제는 까다로워요.

i munjeneun kkadarowoyo.

이 문제+는 까다롭(까다로우)+어요.

까따로워요

이 : นี้

문제 : คำถาม, โจทย์

는 : คำชี้ที่แสดงว่าเป้าหมายใด ๆ เป็นหัวข้อเรื่องในประโยค

까다롭다 : ยุ่งยาก, ซับซ้อน, พัวพัน, ยาก, ลำบาก, เต็มไปด้วยความยุ่งยาก, เต็มไปด้วยความลำบาก

-어요 : (ใช้ในการยกย่องอย่างไม่เป็นทางการ)วิภัตติปัจจัยลงท้ายประโยคที่แสดงการบอกเล่า การถาม การสั่ง หรือการชักชวนเรื่องใด ๆ <การพูดตามลำดับ>

(29) 깔끔하다 [kkalkkeumhada]

เรียบร้อย, อ่อนน้อม, สะอาด, สะอาดสะอ้าน, สะอาดหมดจด

ลักษณะรูปร่างที่เรียบร้อยและสะอาด

방이 아주 깔끔해요.

bangi aju kkalkkeumhaeyo.

방+이 아주 깔끔하+여요.

깔끔해요

방 : ห้อง

이 : คำชี้ที่ใช้แสดงสิ่งที่อยู่ในสถานการณ์หรือสภาพใด ๆ หรือผู้ที่เป็นประธานของอากัปกริยา

아주 : มาก, เต็มที่, จริง ๆ, จัง, เป็นอย่างยิ่ง

깔끔하다 : เรียบร้อย, อ่อนน้อม, สะอาด, สะอาดสะอ้าน, สะอาดหมดจด

-여요 : (ใช้ในการยกย่องอย่างไม่เป็นทางการ)วิภัตติปัจจัยลงท้ายประโยคที่แสดงการบอกเล่า การถาม การสั่ง หรือการชักชวนเรื่องใด ๆ <การพูดตามลำดับ>

(30) 냉정하다 [naengjeonghada]

เฉยชา, เย็นชา, ไม่ยินดียินร้าย

ท่าทางไม่มีน้ำใจที่อบอุ่นแต่เย็นชา

성격이 냉정해요.

seonggyeogi naengjeonghaeyo.

성격+이 냉정하+여요.

냉정해요

성격 : อุปนิสัย, ลักษณะนิสัย, บุคลิกลักษณะ

이 : คำชี้ที่ใช้แสดงสิ่งที่อยู่ในสถานการณ์หรือสภาพใด ๆ หรือผู้ที่เป็นประธานของอากัปกริยา

냉정하다 : เฉยชา, เย็นชา, ไม่ยินดียินร้าย

-여요 : (ใช้ในการยกย่องอย่างไม่เป็นทางการ)วิภัตติปัจจัยลงท้ายประโยคที่แสดงการบอกเล่า การถาม การสั่ง หรือการชักชวนเรื่องใด ๆ <การพูดตามลำดับ>

(31) 너그럽다 [neogeureopda]

ใจกว้าง, ใจบุญ, กรุณา, จิตใจเผื่อแผ่

เข้าใจสถานการณ์ของผู้อื่นได้ดีและจิตใจกว้างขวาง

마음이 너그러워요.

maeumi neogeureowoyo.

마음+이 너그럽(너그러우)+어요.

너그러워요

마음 : จิตใจ, ใจ, ความรู้สึก

이 : คำชี้ที่ใช้แสดงสิ่งที่อยู่ในสถานการณ์หรือสภาพใด ๆ หรือผู้ที่เป็นประธานของอากัปกริยา

너그럽다 : ใจกว้าง, ใจบุญ, กรุณา, จิตใจเผื่อแผ่

-어요 : (ใช้ในการยกย่องอย่างไม่เป็นทางการ)วิภัตติปัจจัยลงท้ายประโยคที่แสดงการบอกเล่า การถาม การสั่ง หรือการชักชวนเรื่องใด ๆ <การพูดตามลำดับ>

(32) 느긋하다 [neugeutada]

ช้า ๆ, ไม่รีบเร่ง

ไม่รีบร้อนและมีความเยือกเย็นสุขุมในใจ

숙제를 끝내서 마음이 느긋해요.
sukjereul kkeunnaeseo maeumi neugeutaeyo.

숙제+를 끝내+어서 마음+이 느긋하+여요.
끝내서 **느긋해요**

숙제 : การบ้าน
를 : คำชี้ที่แสดงเป้าหมายที่การกระทำส่งผลกระทบโดยตรง
끝내다 : ทำให้เสร็จ, ทำให้เสร็จสิ้น
-어서 : วิภัตติปัจจัยเชื่อมระหว่างประโยคที่แสดงเหตุผลหรือสาเหตุ
마음 : จิตใจ, ใจ, ความรู้สึก
이 : คำชี้ที่ใช้แสดงสิ่งที่อยู่ในสถานการณ์หรือสภาพใด ๆ หรือผู้ที่เป็นประธานของอากัปกริยา
느긋하다 : ช้า ๆ, ไม่รีบเร่ง
-여요 : (ใช้ในการยกย่องอย่างไม่เป็นทางการ)วิภัตติปัจจัยลงท้ายประโยคที่แสดงการบอกเล่า การถาม การสั่ง หรือการชักชวนเรื่องใด ๆ <การพูดตามลำดับ>

(33) 다정하다 [dajeonghada]

รักใคร่, อ่อนหวาน, อ่อนโยน, นุ่มนวล, สุภาพนุ่มนวล, สนุนสะไม, อบอุ่น, กรุณา, มีน้ำใจ
มีจิตใจอบอุ่นและโอบอ้อมอารี

아버지는 가족들에게 무척 다정해요.
abeojineun gajokdeurege mucheok dajeonghaeyo.

아버지+는 가족+들+에게 무척 다정하+여요.
다정해요

아버지 : อาบอจี : พ่อ
는 : คำชี้ที่แสดงว่าเป้าหมายใด ๆ เป็นหัวข้อเรื่องในประโยค
가족 : ครอบครัว
들 : ปัจจัยที่เพิ่มคำไปในคำเพื่อให้มีความหมายว่า 'พหูพจน์'
에게 : คำชี้ที่แสดงว่าเป็นเป้าหมายที่การกระทำใด ๆ มีผลต่อ
무척 : มาก, นัก, ที่สุด, เหลือเกิน, ทีเดียว
다정하다 : รักใคร่, อ่อนหวาน, อ่อนโยน, นุ่มนวล, สนุนสะไม, อบอุ่น, กรุณา, มีน้ำใจ
-여요 : (ใช้ในการยกย่องอย่างไม่เป็นทางการ)วิภัตติปัจจัยลงท้ายประโยคที่แสดงการบอกเล่า การถาม การสั่ง หรือการชักชวนเรื่องใด ๆ <การพูดตามลำดับ>

(34) 못되다 [motdoeda]

เลว, ไม่ดี, ชั่วร้าย

นิสัยหรือพฤติกรรมไม่ดีตามหลักจริยธรรม

동생은 못된 버릇이 있어요.
dongsaengeun motdoen beoreusi isseoyo.

동생+은 못되+ㄴ 버릇+이 있+어요.
못된

동생 : ทงแซ็ง : น้อง
은 : คำชี้ที่แสดงว่าเป้าหมายใด ๆ เป็นหัวข้อเรื่องในประโยค
못되다 : เลว, ไม่ดี, ชั่วร้าย
-ㄴ : วิภัตติปัจจัยที่ทำให้คำพูดข้างหน้าทำหน้าที่เป็นคุณศัพท์ขยายนามและแสดงถึงสภาพที่เป็นอยู่ในปัจจุบัน
버릇 : นิสัย, อุปนิสัย, สันดาน
이 : คำชี้ที่ใช้แสดงสิ่งที่อยู่ในสถานการณ์หรือสภาพใด ๆ หรือผู้ที่เป็นประธานของอากัปกริยา
있다 : มี
-어요 : (ใช้ในการยกย่องอย่างไม่เป็นทางการ)วิภัตติปัจจัยลงท้ายประโยคที่แสดงการบอกเล่า การถาม การสั่ง หรือการชักชวนเรื่องใด ๆ <การพูดตามลำดับ>

(35) 변덕스럽다 [byeondeokseureopda]

แปรปรวน, เปลี่ยนแปลงง่าย, เปลี่ยนไปเปลี่ยนมา

คำพูด การกระทำหรืออารมณ์ เป็นต้น ที่มีการเปลี่ยนแปลงอย่างโน้นอย่างนี้อยู่บ่อย ๆ

요즘 날씨가 변덕스러워요.
yojeum nalssiga byeondeokseureowoyo.

요즘 날씨+가 변덕스럽(변덕스러우)+어요.
변덕스러워요

요즘 : ปัจจุบัน, ขณะนี้, สมัยนี้, ในระยะนี้, หมู่นี้, เมื่อไม่นานมานี้, เมื่อเร็ว ๆ นี้, ทุกวันนี้, ล่าสุด
날씨 : อากาศ
가 : คำชี้ที่ใช้แสดงสิ่งที่อยู่ในสถานการณ์หรือสภาพใด ๆ หรือผู้ที่เป็นประธานของอากัปกริยา
변덕스럽다 : แปรปรวน, เปลี่ยนแปลงง่าย, เปลี่ยนไปเปลี่ยนมา
-어요 : (ใช้ในการยกย่องอย่างไม่เป็นทางการ)วิภัตติปัจจัยลงท้ายประโยคที่แสดงการบอกเล่า การถาม การสั่ง หรือการชักชวนเรื่องใด ๆ <การพูดตามลำดับ>

(36) 솔직하다 [soljikada]

เปิดเผย, ตรงไปตรงมา, ซื่อตรง, ไม่อ้อมค้อม

ไม่มีความเท็จหรือการหลอกลวง

묻는 말에 솔직하게 대답하세요.

munneun mare soljikage daedapaseyo.

묻+는 말+에 솔직하+게 대답하+세요.

묻다 : ถาม, ซัก

-는 : วิภัตติปัจจัยที่แสดงการที่ทำให้คำพูดข้างหน้าทำหน้าที่เป็นคุณศัพท์ขยายนามและเหตุการณ์หรืออากัปกิริยาเกิดขึ้นในปัจจุบัน

말 : ทัศนคติ, ท่าที

에 : คำชี้ที่แสดงว่าคำพูดข้างหน้าเป็นเป้าหมายของความรู้สึกหรือการกระทำใด ๆ เป็นต้น

솔직하다 : เปิดเผย, ตรงไปตรงมา, ซื่อตรง, ไม่อ้อมค้อม

-게 : วิภัตติปัจจัยเชื่อมระหว่างประโยคที่แสดงว่าคำพูดข้างหน้าชี้บอกระดับ วิธีการ ผลลัพธ์หรือวัตถุประสงค์ หรืออื่นๆ ของสิ่งที่อยู่ในเนื้อหาข้างหลัง

대답하다 : ตอบ

-세요 : (ใช้ในการยกย่องอย่างไม่เป็นทางการ)วิภัตติปัจจัยลงท้ายประโยคที่แสดงความหมายของการอธิบาย การถาม การสั่ง หรือการขอร้อง <คำสั่ง>

(37) 순수하다 [sunsuhada]

ดี, บริสุทธิ์, ขาวสะอาด, ไร้เดียงสา, ใสสะอาด

ไม่มีความคิดที่ไม่ดีหรือความโลภส่วนตัว

순수하게 세상을 살고 싶어요.

sunsuhage sesangeul salgo sipeoyo.

순수하+게 세상+을 살+[고 싶]+어요.

순수하다 : ดี, บริสุทธิ์, ขาวสะอาด, ไร้เดียงสา, ใสสะอาด

-게 : วิภัตติปัจจัยเชื่อมระหว่างประโยคที่แสดงว่าคำพูดข้างหน้าชี้บอกระดับ วิธีการ ผลลัพธ์หรือวัตถุประสงค์ หรืออื่นๆ ของสิ่งที่อยู่ในเนื้อหาข้างหลัง

세상 : โลก

을 : คำชี้ที่แสดงเป้าหมายที่การกระทำส่งผลกระทบโดยตรง

살다 : ใช้ชีวิต, มีชีวิต, ดำรงชีพ

-고 싶다 : สำนวนที่แสดงความต้องการที่จะกระทำสิ่งที่ปรากฏในคำพูดข้างหน้า

-어요 : (ใช้ในการยกย่องอย่างไม่เป็นทางการ)วิภัตติปัจจัยลงท้ายประโยคที่แสดงการบอกเล่า การถาม การสั่ง

หรือการชักชวนเรื่องใด ๆ <การพูดตามลำดับ>

(38) 순진하다 [sunjinhada]

ไร้เดียงสา

จิตใจแท้จริงโดยไม่เสแสร้ง

그 사람은 어린아이처럼 순진해요.

geu sarameun eorinaicheoreom sunjinhaeyo.

그 사람+은 어린아이+처럼 순진하+여요.

순진해요

그 : นั่น, นั้น, สิ่งนั้น, อันนั้น
사람 : คน, มนุษย์
은 : คำชี้ที่แสดงว่าเป้าหมายใด ๆ เป็นหัวข้อเรื่องในประโยค
어린아이 : เด็ก, เด็กเล็ก
처럼 : เหมือน, เหมือนกับ, ราวกับ
순진하다 : ไร้เดียงสา
-여요 : (ใช้ในการยกย่องอย่างไม่เป็นทางการ)วิภัตติปัจจัยลงท้ายประโยคที่แสดงการบอกเล่า การถาม การสั่ง หรือการชักชวนเรื่องใด ๆ <การพูดตามลำดับ>

(39) 순하다 [sunhada]

สุภาพ, อ่อนโยน, นิ่มนวล อ่อนโยน, ไม่กระด้าง

อุปนิสัย ท่าทาง เป็นต้น นุ่มนวล มีมารยาท

아이가 성격이 순해요.

aiga seonggyeogi sunhaeyo.

아이+가 성격+이 순하+여요.

순해요

아이 : เด็ก
가 : คำชี้ที่ใช้แสดงสิ่งที่อยู่ในสถานการณ์หรือสภาพใด ๆ หรือผู้ที่เป็นประธานของอากัปกริยา
성격 : อุปนิสัย, ลักษณะนิสัย, บุคลิกลักษณะ
이 : คำชี้ที่ใช้แสดงสิ่งที่อยู่ในสถานการณ์หรือสภาพใด ๆ หรือผู้ที่เป็นประธานของอากัปกริยา
순하다 : สุภาพ, อ่อนโยน, นิ่มนวล อ่อนโยน, ไม่กระด้าง

-여요 : (ใช้ในการยกย่องอย่างไม่เป็นทางการ)วิภัตติปัจจัยลงท้ายประโยคที่แสดงการบอกเล่า การถาม การสั่ง หรือการชักชวนเรื่องใด ๆ <การพูดตามลำดับ>

(40) 활발하다 [hwalbalhada]

มีชีวิตชีวา, สดใส, ร่าเริง, แจ่มใส

มีพลังและมีชีวิตชีวา

나는 활발한 사람이 좋아요.

naneun hwalbalhan sarami joayo.

나+는 활발하+ㄴ 사람+이 좋+아요.
활발한

나 : ฉัน
는 : คำชี้ที่แสดงว่าเป้าหมายใด ๆ เป็นหัวข้อเรื่องในประโยค
활발하다 : มีชีวิตชีวา, สดใส, ร่าเริง, แจ่มใส
-ㄴ : วิภัตติปัจจัยที่ทำให้คำพูดข้างหน้าทำหน้าที่เป็นคุณศัพท์ขยายนามและแสดงถึงสภาพที่เป็นอยู่ในปัจจุบัน
사람 : คน, มนุษย์
이 : คำชี้ที่ใช้แสดงสิ่งที่อยู่ในสถานการณ์หรือสภาพใด ๆ หรือผู้ที่เป็นประธานของอากัปกริยา
좋다 : ถูกใจ, ชอบใจ, พอใจ
-아요 : (ใช้ในการยกย่องอย่างไม่เป็นทางการ)วิภัตติปัจจัยลงท้ายประโยคที่แสดงการบอกเล่า การถาม การสั่ง หรือการชักชวนเรื่องใด ๆ <การพูดตามลำดับ>

(41) 게으르다 [geeureuda]

ขี้เกียจ, เกียจคร้าน

อากัปกิริยาเชื่องช้าและไม่อยากขยับหรือไม่อยากทำงาน

게으른 사람은 성공하지 못해요.

geeureun sarameun seonggonghaji motaeyo.

게으르+ㄴ 사람+은 성공하+[지 못하]+여요.
게으른 성공하지 못해요

게으르다 : ขี้เกียจ, เกียจคร้าน
-ㄴ : วิภัตติปัจจัยที่ทำให้คำพูดข้างหน้าทำหน้าที่เป็นคุณศัพท์ขยายนามและแสดงถึงสภาพที่เป็นอยู่ในปัจจุบัน
사람 : คน, มนุษย์

은 : คำชี้ที่แสดงว่าเป้าหมายใด ๆ เป็นหัวข้อเรื่องในประโยค
성공하다 : สำเร็จ, ประสบความสำเร็จ
-지 못하다 : สำนวนที่ใช้แสดงการไม่เป็นไปตามที่ประธานตั้งใจหรือไม่มีความสามารถที่จะทำการกระทำที่ปรากฏในคำพูดข้างหน้า
-여요 : (ใช้ในการยกย่องอย่างไม่เป็นทางการ)วิภัตติปัจจัยลงท้ายประโยคที่แสดงการบอกเล่า การถาม การสั่งหรือการชักชวนเรื่องใด ๆ <การพูดตามลำดับ>

(42) 부지런하다 [bujireonhada]

ขยัน, ขยันขันแข็ง

มีแนวโน้มของอุปนิสัยที่ตั้งใจอย่างสม่ำเสมอและไม่ขี้เกียจ

부지런한 사람이 성공할 수 있어요.
bujireonhan sarami seonggonghal su isseoyo.

부지런하+ㄴ 사람+이 성공하+[ㄹ 수 있]+어요.
부지런한 성공할 수 있어요

부지런하다 : ขยัน, ขยันขันแข็ง
-ㄴ : วิภัตติปัจจัยที่ทำให้คำพูดข้างหน้าทำหน้าที่เป็นคุณศัพท์ขยายนามและแสดงถึงสภาพที่เป็นอยู่ในปัจจุบัน
사람 : คน, มนุษย์
이 : คำชี้ที่ใช้แสดงสิ่งที่อยู่ในสถานการณ์หรือสภาพใด ๆ หรือผู้ที่เป็นประธานของอากัปกริยา
성공하다 : สำเร็จ, ประสบความสำเร็จ
-ㄹ 수 있다 : สำนวนที่แสดงว่าการกระทำหรือสภาพใด ๆ อาจเกิดขึ้นได้
-어요 : (ใช้ในการยกย่องอย่างไม่เป็นทางการ)วิภัตติปัจจัยลงท้ายประโยคที่แสดงการบอกเล่า การถาม การสั่งหรือการชักชวนเรื่องใด ๆ <การพูดตามลำดับ>

(43) 착하다 [chakada]

(จิตใจ, นิสัย, มารยาท)ดี, ว่านอนสอนง่าย

จิตใจหรือการกระทำ เป็นต้น งดงาม ซื่อตรงและนุ่มนวล

그녀는 마음씨가 착해요.
geunyeoneun maeumssiga chakaeyo.

그녀+는 마음씨+가 착하+여요.
착해요

그녀 : เธอ, หล่อน, เจ้าหล่อน
는 : คำชี้ที่แสดงว่าเป้าหมายใด ๆ เป็นหัวข้อเรื่องในประโยค
마음씨 : นิสัย, ลักษณะนิสัย, จิตใจ
가 : คำชี้ที่ใช้แสดงสิ่งที่อยู่ในสถานการณ์หรือสภาพใด ๆ หรือผู้ที่เป็นประธานของอากัปกริยา
착하다 : (จิตใจ, นิสัย, มารยาท)ดี, ว่านอนสอนง่าย
-여요 : (ใช้ในการยกย่องอย่างไม่เป็นทางการ)วิภัตติปัจจัยลงท้ายประโยคที่แสดงการบอกเล่า การถาม การสั่ง หรือการชักชวนเรื่องใด ๆ <การพูดตามลำดับ>

(44) 친절하다 [chinjeolhada]

ใจดี, กรุณา, อ่อนหวาน

ท่าทางที่ปฏิบัติต่อคนนิ่มนวลและอ่อนหวาน

가게 주인은 모든 손님에게 친절해요.

gage juineun modeun sonnimege chinjeolhaeyo.

가게 주인+은 모든 손님+에게 친절하+여요.

친절해요

가게 : ร้านค้า, ร้านขายของ, ร้านขายของชำ
주인 : เจ้าของ
은 : คำชี้ที่แสดงว่าเป้าหมายใด ๆ เป็นหัวข้อเรื่องในประโยค
모든 : ทั้งหมด, ทั้งปวง, ทั้งสิ้น, ทุก, ทุก ๆ, ทั้ง
손님 : แขก, ลูกค้า
에게 : คำชี้ที่แสดงว่าเป็นเป้าหมายที่การกระทำใด ๆ มีผลต่อ
친절하다 : ใจดี, กรุณา, อ่อนหวาน
-여요 : (ใช้ในการยกย่องอย่างไม่เป็นทางการ)วิภัตติปัจจัยลงท้ายประโยคที่แสดงการบอกเล่า การถาม การสั่ง หรือการชักชวนเรื่องใด ๆ <การพูดตามลำดับ>

(45) 날씬하다 [nalssinhada]

เอวบางร่างน้อย, สะโอดสะอง, อรชรอ้อนแอ้น, ผอมเพรียว

ร่างกายดูผอมเพรียมสมส่วน

모델은 몸매가 날씬해요.

modereun mommaega nalssinhaeyo.

모델+은 몸매+가 날씬하+여요.

날씬해요

모델 : นางแบบ, นายแบบ, โมเดล
은 : คำชี้ที่แสดงว่าเป้าหมายใด ๆ เป็นหัวข้อเรื่องในประโยค
몸매 : รูปร่าง, หุ่น
가 : คำชี้ที่ใช้แสดงสิ่งที่อยู่ในสถานการณ์หรือสภาพใด ๆ หรือผู้ที่เป็นประธานของอาการกริยา
날씬하다 : เอวบางร่างน้อย, สะโอดสะอง, อรชรอ้อนแอ้น, ผอมเพรียว
-여요 : (ใช้ในการยกย่องอย่างไม่เป็นทางการ)วิภัตติปัจจัยลงท้ายประโยคที่แสดงการบอกเล่า การถาม การสั่ง หรือการชักชวนเรื่องใด ๆ <การพูดตามลำดับ>

(46) 뚱뚱하다 [ttungttunghada]

อ้วน, เจ้าเนื้อ

เนื้อหนังที่มีมากขึ้นทำให้รูปร่างขยายออกด้านข้าง

요즘은 뚱뚱한 청소년이 많아졌어요.
yojeumeun ttungttunghan cheongsonyeoni manajeosseoyo.

요즘+은 뚱뚱하+ㄴ 청소년+이 많아지+었+어요.
뚱뚱한 많아졌어요

요즘 : ปัจจุบัน, ขณะนี้, สมัยนี้, ในระยะนี้, หมู่นี้, เมื่อไม่นานมานี้, เมื่อเร็ว ๆ นี้, ทุกวันนี้, ล่าสุด
은 : คำชี้ที่แสดงว่าเป้าหมายใด ๆ เป็นหัวข้อเรื่องในประโยค
뚱뚱하다 : อ้วน, เจ้าเนื้อ
-ㄴ : วิภัตติปัจจัยที่ทำให้คำพูดข้างหน้าทำหน้าที่เป็นคุณศัพท์ขยายนามและแสดงถึงสภาพที่เป็นอยู่ในปัจจุบัน
청소년 : วัยรุ่น, เยาวชน
이 : คำชี้ที่ใช้แสดงสิ่งที่อยู่ในสถานการณ์หรือสภาพใด ๆ หรือผู้ที่เป็นประธานของอาการกริยา
많아지다 : มากขึ้น, เพิ่มมากขึ้น, เยอะขึ้น
-었- :
วิภัตติปัจจัยที่แสดงว่าเหตุการณ์ใดๆเสร็จสมบูรณ์ไปแล้วในอดีตหรือแสดงสถานการณ์ที่ผลลัพธ์ของเหตุการณ์ดังกล่าวต่อเนื่องจนถึงปัจจุบัน
-어요 : (ใช้ในการยกย่องอย่างไม่เป็นทางการ)วิภัตติปัจจัยลงท้ายประโยคที่แสดงการบอกเล่า การถาม การสั่ง หรือการชักชวนเรื่องใด ๆ <การพูดตามลำดับ>

(47) 아름답다 [areumdapda]

สวย, งาม, งดงาม, ไพเราะ

ด้วยแสง เสียงหรือสิ่งที่มองเห็น เป็นต้น เพียงพอที่จะให้ความพึงพอใจและความรื่นรมย์กับตาหรือหู

여기 경치가 무척 아름다워요.
yeogi gyeongchiga mucheok areumdawoyo.

여기 경치+가 무척 아름답(아름다우)+어요.
아름다워요

여기 : ที่นี่, ที่นี้, ตรงนี้
경치 : ทิวทัศน์, ภาพ, สิ่งแวดล้อม, ทัศนียภาพ
가 : คำชี้ที่ใช้แสดงสิ่งที่อยู่ในสถานการณ์หรือสภาพใด ๆ หรือผู้ที่เป็นประธานของอากัปกริยา
무척 : มาก, นัก, ที่สุด, เหลือเกิน, ทีเดียว
아름답다 : สวย, งาม, งดงาม, ไพเราะ
-어요 : (ใช้ในการยกย่องอย่างไม่เป็นทางการ)วิภัตติปัจจัยลงท้ายประโยคที่แสดงการบอกเล่า การถาม การสั่ง หรือการชักชวนเรื่องใด ๆ <การพูดตามลำดับ>

(48) 어리다 [eorida]

อายุน้อย, ยังเด็ก

อายุน้อย

내 동생은 아직 어려요.
nae dongsaengeun ajik eoryeoyo.

나+의 동생+은 아직 어리+어요.
내 어려요

나 : ฉัน
의 : คำชี้ที่แสดงว่าคำพูดข้างหน้ามีความสัมพันธ์กับประธาน แหล่งกำเนิด ความสัมพันธ์ วัตถุดิบ การสังกัด การเป็นเจ้าของต่อคำพูดข้างหลัง
동생 : ทงแซ็ง : น้อง
은 : คำชี้ที่แสดงว่าเป้าหมายใด ๆ เป็นหัวข้อเรื่องในประโยค
아직 : ยัง, ยัง...อยู่
어리다 : อายุน้อย, ยังเด็ก
-어요 : (ใช้ในการยกย่องอย่างไม่เป็นทางการ)วิภัตติปัจจัยลงท้ายประโยคที่แสดงการบอกเล่า การถาม การสั่ง หรือการชักชวนเรื่องใด ๆ <การพูดตามลำดับ>

(49) 예쁘다 [yeppeuda]

สวย, งดงาม

ลักษณะที่เกิดขึ้นงดงามจนดูดีได้ด้วยตา

구름이 참 예뻐요.

gureumi cham yeppeoyo.

구름+이 참 예쁘(예ㅃ)+어요.

예뻐요

구름 : เมฆ, ก้อนเมฆ
이 : คำชี้ที่ใช้แสดงสิ่งที่อยู่ในสถานการณ์หรือสภาพใด ๆ หรือผู้ที่เป็นประธานของอากัปกริยา
참 : จริง ๆ, ทีเดียว, อย่างแท้จริง
예쁘다 : สวย, งดงาม
-어요 : (ใช้ในการยกย่องอย่างไม่เป็นทางการ)วิภัตติปัจจัยลงท้ายประโยคที่แสดงการบอกเล่า การถาม การสั่ง หรือการชักชวนเรื่องใด ๆ <การพูดตามลำดับ>

(50) 젊다 [jeomda]

เป็นวัยรุ่น, เป็นหนุ่มเป็นสาว

มีอายุอยู่ในช่วงวัยหนุ่มสาว

이 회사에는 젊은 사람들이 많아요.

i hoesaeneun jeolmeun saramdeuri manayo.

이 회사+에+는 젊+은 사람+들+이 많+아요.

이 : นี่
회사 : บริษัท, ห้างหุ้นส่วน
에 : คำชี้ที่แสดงว่าคำพูดข้างหน้าเป็นตำแหน่งหรือสถานที่ใด ๆ
는 : คำชี้ที่แสดงว่าเป้าหมายใด ๆ เป็นหัวข้อเรื่องในประโยค
젊다 : เป็นวัยรุ่น, เป็นหนุ่มเป็นสาว
-은 : วิภัตติปัจจัยที่ทำให้คำพูดข้างหน้าทำหน้าที่เป็นคุณศัพท์ขยายนามและแสดงถึงสภาพที่เป็นอยู่ในปัจจุบัน
사람 : คน, มนุษย์
들 : ปัจจัยที่เพิ่มคำไปในคำเพื่อให้มีความหมายว่า 'พหูพจน์'
이 : คำชี้ที่ใช้แสดงสิ่งที่อยู่ในสถานการณ์หรือสภาพใด ๆ หรือผู้ที่เป็นประธานของอากัปกริยา
많다 : มาก, เยอะ
-아요 : (ใช้ในการยกย่องอย่างไม่เป็นทางการ)วิภัตติปัจจัยลงท้ายประโยคที่แสดงการบอกเล่า การถาม การสั่ง หรือการชักชวนเรื่องใด ๆ <การพูดตามลำดับ>

(51) 똑똑하다 [ttokttokada]

ฉลาด, เฉลียวฉลาด

หัวดี มีสติปัญญาเฉลียวฉลาด

친구는 똑똑해서 공부를 잘해요.

chinguneun ttokttokaeseo gongbureul jalhaeyo.

친구+는 똑똑하+여서 공부+를 잘하+여요.

똑똑해서 잘해요

친구 : เพื่อน, มิตร, มิตรสหาย

는 : คำชี้ที่แสดงว่าเป้าหมายใด ๆ เป็นหัวข้อเรื่องในประโยค

똑똑하다 : ฉลาด, เฉลียวฉลาด

-여서 : วิภัตติปัจจัยเชื่อมระหว่างประโยคที่แสดงเหตุผลหรือสาเหตุ

공부 : การอ่านหนังสือ, การดูหนังสือ, การเรียนหนังสือ

를 : คำชี้ที่แสดงเป้าหมายที่การกระทำส่งผลกระทบโดยตรง

잘하다 : เก่ง, ดี

-여요 : (ใช้ในการยกย่องอย่างไม่เป็นทางการ)วิภัตติปัจจัยลงท้ายประโยคที่แสดงการบอกเล่า การถาม การสั่ง หรือการชักชวนเรื่องใด ๆ <การพูดตามลำดับ>

(52) 못하다 [motada]

ด้อยกว่า, ไม่ดีกว่า, ต่ำกว่า

ระดับหรือมาตรฐานไม่ถึงระดับใด ๆ เมื่อลองเปรียบเทียบ

음식 맛이 예전보다 못해요.

eumsik masi yejeonboda motaeyo.

음식 맛+이 예전+보다 못하+여요.

못해요

음식 : อาหารและเครื่องดื่ม

맛 : รส, รสชาติ

이 : คำชี้ที่ใช้แสดงสิ่งที่อยู่ในสถานการณ์หรือสภาพใด ๆ หรือผู้ที่เป็นประธานของอากัปกริยา

예전 : สมัยก่อน, สมัยโบราณ, แต่ก่อน, ในอดีต, อดีต, สมัยเก่า

보다 : คำชี้ที่แสดงสิ่งที่เป็นเป้าหมายที่เปรียบเทียบกัน ในตอนที่เปรียบเทียบสิ่งที่มีความแตกต่างกัน

못하다 : ด้อยกว่า, ไม่ดีกว่า, ต่ำกว่า

-여요 : (ใช้ในการยกย่องอย่างไม่เป็นทางการ)วิภัตติปัจจัยลงท้ายประโยคที่แสดงการบอกเล่า การถาม การสั่ง

หรือการชักชวนเรื่องใด ๆ <การพูดตามลำดับ>

(53) 쉽다 [swipda]

งาย, ไมยาก, ธรรมดา, ไมยุงยาก

ไมยากหรือไมลำบากในการทำ

시험 문제가 쉬웠어요.

siheom munjega swiwosseoyo.

시험 문제+가 쉽(쉬우)+었+어요.

쉬웠어요

시험 : การสอบ

문제 : คำถาม, โจทย์

가 : คำชี้ที่ใช้แสดงสิ่งที่อยู่ในสถานการณ์หรือสภาพใด ๆ หรือผู้ที่เป็นประธานของอากัปกริยา

쉽다 : งาย, ไมยาก, ธรรมดา, ไมยุงยาก

-었- :

วิภัตติปัจจัยที่แสดงว่าเหตุการณ์ใดๆเสร็จสมบูรณ์ไปแล้วในอดีตหรือแสดงสถานการณ์ที่ผลลัพธ์ของเหตุการณ์ดังกล่าวต่อเนื่องจนถึงปัจจุบัน

-어요 : (ใช้ในการยกย่องอย่างไม่เป็นทางการ)วิภัตติปัจจัยลงท้ายประโยคที่แสดงการบอกเล่า การถาม การสั่ง หรือการชักชวนเรื่องใด ๆ <การพูดตามลำดับ>

(54) 어렵다 [eoryeopda]

ยาก, ลำบาก

ยุ่งวุ่นวายหรือใช้แรงมากที่จะทำ

수학 문제는 항상 어려워요.

suhak munjeneun hangsang eoryeowoyo.

수학 문제+는 항상 어렵(어려우)+어요.

어려워요

수학 : คณิตศาสตร์

문제 : คำถาม, โจทย์

는 : คำชี้ที่แสดงว่าเป้าหมายใด ๆ เป็นหัวข้อเรื่องในประโยค

항상 : ตลอดเวลา, เสมอ

어렵다 : ยาก, ลำบาก
-어요 : (ใช้ในการยกย่องอย่างไม่เป็นทางการ)วิภัตติปัจจัยลงท้ายประโยคที่แสดงการบอกเล่า การถาม การสั่ง หรือการชักชวนเรื่องใด ๆ <การพูดตามลำดับ>

(55) 훌륭하다 [hullyunghada]

ดี, ดีงาม, ดียอดเยี่ยม, ภูมิฐาน, น่าเคารพ, น่านับถือ, น่ายกย่อง, ยิ่งใหญ่
ดีและโดดเด่นมากจนน่าชื่นชม

이 차의 성능은 훌륭해요.
i chae seongneungeun hullyunghaeyo.

이 차+의 성능+은 훌륭하+여요.
훌륭해요

이 : นี่
차 : รถ, รถยนต์
의 : คำชี้ที่แสดงว่าคำพูดข้างหน้าเป็นคุณสมบัติที่เหมือนกันหรือกำหนดปริมาณหรือคุณสมบัติต่อคำพูดข้างหลัง
성능 : ประสิทธิภาพ, สมรรถนะ, สมรรถภาพ
은 : คำชี้ที่แสดงว่าเป้าหมายใด ๆ เป็นหัวข้อเรื่องในประโยค
훌륭하다 : ดี, ดีงาม, ดียอดเยี่ยม, ภูมิฐาน, น่าเคารพ, น่านับถือ, น่ายกย่อง, ยิ่งใหญ่
-여요 : (ใช้ในการยกย่องอย่างไม่เป็นทางการ)วิภัตติปัจจัยลงท้ายประโยคที่แสดงการบอกเล่า การถาม การสั่ง หรือการชักชวนเรื่องใด ๆ <การพูดตามลำดับ>

(56) 힘들다 [himdeulda]

ลำบาก, ยากลำบาก, เหนื่อยยาก, เหน็ดเหนื่อย
มีด้านที่แรงถูกใช้ไปเยอะ

이 동작은 너무 힘들어요.
i dongjageun neomu himdeureoyo.

이 동작+은 너무 힘들+어요.

이 : นี่
동작 : กิริยาท่าทาง, อากัปกิริยา, ท่าทาง
은 : คำชี้ที่แสดงว่าเป้าหมายใด ๆ เป็นหัวข้อเรื่องในประโยค
너무 : เกินไป, มากเกินไป, เหลือเกิน

힘들다 : ลำบาก, ยากลำบาก, เหนื่อยยาก, เหน็ดเหนื่อย
-어요 : (ใช้ในการยกย่องอย่างไม่เป็นทางการ)วิภัตติปัจจัยลงท้ายประโยคที่แสดงการบอกเล่า การถาม การสั่ง หรือการชักชวนเรื่องใด ๆ <การพูดตามลำดับ>

(57) 궁금하다 [gunggeumhada]

สงสัย, อยากรู้อยากเห็น

อยากรู้อะไรเป็นอย่างมาก

무슨 화장품을 쓰는지 궁금해요?

museun hwajangpumeul sseuneunji gunggeumhaeyo?

무슨 화장품+을 쓰+는지 궁금하+여요?
궁금해요

무슨 : อะไร
화장품 : เครื่องสำอาง
을 : คำชี้ที่แสดงเป้าหมายที่การกระทำส่งผลกระทบโดยตรง
쓰다 : ใช้(สิ่งของ, เครื่องมือ, วิธีการ)
-는지 : วิภัตติปัจจัยเชื่อมระหว่างประโยคที่แสดงเหตุผลหรือการวินิจฉัยที่ไม่แน่ชัด เกี่ยวกับเนื้อหาในประโยคหลัง
궁금하다 : สงสัย, อยากรู้อยากเห็น
-여요 : (ใช้ในการยกย่องอย่างไม่เป็นทางการ)วิภัตติปัจจัยลงท้ายประโยคที่แสดงการบอกเล่า การถาม การสั่ง หรือการชักชวนเรื่องใด ๆ <คำถาม>

(58) 옳다 [olta]

ถูก, ถูกต้อง

ถูกและถูกต้องต่อหลักเกณฑ์

그는 평생 옳은 삶을 살아 왔어요.

geuneun pyeongsaeng oreun salmeul sara wasseoyo.

그+는 평생 옳+은 삶+을 살+[아 오]+았+어요.
살아 왔어요

그 : เขา(คำสรรพนามบุรุษที่สาม)
는 : คำชี้ที่แสดงว่าเป้าหมายใด ๆ เป็นหัวข้อเรื่องในประโยค
평생 : ตลอดชีวิต, ช่วงชีวิต

옳다 : ถูก, ถูกต้อง
-은 : วิภัตติปัจจัยที่ทำให้คำพูดข้างหน้าทำหน้าที่เป็นคุณศัพท์ขยายนามและแสดงถึงสภาพที่เป็นอยู่ในปัจจุบัน
삶 : การมีชีวิต, การดำรงชีวิต, ชีวิต
을 : คำชี้ที่แสดงการเป็นกรรมในรูปคำนามของภาคแสดง
살다 : ใช้ชีวิต, มีชีวิต, ดำรงชีพ
-아 오다 : สำนวนที่แสดงว่าสภาพหรือการกระทำที่ปรากฏในคำพูดข้างหน้าดำเนินไปต่อเนื่องจนใกล้มาตรฐานใด ๆ
-았- :
วิภัตติปัจจัยที่แสดงว่าเหตุการณ์ใดๆเสร็จสมบูรณ์ไปแล้วในอดีตหรือแสดงสถานการณ์ที่ผลลัพธ์ของเหตุการณ์ดังกล่าวต่อเนื่องจนถึงปัจจุบัน
-어요 : (ใช้ในการยกย่องอย่างไม่เป็นทางการ)วิภัตติปัจจัยลงท้ายประโยคที่แสดงการบอกเล่า การถาม การสั่ง หรือการชักชวนเรื่องใด ๆ <การพูดตามลำดับ>

(59) 바쁘다 [bappeuda]

ยุ่ง, ไม่ว่าง

ไม่มีเวลาว่างทำสิ่งอื่นเพราะมีสิ่งที่จะต้องทำมากหรือไม่มีเวลา

식사를 못 할 정도로 바빠요.
siksareul mot hal jeongdoro bappayo.

식사+를 못 하+ㄹ 정도+로 바쁘(바ㅃ)+아요.
할 바빠요

식사 : การรับประทานอาหาร, อาหาร(เช้า, กลางวัน, เย็น)
를 : คำชี้ที่แสดงเป้าหมายที่การกระทำส่งผลกระทบโดยตรง
못 : ...ไม่ได้, ทำไม่ได้
하다 : ทำ
-ㄹ : วิภัตติปัจจัยที่ทำให้คำข้างหน้าทำหน้าที่เป็นคุณศัพท์ขยายนาม
정도 : ระดับ, อัตรา
로 : คำชี้ที่แสดงวิธีการหรือวิธีทางของงานใด ๆ
바쁘다 : ยุ่ง, ไม่ว่าง
-아요 : (ใช้ในการยกย่องอย่างไม่เป็นทางการ)วิภัตติปัจจัยลงท้ายประโยคที่แสดงการบอกเล่า การถาม การสั่ง หรือการชักชวนเรื่องใด ๆ <การพูดตามลำดับ>

(60) 한가하다 [hangahada]

มีเวลาว่าง, ไม่วุ่นวาย, เอ้อระเหยลอยชาย, เรื่อยเปื่อย

มีเวลาว่างและไม่ยุ่ง

학교가 방학이어서 한가해요.
hakgyoga banghagieoseo hangahaeyo.

학교+가 방학+이+어서 한가하+여요.
한가해요

학교 : โรงเรียน, สถาบันศึกษา
가 : คำชี้ที่ใช้แสดงสิ่งที่อยู่ในสถานการณ์หรือสภาพใด ๆ หรือผู้ที่เป็นประธานของอากัปกริยา
방학 : ปิดภาคเรียน, ปิดเทอม, ระยะเวลาปิดภาคเรียน, ระยะเวลาปิดเทอม
이다 : คำชี้ภาคแสดงการกที่แสดงความหมายที่กำหนดประเภทหรือคุณสมบัติของเป้าหมายที่ประธานบ่งชี้
-어서 : วิภัตติปัจจัยเชื่อมระหว่างประโยคที่แสดงเหตุผลหรือสาเหตุ
한가하다 : มีเวลาว่าง, ไม่วุ่นวาย, เอ้อระเหยลอยชาย, เรื่อยเปื่อย
-여요 : (ใช้ในการยกย่องอย่างไม่เป็นทางการ)วิภัตติปัจจัยลงท้ายประโยคที่แสดงการบอกเล่า การถาม การสั่ง หรือการชักชวนเรื่องใด ๆ <การพูดตามลำดับ>

(61) 달다 [dalda]

หวาน

รสชาติเหมือนกับน้ำผึ้งหรือน้ำตาล

초콜릿이 너무 달아요.
chokollisi neomu darayo.

초콜릿+이 너무 달+아요.

초콜릿 : ช็อกโกแลต
이 : คำชี้ที่ใช้แสดงสิ่งที่อยู่ในสถานการณ์หรือสภาพใด ๆ หรือผู้ที่เป็นประธานของอากัปกริยา
너무 : เกินไป, มากเกินไป, เหลือเกิน
달다 : หวาน
-아요 : (ใช้ในการยกย่องอย่างไม่เป็นทางการ)วิภัตติปัจจัยลงท้ายประโยคที่แสดงการบอกเล่า การถาม การสั่ง หรือการชักชวนเรื่องใด ๆ <การพูดตามลำดับ>

(62) 맛없다 [madeopda]

ไม่อร่อย, ไม่มีรสชาติ

รสชาติของอาหารไม่ดี

배가 불러서 다 맛없어요.

baega bulleoseo da maseopseoyo.

배+가 부르(불ㄹ)+어서 다 맛없+어요.
불러서

배 : ท้อง, พุง
가 : คำชี้ที่ใช้แสดงสิ่งที่อยู่ในสถานการณ์หรือสภาพใด ๆ หรือผู้ที่เป็นประธานของอากัปกริยา
부르다 : อิ่ม, อิ่มท้อง, อิ่มข้าว
-어서 : วิภัตติปัจจัยเชื่อมระหว่างประโยคที่แสดงเหตุผลหรือสาเหตุ
다 : ทั้งหมด, ไม่เหลือ
맛없다 : ไม่อร่อย, ไม่มีรสชาติ
-어요 : (ใช้ในการยกย่องอย่างไม่เป็นทางการ)วิภัตติปัจจัยลงท้ายประโยคที่แสดงการบอกเล่า การถาม การสั่ง หรือการชักชวนเรื่องใด ๆ <การพูดตามลำดับ>

(63) 맛있다 [maditda]

อร่อย, รสชาติดี

รสชาติดี

어머니가 해 주신 음식이 제일 맛있어요.

eomeoniga hae jusin eumsigi jeil masisseoyo.

어머니+가 하+[여 주]+시+ㄴ 음식+이 제일 맛있+어요.
해 주신

어머니 : ออมอนี : แม่, มารดา
가 : คำชี้ที่ใช้แสดงสิ่งที่อยู่ในสถานการณ์หรือสภาพใด ๆ หรือผู้ที่เป็นประธานของอากัปกริยา
하다 : ทำ, ปลูก, สร้าง
-여 주다 : สำนวนที่แสดงว่าทำการกระทำที่ปรากฏในคำพูดข้างหน้าเพื่อผู้อื่น
-시- : วิภัตติปัจจัยที่ใช้แสดงความหมายซึ่งยกย่องประธานของอากัปกิริยาหรือสภาพใด ๆ
-ㄴ :
วิภัตติปัจจัยที่แสดงการที่ทำให้คำพูดข้างหน้าทำหน้าที่เป็นคุณศัพท์ขยายนามและเหตุการณ์หรืออากัปกิริยานั้นเสร็จสิ้นไปแล้วและยังคงสภาพดังกล่าวอย่างต่อเนื่องอยู่'
음식 : อาหารและเครื่องดื่ม
이 : คำชี้ที่ใช้แสดงสิ่งที่อยู่ในสถานการณ์หรือสภาพใด ๆ หรือผู้ที่เป็นประธานของอากัปกริยา
제일 : ที่สุด, ดีที่สุด, มากที่สุด
맛있다 : อร่อย, รสชาติดี
-어요 : (ใช้ในการยกย่องอย่างไม่เป็นทางการ)วิภัตติปัจจัยลงท้ายประโยคที่แสดงการบอกเล่า การถาม การสั่ง หรือการชักชวนเรื่องใด ๆ <การพูดตามลำดับ>

(64) 맵다 [maepda]

เผ็ด, เผ็ดร้อน

รสชาติร้อนแรงเหมือนพริกหรือมัสตาร์ดและมีความรู้สึกแสบที่ปลายลิ้น

김치가 너무 <u>매워요</u>.

gimchiga neomu maewoyo.

김치+가 너무 <u>맵(매우)+어요</u>.

매워요

김치 : คิมชี

가 : คำชี้ที่ใช้แสดงสิ่งที่อยู่ในสถานการณ์หรือสภาพใด ๆ หรือผู้ที่เป็นประธานของอากัปกริยา

너무 : เกินไป, มากเกินไป, เหลือเกิน

맵다 : เผ็ด, เผ็ดร้อน

-어요 : (ใช้ในการยกย่องอย่างไม่เป็นทางการ)วิภัตติปัจจัยลงท้ายประโยคที่แสดงการบอกเล่า การถาม การสั่ง หรือการชักชวนเรื่องใด ๆ <การพูดตามลำดับ>

(65) 시다 [sida]

เปรี้ยว, มีรสเปรี้ยว

รสชาติเหมือนกับน้ำส้มสายชู

과일이 모두 <u>셔요</u>.

gwairi modu syeoyo.

과일+이 모두 <u>시+어요</u>.

셔요

과일 : ผลไม้

이 : คำชี้ที่ใช้แสดงสิ่งที่อยู่ในสถานการณ์หรือสภาพใด ๆ หรือผู้ที่เป็นประธานของอากัปกริยา

모두 : ทั้งหมด, ทุก, ทั้งสิ้น, ทั้งมวล, ทั้งปวง, ทุกคน, ทุกอย่าง, ทั้งนั้น

시다 : เปรี้ยว, มีรสเปรี้ยว

-어요 : (ใช้ในการยกย่องอย่างไม่เป็นทางการ)วิภัตติปัจจัยลงท้ายประโยคที่แสดงการบอกเล่า การถาม การสั่ง หรือการชักชวนเรื่องใด ๆ <การพูดตามลำดับ>

(66) 시원하다 [siwonhada]

โล่ง, โปร่ง

อาหารที่เย็นสดชื่นพอเหมาะแก่การรับประทาน หรือร้อนจนทำให้รู้สึกโล่ง

국물이 시원해요.

gungmuri siwonhaeyo.

국물+이 시원하+여요.

시원해요

국물 : น้ำแกง, น้ำซุป

이 : คำชี้ที่ใช้แสดงสิ่งที่อยู่ในสถานการณ์หรือสภาพใด ๆ หรือผู้ที่เป็นประธานของอากัปกริยา

시원하다 : โล่ง, โปร่ง

-여요 : (ใช้ในการยกย่องอย่างไม่เป็นทางการ)วิภัตติปัจจัยลงท้ายประโยคที่แสดงการบอกเล่า การถาม การสั่ง หรือการชักชวนเรื่องใด ๆ <การพูดตามลำดับ>

(67) 싱겁다 [singgeopda]

จืด, จืดชืด

ความเค็มของอาหารมีน้อย

찌개에 물을 넣어서 싱거워요.

jjigaee mureul neoeoseo singgeowoyo.

찌개+에 물+을 넣+어서 싱겁(싱거우)+어요.

싱거워요

찌개 : จีแก

에 : คำชี้ที่แสดงว่าคำพูดข้างหน้าเป็นเป้าหมายที่การทำงานหรือการกระทำใด ๆ มีผลต่อ

물 : น้ำ

을 : คำชี้ที่แสดงเป้าหมายที่การกระทำส่งผลกระทบโดยตรง

넣다 : ใส่

-어서 : วิภัตติปัจจัยเชื่อมระหว่างประโยคที่แสดงเหตุผลหรือสาเหตุ

싱겁다 : จืด, จืดชืด

-어요 : (ใช้ในการยกย่องอย่างไม่เป็นทางการ)วิภัตติปัจจัยลงท้ายประโยคที่แสดงการบอกเล่า การถาม การสั่ง หรือการชักชวนเรื่องใด ๆ <การพูดตามลำดับ>

(68) 쓰다 [sseuda]

ขม(รสชาติ)

เหมือนกับรสชาติของยา

아이가 먹기에 약이 너무 써요.

aiga meokgie yagi neomu sseoyo.

아이+가 먹+기+에 약+이 너무 쓰(ㅆ)+어요.

써요

아이 : เด็ก

가 : คำชี้ที่ใช้แสดงสิ่งที่อยู่ในสถานการณ์หรือสภาพใด ๆ หรือผู้ที่เป็นประธานของอากัปกริยา

먹다 : กิน

-기 : วิภัตติปัจจัยที่ทำให้คำข้างหน้ามีหน้าที่เป็นคำนาม

에 : คำชี้ที่แสดงว่าคำพูดข้างหน้าเป็นสภาพ สิ่งแวดล้อม เงื่อนไขของอะไร เป็นต้น

약 : ยา, โอสถ, ยารักษาโรค, สิ่งที่ใช้รักษาโรค

이 : คำชี้ที่ใช้แสดงสิ่งที่อยู่ในสถานการณ์หรือสภาพใด ๆ หรือผู้ที่เป็นประธานของอากัปกริยา

너무 : เกินไป, มากเกินไป, เหลือเกิน

쓰다 : ขม(รสชาติ)

-어요 : (ใช้ในการยกย่องอย่างไม่เป็นทางการ)วิภัตติปัจจัยลงท้ายประโยคที่แสดงการบอกเล่า การถาม การสั่ง หรือการชักชวนเรื่องใด ๆ <การพูดตามลำดับ>

(69) 짜다 [jjada]

เค็ม

รสชาติเหมือนกับเกลือ

소금을 많이 넣어서 국물이 짜요.

sogeumeul mani neoeoseo gungmuri jjayo.

소금+을 많이 넣+어서 국물+이 짜+아요.

짜요

소금 : เกลือ

을 : คำชี้ที่แสดงเป้าหมายที่การกระทำส่งผลกระทบโดยตรง

많이 : อย่างมาก, มาก

넣다 : ใส่

-어서 : วิภัตติปัจจัยเชื่อมระหว่างประโยคที่แสดงเหตุผลหรือสาเหตุ

국물 : น้ำแกง, น้ำซุป
이 : คำชี้ที่ใช้แสดงสิ่งที่อยู่ในสถานการณ์หรือสภาพใด ๆ หรือผู้ที่เป็นประธานของอากัปกริยา
짜다 : เค็ม
-아요 : (ใช้ในการยกย่องอย่างไม่เป็นทางการ)วิภัตติปัจจัยลงท้ายประโยคที่แสดงการบอกเล่า การถาม การสั่ง หรือการชักชวนเรื่องใด ๆ <การพูดตามลำดับ>

(70) 깨끗하다 [kkaekkeutada]

สะอาด

สิ่งของไม่สกปรก

화장실이 정말 깨끗해요.
hwajangsiri jeongmal kkaekkeutaeyo.

화장실+이 정말 깨끗하+여요.
깨끗해요

화장실 : ห้องน้ำ, สุขา
이 : คำชี้ที่ใช้แสดงสิ่งที่อยู่ในสถานการณ์หรือสภาพใด ๆ หรือผู้ที่เป็นประธานของอากัปกริยา
정말 : จริง ๆ, แท้จริง, อย่างแท้จริง, แน่แท้
깨끗하다 : สะอาด
-여요 : (ใช้ในการยกย่องอย่างไม่เป็นทางการ)วิภัตติปัจจัยลงท้ายประโยคที่แสดงการบอกเล่า การถาม การสั่ง หรือการชักชวนเรื่องใด ๆ <การพูดตามลำดับ>

(71) 더럽다 [deoreopda]

สกปรก, ไม่สะอาด, โสมม

ไม่สะอาดหรือไม่เป็นระเบียบ เพราะมีคราบสกปรกหรือสิ่งสกปรกฝังติดอยู่

차가 더러워서 세차를 했어요.
chaga deoreowoseo sechareul haesseoyo.

차+가 더럽(더러우)+어서 세차+를 하+였+어요.
더러워서 **했어요**

차 : รถ, รถยนต์
가 : คำชี้ที่ใช้แสดงสิ่งที่อยู่ในสถานการณ์หรือสภาพใด ๆ หรือผู้ที่เป็นประธานของอากัปกริยา
더럽다 : สกปรก, ไม่สะอาด, โสมม

-어서 : วิภัตติปัจจัยเชื่อมระหว่างประโยคที่แสดงเหตุผลหรือสาเหตุ
세차 : การล้างรถ, การทำความสะอาดรถ
를 : คำชี้ที่แสดงเป้าหมายที่การกระทำส่งผลกระทบโดยตรง
하다 : ทำ
-였- :
วิภัตติปัจจัยที่แสดงว่าเหตุการณ์ใดๆเสร็จสมบูรณ์ไปแล้วในอดีตหรือแสดงสถานการณ์ที่ผลลัพธ์ของเหตุการณ์ดังกล่าวต่อเนื่องจนถึงปัจจุบัน
-어요 : (ใช้ในการยกย่องอย่างไม่เป็นทางการ)วิภัตติปัจจัยลงท้ายประโยคที่แสดงการบอกเล่า การถาม การสั่ง หรือการชักชวนเรื่องใด ๆ <การพูดตามลำดับ>

(72) 불편하다 [bulpyeonhada]

ไม่สบาย, ไม่สะดวกสบาย

ไม่สะดวกต่อการใช้

이곳은 교통이 불편해요.
igoseun gyotongi bulpyeonhaeyo.

이곳+은 교통+이 불편하+여요.
불편해요

이곳 : ที่นี่
은 : คำชี้ที่แสดงว่าเป้าหมายใด ๆ เป็นหัวข้อเรื่องในประโยค
교통 : การจราจร, การสัญจร, การคมนาคม, การขนส่ง
이 : คำชี้ที่ใช้แสดงสิ่งที่อยู่ในสถานการณ์หรือสภาพใด ๆ หรือผู้ที่เป็นประธานของอากัปกริยา
불편하다 : ไม่สบาย, ไม่สะดวกสบาย
-여요 : (ใช้ในการยกย่องอย่างไม่เป็นทางการ)วิภัตติปัจจัยลงท้ายประโยคที่แสดงการบอกเล่า การถาม การสั่ง หรือการชักชวนเรื่องใด ๆ <การพูดตามลำดับ>

(73) 시끄럽다 [sikkeureopda]

เอะอะ, อึกทึก, ส่งเสียงกึกก้อง

เสียงดังอึกทึกครึกโครมจนไม่อยากได้ยิน

시끄러운 소리가 들려요.
sikkeureoun soriga deullyeoyo.

시끄럽(시끄러우)+ㄴ 소리+가 들리+어요.
시끄러운 **들려요**

시끄럽다 : เอะอะ, อึกทึก, ส่งเสียงกึกก้อง
-ㄴ : วิภัตติปัจจัยที่ทำให้คำพูดข้างหน้าทำหน้าที่เป็นคุณศัพท์ขยายนามและแสดงถึงสภาพที่เป็นอยู่ในปัจจุบัน
소리 : เสียง
가 : คำชี้ที่ใช้แสดงสิ่งที่อยู่ในสถานการณ์หรือสภาพใด ๆ หรือผู้ที่เป็นประธานของอากัปกริยา
들리다 : ได้ยิน, ได้ฟัง
-어요 : (ใช้ในการยกย่องอย่างไม่เป็นทางการ)วิภัตติปัจจัยลงท้ายประโยคที่แสดงการบอกเล่า การถาม การสั่ง หรือการชักชวนเรื่องใด ๆ <การพูดตามลำดับ>

(74) 조용하다 [joyonghada]

เงียบ

ไม่ได้ยินเสียงใด ๆ

거리가 조용해요.

georiga joyonghaeyo.

거리+가 조용하+여요.
조용해요

거리 : ถนน, ทาง, หนทาง
가 : คำชี้ที่ใช้แสดงสิ่งที่อยู่ในสถานการณ์หรือสภาพใด ๆ หรือผู้ที่เป็นประธานของอากัปกริยา
조용하다 : เงียบ
-여요 : (ใช้ในการยกย่องอย่างไม่เป็นทางการ)วิภัตติปัจจัยลงท้ายประโยคที่แสดงการบอกเล่า การถาม การสั่ง หรือการชักชวนเรื่องใด ๆ <การพูดตามลำดับ>

(75) 지저분하다 [jijeobunhada]

เลอะ, เปื้อน, สกปรก, รก

สถานที่ใด ๆ ไม่ได้จัดการไว้ให้เรียบร้อย ทำให้ดูรก

길이 너무 지저분해요.

giri neomu jijeobunhaeyo.

길+이 너무 지저분하+여요.
지저분해요

길 : ทาง, ถนน, หนทาง, ถนนหนทาง
이 : คำชี้ที่ใช้แสดงสิ่งที่อยู่ในสถานการณ์หรือสภาพใด ๆ หรือผู้ที่เป็นประธานของอากัปกริยา

너무 : เกินไป, มากเกินไป, เหลือเกิน
지저분하다 : เลอะ, เปื้อน, สกปรก, รก
-여요 : (ใช้ในการยกย่องอย่างไม่เป็นทางการ)วิภัตติปัจจัยลงท้ายประโยคที่แสดงการบอกเล่า การถาม การสั่ง หรือการชักชวนเรื่องใด ๆ <การพูดตามลำดับ>

(76) 비싸다 [bissada]

แพง, ราคาสูง

ราคาของสิ่งของหรือค่าใช้จ่ายที่ใช้ในการทำเรื่องใดสูงกว่าปกติ

백화점은 시장보다 가격이 <u>비싸요</u>.
baekwajeomeun sijangboda gagyeogi bissayo.

백화점+은 시장+보다 가격+이 <u>비싸+아요</u>.
비싸요

백화점 : ห้างสรรพสินค้า
은 : คำชี้ที่แสดงว่าเป้าหมายใด ๆ เป็นหัวข้อเรื่องในประโยค
시장 : ตลาด
보다 : คำชี้ที่แสดงสิ่งที่เป็นเป้าหมายที่เปรียบเทียบกัน ในตอนที่เปรียบเทียบสิ่งที่มีความแตกต่างกัน
가격 : ราคา, มูลค่า
이 : คำชี้ที่ใช้แสดงสิ่งที่อยู่ในสถานการณ์หรือสภาพใด ๆ หรือผู้ที่เป็นประธานของอากัปกริยา
비싸다 : แพง, ราคาสูง
-아요 : (ใช้ในการยกย่องอย่างไม่เป็นทางการ)วิภัตติปัจจัยลงท้ายประโยคที่แสดงการบอกเล่า การถาม การสั่ง หรือการชักชวนเรื่องใด ๆ <การพูดตามลำดับ>

(77) 싸다 [ssada]

ถูก, ราคาถูก

ราคาต่ำกว่าปกติ

이 동네는 집값이 <u>싸요</u>.
i dongneneun jipgapsi ssayo.

이 동네+는 집값+이 <u>싸+아요</u>.
싸요

이 : นี่
동네 : หมู่บ้าน
는 : คำชี้ที่แสดงว่าเป้าหมายใด ๆ เป็นหัวข้อเรื่องในประโยค
집값 : ราคาบ้าน, ค่าบ้าน
이 : คำชี้ที่ใช้แสดงสิ่งที่อยู่ในสถานการณ์หรือสภาพใด ๆ หรือผู้ที่เป็นประธานของอาการกริยา
싸다 : ถูก, ราคาถูก
-아요 : (ใช้ในการยกย่องอย่างไม่เป็นทางการ)วิภัตติปัจจัยลงท้ายประโยคที่แสดงการบอกเล่า การถาม การสั่ง หรือการชักชวนเรื่องใด ๆ <การพูดตามลำดับ>

(78) 덥다 [deopda]

ร้อน

อุณหภูมิสูงที่สัมผัสรับรู้ด้วยร่างกาย

여름이 지났는데도 더워요.
yeoreumi jinanneundedo deowoyo.

여름+이 지나+았+는데도 덥(더우)+어요.
지났는데도 **더워요**

여름 : ฤดูร้อน
이 : คำชี้ที่ใช้แสดงสิ่งที่อยู่ในสถานการณ์หรือสภาพใด ๆ หรือผู้ที่เป็นประธานของอาการกริยา
지나다 : ผ่าน, ผ่านไป
-았- :
วิภัตติปัจจัยที่แสดงว่าเหตุการณ์ใดๆเสร็จสมบูรณ์ไปแล้วในอดีตหรือแสดงสถานการณ์ที่ผลลัพธ์ของเหตุการณ์ดังกล่าวต่อเนื่องจนถึงปัจจุบัน
-는데도 :
สำนวนที่แสดงว่าสถานการณ์ที่คำพูดที่ตามมาข้างหลังแสดงไว้ได้เกิดขึ้นโดยไม่เกี่ยวข้องกับสถานการณ์ที่คำพูดข้างหน้าแสดงไว้
덥다 : ร้อน
-어요 : (ใช้ในการยกย่องอย่างไม่เป็นทางการ)วิภัตติปัจจัยลงท้ายประโยคที่แสดงการบอกเล่า การถาม การสั่ง หรือการชักชวนเรื่องใด ๆ <การพูดตามลำดับ>

(79) 따뜻하다 [ttatteutada]

อุ่น, อบอุ่น

อุณหภูมิสูงพอเหมาะจนทำให้อารมณ์ดีและไม่ร้อนมาก

날씨가 따뜻해요.
nalssiga ttatteutaeyo.

날씨+가 따뜻하+여요.
따뜻해요

날씨 : อากาศ
가 : คำชี้ที่ใช้แสดงสิ่งที่อยู่ในสถานการณ์หรือสภาพใด ๆ หรือผู้ที่เป็นประธานของอากัปกริยา
따뜻하다 : อุ่น, อบอุ่น
-여요 : (ใช้ในการยกย่องอย่างไม่เป็นทางการ)วิภัตติปัจจัยลงท้ายประโยคที่แสดงการบอกเล่า การถาม การสั่ง หรือการชักชวนเรื่องใด ๆ <การพูดตามลำดับ>

(80) 맑다 [makda]

แจ่มใส, ปลอดโปร่ง

อากาศดีโดยไม่มีเมฆหรือหมอกปกคลุม

가을 하늘은 푸르고 맑아요.
gaeul haneureun pureugo malgayo.

가을 하늘+은 푸르+고 맑+아요.

가을 : ฤดูใบไม้ร่วง
하늘 : ฟ้า, ท้องฟ้า, ผืนฟ้า, แผ่นฟ้า
은 : คำชี้ที่แสดงว่าเป้าหมายใด ๆ เป็นหัวข้อเรื่องในประโยค
푸르다 : สีฟ้าอมน้ำเงิน, สีเขียว
-고 : วิภัตติปัจจัยเชื่อมระหว่างประโยคที่ใช้เมื่อแจกแจงข้อเท็จจริงที่เท่าเทียมกันสองสิ่งขึ้นไปต่อกัน
맑다 : แจ่มใส, ปลอดโปร่ง
-아요 : (ใช้ในการยกย่องอย่างไม่เป็นทางการ)วิภัตติปัจจัยลงท้ายประโยคที่แสดงการบอกเล่า การถาม การสั่ง หรือการชักชวนเรื่องใด ๆ <การพูดตามลำดับ>

(81) 선선하다 [seonseonhada]

เย็นสบาย

เย็น ๆ แบบเบาๆ ทำให้มีความรู้สึกเย็นเล็กน้อย

이제 아침저녁으로 선선해요.
ije achimjeonyeogeuro seonseonhaeyo.

이제 아침저녁+으로 선선하+여요.
선선해요

이제 : ตอนนี้, ขณะนี้
아침저녁 : เช้าเย็น
으로 : คำชี้ที่แสดงเวลา
선선하다 : เย็นสบาย
-여요 : (ใช้ในการยกย่องอย่างไม่เป็นทางการ)วิภัตติปัจจัยลงท้ายประโยคที่แสดงการบอกเล่า การถาม การสั่ง หรือการชักชวนเรื่องใด ๆ <การพูดตามลำดับ>

(82) 쌀쌀하다 [ssalssalhada]

หนาว, เย็น

อากาศเย็นจนกระทั่งรู้สึกหนาวนิดหน่อย

바람이 꽤 쌀쌀해요.

barami kkwae ssalssalhaeyo.

바람+이 꽤 쌀쌀하+여요.
쌀쌀해요

바람 : ลม
이 : คำชี้ที่ใช้แสดงสิ่งที่อยู่ในสถานการณ์หรือสภาพใด ๆ หรือผู้ที่เป็นประธานของอากัปกริยา
꽤 : ทีเดียว, แท้ ๆ, ไม่น้อย, ค่อนข้าง, ออกจะ, พอใช้
쌀쌀하다 : หนาว, เย็น
-여요 : (ใช้ในการยกย่องอย่างไม่เป็นทางการ)วิภัตติปัจจัยลงท้ายประโยคที่แสดงการบอกเล่า การถาม การสั่ง หรือการชักชวนเรื่องใด ๆ <การพูดตามลำดับ>

(83) 춥다 [chupda]

หนาว

อุณหภูมิของอากาศต่ำ

날이 추우니 따뜻하게 입으세요.

nari chuuni ttatteutage ibeuseyo.

날+이 춥(추우)+니 따뜻하+게 입+으세요.
추우니

날 : สภาพอากาศ
이 : คำชี้ที่ใช้แสดงสิ่งที่อยู่ในสถานการณ์หรือสภาพใด ๆ หรือผู้ที่เป็นประธานของอากัปกริยา

춥다 : หนาว
-니 : วิภัตติปัจจัยเชื่อมระหว่างประโยคที่แสดงว่าคำพูดในประโยคหน้าเป็นเหตุผล สาเหตุหรือเงื่อนไขเกี่ยวกับคำพูดในประโยคหลัง
따뜻하다 : อุ่น, อบอุ่น
-게 : วิภัตติปัจจัยเชื่อมระหว่างประโยคที่แสดงว่าคำพูดข้างหน้าชี้บอกระดับ วิธีการ ผลลัพธ์หรือวัตถุประสงค์ หรืออื่นๆ ของสิ่งที่อยู่ในเนื้อหาข้างหลัง
입다 : สวม, ใส่
-으세요 : (ใช้ในการยกย่องอย่างไม่เป็นทางการ)วิภัตติปัจจัยลงท้ายประโยคที่ใช้แสดงความหมายของการอธิบาย การถาม การสั่ง หรือการขอร้อง <คำสั่ง>

(84) 흐리다 [heurida]

อึมครึม, มืดมัว, ไม่สดใส, สลัว, มีเมฆ

อากาศไม่สดใสเพราะเมฆหรือหมอก

안개 때문에 흐려서 앞이 안 보여요.
angae ttaemune heuryeoseo api an boyeoyo.

안개 때문+에 흐리+어서 앞+이 안 보이+어요.
흐려서 보여요

안개 : หมอก
때문 : เพราะ, เพราะว่า
에 : คำชี้ที่แสดงว่าคำพูดข้างหน้าเป็นเหตุผลของเรื่องใด ๆ
흐리다 : อึมครึม, มืดมัว, ไม่สดใส, สลัว, มีเมฆ
-어서 : วิภัตติปัจจัยเชื่อมระหว่างประโยคที่แสดงเหตุผลหรือสาเหตุ
앞 : หน้า, ด้านหน้า
이 : คำชี้ที่ใช้แสดงสิ่งที่อยู่ในสถานการณ์หรือสภาพใด ๆ หรือผู้ที่เป็นประธานของอากัปกริยา
안 : ไม่
보이다 : เห็น, มองเห็น
-어요 : (ใช้ในการยกย่องอย่างไม่เป็นทางการ)วิภัตติปัจจัยลงท้ายประโยคที่แสดงการบอกเล่า การถาม การสั่ง หรือการชักชวนเรื่องใด ๆ <การพูดตามลำดับ>

(85) 가늘다 [ganeulda]

บาง, ลีบ, ระหง, เรียว

ความกว้างของวัตถุที่แคบหรือความหนาที่ทั้งบางและยาว

저는 손가락이 가늘어요.
jeoneun songaragi ganeureoyo.

저+는 손가락+이 가늘+어요.

저 : ดิฉัน, ผม, กระผม
는 : คำชี้ที่แสดงว่าเป้าหมายใด ๆ เป็นหัวข้อเรื่องในประโยค
손가락 : นิ้ว, นิ้วมือ
이 : คำชี้ที่ใช้แสดงสิ่งที่อยู่ในสถานการณ์หรือสภาพใด ๆ หรือผู้ที่เป็นประธานของอากัปกริยา
가늘다 : บาง, ลีบ, ระหง, เรียว
-어요 : (ใช้ในการยกย่องอย่างไม่เป็นทางการ)วิภัตติปัจจัยลงท้ายประโยคที่แสดงการบอกเล่า การถาม การสั่ง หรือการชักชวนเรื่องใด ๆ <การพูดตามลำดับ>

(86) 같다 [gatda]

เหมือนกัน

ไม่ต่างกัน

저는 여동생과 키가 <u>같아요</u>.
jeoneun yeodongsaenggwa kiga gatayo.

저+는 여동생+과 키+가 같+아요.

저 : ดิฉัน, ผม, กระผม
는 : คำชี้ที่แสดงว่าเป้าหมายใด ๆ เป็นหัวข้อเรื่องในประโยค
여동생 : น้องสาว
과 : คำกำกับคำนามที่ใช้ชี้ให้แสดงเป็นเป้าหมายในการเปรียบเทียบหรือเป็นเป้าหมายที่ใช้เป็นมาตรฐาน
키 : ความสูง, รูปร่าง
가 : คำชี้ที่ใช้แสดงสิ่งที่อยู่ในสถานการณ์หรือสภาพใด ๆ หรือผู้ที่เป็นประธานของอากัปกริยา
같다 : เหมือนกัน
-아요 : (ใช้ในการยกย่องอย่างไม่เป็นทางการ)วิภัตติปัจจัยลงท้ายประโยคที่แสดงการบอกเล่า การถาม การสั่ง หรือการชักชวนเรื่องใด ๆ <การพูดตามลำดับ>

(87) 굵다 [gukda]

หนา, อ้วน, ตัน, อ้วนตัน

เส้นรอบวงของวัตถุที่ยาวมีขนาดยาวหรือมีความกว้างที่กว้าง

저는 허리가 <u>굵어요</u>.
jeoneun heoriga gulgeoyo.

저+는 허리+가 굵+어요.

저 : ดิฉัน, ผม, กระผม
는 : คำชี้ที่แสดงว่าเป้าหมายใด ๆ เป็นหัวข้อเรื่องในประโยค
허리 : เอว
가 : คำชี้ที่ใช้แสดงสิ่งที่อยู่ในสถานการณ์หรือสภาพใด ๆ หรือผู้ที่เป็นประธานของอากัปกริยา
굵다 : หนา, อ้วน, ตัน, อ้วนตัน
-어요 : (ใช้ในการยกย่องอย่างไม่เป็นทางการ)วิภัตติปัจจัยลงท้ายประโยคที่แสดงการบอกเล่า การถาม การสั่ง หรือการชักชวนเรื่องใด ๆ <การพูดตามลำดับ>

(88) 길다 [gilda]

ยาว

จุดสิ้นสุดทั้งสองตั้งแต่ด้านหนึ่งไปถึงอีกด้านหนึ่งของวัตถุอยู่ห่างกันมาก

치마 길이가 길어요.
chima giriga gireoyo.

치마 길이+가 길+어요.

치마 : กระโปรง
길이 : ความยาว
가 : คำชี้ที่ใช้แสดงสิ่งที่อยู่ในสถานการณ์หรือสภาพใด ๆ หรือผู้ที่เป็นประธานของอากัปกริยา
길다 : ยาว
-어요 : (ใช้ในการยกย่องอย่างไม่เป็นทางการ)วิภัตติปัจจัยลงท้ายประโยคที่แสดงการบอกเล่า การถาม การสั่ง หรือการชักชวนเรื่องใด ๆ <การพูดตามลำดับ>

(89) 깊다 [gipda]

ลึก

ระยะทางจากด้านบนสู่พื้นด้านล่างหรือจากด้านนอกถึงด้านในมีความยาว

물이 깊으니 들어가지 마세요.
muri gipeuni deureogaji maseyo.

물+이 깊+으니 들어가+[지 말(마)]+세요.
들어가지 마세요

물 : หนลสาบ, แม่น้ำ, หนล
이 : คำชี้ที่ใช้แสดงสิ่งที่อยู่ในสถานการณ์หรือสภาพใด ๆ หรือผู้ที่เป็นประธานของอากัปกริยา
깊다 : ลึก
-으니 :
วิภัตติปัจจัยเชื่อมระหว่างประโยคที่แสดงว่าคำพูดในประโยคหน้าเป็นเหตุผล สาเหตุหรือเงื่อนไขเกี่ยวกับคำพูดในประโยคหลัง
들어가다 : เข้าไป, ดิ่งไป, ตรงไป
-지 말다 : สำนวนที่ใช้แสดงการไม่สามารถทำการกระทำที่ปรากฏในคำพูดข้างหน้าได้
-세요 : (ใช้ในการยกย่องอย่างไม่เป็นทางการ)วิภัตติปัจจัยลงท้ายประโยคที่แสดงความหมายของการอธิบาย การถาม การสั่งหรือการขอร้อง <คำสั่ง>

(90) 낮다 [natda]

เตี้ย

ความยาวจากด้านล่างถึงด้านบนมีความสั้น

저는 굽이 낮은 구두를 즐겨 신어요.
jeoneun gubi najeun gudureul jeulgyeo sineoyo.

저+는 굽+이 낮+은 구두+를 즐기+어 신+어요.
즐겨

저 : ดิฉัน, ผม, กระผม
는 : คำชี้ที่แสดงว่าเป้าหมายใด ๆ เป็นหัวข้อเรื่องในประโยค
굽 : ส้น(รองเท้า)
이 : คำชี้ที่ใช้แสดงสิ่งที่อยู่ในสถานการณ์หรือสภาพใด ๆ หรือผู้ที่เป็นประธานของอากัปกริยา
낮다 : เตี้ย
-은 : วิภัตติปัจจัยที่ทำให้คำพูดข้างหน้าทำหน้าที่เป็นคุณศัพท์ขยายนามและแสดงถึงสภาพที่เป็นอยู่ในปัจจุบัน
구두 : รองเท้า
를 : คำชี้ที่แสดงเป้าหมายที่การกระทำส่งผลกระทบโดยตรง
즐기다 : สนุกสนาน, ชื่นชอบ
-어 : วิภัตติปัจจัยเชื่อมระหว่างประโยคที่แสดงการที่คำพูดข้างหน้าเกิดขึ้นก่อนคำพูดข้างหลังหรือกลายเป็นวิธีการหรือวิธีทำเกี่ยวกับคำพูดข้างหลัง
신다 : สวม, ใส่
-어요 : (ใช้ในการยกย่องอย่างไม่เป็นทางการ)วิภัตติปัจจัยลงท้ายประโยคที่แสดงการบอกเล่า การถาม การสั่งหรือการชักชวนเรื่องใด ๆ <การพูดตามลำดับ>

(91) 넓다 [neolda]

กว้าง

พื้นหรือพื้นผิว เป็นต้น มีเนื้อที่กว้าง

넓은 이마를 가리려고 앞머리를 내렸어요.
neolbeun imareul gariryeogo ammeorireul naeryeosseoyo.

넓+은 이마+를 가리+려고 앞머리+를 내리+었+어요.
내렸어요

넓다 : กว้าง
-은 : วิภัตติปัจจัยที่ทำให้คำพูดข้างหน้าทำหน้าที่เป็นคุณศัพท์ขยายนามและแสดงถึงสภาพที่เป็นอยู่ในปัจจุบัน
이마 : หน้าผาก
를 : คำชี้ที่แสดงเป้าหมายที่การกระทำส่งผลกระทบโดยตรง
가리다 : ปิด, บัง, กัน, ซ่อน, พราง, อำพราง
-려고 : วิภัตติปัจจัยเชื่อมระหว่างประโยคที่แสดงว่ามีเจตนาหรือความปรารถนาที่จะทำการกระทำใด ๆ
앞머리 : ผมหน้า, ผมด้านหน้า
를 : คำชี้ที่แสดงเป้าหมายที่การกระทำส่งผลกระทบโดยตรง
내리다 : ปล่อย...ลงมา, ยื่น...ลงมา, ดึง...ลงมา
-었- :
วิภัตติปัจจัยที่แสดงว่าเหตุการณ์ใดๆเสร็จสมบูรณ์ไปแล้วในอดีตหรือแสดงสถานการณ์ที่ผลลัพธ์ของเหตุการณ์ดังกล่าวต่อเนื่องจนถึงปัจจุบัน
-어요 : (ใช้ในการยกย่องอย่างไม่เป็นทางการ)วิภัตติปัจจัยลงท้ายประโยคที่แสดงการบอกเล่า การถาม การสั่ง หรือการชักชวนเรื่องใด ๆ <การพูดตามลำดับ>

(92) 높다 [nopda]

สูง
ความยาวจากด้านล่างจนถึงด้านบนมีความยาว

서울에는 높은 빌딩이 많아요.
seoureneun nopeun bildingi manayo.

서울+에+는 높+은 빌딩+이 많+아요.

서울 : ซออุล
에 : คำชี้ที่แสดงว่าคำพูดข้างหน้าเป็นตำแหน่งหรือสถานที่ใด ๆ
는 : คำชี้ที่แสดงว่าเป้าหมายใด ๆ เป็นหัวข้อเรื่องในประโยค
높다 : สูง
-은 : วิภัตติปัจจัยที่ทำให้คำพูดข้างหน้าทำหน้าที่เป็นคุณศัพท์ขยายนามและแสดงถึงสภาพที่เป็นอยู่ในปัจจุบัน
빌딩 : ตึก, อาคาร
이 : คำชี้ที่ใช้แสดงสิ่งที่อยู่ในสถานการณ์หรือสภาพใด ๆ หรือผู้ที่เป็นประธานของอากัปกริยา
많다 : มาก, เยอะ
-아요 : (ใช้ในการยกย่องอย่างไม่เป็นทางการ)วิภัตติปัจจัยลงท้ายประโยคที่แสดงการบอกเล่า การถาม การสั่ง

หรือการชักชวนเรื่องใด ๆ <การพูดตามลำดับ>

(93) 다르다 [dareuda]

แตกต่าง, ไม่เหมือนกัน

สิ่งสองสิ่งขึ้นไปที่ไม่เหมือนกัน

저는 언니와 성격이 많이 달라요.

jeoneun eonniwa seonggyeogi mani dallayo.

저+는 언니+와 성격+이 많이 다르(달ㄹ)+아요.

달라요

저 : ดิฉัน, ผม, กระผม

는 : คำชี้ที่แสดงว่าเป้าหมายใด ๆ เป็นหัวข้อเรื่องในประโยค

언니 : อ็อนนี : พี่สาว

와 : คำชี้ที่แสดงเป้าหมายที่เป็นมาตรฐานหรือเป้าหมายของการเปรียบเทียบ

성격 : อุปนิสัย, ลักษณะนิสัย, บุคลิกลักษณะ

이 : คำชี้ที่ใช้แสดงสิ่งที่อยู่ในสถานการณ์หรือสภาพใด ๆ หรือผู้ที่เป็นประธานของอากัปกริยา

많이 : อย่างมาก, มาก

다르다 : แตกต่าง, ไม่เหมือนกัน

-아요 : (ใช้ในการยกย่องอย่างไม่เป็นทางการ)วิภัตติปัจจัยลงท้ายประโยคที่แสดงการบอกเล่า การถาม การสั่ง หรือการชักชวนเรื่องใด ๆ <การพูดตามลำดับ>

(94) 닮다 [damda]

เหมือน, คล้าย, คล้ายคลึง, เหมือนกัน, คล้ายกัน, ละม้าย

คนหรือสิ่งของที่มากกว่าสองมีรูปร่างหรืออุปนิสัยคล้ายกันและกัน

저는 언니와 안 닮았어요.

jeoneun eonniwa an dalmasseoyo.

저+는 언니+와 안 닮+았+어요.

저 : ดิฉัน, ผม, กระผม

는 : คำชี้ที่แสดงว่าเป้าหมายใด ๆ เป็นหัวข้อเรื่องในประโยค

언니 : อ็อนนี : พี่สาว

와 : คำชี้ที่แสดงเป้าหมายที่เป็นมาตรฐานหรือเป้าหมายของการเปรียบเทียบ

안 : ไม่

닮다 : เหมือน, คล้าย, คล้ายคลึง, เหมือนกัน, คล้ายกัน, สะม้าย

-았- :

วิภัตติปัจจัยที่แสดงว่าเหตุการณ์ใดๆเสร็จสมบูรณ์ไปแล้วในอดีตหรือแสดงสถานการณ์ที่ผลลัพธ์ของเหตุการณ์ดังกล่าวต่อเนื่องจนถึงปัจจุบัน

-어요 : (ใช้ในการยกย่องอย่างไม่เป็นทางการ)วิภัตติปัจจัยลงท้ายประโยคที่แสดงการบอกเล่า การถาม การสั่ง หรือการชักชวนเรื่องใด ๆ <การพูดตามลำดับ>

(95) 두껍다 [dukkeopda]

หนา

ระยะห่างระหว่างด้านหนึ่งของสิ่งของที่แบนราบกับด้านตรงกันข้ามที่ขนานกันอยู่มีความยาว

고기를 <u>두껍게</u> 썰어서 잘 안 익어요.

gogireul dukkeopge sseoreoseo jal an igeoyo.

고기+를 두껍+게 썰+어서 잘 안 익+어요.

고기 : เนื้อ, เนื้อสัตว์

를 : คำชี้ที่แสดงเป้าหมายที่การกระทำส่งผลกระทบโดยตรง

두껍다 : หนา

-게 : วิภัตติปัจจัยเชื่อมระหว่างประโยคที่แสดงว่าคำพูดข้างหน้าชี้บอกระดับ วิธีการ ผลลัพธ์หรือวัตถุประสงค์ หรืออื่นๆ ของสิ่งที่อยู่ในเนื้อหาข้างหลัง

썰다 : หั่น, ซอย

-어서 : วิภัตติปัจจัยเชื่อมระหว่างประโยคที่แสดงเหตุผลหรือสาเหตุ

잘 : อย่างดี, อย่างเหมาะเจาะ

안 : ไม่

익다 : สุก

-어요 : (ใช้ในการยกย่องอย่างไม่เป็นทางการ)วิภัตติปัจจัยลงท้ายประโยคที่แสดงการบอกเล่า การถาม การสั่ง หรือการชักชวนเรื่องใด ๆ <การพูดตามลำดับ>

(96) 똑같다 [ttokgatda]

เหมือน, เหมือนกัน

รูปร่าง ลักษณะหรือปริมาณ เป็นต้น เหมือนกันโดยที่ไม่มีส่วนที่แตกต่างกันเลย

저와 <u>똑같은</u> 이름을 가진 사람들이 많아요.

jeowa ttokgateun ireumeul gajin saramdeuri manayo.

저+와 똑같+은 이름+을 가지+ㄴ 사람+들+이 많+아요.
가진

저 : ดิฉัน, ผม, กระผม
와 : คำชี้ที่แสดงเป้าหมายที่เป็นมาตรฐานหรือเป้าหมายของการเปรียบเทียบ
똑같다 : เหมือน, เหมือนกัน
-은 : วิภัตติปัจจัยที่ทำให้คำพูดข้างหน้าทำหน้าที่เป็นคุณศัพท์ขยายนามและแสดงถึงสภาพที่เป็นอยู่ในปัจจุบัน
이름 : ชื่อ, นาม
을 : คำชี้ที่แสดงเป้าหมายที่การกระทำส่งผลกระทบโดยตรง
가지다 : มี, ได้, ถือ
-ㄴ :
วิภัตติปัจจัยที่แสดงการที่ทำให้คำพูดข้างหน้าทำหน้าที่เป็นคุณศัพท์ขยายนามและเหตุการณ์หรืออากัปกิริยานั้นเสร็จสิ้นไปแล้วและยังคงสภาพดังกล่าวอย่างต่อเนื่องอยู่'
사람 : คน, มนุษย์
들 : ปัจจัยที่เพิ่มคำไปในคำเพื่อให้มีความหมายว่า 'พหูพจน์'
이 : คำชี้ที่ใช้แสดงสิ่งที่อยู่ในสถานการณ์หรือสภาพใด ๆ หรือผู้ที่เป็นประธานของอากัปกริยา
많다 : มาก, เยอะ
-아요 : (ใช้ในการยกย่องอย่างไม่เป็นทางการ)วิภัตติปัจจัยลงท้ายประโยคที่แสดงการบอกเล่า การถาม การสั่ง หรือการชักชวนเรื่องใด ๆ <การพูดตามลำดับ>

(97) 멋있다 [meoditda]

ดูดี, เท่, หล่อ, ยอดเยี่ยม, มีรสนิยม
ดีมากหรือยอดเยี่ยม

새로 산 옷인데 멋있어요?
saero san osinde meosisseoyo?

새로 사+ㄴ 옷+이+ㄴ데 멋있+어요?
산 옷인데

새로 : ใหม่, ใหม่ ๆ , ให้ใหม่
사다 : ซื้อ
-ㄴ :
วิภัตติปัจจัยที่แสดงการที่ทำให้คำพูดข้างหน้าทำหน้าที่เป็นคุณศัพท์ขยายนามและเหตุการณ์หรืออากัปกิริยานั้นเสร็จสิ้นไปแล้วและยังคงสภาพดังกล่าวอย่างต่อเนื่องอยู่'
옷 : เสื้อ, เสื้อผ้า
이다 : คำชี้ภาคแสดงการกที่แสดงความหมายที่กำหนดประเภทหรือคุณสมบัติของเป้าหมายที่ประธานบ่งชี้
-ㄴ데 :
วิภัตติปัจจัยเชื่อมระหว่างประโยคที่แสดงการพูดบอกสถานการณ์ที่เกี่ยวข้องกับเรื่องที่จะพูดข้างหลังไว้ล่วงหน้าเพื่อที่จะพูดถึงเรื่องดังก

ล่าวข้างหลัง

멋있다 : ดูดี, เท่, หล่อ, ยอดเยี่ยม, มีรสนิยม

-어요 : (ใช้ในการยกย่องอย่างไม่เป็นทางการ)วิภัตติปัจจัยลงท้ายประโยคที่แสดงการบอกเล่า การถาม การสั่ง หรือการชักชวนเรื่องใด ๆ <คำถาม>

(98) 비슷하다 [biseutada]

คล้ายกัน, คล้ายคลึงกัน

ขนาด ลักษณะ สภาพ คุณสมบัติ เป็นต้น ของสองสิ่งขึ้นไป ไม่เหมือนกันแต่มีส่วนคล้ายกันมาก

학교 건물이 모두 비슷해요.

hakgyo geonmuri modu biseutaeyo.

학교 건물+이 모두 비슷하+여요.

비슷해요

학교 : โรงเรียน, สถาบันศึกษา

건물 : ตึก, อาคาร

이 : คำชี้ที่ใช้แสดงสิ่งที่อยู่ในสถานการณ์หรือสภาพใด ๆ หรือผู้ที่เป็นประธานของอากัปกริยา

모두 : ทั้งหมด, ทุก, ทั้งสิ้น, ทั้งมวล, ทั้งปวง, ทุกคน, ทุกอย่าง, ทั้งนั้น

비슷하다 : คล้ายกัน, คล้ายคลึงกัน

-여요 : (ใช้ในการยกย่องอย่างไม่เป็นทางการ)วิภัตติปัจจัยลงท้ายประโยคที่แสดงการบอกเล่า การถาม การสั่ง หรือการชักชวนเรื่องใด ๆ <การพูดตามลำดับ>

(99) 얇다 [yalda]

บาง

ความหนาไม่หนา

얇은 옷을 입고 나와서 좀 추워요.

yalbeun oseul ipgo nawaseo jom chuwoyo.

얇+은 옷+을 입+고 나오+아서 좀 춥(추우)+어요.

나와서 **추워요**

얇다 : บาง

-은 : วิภัตติปัจจัยที่ทำให้คำพูดข้างหน้าทำหน้าที่เป็นคุณศัพท์ขยายนามและแสดงถึงสภาพที่เป็นอยู่ในปัจจุบัน

옷 : เสื้อ, เสื้อผ้า

을 : คำชี้ที่แสดงเป้าหมายที่การกระทำส่งผลกระทบโดยตรง
입다 : สวม, ใส่
-고 :
วิภัตติปัจจัยเชื่อมระหว่างประโยคที่แสดงว่าการกระทำหรือผลลัพธ์ที่ปรากฏในประโยคหน้าถูกดำเนินอย่างต่อเนื่องในช่วงเวลาที่การกระทำในประโยคหลังเกิดขึ้น
나오다 : ออกมา
-아서 : วิภัตติปัจจัยเชื่อมระหว่างประโยคที่แสดงเหตุผลหรือสาเหตุ
좀 : นิดหน่อย, เล็กน้อย
춥다 : หนาว, เย็น
-어요 : (ใช้ในการยกย่องอย่างไม่เป็นทางการ)วิภัตติปัจจัยลงท้ายประโยคที่แสดงการบอกเล่า การถาม การสั่ง หรือการชักชวนเรื่องใด ๆ <การพูดตามลำดับ>

(100) 작다 [jakda]

เล็ก, เตี้ย, ต่ำ

ความยาว ความกว้าง ปริมาตร เป็นต้น น้อยกว่าปกติหรือสิ่งอื่น

언니는 키가 저보다 작아요.
eonnineun kiga jeoboda jagayo.

언니+는 키+가 저+보다 작+아요.

언니 : อ็อนนี : พี่สาว
는 : คำชี้ที่แสดงว่าเป้าหมายใด ๆ เป็นหัวข้อเรื่องในประโยค
키 : ความสูง, รูปร่าง
가 : คำชี้ที่ใช้แสดงสิ่งที่อยู่ในสถานการณ์หรือสภาพใด ๆ หรือผู้ที่เป็นประธานของอากัปกริยา
저 : ดิฉัน, ผม, กระผม
보다 : คำชี้ที่แสดงสิ่งที่เป็นเป้าหมายที่เปรียบเทียบกัน ในตอนที่เปรียบเทียบสิ่งที่มีความแตกต่างกัน
작다 : เล็ก, เตี้ย, ต่ำ
-아요 : (ใช้ในการยกย่องอย่างไม่เป็นทางการ)วิภัตติปัจจัยลงท้ายประโยคที่แสดงการบอกเล่า การถาม การสั่ง หรือการชักชวนเรื่องใด ๆ <การพูดตามลำดับ>

(101) 좁다 [jopda]

แคบ, คับแคบ

พื้นที่ของพื้นหรือพื้นผิว เป็นต้น เล็ก

여기는 주차장이 좁아요.
yeogineun juchajangi jobayo.

여기+는 주차장+이 좁+아요.

여기 : ที่นี่, ที่นี้, ตรงนี้
는 : คำชี้ที่แสดงว่าเป้าหมายใด ๆ เป็นหัวข้อเรื่องในประโยค
주차장 : ที่จอดรถ, ลานจอดรถ
이 : คำชี้ที่ใช้แสดงสิ่งที่อยู่ในสถานการณ์หรือสภาพใด ๆ หรือผู้ที่เป็นประธานของอากัปกริยา
좁다 : แคบ, คับแคบ
-아요 : (ใช้ในการยกย่องอย่างไม่เป็นทางการ)วิภัตติปัจจัยลงท้ายประโยคที่แสดงการบอกเล่า การถาม การสั่ง หรือการชักชวนเรื่องใด ๆ <การพูดตามลำดับ>

(102) 짧다 [jjalda]

สั้น

ระยะห่างระหว่างปลายด้านสองข้างของวัตถุหรือช่องว่างอยู่ใกล้

긴 머리를 짧게 잘랐어요.
gin meorireul jjalge jallasseoyo.

길(기)+ㄴ 머리+를 짧+게 자르(잘ㄹ)+았+어요.
긴 잘랐어요

길다 : ยาว
-ㄴ : วิภัตติปัจจัยที่ทำให้คำพูดข้างหน้าทำหน้าที่เป็นคุณศัพท์ขยายนามและแสดงถึงสภาพที่เป็นอยู่ในปัจจุบัน
머리 : ผม, เส้นผม
를 : คำชี้ที่แสดงเป้าหมายที่การกระทำส่งผลกระทบโดยตรง
짧다 : สั้น
-게 : วิภัตติปัจจัยเชื่อมระหว่างประโยคที่แสดงว่าคำพูดข้างหน้าชี้บอกระดับ วิธีการ ผลลัพธ์หรือวัตถุประสงค์ หรืออื่นๆ ของสิ่งที่อยู่ในเนื้อหาข้างหลัง
자르다 : ตัด, หั่น, ผ่า, เลื่อย, สับ
-았- :
วิภัตติปัจจัยที่แสดงว่าเหตุการณ์ใดๆเสร็จสมบูรณ์ไปแล้วในอดีตหรือแสดงสถานการณ์ที่ผลลัพธ์ของเหตุการณ์ดังกล่าวต่อเนื่องจนถึงปัจจุบัน
-어요 : (ใช้ในการยกย่องอย่างไม่เป็นทางการ)วิภัตติปัจจัยลงท้ายประโยคที่แสดงการบอกเล่า การถาม การสั่ง หรือการชักชวนเรื่องใด ๆ <การพูดตามลำดับ>

(103) 크다 [keuda]

ใหญ่, สูง, กว้าง, หนา, โต

ความยาว ความกว้าง ความสูง ความจุ เป็นต้น เกินกว่าระดับปกติ

피자가 생각보다 훨씬 커요.
pijaga saenggakboda hwolssin keoyo.

피자+가 생각+보다 훨씬 크(ㅋ)+어요.
커요

피자 : พิซซ่า
가 : คำชี้ที่ใช้แสดงสิ่งที่อยู่ในสถานการณ์หรือสภาพใด ๆ หรือผู้ที่เป็นประธานของอากัปกริยา
생각 : จินตนาการ, ความนึกคิด, การคาดการณ์
보다 : คำชี้ที่แสดงสิ่งที่เป็นเป้าหมายที่เปรียบเทียบกัน ในตอนที่เปรียบเทียบสิ่งที่มีความแตกต่างกัน
훨씬 : ...กว่ามาก, ...ยิ่งกว่ามาก, ...มากกว่านั้น
크다 : ใหญ่, สูง, กว้าง, หนา, โต
-어요 : (ใช้ในการยกย่องอย่างไม่เป็นทางการ)วิภัตติปัจจัยลงท้ายประโยคที่แสดงการบอกเล่า การถาม การสั่ง หรือการชักชวนเรื่องใด ๆ <การพูดตามลำดับ>

(104) 화려하다 [hwaryeohada]

หรูหรา, สง่างาม, โอ่อ่าสวยงาม, งดงาม, ผุดผ่อง
ดูดีหรือสวยงดงามและสว่างผุดผ่อง

방 안을 화려하게 꾸몄어요.
bang aneul hwaryeohage kkumyeosseoyo.

방 안+을 화려하+게 꾸미+었+어요.
꾸몄어요

방 : ห้อง
안 : ใน
을 : คำชี้ที่แสดงเป้าหมายที่การกระทำส่งผลกระทบโดยตรง
화려하다 : หรูหรา, สง่างาม, โอ่อ่าสวยงาม, งดงาม, ผุดผ่อง
-게 : วิภัตติปัจจัยเชื่อมระหว่างประโยคที่แสดงว่าคำพูดข้างหน้าชี้บอกระดับ วิธีการ ผลลัพธ์หรือวัตถุประสงค์ หรืออื่นๆ ของสิ่งที่อยู่ในเนื้อหาข้างหลัง
꾸미다 : ตกแต่ง, เสริมแต่ง, ประดับประดา
-었- :
วิภัตติปัจจัยที่แสดงว่าเหตุการณ์ใดๆเสร็จสมบูรณ์ไปแล้วในอดีตหรือแสดงสถานการณ์ที่ผลลัพธ์ของเหตุการณ์ดังกล่าวต่อเนื่องจนถึงปัจจุบัน
-어요 : (ใช้ในการยกย่องอย่างไม่เป็นทางการ)วิภัตติปัจจัยลงท้ายประโยคที่แสดงการบอกเล่า การถาม การสั่ง หรือการชักชวนเรื่องใด ๆ <การพูดตามลำดับ>

(105) 가볍다 [gabyeopda]

เบา

น้ำหนักน้อย

이 노트북은 아주 가벼워요.

i noteubugeun aju gabyeowoyo.

이 노트북+은 아주 가볍(가벼우)+어요.

가벼워요

이 : นี่

노트북 : คอมพิวเตอร์ขนาดเล็ก, คอมพิวเตอร์ขนาดสมุดบันทึก, โน้ตบุ๊กคอมพิวเตอร์

은 : คำชี้ที่แสดงว่าเป้าหมายใด ๆ เป็นหัวข้อเรื่องในประโยค

아주 : มาก, เต็มที่, จริง ๆ, จัง, เป็นอย่างยิ่ง

가볍다 : เบา

-어요 : (ใช้ในการยกย่องอย่างไม่เป็นทางการ)วิภัตติปัจจัยลงท้ายประโยคที่แสดงการบอกเล่า การถาม การสั่ง หรือการชักชวนเรื่องใด ๆ <การพูดตามลำดับ>

(106) 강하다 [ganghada]

แข็งแรง, มีพละกำลัง, มีกำลัง

มีพละกำลังแข็งแรง

오늘은 바람이 강하게 불고 있어요.

oneureun barami ganghage bulgo isseoyo.

오늘+은 바람+이 강하+게 불+[고 있]+어요.

오늘 : วันนี้

은 : คำชี้ที่แสดงว่าเป้าหมายใด ๆ เป็นหัวข้อเรื่องในประโยค

바람 : ลม

이 : คำชี้ที่ใช้แสดงสิ่งที่อยู่ในสถานการณ์หรือสภาพใด ๆ หรือผู้ที่เป็นประธานของอากัปกริยา

강하다 : แข็งแรง, มีพละกำลัง, มีกำลัง

-게 : วิภัตติปัจจัยเชื่อมระหว่างประโยคที่แสดงว่าคำพูดข้างหน้าชี้บอกระดับ วิธีการ ผลลัพธ์หรือวัตถุประสงค์ หรืออื่นๆ ของสิ่งที่อยู่ในเนื้อหาข้างหลัง

불다 : (ลม)พัด

-고 있다 : สำนวนที่แสดงว่าการกระทำที่ปรากฏในคำพูดข้างหน้าได้ดำเนินอย่างต่อเนื่อง

-어요 : (ใช้ในการยกย่องอย่างไม่เป็นทางการ)วิภัตติปัจจัยลงท้ายประโยคที่แสดงการบอกเล่า การถาม การสั่ง

หรือการชักชวนเรื่องใด ๆ <การพูดตามลำดับ>

(107) 무겁다 [mugeopda]

หนัก

มีน้ำหนักมาก

저는 보기보다 무거워요.
jeoneun bogiboda mugeowoyo.

저+는 보+기+보다 무겁(무거우)+어요.
무거워요

저 : ดิฉัน, ผม, กระผม
는 : คำชี้ที่แสดงว่าเป้าหมายใด ๆ เป็นหัวข้อเรื่องในประโยค
보다 : มอง, ดู, เห็น
-기 : วิภัตติปัจจัยที่ทำให้คำข้างหน้ามีหน้าที่เป็นคำนาม
보다 : คำชี้ที่แสดงสิ่งที่เป็นเป้าหมายที่เปรียบเทียบกัน ในตอนที่เปรียบเทียบสิ่งที่มีความแตกต่างกัน
무겁다 : หนัก
-어요 : (ใช้ในการยกย่องอย่างไม่เป็นทางการ)วิภัตติปัจจัยลงท้ายประโยคที่แสดงการบอกเล่า การถาม การสั่ง หรือการชักชวนเรื่องใด ๆ <การพูดตามลำดับ>

(108) 부드럽다 [budeureopda]

นุ่ม, นุ่มนวล, สุภาพนุ่มนวล, ละมุนละไม, เรียบเนียนและอ่อนนุ่ม

ความรู้สึกเมื่อสัมผัสผิวไม่แข็งหรือหยาบแต่เรียบเนียนและอ่อนนุ่ม

이 운동화는 가볍고 안쪽이 부드러워요.
i undonghwaneun gabyeopgo anjjogi budeureowoyo.

이 운동화+는 가볍+고 안쪽+이 부드럽(부드러우)+어요.
부드러워요

이 : นี้
운동화 : รองเท้าผ้าใบ, รองเท้ากีฬา
는 : คำชี้ที่แสดงว่าเป้าหมายใด ๆ เป็นหัวข้อเรื่องในประโยค
가볍다 : เบา
-고 : วิภัตติปัจจัยเชื่อมระหว่างประโยคที่ใช้เมื่อแจกแจงข้อเท็จจริงที่เท่าเทียมกันสองสิ่งขึ้นไปต่อกัน

안쪽 : ข้างใน, ด้านใน, ภายใน
이 : คำชี้ที่ใช้แสดงสิ่งที่อยู่ในสถานการณ์หรือสภาพใด ๆ หรือผู้ที่เป็นประธานของอากัปกริยา
부드럽다 : นุ่ม, นุ่มนวล, สละสลวย, เรียบเนียนและอ่อนนุ่ม
-어요 : (ใช้ในการยกย่องอย่างไม่เป็นทางการ)วิภัตติปัจจัยลงท้ายประโยคที่แสดงการบอกเล่า การถาม การสั่ง หรือการชักชวนเรื่องใด ๆ <การพูดตามลำดับ>

(109) 새롭다 [saeropda]

ใหม่, ใหม่ล่าสุด, แปลกใหม่

ไม่เคยมีมาก่อน แตกต่างไปจากเดิม

요즘 <u>새로운</u> 취미가 생겼어요?
yojeum saeroun chwimiga saenggyeosseoyo?

요즘 <u>새롭(새로우)+ㄴ</u> 취미+가 <u>생기+었+어요</u>?
새로운 **생겼어요**

요즘 : ปัจจุบัน, ขณะนี้, สมัยนี้, ในระยะนี้, หมู่นี้, เมื่อไม่นานมานี้, เมื่อเร็ว ๆ นี้, ทุกวันนี้, ล่าสุด
새롭다 : ใหม่, ใหม่ล่าสุด, แปลกใหม่
-ㄴ : วิภัตติปัจจัยที่ทำให้คำพูดข้างหน้าทำหน้าที่เป็นคุณศัพท์ขยายนามและแสดงถึงสภาพที่เป็นอยู่ในปัจจุบัน
취미 : งานอดิเรก
가 : คำชี้ที่ใช้แสดงสิ่งที่อยู่ในสถานการณ์หรือสภาพใด ๆ หรือผู้ที่เป็นประธานของอากัปกริยา
생기다 : เกิด, เกิดขึ้น, กำเนิด, มีขึ้นมาใหม่
-었- :
วิภัตติปัจจัยที่แสดงว่าเหตุการณ์ใดๆเสร็จสมบูรณ์ไปแล้วในอดีตหรือแสดงสถานการณ์ที่ผลลัพธ์ของเหตุการณ์ดังกล่าวต่อเนื่องจนถึงปัจจุบัน
-어요 : (ใช้ในการยกย่องอย่างไม่เป็นทางการ)วิภัตติปัจจัยลงท้ายประโยคที่แสดงการบอกเล่า การถาม การสั่ง หรือการชักชวนเรื่องใด ๆ <คำถาม>

(110) 느리다 [neurida]

ช้า, ช้า ๆ, ชักช้า, ยืดยาด, อืดอาด, เฉื่อยชา

เวลาที่ใช้ในการทำการกระทำใด ๆ ยาวนาน

저는 걸음이 <u>느려요</u>.
jeoneun georeumi neuryeoyo.

저+는 걸음+이 <u>느리+어요</u>.
느려요

저 : ดิฉัน, ผม, กระผม
는 : คำชี้ที่แสดงว่าเป้าหมายใด ๆ เป็นหัวข้อเรื่องในประโยค
걸음 : การก้าวเท้า, การเดิน
이 : คำชี้ที่ใช้แสดงสิ่งที่อยู่ในสถานการณ์หรือสภาพใด ๆ หรือผู้ที่เป็นประธานของอากัปกริยา
느리다 : ช้า, ช้า ๆ, ชักช้า, ยืดยาด, อืดอาด, เฉื่อยชา
-어요 : (ใช้ในการยกย่องอย่างไม่เป็นทางการ)วิภัตติปัจจัยลงท้ายประโยคที่แสดงการบอกเล่า การถาม การสั่ง หรือการชักชวนเรื่องใด ๆ <การพูดตามลำดับ>

(111) 빠르다 [ppareuda]

เร็ว, รวดเร็ว, ว่องไว

ใช้เวลาน้อยในการเคลื่อนไหวท่าใด ๆ

제 친구는 말이 너무 빨라요.

je chinguneun mari neomu ppallayo.

저+의 친구+는 말+이 너무 빠르(빨ㄹ)+아요.
제 빨라요

저 : ดิฉัน, ผม, กระผม
의 : คำชี้ที่แสดงว่าคำพูดข้างหน้ามีความสัมพันธ์กับประธาน แหล่งกำเนิด ความสัมพันธ์ วัตถุดิบ การสังกัด การเป็นเจ้าของต่อคำพูดข้างหลัง
친구 : เพื่อน, มิตร, มิตรสหาย
는 : คำชี้ที่แสดงว่าเป้าหมายใด ๆ เป็นหัวข้อเรื่องในประโยค
말 : การพูด, คำพูด
이 : คำชี้ที่ใช้แสดงสิ่งที่อยู่ในสถานการณ์หรือสภาพใด ๆ หรือผู้ที่เป็นประธานของอากัปกริยา
너무 : เกินไป, มากเกินไป, เหลือเกิน
빠르다 : เร็ว, รวดเร็ว, ว่องไว
-아요 : (ใช้ในการยกย่องอย่างไม่เป็นทางการ)วิภัตติปัจจัยลงท้ายประโยคที่แสดงการบอกเล่า การถาม การสั่ง หรือการชักชวนเรื่องใด ๆ <การพูดตามลำดับ>

(112) 뜨겁다 [tteugeopda]

ร้อน

อุณหภูมิของสิ่งใดสิ่งหนึ่งสูง

국물이 뜨거우니 조심하세요.

gungmuri tteugeouni josimhaseyo.

국물+이 뜨겁(뜨거우)+니 조심하+세요.
뜨거우니

국물 : น้ำแกง, น้ำซุป
이 : คำชี้ที่ใช้แสดงสิ่งที่อยู่ในสถานการณ์หรือสภาพใด ๆ หรือผู้ที่เป็นประธานของอากัปกริยา
뜨겁다 : ร้อน
-니 : วิภัตติปัจจัยเชื่อมระหว่างประโยคที่แสดงว่าคำพูดในประโยคหน้าเป็นเหตุผล สาเหตุหรือเงื่อนไขเกี่ยวกับคำพูดในประโยคหลัง
조심하다 : ระวัง, ระมัดระวัง
-세요 : (ใช้ในการยกย่องอย่างไม่เป็นทางการ)วิภัตติปัจจัยลงท้ายประโยคที่แสดงความหมายของการอธิบาย การถาม การสั่ง หรือการขอร้อง <คำสั่ง>

(113) 차갑다 [chagapda]

เย็น

ความรู้สึกเย็นเมื่อสัมผัสกับผิวหนัง

이 물은 차갑지 않아요.
i mureun chagapji anayo.

이 물+은 차갑+[지 않]+아요.

이 : นี่
물 : น้ำ
은 : คำชี้ที่แสดงว่าเป้าหมายใด ๆ เป็นหัวข้อเรื่องในประโยค
차갑다 : เย็น
-지 않다 : สำนวนที่ใช้แสดงความหมายปฏิเสธการกระทำหรือสภาพที่ปรากฏในคำพูดข้างหน้า
-아요 : (ใช้ในการยกย่องอย่างไม่เป็นทางการ)วิภัตติปัจจัยลงท้ายประโยคที่แสดงการบอกเล่า การถาม การสั่ง หรือการชักชวนเรื่องใด ๆ <การพูดตามลำดับ>

(114) 차다 [chada]

หนาว, เย็น

อุณหภูมิต่ำจึงไม่มีความรู้สึกที่อบอุ่น

저는 손이 찬 편이에요.
jeoneun soni chan pyeonieyo.

저+는 손+이 차+[ㄴ 편이]+에요.
찬 편이에요

저 : ดิฉัน, ผม, กระผม
는 : คำชี้ที่แสดงว่าเป้าหมายใด ๆ เป็นหัวข้อเรื่องในประโยค
손 : มือ
이 : คำชี้ที่ใช้แสดงสิ่งที่อยู่ในสถานการณ์หรือสภาพใด ๆ หรือผู้ที่เป็นประธานของอากัปกริยา
차다 : หนาว, เย็น
-ㄴ 편이다 :
สำนวนที่ใช้พูดว่าสิ่งใดๆมีความใกล้เคียงหรือเกี่ยวข้องกับอะไรมากกว่าที่จะชี้ชัดไปเลยว่าเป็นอย่างไรตามความคิดของตนเอง
-에요 : (ใช้ในการยกย่องอย่างไม่เป็นทางการ)วิภัตติปัจจัยลงท้ายประโยคที่แสดงการบอกเล่าหรือการถามถึงสิ่งใด ๆ <การพูดตามลำดับ>

(115) 밝다 [bakda]

สว่าง, สุกสว่าง, ส่องแสง, พรายแสง

แสงที่วัตถุใด ๆ เปล่งออกมามีความสว่าง

조명이 너무 밝아서 눈이 부셔요.
jomyeongi neomu balgaseo nuni busyeoyo.

조명+이 너무 밝+아서 눈+이 부시+어요.
부셔요

조명 : ความสว่าง
이 : คำชี้ที่ใช้แสดงสิ่งที่อยู่ในสถานการณ์หรือสภาพใด ๆ หรือผู้ที่เป็นประธานของอากัปกริยา
너무 : เกินไป, มากเกินไป, เหลือเกิน
밝다 : สว่าง, สุกสว่าง, ส่องแสง, พรายแสง
-아서 : วิภัตติปัจจัยเชื่อมระหว่างประโยคที่แสดงเหตุผลหรือสาเหตุ
눈 : ตา, นัยน์ตา, ดวงตา
이 : คำชี้ที่ใช้แสดงสิ่งที่อยู่ในสถานการณ์หรือสภาพใด ๆ หรือผู้ที่เป็นประธานของอากัปกริยา
부시다 : แสบ(ตา)
-어요 : (ใช้ในการยกย่องอย่างไม่เป็นทางการ)วิภัตติปัจจัยลงท้ายประโยคที่แสดงการบอกเล่า การถาม การสั่ง หรือการชักชวนเรื่องใด ๆ <การพูดตามลำดับ>

(116) 어둡다 [eodupda]

มืด, ไม่สว่าง

แสงไม่มีหรืออ่อนจึงไม่สว่าง

해가 져서 밖이 어두워요.
haega jeoseo bakki eoduwoyo.

해+가 지+어서 밖+이 어둡(어두우)+어요.
져서 어두워요

해 : ดวงอาทิตย์, พระอาทิตย์, ตะวัน
가 : คำชี้ที่ใช้แสดงสิ่งที่อยู่ในสถานการณ์หรือสภาพใด ๆ หรือผู้ที่เป็นประธานของอากัปกริยา
지다 : ตกดิน, ลับฟ้า, อัสดง
-어서 : วิภัตติปัจจัยเชื่อมระหว่างประโยคที่แสดงเหตุผลหรือสาเหตุ
밖 : ข้างนอก
이 : คำชี้ที่ใช้แสดงสิ่งที่อยู่ในสถานการณ์หรือสภาพใด ๆ หรือผู้ที่เป็นประธานของอากัปกริยา
어둡다 : มืด, ไม่สว่าง
-어요 : (ใช้ในการยกย่องอย่างไม่เป็นทางการ)วิภัตติปัจจัยลงท้ายประโยคที่แสดงการบอกเล่า การถาม การสั่ง หรือการชักชวนเรื่องใด ๆ <การพูดตามลำดับ>

(117) 까맣다 [kkamata]

ดำสนิท, ดำมืด

ดำเข้มราวกับท้องฟ้าในตอนกลางคืนที่ไม่มีแสงสว่างเลย

머리를 까맣게 염색했어요.
meorireul kkamake yeomsaekaesseoyo.

머리+를 까맣+게 염색하+였+어요.
염색했어요

머리 : ผม, เส้นผม
를 : คำชี้ที่แสดงเป้าหมายที่การกระทำส่งผลกระทบโดยตรง
까맣다 : ดำสนิท, ดำมืด
-게 : วิภัตติปัจจัยเชื่อมระหว่างประโยคที่แสดงว่าคำพูดข้างหน้าชี้บอกระดับ วิธีการ ผลลัพธ์หรือวัตถุประสงค์ หรืออื่นๆ ของสิ่งที่อยู่ในเนื้อหาข้างหลัง
염색하다 : ย้อม, ย้อมสี
-였- :
วิภัตติปัจจัยที่แสดงว่าเหตุการณ์ใดๆเสร็จสมบูรณ์ไปแล้วในอดีตหรือแสดงสถานการณ์ที่ผลลัพธ์ของเหตุการณ์ดังกล่าวต่อเนื่องจนถึงปัจจุบัน
-어요 : (ใช้ในการยกย่องอย่างไม่เป็นทางการ)วิภัตติปัจจัยลงท้ายประโยคที่แสดงการบอกเล่า การถาม การสั่ง หรือการชักชวนเรื่องใด ๆ <การพูดตามลำดับ>

(118) 검다 [geomda]

ดำ

สีมืดและเข้มเหมือนกับสีของท้องฟ้าในตอนกลางคืนที่ไม่มีแสงไฟ

햇볕에 살이 검게 탔어요.

haetbyeote sari geomge tasseoyo.

햇볕+에 살+이 검+게 타+았+어요.

탔어요

햇볕 : แดด, แสงแดด, แสงตะวัน

에 : คำชี้ที่แสดงว่าคำพูดข้างหน้าเป็นเหตุผลของเรื่องใด ๆ

살 : ผิว, ผิวหนัง

이 : คำชี้ที่ใช้แสดงสิ่งที่อยู่ในสถานการณ์หรือสภาพใด ๆ หรือผู้ที่เป็นประธานของอากัปกริยา

검다 : ดำ

-게 : วิภัตติปัจจัยเชื่อมระหว่างประโยคที่แสดงว่าคำพูดข้างหน้าชี้บอกระดับ วิธีการ ผลลัพธ์หรือวัตถุประสงค์ หรืออื่นๆ ของสิ่งที่อยู่ในเนื้อหาข้างหลัง

타다 : ถูกแดดไหม้, ถูกแดดเผา, เกรียมแดด, ไหม้

-았- :

วิภัตติปัจจัยที่แสดงว่าเหตุการณ์ใดๆเสร็จสมบูรณ์ไปแล้วในอดีตหรือแสดงสถานการณ์ที่ผลลัพธ์ของเหตุการณ์ดังกล่าวต่อเนื่องจนถึงปัจจุบัน

-어요 : (ใช้ในการยกย่องอย่างไม่เป็นทางการ)วิภัตติปัจจัยลงท้ายประโยคที่แสดงการบอกเล่า การถาม การสั่ง หรือการชักชวนเรื่องใด ๆ <การพูดตามลำดับ>

(119) 노랗다 [norata]

สีเหลือง, เป็นสีเหลือง

มีสีเหมือนกับกล้วยหรือมะนาว

저 사람은 머리 색깔이 노래요.

jeo sarameun meori saekkkari noraeyo.

저 사람+은 머리 색깔+이 노랗+아요.

노래요

저 : โน่น, โน้น

사람 : คน, มนุษย์

은 : คำชี้ที่แสดงว่าเป้าหมายใด ๆ เป็นหัวข้อเรื่องในประโยค

머리 : ผม, เส้นผม
색깔 : สี, สีสัน
이 : คำชี้ที่ใช้แสดงสิ่งที่อยู่ในสถานการณ์หรือสภาพใด ๆ หรือผู้ที่เป็นประธานของอากัปกริยา
노랗다 : สีเหลือง, เป็นสีเหลือง
-아요 : (ใช้ในการยกย่องอย่างไม่เป็นทางการ)วิภัตติปัจจัยลงท้ายประโยคที่แสดงการบอกเล่า การถาม การสั่ง หรือการชักชวนเรื่องใด ๆ <การพูดตามลำดับ>

(120) 붉다 [bukda]

แดง, สีแดง

มีสีเหมือนกับสีเลือดหรือสีของพริกสุก

붉은 태양이 떠오르고 있어요.
bulgeun taeyangi tteooreugo isseoyo.

붉+은 태양+이 떠오르+[고 있]+어요.

붉다 : แดง, สีแดง
-은 : วิภัตติปัจจัยที่ทำให้คำพูดข้างหน้าทำหน้าที่เป็นคุณศัพท์ขยายนามและแสดงถึงสภาพที่เป็นอยู่ในปัจจุบัน
태양 : ตะวัน, ดวงอาทิตย์, พระอาทิตย์
이 : คำชี้ที่ใช้แสดงสิ่งที่อยู่ในสถานการณ์หรือสภาพใด ๆ หรือผู้ที่เป็นประธานของอากัปกริยา
떠오르다 : ลอยขึ้น, โผลขึ้น
-고 있다 : สำนวนที่แสดงว่าการกระทำที่ปรากฏในคำพูดข้างหน้าได้ดำเนินอย่างต่อเนื่อง
-어요 : (ใช้ในการยกย่องอย่างไม่เป็นทางการ)วิภัตติปัจจัยลงท้ายประโยคที่แสดงการบอกเล่า การถาม การสั่ง หรือการชักชวนเรื่องใด ๆ <การพูดตามลำดับ>

(121) 빨갛다 [ppalgata]

แดง

สีสว่างและแดงเข้มเหมือนเลือดหรือพริกที่สุกเต็มที่

코가 왜 이렇게 빨개요?
koga wae ireoke ppalgaeyo?

코+가 왜 이렇+게 빨갛+아요?
빨개요

코 : จมูก
가 : คำชี้ที่ใช้แสดงสิ่งที่อยู่ในสถานการณ์หรือสภาพใด ๆ หรือผู้ที่เป็นประธานของอากัปกริยา
왜 : ทำไม, ด้วยเหตุใด, เพราะอะไร
이렇다 : เป็นอย่างนี้, อย่างที่บอก...
-게 : วิภัตติปัจจัยเชื่อมระหว่างประโยคที่แสดงว่าคำพูดข้างหน้าชี้บอกระดับ วิธีการ ผลลัพธ์หรือวัตถุประสงค์ หรืออื่นๆ ของสิ่งที่อยู่ในเนื้อหาข้างหลัง
빨갛다 : แดง
-아요 : (ใช้ในการยกย่องอย่างไม่เป็นทางการ)วิภัตติปัจจัยลงท้ายประโยคที่แสดงการบอกเล่า การถาม การสั่ง หรือการชักชวนเรื่องใด ๆ <คำถาม>

(122) 파랗다 [parata]

ฟ้า, น้ำเงิน

เป็นสีน้ำเงินที่มีชีวิตชีวาและสว่างเหมือนกับสีของน้ำทะเลลึกหรือสีท้องฟ้าที่สดใสในฤดูใบไม้ร่วง

왜 이마에 멍이 <u>파랗게</u> 들었어요?
wae imae meongi parake deureosseoyo?

왜 이마+에 멍+이 파랗+게 들+었+어요?

왜 : ทำไม, ด้วยเหตุใด, เพราะอะไร
이마 : หน้าผาก
에 : คำชี้ที่แสดงว่าคำพูดข้างหน้าเป็นตำแหน่งหรือสถานที่ใด ๆ
멍 : รอยช้ำ, รอยฟกช้ำ, รอยฟกช้ำดำเขียว
이 : คำชี้ที่ใช้แสดงสิ่งที่อยู่ในสถานการณ์หรือสภาพใด ๆ หรือผู้ที่เป็นประธานของอากัปกริยา
파랗다 : ฟ้า, น้ำเงิน
-게 : วิภัตติปัจจัยเชื่อมระหว่างประโยคที่แสดงว่าคำพูดข้างหน้าชี้บอกระดับ วิธีการ ผลลัพธ์หรือวัตถุประสงค์ หรืออื่นๆ ของสิ่งที่อยู่ในเนื้อหาข้างหลัง
들다 : มี, ติด, เป็น, เกิด
-었- :
วิภัตติปัจจัยที่แสดงว่าเหตุการณ์ใดๆเสร็จสมบูรณ์ไปแล้วในอดีตหรือแสดงสถานการณ์ที่ผลลัพธ์ของเหตุการณ์ดังกล่าวต่อเนื่องจนถึงปัจจุบัน
-어요 : (ใช้ในการยกย่องอย่างไม่เป็นทางการ)วิภัตติปัจจัยลงท้ายประโยคที่แสดงการบอกเล่า การถาม การสั่ง หรือการชักชวนเรื่องใด ๆ <คำถาม>

(123) 푸르다 [pureuda]

สีฟ้าอมน้ำเงิน, สีเขียว

สดใสและชัดเจนเหมือนกับสีของหญ้าสด น้ำทะเลลึก หรือท้องฟ้าสดใสในฤดูใบร่วง

바다가 넓고 <u>푸르러요</u>.

badaga neolgo pureureoyo.

바다+가 넓+고 <u>푸르+어요(러요)</u>.

푸르러요

바다 : ทะเล

가 : คำชี้ที่ใช้แสดงสิ่งที่อยู่ในสถานการณ์หรือสภาพใด ๆ หรือผู้ที่เป็นประธานของอากัปกริยา

넓다 : กว้าง

-고 : วิภัตติปัจจัยเชื่อมระหว่างประโยคที่ใช้เมื่อแจกแจงข้อเท็จจริงที่เท่าเทียมกันสองสิ่งขึ้นไปต่อกัน

푸르다 : สีฟ้าอมน้ำเงิน, สีเขียว

-어요 : (ใช้ในการยกย่องอย่างไม่เป็นทางการ)วิภัตติปัจจัยลงท้ายประโยคที่แสดงการบอกเล่า การถาม การสั่ง หรือการชักชวนเรื่องใด ๆ <การพูดตามลำดับ>

(124) 하얗다 [hayata]

สีขาว

ขาวอย่างใสและสว่างราวกับสีของหิมะหรือนม

눈이 내려서 세상이 <u>하얗게</u> 변했어요.

nuni naeryeoseo sesangi hayake byeonhaesseoyo.

눈+이 <u>내리+어서</u> 세상+이 하얗+게 <u>변하+였+어요</u>.

내려서 **변했어요**

눈 : หิมะ

이 : คำชี้ที่ใช้แสดงสิ่งที่อยู่ในสถานการณ์หรือสภาพใด ๆ หรือผู้ที่เป็นประธานของอากัปกริยา

내리다 : (ฝน, หิมะ)ตก, (น้ำค้าง)ลง

-어서 : วิภัตติปัจจัยเชื่อมระหว่างประโยคที่แสดงเหตุผลหรือสาเหตุ

세상 : โลก

이 : คำชี้ที่ใช้แสดงสิ่งที่อยู่ในสถานการณ์หรือสภาพใด ๆ หรือผู้ที่เป็นประธานของอากัปกริยา

하얗다 : สีขาว

-게 : วิภัตติปัจจัยเชื่อมระหว่างประโยคที่แสดงว่าคำพูดข้างหน้าชี้บอกระดับ วิธีการ ผลลัพธ์หรือวัตถุประสงค์ หรืออื่นๆ ของสิ่งที่อยู่ในเนื้อหาข้างหลัง

변하다 : เปลี่ยน, เปลี่ยนแปลง, ผันแปร, แปรเปลี่ยน

-였- :

วิภัตติปัจจัยที่แสดงว่าเหตุการณ์ใดๆเสร็จสมบูรณ์ไปแล้วในอดีตหรือแสดงสถานการณ์ที่ผลลัพธ์ของเหตุการณ์ดังกล่าวต่อเนื่องจนถึงปัจจุบัน

-어요 : (ใช้ในการยกย่องอย่างไม่เป็นทางการ)วิภัตติปัจจัยลงท้ายประโยคที่แสดงการบอกเล่า การถาม การสั่ง หรือการชักชวนเรื่องใด ๆ <การพูดตามลำดับ>

(125) 희다 [hida]

ขาว, สีขาว

สว่างและเด่นชัดราวกับสีของหิมะหรือนมสด

동생은 얼굴이 희고 머리카락이 까매요.

dongsaengeun eolguri huigo meorikaragi kkamaeyo.

동생+은 얼굴+이 희+고 머리카락+이 까맣+아요.
까매요

동생 : ทงแซ็ง : น้อง
은 : คำชี้ที่แสดงว่าเป้าหมายใด ๆ เป็นหัวข้อเรื่องในประโยค
얼굴 : หน้า, ใบหน้า, หน้าตา
이 : คำชี้ที่ใช้แสดงสิ่งที่อยู่ในสถานการณ์หรือสภาพใด ๆ หรือผู้ที่เป็นประธานของอากัปกริยา
희다 : ขาว, สีขาว
-고 : วิภัตติปัจจัยเชื่อมระหว่างประโยคที่ใช้เมื่อแจกแจงข้อเท็จจริงที่เท่าเทียมกันสองสิ่งขึ้นไปต่อกัน
머리카락 : เส้นผม
이 : คำชี้ที่ใช้แสดงสิ่งที่อยู่ในสถานการณ์หรือสภาพใด ๆ หรือผู้ที่เป็นประธานของอากัปกริยา
까맣다 : ดำสนิท, ดำมืด
-아요 : (ใช้ในการยกย่องอย่างไม่เป็นทางการ)วิภัตติปัจจัยลงท้ายประโยคที่แสดงการบอกเล่า การถาม การสั่ง หรือการชักชวนเรื่องใด ๆ <การพูดตามลำดับ>

(126) 많다 [manta]

มาก, เยอะ

จำนวน ปริมาณ ระดับหรือสิ่งใดที่เกินกว่าระดับที่กำหนด

저는 호기심이 많아요.

jeoneun hogisimi manayo.

저+는 호기심+이 많+아요.

저 : ดิฉัน, ผม, กระผม
는 : คำชี้ที่แสดงว่าเป้าหมายใด ๆ เป็นหัวข้อเรื่องในประโยค
호기심 : ความอยากรู้, ความอยากรู้อยากเห็น, ความสนอกสนใจ, ความสอดรู้สอดเห็น
이 : คำชี้ที่ใช้แสดงสิ่งที่อยู่ในสถานการณ์หรือสภาพใด ๆ หรือผู้ที่เป็นประธานของอากัปกริยา
많다 : มาก, เยอะ
-아요 : (ใช้ในการยกย่องอย่างไม่เป็นทางการ)วิภัตติปัจจัยลงท้ายประโยคที่แสดงการบอกเล่า การถาม การสั่ง

หรือการชักชวนเรื่องใด ๆ <การพูดตามลำดับ>

(127) 부족하다 [bujokada]

ขาด, ขาดแคลน, ไม่พอ, ไม่เพียงพอ

ขาดหรือไม่เพียงพอต่อเกณฑ์หรือปริมาณที่จำเป็น

사업을 하기에 돈이 많이 부족해요.

saeobeul hagie doni mani bujokaeyo.

사업+을 하+기+에 돈+이 많이 부족하+여요.
부족해요

사업 : กิจการ, ธุรกิจ, การค้า
을 : คำชี้ที่แสดงเป้าหมายที่การกระทำส่งผลกระทบโดยตรง
하다 : ทำ
-기 : วิภัตติปัจจัยที่ทำให้คำข้างหน้ามีหน้าที่เป็นคำนาม
에 : คำชี้ที่แสดงว่าคำพูดข้างหน้าเป็นสภาพ สิ่งแวดล้อม เงื่อนไขของอะไร เป็นต้น
돈 : เงิน
이 : คำชี้ที่ใช้แสดงสิ่งที่อยู่ในสถานการณ์หรือสภาพใด ๆ หรือผู้ที่เป็นประธานของอากัปกริยา
많이 : อย่างมาก, มาก
부족하다 : ขาด, ขาดแคลน, ไม่พอ, ไม่เพียงพอ
-여요 : (ใช้ในการยกย่องอย่างไม่เป็นทางการ)วิภัตติปัจจัยลงท้ายประโยคที่แสดงการบอกเล่า การถาม การสั่ง หรือการชักชวนเรื่องใด ๆ <การพูดตามลำดับ>

(128) 적다 [jeokda]

น้อย

ไม่ถึงระดับ จำนวน ปริมาณหรือมาตรฐานที่กำหนดไว้

배고픈데 음식 양이 너무 적어요.

baegopeunde eumsik yangi neomu jeogeoyo.

배고프+ㄴ데 음식 양+이 너무 적+어요.
배고픈데

배고프다 : หิวข้าว, หิวอาหาร, หิว
-ㄴ데 :

วิภัตติปัจจัยเชื่อมระหว่างประโยคที่แสดงการพูดบอกสถานการณ์ที่เกี่ยวข้องกับเรื่องที่จะพูดข้างหลังไว้ล่วงหน้าเพื่อที่จะพูดถึงเรื่องดังกล่าวข้างหลัง

음식 : อาหารและเครื่องดื่ม

양 : ปริมาณ, จำนวน

이 : คำชี้ที่ใช้แสดงสิ่งที่อยู่ในสถานการณ์หรือสภาพใด ๆ หรือผู้ที่เป็นประธานของอากัปกริยา

너무 : เกินไป, มากเกินไป, เหลือเกิน

적다 : น้อย

-어요 : (ใช้ในการยกย่องอย่างไม่เป็นทางการ)วิภัตติปัจจัยลงท้ายประโยคที่แสดงการบอกเล่า การถาม การสั่ง หรือการชักชวนเรื่องใด ๆ <การพูดตามลำดับ>

(129) 낫다 [natda]

ดีกว่า, เหนือกว่า

สิ่งใด ๆ ดีกว่าสิ่งอื่น

몸이 아플 때에는 쉬는 것이 제일 나아요.

momi apeul ttaeeneun swineun geosi jeil naayo.

몸+이 아프+[ㄹ 때]+에+는 쉬+[는 것]+이 제일 낫(나)+아요.

아플 때에는 **나아요**

몸 : ร่างกาย, รูปร่าง, สภาพร่างกาย

이 : คำชี้ที่ใช้แสดงสิ่งที่อยู่ในสถานการณ์หรือสภาพใด ๆ หรือผู้ที่เป็นประธานของอากัปกริยา

아프다 : ปวด, เจ็บ

-ㄹ 때 : สำนวนที่แสดงระยะเวลาหรือเวลาที่กระทำการใดๆหรือเกิดสถานการณ์ใดๆหรือแสดงกรณีที่เรื่องดังกล่าวเกิดขึ้น

에 : คำชี้ที่แสดงว่าคำพูดข้างหน้าเป็นเวลาหรือช่วงเวลา

는 : คำชี้ที่แสดงว่าเป้าหมายใด ๆ เป็นหัวข้อเรื่องในประโยค

쉬다 : พัก, หยุด, พักผ่อน, ผ่อนคลาย

-는 것 : สำนวนที่ทำให้คำที่ไม่ใช่คำนามใช้เหมือนคำนามในประโยคหรือทำให้ใช้วางไว้หน้า '이다' ได้

이 : คำชี้ที่ใช้แสดงสิ่งที่อยู่ในสถานการณ์หรือสภาพใด ๆ หรือผู้ที่เป็นประธานของอากัปกริยา

제일 : ที่สุด, ดีที่สุด, มากที่สุด

낫다 : ดีกว่า, เหนือกว่า

-아요 : (ใช้ในการยกย่องอย่างไม่เป็นทางการ)วิภัตติปัจจัยลงท้ายประโยคที่แสดงการบอกเล่า การถาม การสั่ง หรือการชักชวนเรื่องใด ๆ <การพูดตามลำดับ>

(130) 분명하다 [bunmyeonghada]

ชัดเจน, แจ่มชัด, กระจ่าง

ท่าทางหรือเสียงชัดเจนไม่ขุ่นมัว

크고 분명한 목소리로 말해 주세요.
keugo bunmyeonghan moksoriro malhae juseyo.

크+고 분명하+ㄴ 목소리+로 말하+[여 주]+세요.
분명한 말해 주세요

크다 : ดัง, ดังก้อง
-고 : วิภัตติปัจจัยเชื่อมระหว่างประโยคที่ใช้เมื่อแจกแจงข้อเท็จจริงที่เท่าเทียมกันสองสิ่งขึ้นไปต่อกัน
분명하다 : ชัดเจน, แจ่มชัด, กระจ่าง
-ㄴ : วิภัตติปัจจัยที่ทำให้คำพูดข้างหน้าทำหน้าที่เป็นคุณศัพท์ขยายนามและแสดงถึงสภาพที่เป็นอยู่ในปัจจุบัน
목소리 : เสียง, น้ำเสียง
로 : คำชี้ที่แสดงวิธีการหรือวิธีทางของงานใด ๆ
말하다 : พูด, บอก, กล่าว, เล่า
-여 주다 : สำนวนที่แสดงว่าทำการกระทำที่ปรากฏในคำพูดข้างหน้าเพื่อผู้อื่น
-세요 : (ใช้ในการยกย่องอย่างไม่เป็นทางการ)วิภัตติปัจจัยลงท้ายประโยคที่แสดงความหมายของการอธิบาย การถาม การสั่ง หรือการขอร้อง <การร้องขอ>

(131) 심하다 [simhada]

รุนแรง, มากเกินไป, หนัก, เหลือเกิน, สุดขีด, จัด
ระดับรุนแรงเกินไป

감기에 심하게 걸렸어요.
gamgie simhage geollyeosseoyo.

감기+에 심하+게 걸리+었+어요.
걸렸어요

감기 : หวัด, ไข้หวัด
에 : คำชี้ที่แสดงว่าคำพูดข้างหน้าเป็นเป้าหมายของความรู้สึกหรือการกระทำใด ๆ เป็นต้น
심하다 : รุนแรง, มากเกินไป, หนัก, เหลือเกิน, สุดขีด, จัด
-게 : วิภัตติปัจจัยเชื่อมระหว่างประโยคที่แสดงว่าคำพูดข้างหน้าชี้บอกระดับ วิธีการ ผลลัพธ์หรือวัตถุประสงค์ หรืออื่นๆ ของสิ่งที่อยู่ในเนื้อหาข้างหลัง
걸리다 : เป็น, ติด
-었- :
วิภัตติปัจจัยที่แสดงว่าเหตุการณ์ใดๆเสร็จสมบูรณ์ไปแล้วในอดีตหรือแสดงสถานการณ์ที่ผลลัพธ์ของเหตุการณ์ดังกล่าวต่อเนื่องจนถึงปัจจุบัน
-어요 : (ใช้ในการยกย่องอย่างไม่เป็นทางการ)วิภัตติปัจจัยลงท้ายประโยคที่แสดงการบอกเล่า การถาม การสั่ง หรือการชักชวนเรื่องใด ๆ <การพูดตามลำดับ>

(132) 알맞다 [almatda]

พอดี, พอดิบพอดี, พอเหมาะ, เข้ากัน, เข้ากันดี, เหมาะสม, ถูกต้อง, สมควร, คู่ควร, สมบูรณ์

มีจุดที่ไม่ล้ำเกินหรือขาดแคลนเพราะเข้ากันพอดีกับเกณฑ์ ระดับหรือเงื่อนไขที่กำหนดไว้

물 온도가 목욕하기에 딱 알맞아요.
mul ondoga mogyokagie ttak almajayo.

물 온도+가 목욕하+기+에 딱 알맞+아요.

물 : น้ำ
온도 : อุณหภูมิ ค่าอุณหภูมิ
가 : คำชี้ที่ใช้แสดงสิ่งที่อยู่ในสถานการณ์หรือสภาพใด ๆ หรือผู้ที่เป็นประธานของอากัปกริยา
목욕하다 : อาบน้ำ
-기 : วิภัตติปัจจัยที่ทำให้คำข้างหน้ามีหน้าที่เป็นคำนาม
에 : คำชี้ที่แสดงว่าคำพูดข้างหน้าเป็นสภาพ สิ่งแวดล้อม เงื่อนไขของอะไร เป็นต้น
딱 : พอดี, พอดิบพอดี, แม่นยำ, เป๊ะ
알맞다 : พอดี, พอดิบพอดี, พอเหมาะ, เข้ากัน, เข้ากันดี, เหมาะสม, ถูกต้อง, สมควร, คู่ควร, สมบูรณ์
-아요 : (ใช้ในการยกย่องอย่างไม่เป็นทางการ)วิภัตติปัจจัยลงท้ายประโยคที่แสดงการบอกเล่า การถาม การสั่งหรือการชักชวนเรื่องใด ๆ <การพูดตามลำดับ>

(133) 적당하다 [jeokdanghada]

เหมาะ, เหมาะสม, พอดี

เหมาะสมกับมาตรฐาน เงื่อนไขหรือระดับใด ๆ

하루 수면 시간은 일곱 시간 정도가 적당해요.
haru sumyeon siganeun ilgop sigan jeongdoga jeokdanghaeyo.

하루 수면 시간+은 일곱 시간 정도+가 적당하+여요.
적당해요

하루 : หนึ่งวัน
수면 : การนอน, การนอนหลับ
시간 : เวลา
은 : คำชี้ที่แสดงว่าเป้าหมายใด ๆ เป็นหัวข้อเรื่องในประโยค
일곱 : 7, เจ็ด, เลขเจ็ด, จำนวนเจ็ด
시간 : ชั่วโมง

정도 : แค่, เท่านั้น, จำนวนเท่านั้น
가 : คำชี้ที่ใช้แสดงสิ่งที่อยู่ในสถานการณ์หรือสภาพใด ๆ หรือผู้ที่เป็นประธานของอากัปกริยา
적당하다 : เหมาะ, เหมาะสม, พอดี
-여요 : (ใช้ในการยกย่องอย่างไม่เป็นทางการ)วิภัตติปัจจัยลงท้ายประโยคที่แสดงการบอกเล่า การถาม การสั่ง หรือการชักชวนเรื่องใด ๆ <การพูดตามลำดับ>

(134) 정확하다 [jeonghwakada]

แม่นยำ, ถูกต้อง, ชัดเจน, แน่ชัด

ถูกต้องและชัดเจน

정확한 한국어 발음을 하고 싶어요.
jeonghwakan hangugeo bareumeul hago sipeoyo.

정확하+ㄴ 한국어 발음+을 하+[고 싶]+어요.
정확한

정확하다 : แม่นยำ, ถูกต้อง, ชัดเจน, แน่ชัด
-ㄴ : วิภัตติปัจจัยที่ทำให้คำพูดข้างหน้าทำหน้าที่เป็นคุณศัพท์ขยายนามและแสดงถึงสภาพที่เป็นอยู่ในปัจจุบัน
한국어 : ภาษาเกาหลี
발음 : การออกเสียง
을 : คำชี้ที่แสดงเป้าหมายที่การกระทำส่งผลกระทบโดยตรง
하다 : ทำ
-고 싶다 : สำนวนที่แสดงความต้องการที่จะกระทำสิ่งที่ปรากฏในคำพูดข้างหน้า
-어요 : (ใช้ในการยกย่องอย่างไม่เป็นทางการ)วิภัตติปัจจัยลงท้ายประโยคที่แสดงการบอกเล่า การถาม การสั่ง หรือการชักชวนเรื่องใด ๆ <การพูดตามลำดับ>

(135) 중요하다 [jungyohada]

สำคัญ, จำเป็น

สำคัญมากและสูงค่า

살을 뺄 때는 운동이 중요해요.
sareul ppael ttaeneun undongi jungyohaeyo.

살+을 빼+[ㄹ 때]+는 운동+이 중요하+여요.
뺄 때는 중요해요

살 : เนื้อหนัง, เนื้อ, หนัง
을 : คำชี้ที่แสดงเป้าหมายที่การกระทำส่งผลกระทบโดยตรง
빼다 : ลด(น้ำหนัก, ความอ้วน)
-ㄹ 때 : สำนวนที่แสดงระยะเวลาหรือเวลาที่กระทำการใดๆหรือเกิดสถานการณ์ใดๆหรือแสดงกรณีที่เรื่องดังกล่าวเกิดขึ้น
는 : คำชี้ที่แสดงว่าเป้าหมายใด ๆ เป็นหัวข้อเรื่องในประโยค
운동 : การออกกำลังกาย, การออกกายบริหาร
이 : คำชี้ที่ใช้แสดงสิ่งที่อยู่ในสถานการณ์หรือสภาพใด ๆ หรือผู้ที่เป็นประธานของอากัปกริยา
중요하다 : สำคัญ, จำเป็น
-여요 : (ใช้ในการยกย่องอย่างไม่เป็นทางการ)วิภัตติปัจจัยลงท้ายประโยคที่แสดงการบอกเล่า การถาม การสั่ง หรือการชักชวนเรื่องใด ๆ <การพูดตามลำดับ>

(136) 진하다 [jinhada]

เข้มข้น, เข้ม, ข้น

ของเหลวไม่เจือจางและเข้มข้นมาก

커피가 너무 진해요.

keopiga neomu jinhaeyo.

커피+가 너무 진하+여요.
진해요

커피 : กาแฟ
가 : คำชี้ที่ใช้แสดงสิ่งที่อยู่ในสถานการณ์หรือสภาพใด ๆ หรือผู้ที่เป็นประธานของอากัปกริยา
너무 : เกินไป, มากเกินไป, เหลือเกิน
진하다 : เข้มข้น, เข้ม, ข้น
-여요 : (ใช้ในการยกย่องอย่างไม่เป็นทางการ)วิภัตติปัจจัยลงท้ายประโยคที่แสดงการบอกเล่า การถาม การสั่ง หรือการชักชวนเรื่องใด ๆ <การพูดตามลำดับ>

(137) 충분하다 [chungbunhada]

พอ, พอเพียง, เพียงพอ

พอเพียงและไม่ขาดแคลน

저는 이 빵 하나면 충분해요.

jeoneun i ppang hanamyeon chungbunhaeyo.

저+는 이 빵 하나+이+면 충분하+여요.
하나면 충분해요

저 : ดิฉัน, ผม, กระผม

는 : คำชี้ที่แสดงว่าเป้าหมายใด ๆ เป็นหัวข้อเรื่องในประโยค

이 : นี้

빵 : ขนมปัง

하나 : 1, หนึ่ง, เลขหนึ่ง, จำนวนหนึ่ง

이다 : คำชี้ภาคแสดงการกที่แสดงความหมายที่กำหนดประเภทหรือคุณสมบัติของเป้าหมายที่ประธานบ่งชี้

-면 : วิภัตติปัจจัยเชื่อมระหว่างประโยคที่แสดงถึงการที่กลายเป็นสาเหตุหรือเงื่อนไขเกี่ยวกับคำพูดตามมาข้างหลัง

충분하다 : พอ, พอเพียง, เพียงพอ

-여요 : (ใช้ในการยกย่องอย่างไม่เป็นทางการ)วิภัตติปัจจัยลงท้ายประโยคที่แสดงการบอกเล่า การถาม การสั่ง หรือการชักชวนเรื่องใด ๆ <การพูดตามลำดับ>

필수(ความจำเป็น)

문법(ไวยากรณ์)

1. 모음 : 사람이 목청을 울려 내는 소리로, 공기의 흐름이 방해를 받지 않고 나는 소리.

สระ เสียงสระ
เสียงที่ออกมาจากช่องคอของคน เป็นเสียงที่ออกมาโดยไม่ได้รับการปิดกั้นการไหลผ่านของอากาศ

(1) ㅏ : 한글 자모의 열다섯째 글자. 이름은 '아'이고 중성으로 쓴다.

สระอา(า)
อักษรลำดับที่สิบห้าในตัวอักษรฮันกึล มีชื่อว่า 'อา' ใช้เป็นสระ

(2) ㅑ : 한글 자모의 열여섯째 글자. 이름은 '야'이고 중성으로 쓴다.

สระยา
อักษรลำดับที่สิบหกในตัวอักษรฮันกึล มีชื่อว่า 'ยา' ใช้เป็นสระ

(3) ㅓ : 한글 자모의 열일곱째 글자. 이름은 '어'이고 중성으로 쓴다.

สระออ(อ)
อักษรลำดับที่สิบเจ็ดในตัวอักษรฮันกึล มีชื่อว่า 'ออ' ใช้เป็นสระ

(4) ㅕ : 한글 자모의 열여덟째 글자. 이름은 '여'이고 중성으로 쓴다.

สระยอ
อักษรลำดับที่สิบแปดในตัวอักษรฮันกึล มีชื่อว่า 'ยอ' ใช้เป็นสระ

(5) ㅗ : 한글 자모의 열아홉째 글자. 이름은 '오'이고 중성으로 쓴다.

สระโอ(โ)
อักษรลำดับที่สิบเก้าในพยัญชนะและสระฮันกึล เป็นสระที่ออกเสียงว่า 'โอ'

(6) ㅛ : 한글 자모의 스무째 글자. 이름은 '요'이고 중성으로 쓴다.

สระโย
อักษรลำดับที่ยี่สิบในตัวอักษรฮันกึล มีชื่อว่า 'โย' ใช้เป็นสระ

(7) ㅜ : 한글 자모의 스물한째 글자. 이름은 '우'이고 중성으로 쓴다.

สระอู(อู)
อักษรลำดับที่ยี่สิบเอ็ดในตัวอักษรฮันกึล มีชื่อว่า 'อู' ใช้เป็นสระ

(8) ㅠ : 한글 자모의 스물두째 글자. 이름은 '유'이고 중성으로 쓴다.

สระยู
อักษรลำดับที่ยี่สิบสองในตัวอักษรฮันกึล มีชื่อว่า 'ยู' ใช้เป็นสระ

(9) ㅡ : 한글 자모의 스물셋째 글자. 이름은 '으'이고 중성으로 쓴다.

สระอือ(อึ)
อักษรลำดับที่ยี่สิบสามในตัวอักษรฮันกึล มีชื่อว่า 'อือ' ใช้เป็นสระ

(10) ㅣ : 한글 자모의 스물넷째 글자. 이름은 '이'이고 중성으로 쓴다.

สระอี(อี)
อักษรลำดับที่ยี่สิบสี่ในตัวอักษรฮันกึล มีชื่อว่า 'อี' ใช้เป็นสระ

(11) ㅚ : 한글 자모 'ㅗ'와 'ㅣ'를 모아 쓴 글자. 이름은 '외'이고 중성으로 쓴다.

สระเว
ตัวอักษรฮันกึลที่เขียนรวมกันระหว่าง 'ㅗ' กับ 'ㅣ' มีชื่อว่า 'เว' ใช้เป็นสระ

(12) ㅟ : 한글 자모 'ㅜ'와 'ㅣ'를 모아 쓴 글자. 이름은 '위'이고 중성으로 쓴다.

สระวี
ตัวอักษรฮันกึลที่เขียนรวมกันระหว่าง 'ㅜ' กับ 'ㅣ' มีชื่อว่า 'วี' ใช้เป็นสระ

(13) ㅐ : 한글 자모 'ㅏ'와 'ㅣ'를 모아 쓴 글자. 이름은 '애'이고 중성으로 쓴다.

สระแอ(แ)
ตัวอักษรฮันกึลที่เขียนรวมกันระหว่าง 'ㅏ' กับ 'ㅣ' มีชื่อว่า 'แอ' ใช้เป็นสระ

(14) ㅔ : 한글 자모 'ㅓ'와 'ㅣ'를 모아 쓴 글자. 이름은 '에'이고 중성으로 쓴다.

สระเอ(เ)
ตัวอักษรฮันกึลที่เขียนรวมกันระหว่าง 'ㅓ' กับ 'ㅣ' มีชื่อว่า 'เอ' ใช้เป็นสระ

(15) ㅒ : 한글 자모 'ㅑ'와 'ㅣ'를 모아 쓴 글자. 이름은 '얘'이고 중성으로 쓴다.

สระแย
ตัวอักษรฮันกึลที่เขียนรวมกันระหว่าง 'ㅑ' กับ 'ㅣ' มีชื่อว่า 'แย' ใช้เป็นสระ

(16) ㅖ : 한글 자모 'ㅕ'와 'ㅣ'를 모아 쓴 글자. 이름은 '예'이고 중성으로 쓴다.

สระเย
ตัวอักษรฮันกึลที่เขียนรวมกันระหว่าง 'ㅕ' กับ 'ㅣ' มีชื่อว่า 'เย' ใช้เป็นสระ

(17) ㅘ : 한글 자모 'ㅗ'와 'ㅏ'를 모아 쓴 글자. 이름은 '와'이고 중성으로 쓴다.

สระวา
ตัวอักษรฮันกึลที่เขียนรวมกันระหว่าง 'ㅗ' กับ 'ㅏ' มีชื่อว่า 'วา' ใช้เป็นสระ

(18) ㅝ : 한글 자모 ‘ㅜ’와 ‘ㅓ’를 모아 쓴 글자. 이름은 ‘워’이고 중성으로 쓴다.

สระวอ
ตัวอักษรฮันกึลที่เขียนรวมกันระหว่าง 'ㅜ' กับ 'ㅓ' มีชื่อว่า 'วอ' ใช้เป็นสระ

(19) ㅙ : 한글 자모 ‘ㅗ’와 ‘ㅐ’를 모아 쓴 글자. 이름은 ‘왜’이고 중성으로 쓴다.

สระแว
ตัวอักษรฮันกึลที่เขียนรวมกันระหว่าง 'ㅗ' กับ 'ㅐ' มีชื่อว่า 'แว' ใช้เป็นสระ

(20) ㅞ : 한글 자모 ‘ㅜ’와 ‘ㅔ’를 모아 쓴 글자. 이름은 ‘웨’이고 중성으로 쓴다.

สระอุเว
ตัวอักษรฮันกึลที่เขียนรวมกันระหว่าง 'ㅜ' กับ 'ㅔ' มีชื่อว่า 'อุเว' ใช้เป็นสระ

(21) ㅢ : 한글 자모 ‘ㅡ’와 ‘ㅣ’를 모아 쓴 글자. 이름은 ‘의’이고 중성으로 쓴다.

สระอึย
ตัวอักษรฮันกึลที่เขียนรวมกันระหว่าง 'ㅡ' กับ 'ㅣ' มีชื่อว่า 'อึย' ใช้เป็นสระ

ㅏ	ㅓ	ㅗ	ㅜ	ㅡ	ㅣ	ㅐ	ㅔ	ㅚ	ㅟ

ㅑ	ㅕ	ㅛ	ㅠ	ㅒ	ㅖ	ㅘ	ㅝ	ㅙ	ㅞ	ㅢ

ㅣ + ㅏ = ㅑ　　ㅣ + ㅓ = ㅕ　　ㅣ + ㅗ = ㅛ　　ㅣ + ㅜ = ㅠ

ㅗ + ㅏ = ㅘ　　ㅜ + ㅓ = ㅝ　　ㅗ + ㅐ = ㅙ　　ㅜ + ㅔ = ㅞ

ㅡ + ㅣ = ㅢ

ㅏ	ㅑ	ㅓ	ㅕ	ㅗ	ㅛ	ㅜ	ㅠ	ㅡ	ㅣ
a	ya	eo	yeo	o	yo	u	yu	eu	i

ㅐ	ㅔ	ㅒ	ㅖ	ㅙ	ㅞ	ㅚ	ㅟ	ㅘ	ㅝ	ㅢ
ae	e	yae	ye	wae	we	oe	wi	wa	wo	ui

2. 자음 : 목, 입, 혀 등의 발음 기관에 의해 장애를 받으며 나는 소리.

พยัญชนะ
เสียงที่ออกมาโดยได้รับการปิดกั้นด้วยอวัยวะการออกเสียง เช่น ที่ลำคอ ริมฝีปาก ลิ้น เป็นต้น

(1) ㄱ : 한글 자모의 첫째 글자. 이름은 기역으로 소리를 낼 때 혀뿌리가 목구멍을 막는 모양을 본떠 만든 글자이다.

คียอก(ก, ค)
อักษรตัวแรกในตัวอักษรฮันกึล เป็นตัวอักษรที่ทำเลียนแบบลักษณะตอนที่เปล่งเสียงชื่อคียอกแล้วโคนลิ้นกั้นอยู่ที่ลำคอ

(2) ㄴ : 한글 자모의 둘째 글자. 이름은 '니은'으로 소리를 낼 때 혀끝이 윗잇몸에 붙는 모양을 본떠 만든 글자이다.

นีอึน(น)
อักษรลำดับที่สองในตัวอักษรฮันกึล เป็นตัวอักษรที่ทำเลียนแบบลักษณะตอนที่เปล่งเสียงชื่อนีอึนแล้วปลายลิ้นแตะอยู่ที่ฟันบน

(3) ㄷ : 한글 자모의 셋째 글자. 이름은 '디귿'으로, 소리를 낼 때 혀의 모습은 'ㄴ'과 같지만 더 세게 발음되므로 한 획을 더해 만든 글자이다.

ทีกึด(ท, ด)
อักษรลำดับที่สามในตัวอักษรฮันกึล เป็นตัวอักษรที่ตอนที่เปล่งเสียงชื่อเป็นทีกึดแล้วลักษณะของลิ้นเหมือนกัน 'ㄴ'
แต่ออกเสียงหนักกว่าจึงเพิ่มเส้นขึ้นอีกเส้นหนึ่ง

(4) ㄹ : 한글 자모의 넷째 글자. 이름은 '리을'로 혀끝을 윗잇몸에 가볍게 대었다가 떼면서 내는 소리를 나타낸다.

รีอึล, พยัญชนะรีอึล
อักษรลำดับที่สี่ในตัวอักษรฮันกึล ชื่อว่า 'รีอึล' ซึ่งแทนเสียงที่เปล่งออกมาโดยการแตะปลายลิ้นที่เพดานปากแล้วปล่อยออก

(5) ㅁ : 한글 자모의 다섯째 글자. 이름은 '미음'으로, 소리를 낼 때 다물어지는 두 입술 모양을 본떠서 만든 글자이다.

มีอึม(ม)
อักษรลำดับที่ห้าในตัวอักษรฮันกึล เป็นตัวอักษรที่ทำเลียนแบบลักษณะริมฝีปากทั้งสองตอนที่เปล่งเสียงชื่อเป็นมีอึม

(6) ㅂ : 한글 자모의 여섯째 글자. 이름은 '비읍'으로, 소리를 낼 때의 입술 모양은 'ㅁ'과 같지만 더 세게 발음되므로 'ㅁ'에 획을 더해서 만든 글자이다.

พีอึบ(พ, บ)
อักษรลำดับที่หกในตัวอักษรฮันกึล เป็นตัวอักษรที่ตอนที่เปล่งเสียงชื่อพีอึบแล้วลักษณะของริมฝีปากเหมือนกัน 'ㅁ'
แต่ออกเสียงหนักกว่าจึงเพิ่มเส้นที่ 'ㅁ' ขึ้นอีก

(7) ㅅ : 한글 자모의 일곱째 글자. 이름은 '시옷'으로 이의 모양을 본떠서 만든 글자이다.

ซีโอซ(ซ)

อักษรลำดับที่เจ็ดในตัวอักษรฮันกึล เป็นตัวอักษรที่ทำเลียนแบบลักษณะฟันในตอนที่เปล่งเสียงชื่อเป็นซีโอซ

(8) ㅇ : 한글 자모의 여덟째 글자. 이름은 '이응'으로 목구멍의 모양을 본떠서 만든 글자이다. 초성으로 쓰일 때 소리가 없다.

อีอึง(อ, ง)

อักษรลำดับที่แปดในตัวอักษรฮันกึล เป็นตัวอักษรที่ทำเลียนแบบลักษณะหลอดลมในตอนที่เปล่งเสียงชื่อเป็นอีอึง

(9) ㅈ : 한글 자모의 아홉째 글자. 이름은 '지읒'으로, 'ㅅ'보다 소리가 더 세게 나므로 'ㅅ'에 한 획을 더해 만든 글자이다.

ชีอึช(ช, จ)

อักษรลำดับที่เก้าในตัวอักษรฮันกึล เป็นตัวอักษรที่ตอนที่เปล่งเสียงชื่อเป็นชีอึชแล้วเสียงออกมาหนักกว่า 'ㅅ' จึงเพิ่มเส้นที่ ' 'ㅅ' ขึ้นอีกเส้นหนึ่ง

(10) ㅊ : 한글 자모의 열째 글자. 이름은 '치읓'으로 '지읒'보다 소리가 거세게 나므로 '지읒'에 한 획을 더해서 만든 글자이다.

ชีอึช(ช)

อักษรลำดับที่สิบในตัวอักษรฮันกึล เป็นตัวอักษรที่ขีดเส้นเพิ่มลงไปอีกเส้นที่ ' 'ㅈ' เพราะเปล่งเสียงชื่อชีอึชแล้วออกมาหนักกว่า 'ㅈ'

(11) ㅋ : 한글 자모의 열한째 글자. 이름은 '키읔'으로 'ㄱ'보다 소리가 거세게 나므로 'ㄱ'에 한 획을 더 하여 만든 글자이다.

คีอึก(ค)

อักษรลำดับที่สิบเอ็ดในตัวอักษรฮันกึล เป็นตัวอักษรที่ขีดเส้นเพิ่มลงไปอีกเส้นที่ 'ㄱ' เพราะเปล่งเสียงชื่อคีอึกแล้วออกมาหนักกว่า 'ㄱ'

(12) ㅌ : 한글 자모의 열두째 글자. 이름은 '티읕'으로, 'ㄷ'보다 소리가 거세게 나므로 'ㄷ'에 한 획을 더 하여 만든 글자이다.

ทีอึท(ท)

อักษรลำดับที่สิบสองในตัวอักษรฮันกึล เป็นตัวอักษรที่ขีดเส้นเพิ่มลงไปอีกเส้นที่ 'ㄷ' เพราะเปล่งเสียงชื่อทีอึทแล้วออกมาหนักกว่า 'ㄷ'

(13) ㅍ : 한글 자모의 열셋째 글자. 이름은 '피읖'으로, 'ㅁ, ㅂ'보다 소리가 거세게 나므로 'ㅁ'에 획을 더 하여 만든 글자이다.

พีอึบ(พ)

อักษรลำดับที่สิบสามในตัวอักษรฮันกึล เป็นตัวอักษรที่ขีดเส้นเพิ่มลงไปอีกเส้นที่ 'ㅂ' เพราะเปล่งเสียงชื่อพีอึบแล้วออกมาหนักกว่า 'ㅂ'

(14) ㅎ : 한글 자모의 열넷째 글자. 이름은 ‘히읗’으로, 이 글자의 소리는 목청에서 나므로 목구멍을 본떠 만든 ‘ㅇ’의 경우와 같지만 ‘ㅇ’보다 더 세게 나므로 ‘ㅇ’에 획을 더하여 만든 글자이다.

ฮีอึด(ฮ)
อักษรลำดับที่สิบสี่ในตัวอักษรฮันกึล เป็นตัวอักษรที่ขีดเส้นเพิ่มที่ 'ㅇ'
เพราะเปล่งเสียงชื่อฮีอึดแล้วเสียงที่ออกมาจากหลอดลมมีลักษณะเหมือนกับทำเลียนแบบ 'ㅇ' แต่ออกมาหนักกว่า 'ㅇ'

(15) ㄲ : 한글 자모 ‘ㄱ’을 겹쳐 쓴 글자. 이름은 쌍기역으로, ‘ㄱ’의 된소리이다.

ซังคียอก(ก)
ตัวอักษรฮันกึลที่เขียนตัว 'ㄱ' ซ้อนต่อกัน ออกเสียงเป็น 'ㄱ' มีชื่อว่าซังคียอก

(16) ㄸ : 한글 자모 'ㄷ'을 겹쳐 쓴 글자. 이름은 쌍디귿으로, 'ㄷ'의 된소리이다.

ซังทีกึด(ต)
ตัวอักษรฮันกึลที่เขียนตัว 'ㄷ' ซ้อนต่อกัน ออกเสียงเป็น 'ㄷ' หนัก มีชื่อว่าซังทีกึด

(17) ㅃ : 한글 자모 ‘ㅂ’을 겹쳐 쓴 글자. 이름은 쌍비읍으로, ‘ㅂ’의 된소리이다.

ซังพีอึบ(ป)
ตัวอักษรฮันกึลที่เขียนตัว 'ㅂ' ซ้อนต่อกัน ออกเสียงเป็น 'ㅂ' หนัก มีชื่อว่าซังพีอึบ

(18) ㅆ : 한글 자모 ‘ㅅ’을 겹쳐 쓴 글자. 이름은 쌍시옷으로, ‘ㅅ’의 된소리이다.

ซังซีโอซ(ซ)
ตัวอักษรฮันกึลที่เขียนตัว 'ㅅ' ซ้อนต่อกัน ออกเสียงเป็น 'ㅅ' หนัก มีชื่อว่าซังซีโอซ

(19) ㅉ : 한글 자모 ‘ㅈ’을 겹쳐 쓴 글자. 이름은 쌍지읒으로, ‘ㅈ’의 된소리이다.

ซังชีอึช(จ)
ตัวอักษรฮันกึลที่เขียนตัว 'ㅈ' ซ้อนต่อกัน ออกเสียงเป็น 'ㅈ' หนัก มีชื่อว่าซังชีอึช

ㄱ	ㄴ	ㄷ	ㄹ	ㅁ	ㅂ	ㅅ	ㅇ	ㅈ	ㅊ	ㅋ	ㅌ	ㅍ	ㅎ
g,k	n	d,t	r,l	m	b,p	s	ng	j	ch	k	t	p	h

ㄲ	ㄸ	ㅃ	ㅆ	ㅉ
kk	tt	pp	ss	jj

ㄱ	ㄴ	ㄷ	ㄹ	ㅁ	ㅂ	ㅅ	ㅇ	ㅈ	ㅎ
ㅋ		ㅌ			ㅍ			ㅊ	
ㄲ		ㄸ			ㅃ	ㅆ		ㅉ	

3. 음절 : 모음, 모음과 자음, 자음과 모음, 자음과 모음과 자음이 어울려 한 덩어리로 내는 말소리의 단위.

พยางค์
หน่วยของเสียงพูดที่ออกเสียงเป็นก้อนเดียวโดยสระหรือสระและพยัญชนะ พยัญชนะและสระ
หรือพยัญชนะและสระและพยัญชนะเข้ากัน

1) 모음(สระ)

예 (ตัวอย่าง) : 아, 어, 오, 우……

2) 자음(พยัญชนะ) + 모음(สระ)

예 (ตัวอย่าง) : 가, 도, 루, 슈……

3) 모음(สระ) + 자음(พยัญชนะ)

예 (ตัวอย่าง) : 악, 얍, 임, 윤……

4) 자음(พยัญชนะ) + 모음(สระ) + 자음(พยัญชนะ)

예 (ตัวอย่าง) : 각, 남, 당, 균……

	ㄱ	ㄴ	ㄷ	ㄹ	ㅁ	ㅂ	ㅅ	ㅇ	ㅈ	ㅊ	ㅋ	ㅌ	ㅍ	ㅎ
ㅏ	가	나	다	라	마	바	사	아	자	차	카	타	파	하
ㅓ	거	너	더	러	머	버	서	어	저	처	커	터	퍼	허
ㅗ	고	노	도	로	모	보	소	오	조	초	코	토	포	호
ㅜ	구	누	두	루	무	부	수	우	주	추	쿠	투	푸	후
ㅡ	그	느	드	르	므	브	스	으	즈	츠	크	트	프	흐
ㅣ	기	니	디	리	미	비	시	이	지	치	키	티	피	히
ㅐ	개	내	대	래	매	배	새	애	재	채	캐	태	패	해
ㅔ	게	네	데	레	메	베	세	에	제	체	케	테	페	헤
ㅚ	괴	뇌	되	뢰	뫼	뵈	쇠	외	죄	최	쾨	퇴	푀	회
ㅟ	귀	뉘	뒤	뤼	뮈	뷔	쉬	위	쥐	취	퀴	튀	퓌	휘
ㅑ	갸	냐	댜	랴	먀	뱌	샤	야	쟈	챠	캬	탸	퍄	햐
ㅕ	겨	녀	뎌	려	며	벼	셔	여	져	쳐	켜	텨	펴	혀
ㅛ	교	뇨	됴	료	묘	뵤	쇼	요	죠	쵸	쿄	툐	표	효
ㅠ	규	뉴	듀	류	뮤	뷰	슈	유	쥬	츄	큐	튜	퓨	휴
ㅒ	걔	냬	댸	럐	먜	뱨	섀	얘	쟤	챼	컈	턔	퍠	햬
ㅖ	계	녜	뎨	례	몌	볘	셰	예	졔	쳬	켸	톄	폐	혜
ㅘ	과	놔	돠	롸	뫄	봐	솨	와	좌	촤	콰	톼	퐈	화
ㅝ	궈	눠	둬	뤄	뭐	붜	숴	워	줘	춰	쿼	퉈	풔	훠
ㅙ	괘	놰	돼	뢔	뫠	봬	쇄	왜	좨	쵀	쾌	퇘	퐤	홰
ㅞ	궤	눼	뒈	뤠	뭬	붸	쉐	웨	줴	췌	퀘	퉤	풰	훼
ㅢ	긔	늬	듸	릐	믜	븨	싀	의	즤	츼	킈	틔	픠	희

4. 품사 : 단어를 기능, 형태, 의미에 따라 나눈 갈래.

ชนิดของคำ, ประเภทของคำ, การจำแนกคำ
ส่วนย่อยที่แบ่งคำศัพท์ตามหน้าที่ รูป และความหมาย

- **체언** : 문장에서 명사, 대명사, 수사와 같이 문장의 주어나 목적어 등의 기능을 하는 말.

  นาม
  คำที่ทำหน้าที่เป็นภาคประธานหรือภาคกรรมในประโยค อย่างเช่น คำนาม คำสรรพนาม หรือคำบอกจำนวน

- **용언** : 문법에서, 동사나 형용사와 같이 문장에서 서술어의 기능을 하는 말.

  กริยา
  คำพูดที่ทำหน้าที่เป็นภาคแสดงในประโยคเหมือนกับคำกริยา คำคุณศัพท์ ซึ่งในทางไวยากรณ์

  1) **본용언** : 문장의 주체를 주되게 서술하면서 보조 용언의 도움을 받는 용언.

     กริยาหลัก
     กริยาที่ได้รับความช่วยเหลือจากกริยานุเคราะห์ พร้อมกับอธิบายประธานของประโยคเป็นหลัก

  2) **보조 용언** : 본용언과 연결되어 그 뜻을 보충해 주는 용언.

     กริยานุเคราะห์
     กริยาที่เชื่อมกับกริยาหลักและช่วยเสริมความหมายนั้น

- **수식언** : 문법에서, 관형어나 부사어와 같이 뒤에 오는 체언이나 용언을 꾸미거나 한정하는 말.

  คำขยาย
  คำที่เสริมหรือจำกัดนามหรือกริยาที่ตามมา อย่างเช่น คุณศัพท์หรือวิเศษณ์ เป็นต้น ในทางไวยากรณ์

1. **명사** : 사물의 이름을 나타내는 품사.

   คำนาม
   ชนิดของคำที่แสดงชื่อของสิ่งของ

2. **대명사** : 다른 명사를 대신하여 사람, 장소, 사물 등을 가리키는 낱말.

   สรรพนาม
   คำศัพท์ที่ใช้เรียกแทนคำนามอื่น ๆ เช่น คน สถานที่ สิ่งของ

3. **수사** : 수량이나 순서를 나타내는 말.

คำบอกจำนวน, คำนับจำนวน, คำจำนวนนับ
คำที่ใช้แสดงลำดับหรือปริมาณ

4. **동사** : 사람이나 사물의 움직임을 나타내는 품사.

คำกริยา
ชนิดของคำประเภทหนึ่งที่แสดงอาการของคนหรือสิ่งของ

5. **형용사** : 사람이나 사물의 성질이나 상태를 나타내는 품사.

คำคุณศัพท์
ชนิดของคำที่แสดงสภาพหรือลักษณะของคนหรือสิ่งของ

• **활용** : 문법적 관계를 나타내기 위해 용언의 꼴을 조금 바꿈.

การผัน
การเปลี่ยนรูปของกริยาเล็กน้อยเพื่อแสดงความสัมพันธ์ทางไวยากรณ์

1) **규칙 활용** : 문법에서, 동사나 형용사가 활용을 할 때 어간의 형태가 변하지 않고 일반적인 어미가 붙어 변화하는 것.

ผันสามัญ
การเปลี่ยนแปลงโดยรูปของรากศัพท์ไม่เปลี่ยนแปลงและใส่วิภัติปัจจัยตามปกติเมื่อมีการผันคำกริยาหรือคำคุณศัพท์ในทางไวยากรณ์

2) **불규칙 활용** : 문법에서, 동사나 형용사가 활용을 할 때 어간의 형태가 변하거나 예외적인 어미가 붙어 변화하는 것.

ผันวิสามัญ
การเปลี่ยนแปลงโดยรูปของรากศัพท์เปลี่ยนแปลงไปหรือใส่วิภัติปัจจัยนอกกฎเกณฑ์เมื่อมีการผันคำกริยาหรือคำคุณศัพท์ในทางไวยากรณ์

활용(การผัน) **형태**(รูปร่าง)	**어간**(รากศัพท์) + **어미**(วิภัตติปัจจัย)	**불규칙**(ความไม่สม่ำเสมอ) **부분**(ส่วน)	**불규칙 용언**(กริยาวิสามัญ)
물어	묻- + -어	묻- → 물-	싣다, 붇다, 일컫다…
지어	짓- + -어	짓- → 지-	젓다, 붓다, 잇다…
누워	눕- + -어	눕- → 누우	줍다, 굽다, 깁다…
흘러	흐르- + -어	흐르- → 흘ㄹ	부르다, 타오르다, 누르다…
하얘	하얗- + -아	-얗어- → 얘	빨갛다, 까맣다, 뽀얗다…

1) **어간** : 동사나 형용사가 활용할 때에 변하지 않는 부분.

รากศัพท์
ส่วนที่ไม่เปลี่ยนแปลงเวลาที่ผันคำกริยาหรือคำคุณศัพท์

2) **어미** : 용언이나 '-이다'에서 활용할 때 형태가 달라지는 부분.

วิภัตติปัจจัย
ส่วนที่รูปแบบเปลี่ยนไปเวลาผันกริยาหรือ '이다'

① **어말 어미** : 동사, 형용사, 서술격 조사가 활용될 때 맨 뒤에 오는 어미.

วิภัตติปัจจัยลงท้ายประโยค
วิภัตติปัจจัยที่มาด้านหลังสุด เมื่อผันคำกริยา คำคุณศัพท์ หรือคำชี้การกภาคแสดง

㉠ **종결 어미** : 한 문장을 끝맺는 기능을 하는 어말 어미.

วิภัตติปัจจัยลงท้ายประโยค, คำลงท้ายประโยค
คำลงท้ายประโยคที่ทำหน้าที่จบประโยคหนึ่ง

㉡ **전성 어미** : 동사나 형용사의 어간에 붙어 동사나 형용사가 명사, 관형사, 부사와 같은 다른 품사의 기능을 가지도록 하는 어미.

วิภัตติปัจจัยเปลี่ยนชนิดของคำ
วิภัตติปัจจัยที่วางไว้ต่อท้ายคำกริยาหรือคำคุณศัพท์เพื่อทำให้คำกริยาหรือคำคุณศัพท์ทำหน้าที่ชนิดของคำอื่น ๆ ได้แก่ คำนาม คำคุณศัพท์ขยายนาม คำวิเศษณ์

㉢ **연결 어미** : 어간에 붙어 다음 말에 연결하는 기능을 하는 어미.

วิภัตติปัจจัยเชื่อมระหว่างประโยค
วิภัตติปัจจัยที่ทำหน้าที่เชื่อมคำพูดต่อไปโดยต่อท้ายรากศัพท์

② **선어말 어미** : 어말 어미 앞에 놓여 높임이나 시제 등을 나타내는 어미.

วิภัตติปัจจัยไม่ลงท้ายประโยค
วิภัตติปัจจัยที่แสดงการยกย่องหรือกาล เป็นต้น โดยวางไว้หน้าวิภัตติปัจจัยลงท้ายประโยค

<table>
<tr><th colspan="3">어미 (วิภัตติปัจจัย)</th><th colspan="2">예 (ตัวอย่าง)</th></tr>
<tr><td rowspan="12">어말 어미
(วิภัตติปัจจัยลงท้ายประโยค)</td><td rowspan="5">종결 어미
(วิภัตติปัจจัยลงท้ายประโยค)</td><td>서술형
(การพูดตามลำดับ)</td><td colspan="2">-다, -네, -ㅂ니다/습니다…</td></tr>
<tr><td>의문형
(รูปแบบคำถาม)</td><td colspan="2">-는가, -니, -ㄹ까…</td></tr>
<tr><td>감탄형
(รูปแบบคำอุทาน)</td><td colspan="2">-구나, -네…</td></tr>
<tr><td>명령형
(รูปแบบคำสั่ง)</td><td colspan="2">-(으)세요, -어라/-아라/-여라</td></tr>
<tr><td>청유형
(รูปแบบการชักชวน)</td><td colspan="2">-자, -ㅂ시다/-읍시다, -세…</td></tr>
<tr><td>연결 어미
(วิภัตติปัจจัยเชื่อมระหว่างประโยค)</td><td colspan="3">-고, -며/으며, -지만, -거나, -어서, -려고/-으려고, -면/-으면…</td></tr>
<tr><td rowspan="6">전성 어미
(วิภัตติปัจจัยเปลี่ยนชนิดของคำ)</td><td>명사형 어미
(วิภัตติปัจจัยรูปคำนาม)</td><td colspan="2">-ㅁ/-음, -기</td></tr>
<tr><td rowspan="4">관형사형 어미
(วิภัตติปัจจัยรูปคุณศัพท์)</td><td>과거
(อดีต)</td><td>-ㄴ/-은</td></tr>
<tr><td>현재
(ปัจจุบัน)</td><td>-는</td></tr>
<tr><td>미래
(อนาคต)</td><td>-ㄹ/-을</td></tr>
<tr><td>중단/반복
(การหยุด/การซ้ำ)</td><td>-던</td></tr>
<tr><td>부사형 어미
(วิภัตติปัจจัยแบบรูปคำวิเศษณ์)</td><td colspan="2">-게, -도록, -듯이, -이</td></tr>
<tr><td rowspan="5">선어말 어미
(วิภัตติปัจจัยไม่ลงท้ายประโยค)</td><td colspan="2">주체(ประธาน) 높임(คำสุภาพ)</td><td colspan="2">-시-/-으시-</td></tr>
<tr><td colspan="2" rowspan="4">시제
(กาล)</td><td>과거
(อดีต)</td><td>-았-/-었-/-였-</td></tr>
<tr><td>현재
(ปัจจุบัน)</td><td>-ㄴ-/-는-</td></tr>
<tr><td>미래
(อนาคต)</td><td>-ㄹ-/-을-</td></tr>
<tr><td>회상
(การคิดถึง)</td><td>-더-</td></tr>
</table>

6. **관형사** : 체언 앞에 쓰여 그 체언의 내용을 꾸며 주는 기능을 하는 말.

คุณศัพท์
คำที่ใช้วางหน้านาม และทำหน้าที่ขยายเนื้อหาของนามนั้น

7. **부사** : 주로 동사나 형용사 앞에 쓰여 그 뜻을 분명하게 하는 말.

คำวิเศษณ์
คำที่โดยมากใช้วางไว้ข้างหน้าคำกริยาหรือคำคุณศัพท์เพื่อทำให้ความหมายของคำนั้น ๆ ชัดเจน

8. **조사** : 명사, 대명사, 수사, 부사, 어미 등에 붙어 그 말과 다른 말과의 문법적 관계를 표시하거나 그 말의 뜻을 도와주는 품사.

คำชี้
ชนิดของคำที่แสดงความสัมพันธ์ทางด้านไวยากรณ์ของคำนั้นกับคำอื่นหรือช่วยชี้ความหมายของคำนั้นโดยวางไว้หลังคำนาม คำสรรพนาม คำบอกจำนวน คำวิเศษณ์ วิภัตติปัจจัย เป็นต้น

1) **격 조사** : 명사나 명사구 뒤에 붙어 그 말이 서술어에 대하여 가지는 문법적 관계를 나타내는 조사.

คำชี้การก
คำชี้ที่วางติดหลังคำนามหรือนามวลีเพื่อแสดงความสัมพันธ์ทางด้านไวยากรณ์ที่คำนั้นมีต่อภาคแสดง

① **주격 조사** : 문장에서 서술어에 대한 주어의 자격을 표시하는 조사.

คำชี้กรรตุการก, คำชี้ประธานในประโยค, คำชี้ภาคประธาน
คำชี้ที่แสดงคุณสมบัติภาคประธานของภาคแสดงในประโยค

② **목적격 조사** : 문장에서 서술어에 대한 목적어의 자격을 표시하는 조사.

คำชี้กรรมการก, คำชี้การกชี้กรรม
คำชี้ที่แสดงคุณสมบัติความเป็นภาคกรรมของภาคแสดงในประโยค

③ **서술격 조사** : 문장 안에서 체언이나 체언 구실을 하는 말 뒤에 붙어 이들을 서술어로 만드는 격 조사.

คำชี้ภาคแสดงการก
คำชี้การก ซึ่งถูกเชื่อมต่อหลังนามหรือคำพูดที่ทำหน้าที่นามในประโยค แล้วทำให้สิ่งเหล่านี้กลายเป็นภาคแสดง

④ **보격 조사** : 문장 안에서, 체언이 서술어의 보어임을 표시하는 격 조사.

คำชี้วิภัตติการก, คำชี้การกชี้คำเสริม
คำชี้ที่แสดงว่านามเป็นส่วนเติมเต็มของภาคแสดงในประโยค

⑤ **관형격 조사** : 문장 안에서 앞에 오는 체언이 뒤에 오는 체언을 꾸며 주는 구실을 하게 하는 조사.

คำชี้คุณศัพท์การก
คำชี้ที่ทำให้นามที่อยู่ข้างหน้าของประโยคทำหน้าที่ขยายนามที่อยู่ข้างหลัง

⑥ **부사격 조사** : 문장 안에서, 체언이 서술어에 대하여 장소, 도구, 자격, 원인, 시간 등과 같은 부사로서의 자격을 가지게 하는 조사.

คำชี้วิเศษณการก
คำชี้ที่ทำให้นามมีคุณสมบัติเป็นคำวิเศษณ์จำพวก สถานที่ เครื่องมือ คุณสมบัติ สาเหตุ เวลา
เป็นต้นขยายภาคแสดงในประโยค

⑦ **호격 조사** : 문장에서 체언이 독립적으로 쓰여 부르는 말의 역할을 하게 하는 조사.

คำชี้การกเรียกขาน
คำชี้ที่ทำให้นามถูกใช้อย่างเป็นอิสระในประโยค เพื่อทำหน้าที่ของคำที่ใช้เรียก

2) **보조사** : 체언, 부사, 활용 어미 등에 붙어서 특별한 의미를 더해 주는 조사.

คำช่วยชี้เสริมความ
คำชี้ที่ช่วยเพิ่มความหมายเฉพาะโดยวางติดกับนาม วิเศษณ์หรือวิภัติปัจจัยผันกริยา เป็นต้น

3) **접속 조사** : 두 단어를 이어 주는 기능을 하는 조사.

คำชี้เชื่อมประโยค
คำชี้ที่ทำหน้าที่เชื่อมคำศัพท์สองคำ

<table>
<tr><td rowspan="7">격 조사
(คำชี้การก)</td><td>주격 조사
(คำชี้กรรตุการก)</td><td>이/가, 께서, 에서</td></tr>
<tr><td>목적격 조사
(คำชี้กรรมการก)</td><td>을/를</td></tr>
<tr><td>보격 조사
(คำชี้วิกัติการก)</td><td>이/가</td></tr>
<tr><td>부사격 조사
(คำชี้วิเศษณการก)</td><td>에, 에서, 에게, 한테, 께, (으)로, (으)로서, (으)로써, 와/과, 하고, (이)랑, 처럼, 만큼, 같이, 보다</td></tr>
<tr><td>관형격 조사
(คำชี้คุณศัพท์การก)</td><td>의</td></tr>
<tr><td>서술격 조사
(คำชี้ภาคแสดงการก)</td><td>이다</td></tr>
<tr><td>호격 조사
(คำชี้การกเรียกขาน)</td><td>아, 야, 이시여</td></tr>
<tr><td>보조사
(คำช่วยชี้เสริมความ)</td><td colspan="2">은/는, 만, 도, 까지, 부터, 마저, 조차, 밖에…</td></tr>
<tr><td>접속 조사
(คำชี้เชื่อมประโยค)</td><td colspan="2">와/과, 하고, (이)랑, (이)며</td></tr>
</table>

9. **감탄사** : 느낌이나 부름, 응답 등을 나타내는 말의 품사.

คำอุทาน
ชนิดของคำที่ใช้แสดงความรู้สึก การเรียกหรือการตอบรับ เป็นต้น

5. 문장 성분 : 주어, 서술어, 목적어 등과 같이 한 문장을 구성하는 요소.

ส่วนประกอบของประโยค
ปัจจัยที่ประกอบประโยคหนึ่งประโยค เช่น ภาคประธาน ภาคแสดง ภาคกรรม

1. 주어 : 문장의 주요 성분의 하나로, 주로 문장의 앞에 나와서 동작이나 상태의 주체가 되는 말.

ภาคประธาน
คำที่เป็นองค์ประกอบหลักหนึ่งของประโยค มักอยู่หน้าประโยคและเป็นประธานของสภาพหรือการกระทำ

1) 체언 + 주격 조사 : นาม + คำชี้กรรตุการก

2) 체언 + 보조사 : นาม + คำช่วยชี้เสริมความ

2. 목적어 : 타동사가 쓰인 문장에서 동작의 대상이 되는 말.

ภาคกรรม
คำที่เป็นเป้าหมายของการกระทำเมื่อสกรรมกริยาเป็นภาคแสดงของประโยค

1) 체언 + 목적격 조사 : นาม + คำชี้กรรมการก

2) 체언 + 보조사 : นาม + คำช่วยชี้เสริมความ

3. 서술어 : 문장에서 주어의 성질, 상태, 움직임 등을 나타내는 말.

ภาคแสดง
คำที่แสดงการเคลื่อนไหว ลักษณะ สภาพ เป็นต้น ของภาคประธานในประโยค

1) 용언 종결형 : กริยา รูปแบบลงท้ายประโยค

2) 체언 + 서술격 조사 '이다' : นาม + คำชี้ภาคแสดงการก '이다'

4. 보어 : 주어와 서술어만으로는 뜻이 완전하지 못할 때 보충하여 문장의 뜻을 완전하게 하는 문장 성분.

ส่วนเติมเต็ม
ส่วนประกอบของประโยคที่มาเสริมใจความของประโยคให้สมบูรณ์เมื่อภาคประธานและภาคแสดงไม่สามารถให้ความหมายที่สมบูรณ์ได้

1) 체언 + 보격 조사 : นาม + คำชี้วิกัติการก

2) 체언 + 보조사 : นาม + คำช่วยชี้เสริมความ

5. 관형어 : 체언 앞에서 그 내용을 꾸며 주는 문장 성분.

คุณศัพท์ขยายนาม
ส่วนประกอบของประโยคที่ใช้วางหน้านามและขยายเนื้อหาคำนั้น

1) 관형사 : คุณศัพท์

2) 체언 + 관형격 조사 '의' : นาม + คำชี้คุณศัพท์การก '의'

3) 용언 어간 + 관형사형 어미 '-은/ㄴ, -는, -을/ㄹ, -던'

: กริยา รากศัพท์ + วิภัตติปัจจัยรูปคุณศัพท์ '-은/ㄴ, -는, -을/ㄹ, -던'

6. 부사어 : 문장 안에서, 용언의 뜻을 분명하게 하는 문장 성분.

วิเศษณ์
ส่วนประกอบของประโยคซึ่งแสดงความหมายของคำที่แสดงกริยาในประโยคอย่างชัดเจน

1) 부사 : คำวิเศษณ์

2) 부사 + 보조사 : คำวิเศษณ์ + คำช่วยชี้เสริมความ

3) 용언 어간 + 부사형 어미 '-게' : กริยา รากศัพท + วิภัตติปัจจัยแบบรูปคำวิเศษณ์ '-게'

7. 독립어 : 문장의 다른 성분과 밀접한 관계없이 독립적으로 쓰는 말.

คำอิสระ
คำที่ใช้แบบเอกเทศโดยไม่มีความสัมพันธ์กับหน่วยประกอบอื่นในประโยค

1) 감탄사 : คำอุทาน

2) 체언 + 호격 조사 : นาม + คำชี้การกเรียกขาน

6. 어순 : 한 문장 안에서 주어, 목적어, 서술어 등의 문장 성분이 나오는 순서.

ลำดับการเรียงคำในประโยค, ลำดับคำในประโยค
ลำดับที่โครงสร้างประโยคเรียงออกมาในหนึ่งประโยค เช่น ประธาน กรรม กริยา

1) 주어 + 서술어(자동사)

ภาคประธาน + ภาคแสดง(อกรรมกริยา)

예 (ตัวอย่าง) : 바람이 불어요.

2) 주어 + 서술어(형용사)

ภาคประธาน + ภาคแสดง(คำคุณศัพท์)

예 (ตัวอย่าง) : 날씨가 좋아요.

3) 주어 + 서술어(체언+서술격 조사 '이다')

ภาคประธาน + ภาคแสดง(นาม+ คำชี้ภาคแสดงการก '이다')

예 (ตัวอย่าง) : 이것이 책상이다.

4) 주어 + 목적어 + 서술어(타동사)

ภาคประธาน + ภาคกรรม + ภาคแสดง(สกรรมกริยา)

예 (ตัวอย่าง) : 친구가 밥을 먹어요.

5) 주어 + 목적어 + 필수 부사어 + 서술어(타동사)

ภาคประธาน + ภาคกรรม + ความจำเป็น วิเศษณ์ + ภาคแสดง(transitive verb)

예 (ตัวอย่าง) : 어머니께서 용돈을 나에게 주셨다.

1) 체언(명사/대명사/수사)이/가 + 형용사 어간어미
<주어> <서술어>

2) 체언이/가 + 체언을/를 + 타동사 어간어미
<주어> <목적어> <서술어>

7. 띄어쓰기 : 글을 쓸 때, 각 낱말마다 띄어서 쓰는 일. 또는 그것에 관한 규칙.

การเขียนเว้นวรรค, การเขียนเว้นช่องไฟ, กฎการเขียนเว้นวรรค
การเขียนโดยเว้นวรรคแต่ละคำในการเขียนข้อความ หรือกฎที่เกี่ยวกับสิ่งดังกล่าว

1) 체언조사 **(띄어쓰기)** 용언 어간어미

นามคำชี้ **(การเขียนเว้นวรรค)** กริยา รากศัพท์วิภัตติปัจจัย

예 (ตัวอย่าง) : 밥을 (การเขียนเว้นวรรค) 먹어요

2) 관형사 **(띄어쓰기)** **명사**

คุณศัพท์ (การเขียนเว้นวรรค) คำนาม

예 (ตัวอย่าง) : 새 (การเขียนเว้นวรรค) 옷

3) 용언 어간관형사형 어미 '-은/-ㄴ, -는, -을/-ㄹ, -던' **(띄어쓰기)** **명사**

กริยา รากศัพท์วิภัตติปัจจัยรูปคุณศัพท์ '-은/-ㄴ, -는, -을/-ㄹ, -던 (การเขียนเว้นวรรค) คำนาม

예 (ตัวอย่าง) : 기다리는 (การเขียนเว้นวรรค) **사람** / 좋은 (การเขียนเว้นวรรค) **사람**

4) 형용사 어간부사형 어미 '-게' **(띄어쓰기)** 용언 어간어미

คำคุณศัพท์ รากศัพท์วิภัตติปัจจัยแบบรูปคำวิเศษณ์ '-게' (การเขียนเว้นวรรค) กริยา รากศัพทวิภัตติปัจจัย

예 (ตัวอย่าง) : 행복하게 (การเขียนเว้นวรรค) 살자

5) 명사인 (띄어쓰기) 명사

คำนามอิน (การเขียนเว้นวรรค) คำนาม

예 (ตัวอย่าง) : 대학생인 (การเขียนเว้นวรรค) **친구**

8. 문장 부호 : 문장의 뜻을 정확히 전달하고, 문장을 읽고 이해하기 쉽도록 쓰는 부호.

เครื่องหมายวรรคตอน
เครื่องหมายที่ถ่ายทอดความหมายของประโยคอย่างชัดเจนใช้เพื่อให้ง่ายต่อการอ่านและเข้าใจประโยค

1) 마침표 (.) : 문장을 끝맺거나 연월일을 표시하거나 특정한 의미가 있는 날을 표시하거나 장, 절, 항 등을 표시하는 문자나 숫자 다음에 쓰는 문장 부호.

เครื่องหมายจุด, เครื่องหมายมหัพภาค
เครื่องหมายวรรคตอนที่ใช้ตอนจบประโยค แสดงวันเดือนปี แสดงวันที่มีความหมายพิเศษ
หรือต่อจากตัวอักษรหรือตัวเลขที่แสดงบท วรรค หรือมาตรา เป็นต้น

2) 물음표 (?) : 의심이나 의문을 나타내거나 적절한 말을 쓰기 어렵거나 모르는 내용임을 나타낼 때 쓰는 문장 부호.

เครื่องหมายคำถาม, ปรัศนี
เครื่องหมายวรรคตอนที่ใช้แสดงความสงสัยหรือการถามหรือแสดงว่ายากในการใช้คำพูดที่เหมาะสมหรือเป็นเนื้อหาที่ไม่รู้

3) 느낌표 (!) : 강한 느낌을 표현할 때 문장 마지막에 쓰는 문장 부호 '!'의 이름.

เครื่องหมายอัศเจรีย์, เครื่องหมายตกใจ
ชื่อของเครื่องหมายวรรคตอน '!' ที่ใช้ตอนจบประโยคเมื่อแสดงความรู้สึกที่จริงจัง

4) 쉼표 (,) : 어구를 나열하거나 문장의 연결 관계를 나타내는 문장 부호.

จุลภาค, จุดลูกน้ำ, ภาคเล็ก
เครื่องหมายวรรคตอนที่แสดงความสัมพันธ์เชื่อมกันของประโยค หรือการเรียบเรียงวลี

5) 줄임표 (……) : 할 말을 줄였을 때나 말이 없음을 나타낼 때에 쓰는 문장 부호.

เครื่องหมายเว้นคำ(...)
เครื่องหมายวรรคตอนที่ใช้เมื่อแสดงการไม่มีคำพูดหรือลดคำพูดที่จะพูด

< 참고(การอ้างอิง) 문헌(เอกสาร) >

고려대학교 한국어대사전, 고려대학교 민족문화연구원, 2009
우리말샘, 국립국어원, 2016
표준국어대사전, 국립국어원, 1999
한국어교육 문법 자료편, 한글파크, 2016
한국어 교육학 사전, 하우, 2014
한국어기초사전, 국립국어원, 2016
한국어 문법 총론 Ⅰ, 집문당, 2015

한국어 동사 290 형용사 137 ภาษาไทย(การแปล)

발　행 | 2024년 6월 10일
저　자 | 주식회사 한글2119연구소
펴낸이 | 한건희
펴낸곳 | 주식회사 부크크
출판사등록 | 2014.07.15.(제2014-16호)
주　소 | 서울특별시 금천구 가산디지털1로 119 SK트윈타워 A동 305호
전　화 | 1670-8316
이메일 | info@bookk.co.kr

ISBN | 979-11-410-8873-6

www.bookk.co.kr

KB076677

강력한 경희대 인문계 논술

기출문제

저자 소개

저자 김근현은 현재 탁트인 교육, 일으킨 바람, 에듀코어 대표이다.
前 메가스터디 온라인에서 대입 논술과 면접, 자기소개서, 학생부종합 등 다양한 동영상 강의를 하였다.
현재는 학습 프로그램 개발 및 연구 활동을 통해 교육의 발전을 고민하고 있다.
홍익대학교에서 전자전기공학부를 졸업하고 동대학원에서 전자공학 석사(반도체 레이저)를 전공하였다. 또한 연세대학교 교육경영최고위자 과정을 마쳤으며 연세대학교 교육대학원에서 평생교육 경영을 공부하고 있다.

강력한 경희대 인문계 논술 기출문제

발　행 | 초판 2023년 06월 09일
　　　　개정판 2024년 04월 15일
저　자 | 김근현
펴낸이 | 김근현
펴낸곳 | 일으킨 바람
출판사등록 | 2018.11.12.(제2018-000186호)
주　소 | 경기도 고양시 일산서구 하이파크 3로 61 409동 1503호
전　화 | 031-713-7925
이메일 | iIleukinbaram@gmail.com

ISBN | 979-11-93208-27-4

www.iluekinbaram.com

강력한 경희대 인문계 논술 기출문제

김근현 지음

차례

머리말

책을 쓰기 위해 책상에 앉으면 아쉬움과 안타까움, 나의 게으름에 늘 한숨을 먼저 쉰다.
왜 지금 쓸까?
왜 지금에서야 이 내용을 쓸까?
왜 지금까지 뭐했니?
스스로 자책을 한다.

또 애절함도 함께 느낀다.
시험이 코앞에서야 급한 마음에 달려오는
수험생들에게 왜 미리 제대로 준비된 걸 챙겨주지 못했을까?
그렇게 하루, 한 달, 일 년 그렇게 몇 해가 지나 이제야 조금 마음의 짐을 내려놓는다.

입에 단내 가득하도록 학생들에게 강의를 했고,
코앞에 다가온 연속된 수험생의 긴장감을 함께하다보면
그렇게 바쁘게 초조하게 지냈던 것 같다.

그렇게 함께했던 시간을 알기에
부족하겠지만
부디 이 책으로 수험생들이 부족한 일부를 채울 수 있고,
한 걸음이라도 희망하는 꿈을 향해 다갈 수 있길 간절히 바래 본다.

김 근 현

I. 경희대학교 논술 전형 분석

1. 논술 전형 분석

1) 전형 요소별 반영 비율 (실질반영비율)

구분	논술	학생부	총 비율
일괄합산	100%	0%	100%

2) 수능 최저학력 기준

구분	등급 기준
인문계열 [지리학과(인문), 간호학과(인문), 건축학과(인문), 한의예과(인문) 제외]	● 국어, 수학, 영어, 사회/과학탐구(1과목) 중 **2개 영역 *<u>등급 합</u>*이 5 이내**이고, 한국사 5등급 이내
한의예과(인문)	● 국어, 수학, 영어, 사회탐구(2과목) 중 **3개 영역 *<u>등급 합</u>*이 4** 이내이고, 한국사 5등급 이내
체육	● 국어, 수학, 영어, 사회/과학탐구(2과목) 중 **1개 영역 이상이 3**등급 이내 한국사 5등급 이내

※ 탐구영역은 상단 계열/모집단위 지정 탐구영역 중 상위 1개 과목을 반영

※ 한국사는 본교의 대학수학능력시험 최저학력기준 충족조건과 상관없이 필수 응시해야 하는 과목

3) 2023학년도 논술(논술우수자전형) 결과

모집단위	경쟁률			충원합격		합격자 평균 성적	수능최저학력기준			합격자 평균등급
	모집 인원	지원 인원	경쟁률	예비 번호	비율	논술	충족 인원	충족율	실질 경쟁률	
국어국문학과	7	794	113.4	0	0.0%	91.9	336	42.3%	48.0	3.2
영어영문학과	5	488	97.6	1	20.0%	89.3	233	47.7%	46.6	3.1
응용영어통번역학과	5	509	101.8	0	0.0%	90.5	235	46.2%	47.0	3.3
사학과	4	362	90.5	1	25.0%	91.8	144	39.8%	36.0	3.5
철학과	7	774	110.6	1	14.3%	91.9	309	39.9%	44.1	3.4
프랑스어학과	3	126	42.0	0	0.0%	87.7	40	31.7%	13.3	4.1
스페인어학과	3	121	40.3	2	66.7%	84.9	52	43.0%	17.3	3.6
러시아어학과	4	133	33.3	1	25.0%	88.5	42	31.6%	10.5	4.3
중국어학과	4	160	40.0	0	0.0%	85	42	26.3%	10.5	3.4
일본어학과	3	111	37.0	0	0.0%	93.1	43	38.7%	14.3	4.1
한국어학과	2	85	42.5	0	0.0%	86.5	18	21.2%	9.0	3.4
글로벌커뮤니케이션학부	4	164	41.0	0	0.0%	86.2	69	42.1%	17.3	3.3
자율전공학부	8	677	84.6	2	25.0%	90.1	324	47.9%	40.5	3.4
정치외교학과	4	285	71.3	0	0.0%	92.0	117	41.1%	29.3	3.0
행정학과	7	508	72.6	0	0.0%	91.3	251	49.4%	35.9	3.4
사회학과	4	271	67.8	1	25.0%	904.0	142	52.4%	35.5	3.2
경제학과	8	457	57.1	1	12.5%	90.0	210	46.0%	26.3	3.4
무역학과	7	391	55.9	0	0.0%	91.4	159	40.7%	22.7	3.7
미디어학과	7	596	85.1	0	0.0%	91.8	257	43.1%	36.7	3.8
경영학과	23	1,783	77.5	2	8.7%	92.8	827	46.4%	36.0	3.3
회계·세무학과	6	339	56.5	1	16.7%	91.5	146	43.1%	24.3	3.2
빅데이터응용학과	4	205	51.3	0	0.0%	92.4	102	49.8%	25.5	4.0
Hospitality경영학부	7	415	59.3	3	42.9%	89.5	191	46.0%	27.3	3.4
조리&푸드디자인학과	2	76	38.0	0	0.0%	90.8	20	26.3%	10.0	4.0
관광 엔터테인먼트학부	6	293	48.8	0	0.0%	90.9	144	49.1%	24.0	3.5
아동가족학과	4	365	91.3	0	0.0%	91.3	151	41.4%	37.8	3.3
주거환경학과	4	371	92.8	0	0.0%	89.4	147	39.6%	36.8	3.5
의상학과	4	421	105.3	0	0.0%	91.7	172	40.9%	43.0	3.9
지리학과(인문)	3	130	43.3	0	0.0%	88.7	54	41.5%	18.0	4.1
건축학과(5년제)[인문]	3	138	46.0	0	0.0%	87.4	48	34.8%	16.0	4.1

한의예과(인문)	5	1,697	339.4	1	20.0%	91.8	342	20.2%	68.4	2.3
간호학과(인문)	4	365	91.3	1	25.0%	92.5	134	36.7%	33.5	3.5
체육학과	6	343	57.2	0	0.0%	91.7	157	45.8%	26.2	3.4
스포츠의학과	4	203	50.8	0	0.0%	90.9	97	47.8%	24.3	4.5
골프산업학과	2	62	31.0	1	50.0%	88.1	33	53.2%	16.5	5.5
태권도학과	3	74	24.7	0	0.0%	92.0	35	47.3%	11.7	4.2

4) 2022학년도 논술(논술우수자전형) 결과

모집단위	경쟁률			충원합격		합격자 평균 성적	수능최저학력기준			합격자 평균 등급
	모집 인원	지원 인원	경쟁률	예비 번호	비율	논술	충족 인원	충족율	실질 경쟁률	
국어국문학과	7	832	118.9	0	0.0%	89.7	375	45.1%	53.6	3.6
사학과	4	391	97.8	0	0.0%	92.1	168	43.0%	42.0	3.8
철학과	7	745	106.4	2	28.6%	89.1	357	47.9%	51.0	3.8
영어영문학과	5	519	103.8	0	0.0%	88.5	263	50.7%	52.6	3.6
응용영어통번역학과	5	517	103.4	0	0.0%	90.8	263	50.9%	52.6	3.0
프랑스어학과	3	127	42.3	0	0.0%	87.0	48	37.8%	16.0	4.0
스페인어학과	3	115	38.3	0	0.0%	87.5	48	41.7%	16.0	4.3
러시아어학과	4	169	42.3	0	0.0%	86.2	62	36.7%	15.5	3.7
중국어학과	4	151	37.8	0	0.0%	88.9	55	36.4%	13.8	3.3
일본어학과	3	96	32.0	0	0.0%	85.0	34	35.4%	11.3	3.7
한국어학과	2	73	36.5	1	50.0%	87.4	29	39.7%	14.5	3.8
글로벌 커뮤니케이션학부	4	201	50.3	0	0.0%	89.7	95	47.3%	23.8	3.4
자율전공학부	9	806	89.6	4	44.4%	90.2	408	50.6%	45.3	3.4
정치외교학과	4	280	70.0	0	0.0%	91.0	136	48.6%	34.0	3.2
행정학과	7	525	75.0	1	14.3%	89.8	272	51.8%	38.9	3.3
사회학과	4	252	63.0	1	25.0%	90.6	139	55.2%	34.8	3.6
경제학과	9	539	59.9	2	22.2%	90.2	275	51.0%	30.6	3.0
무역학과	8	425	53.1	2	25.0%	90.3	189	44.5%	23.6	3.5
미디어학과	7	635	90.7	0	0.0%	89.9	308	48.5%	44.0	3.3
경영학과	24	2,011	83.8	9	37.5%	91.6	1,073	53.4%	44.7	3.3
회계·세무학과	7	372	53.1	1	14.3%	89.4	189	50.8%	27.0	3.7
빅데이터응용학과	4	223	55.8	1	25.0%	87.3	108	48.4%	27.0	2.9
Hospitality경영학과	9	429	47.7	1	11.1%	89.4	183	42.7%	20.3	3.7
관광·엔터테인먼트학부	6	281	46.8	2	33.3%	88.8	100	35.6%	16.7	2.9

모집단위	경쟁률			충원합격		합격자 평균 성적	수능최저학력기준			합격자 평균 등급
	모집 인원	지원 인원	경쟁률	예비 번호	비율	논술	충족 인원	충족율	실질 경쟁률	
아동가족학과	4	349	87.3	0	0.0%	89.6	142	40.7%	35.5	3.7
주거환경학과	4	358	89.5	0	0.0%	88.7	167	46.6%	41.8	3.7
의상학과	4	370	92.5	3	75.0%	89.4	131	35.4%	32.8	3.3
지리학과(인문)	3	95	31.7	0	0.0%	90.4	44	46.3%	14.7	3.7
건축학과(5년제)[인문]	3	151	50.3	0	0.0%	85.1	65	43.0%	21.7	3.7
한의예과(인문)	5	1,518	303.6	0	0.0%	89.9	286	18.8%	57.2	3.3
간호학과(인문)	4	376	94.0	0	0.0%	88.5	136	36.2%	34.0	3.2

5) 2021학년도 논술(논술우수자전형) 결과

모집단위	경쟁률			충원합격		합격자 평균 성적	수능최저학력기준			합격자평균 등급
	모집 인원	지원 인원	경쟁률	예비 번호	비율	논술	충족 인원	충족율	실질 경쟁률	
국어국문학과	10	668	66.8	1	10.0%	90.7	219	32.8%	21.9	3.4
사학과	6	361	60.2	2	33.3%	89.9	111	30.7%	18.5	3.1
철학과	10	650	65.0	2	20.0%	92.0	217	33.4%	21.7	3.1
영어영문학과	7	432	61.7	5	71.4%	89.8	186	43.1%	26.6	3.4
응용영어통번역학과	7	437	62.4	1	14.3%	91.8	204	46.7%	29.1	3.1
프랑스어학과	4	94	23.5	1	25.0%	86.6	27	28.7%	6.8	3.2
스페인어학과	4	94	23.5	0	0.0%	87.8	22	23.4%	5.5	4.0
러시아어학과	5	130	26.0	3	60.0%	87.6	37	28.5%	7.4	3.8
중국어학과	5	119	23.8	3	60.0%	87.6	51	42.9%	10.2	3.3
일본어학과	4	101	25.3	1	25.0%	87.6	34	33.7%	8.5	3.9
한국어학과	2	62	31.0	1	50.0%	85.8	14	22.6%	7.0	3.9
글로벌커뮤니케이션학부	5	146	29.2	3	60.0%	89.3	52	35.6%	10.4	3.6
자율전공학부	13	802	61.7	2	15.4%	90.5	355	44.3%	27.3	3.3
정치외교학과	5	244	48.8	0	0.0%	91.1	107	43.9%	21.4	3.4
행정학과	10	518	51.8	4	40.0%	89.2	251	48.5%	25.1	3.4
사회학과	5	235	47.0	2	40.0%	91.1	114	48.5%	22.8	3.2
경제학과	14	577	41.2	5	35.7%	87.3	271	47.0%	19.4	3.6
무역학과	11	443	40.3	3	27.3%	86.4	184	41.5%	16.7	3.8
미디어학과	10	607	60.7	1	10.0%	92.2	250	41.2%	25.0	3.4
경영학과	35	1,732	49.5	7	20.0%	87.7	801	46.2%	22.9	3.4
회계·세무학과	10	364	36.4	0	0.0%	87.6	172	47.3%	17.2	3.4
Hospitality경영학부	14	581	41.5	3	21.4%	92.1	259	44.6%	18.5	3.6
관광학부	9	360	40.0	0	0.0%	89.9	153	42.5%	17.0	3.8
아동가족학과	5	251	50.2	0	0.0%	90.0	96	38.2%	19.2	3.9
주거환경학과	6	352	58.7	3	50.0%	90.7	122	34.7%	20.3	3.5
의상학과	5	306	61.2	0	0.0%	91.2	105	34.3%	21.0	3.6
지리학과(인문)	4	140	35.0	4	100.0%	85.6	70	50.0%	17.5	3.2
건축학과(5년제)[인문]	4	134	33.5	0	0.0%	86.1	31	23.1%	7.8	3.5

모집단위	경쟁률			충원합격		합격자 평균 성적	수능최저학력기준			합격자평균 등급
	모집 인원	지원 인원	경쟁률	예비 번호	비율	논술	충족 인원	충족율	실질 경쟁률	
한의예과(인문)	7	1,744	249.1	0	0.0%	90.9	617	35.4%	88.1	2.3
간호학과(인문)	5	386	77.2	3	60.0%	89.0	136	35.2%	27.2	3.1
체육학과	7	400	57.1	1	14.3%	85.4	196	49.0%	28.0	3.7
스포츠의학과	5	252	50.4	0	0.0%	89.6	141	56.0%	28.2	3.4
골프산업학과	3	70	23.3	0	0.0%	85.8	41	58.6%	13.7	4.2
태권도학과	5	117	23.4	1	20.0%	88.2	54	46.2%	10.8	4.6

6) 2020학년도 논술(논술우수자전형) 결과

모집단위	경쟁률			충원합격		합격자 평균 성적	수능최저학력기준			합격자 평균등급
	모집 인원	지원 인원	경쟁률	예비 번호	비율	논술	충족 인원	충족율	실질 경쟁률	
국어국문학과	11	933	84.8	2	18.2%	89.3	359	38.5%	32.6	3.6
사학과	6	429	71.5	0	0.0%	90.8	163	38.0%	27.2	4.0
철학과	11	871	79.2	3	27.3%	89.4	282	32.4%	25.6	3.7
영어영문학과	7	521	74.4	0	0.0%	91.3	223	42.8%	31.9	3.3
응용영어통번역학과	7	538	76.9	0	0.0%	89.0	220	40.9%	31.4	3.6
프랑스어학과	4	109	27.3	3	75.0%	86.4	28	25.7%	7.0	3.6
스페인어학과	4	109	27.3	1	25.0%	83.2	35	32.1%	8.8	2.5
러시아어학과	6	172	28.7	0	0.0%	87.6	57	33.1%	9.5	4.1
중국어학과	5	161	32.2	1	20.0%	86.1	43	26.7%	8.6	3.8
일본어학과	4	93	23.3	0	0.0%	86.8	23	24.7%	5.8	4.2
한국어학과	2	44	22.0	0	0.0%	79.5	5	11.4%	2.5	4.2
글로벌 커뮤니케이션학부	6	192	32.0	0	0.0%	88.4	60	31.3%	10.0	3.3
자율전공학부	14	1099	78.5	7	50.0%	87.2	543	49.4%	38.8	3.1
정치외교학과	5	293	58.6	0	0.0%	89.6	128	43.7%	25.6	2.8
행정학과	11	659	59.9	2	18.2%	88.6	296	44.9%	26.9	3.6
사회학과	5	296	59.2	0	0.0%	91.8	140	47.3%	28.0	3.2
경제학과	15	788	52.5	2	13.3%	87.4	380	48.2%	25.3	3.4
무역학과	12	597	49.8	2	16.7%	86.5	254	42.5%	21.2	3.2
미디어학과	10	697	69.7	4	40.0%	86.6	308	44.2%	30.8	3.3
경영학과	37	2,667	72.1	7	18.9%	91.6	1377	51.6%	37.2	3.2
회계·세무학과	11	526	47.8	0	0.0%	88.5	277	52.7%	25.2	3.4
Hospitality경영학부	15	861	57.4	1	6.7%	86.3	399	46.3%	26.6	3.3
관광학부	10	506	50.6	2	20.0%	86.3	214	42.3%	21.4	3.7
아동가족학과	5	312	62.4	5	100.0%	89.7	98	31.4%	19.6	3.4

주거환경학과	6	370	61.7	1	16.7%	89.6	138	37.3%	23.0	3.5
의상학과	5	391	78.2	0	0.0%	85.5	138	35.3%	27.6	2.9
지리학과(인문)	4	158	39.5	0	0.0%	86.9	69	43.7%	17.3	3.1
건축학과(5년제) [인문]	4	121	30.3	0	0.0%	87.5	40	33.1%	10.0	3.7
한의예과(인문)	7	1,847	263.9	1	14.7%	90.5	653	35.4%	93.3	2.2
간호학과(인문)	5	421	84.2	1	20.0%	86.9	158	37.5%	31.6	3.5
체육학과	8	574	71.8	1	14.3%	88.3	286	49.8%	35.8	3.8
스포츠의학과	5	278	55.6	1	20.0%	86.9	152	54.7%	30.4	3.9
골프산업학과	3	90	30.0	0	0.0%	87.6	46	51.1%	15.3	4.2
태권도학과	6	143	23.8	1	16.7%	84.3	79	55.2%	13.2	4.1

2. 논술 분석

1) 출제 구분 : 계열 구분

※ 인문체육계, 사회계

- 인문·체육계: 1,000자 내외의 논술 답안을 요구하는 문제
- 사회계 : 인문 논술 2문항 + 수리논술 한 문제
- 사회계 논술에는 수리논술 문항이 포함되며, 수리논술 문항은 사회·경제에 관한 도표, 통계자료 등이 포함된 제시문을 해석하여 논술하거나, 논제를 수학적 개념과 풀이 방법을 이용하여 논술하는 유형으로 출제

2) 출제 유형 : 제시문과 논제로 구성된 자료 제시형

3) 출제 방향 :

- 통합교과형 논술로 수험생의 통합적이고 다면적인 사고 및 표현 능력 측정
- 고등학교 교육과정의 지식을 통합하여 종합적 분석 및 문제해결 과정을 논리적이고 창의적으로 서술하는 능력 평가
- 쟁점에 대한 찬반 의견보다 쟁점에 담긴 인간·사회의 근원적인 문제를 통찰하는 성찰적 사고력 요구
- 특정 주제를 하나의 방향으로 이해하지 않고 다양한 각도에서 접근하는 다면적 사고력 요구
- 텍스트 해석 능력 및 제시문 간의 공통점과 차이점을 비교·분석하는 통합적 사고력 요구
- 사회계 수리논술은 문제풀이에 필요한 식을 논리적으로 추론하는 수리 능력 요구

3. 출제 문항 수

· 총 작성 분량 2,000자 내외

· 각 2~3 문항

4. 시험 시간

· 120분

5. 시험 유의사항

<아래 내용 위반시 감점 또는 0점 처리할 수 있음>

1. 답안의 작성과 정정은 반드시 본교에서 지급한 흑색 필기구를 사용하시오.
2. 답안지에 제목을 쓰지 말고, 특별한 표시를 하지 마시오.
3. 답안지에 답안과 관련된 내용 이외에 어떤 것도 쓰지 마시오(예: 감사합니다 등),
4. 제시문 속의 문장을 그대로 쓰지 마시오.
5. 답안 작성 시 논제번호(예: I.I…)에 맞춰 답안을 작성하며, 논제별 소문제번호(예: (1). (2)]를 쓰고 이어서 논술하시오.
6. 답안 정정 시에는 원고지 교정법을 따라야 하고 수정도구(수정액 또는 수정테이프) 사용은 절대 불가하므로 유의하시오.
7. 띄어쓰기를 포함하여 논제별 분량 제한을 준수하고 답안지는 반드시 1장만 사용하시오.
8. 지정된 답안의 작성 영역을 벗어나지 않도록 각별히 유의하시오.9. 사회계 문제지는 총 2장 3쪽입니다.

6. 논술의 특징

- 인문·체육계: 1,000자 내외의 논술 답안을 요구하는 문제
- 사회계: 수리논술도 출제
- 사회계 논술에는 수리논술 문항이 포함되며, 수리논술 문항은 사회·경제에 관한 도표, 통계자료 등이 포함된 제시문을 해석하여 논술하거나, 논제를 수학적 개념과 풀이 방법을 이용하여 논술하는 유형으로 출제

7. 답안의 이외의 작성

답안에 아무것도 즉, 인사, 낙서, 이모티콘과 같은 그림 등은 표시하면 안 된다. 특히, 절대 자신의 신상과 관련된 표현 (학교, 이름, 지역 등)을 나타내는 표시가 발견되면 0점 처리된다.

8. 논술 작성 요령 및 유의점

가. 출제의도를 파악하여 자신의 주장과 논리를 창의적으로 전개

나. 논제에 관해 자신이 알고 있는 지식을 서술하기보다는, 제시문의 내용과 관점을 근거로 논제가 요구하는 답안 작성

다. 차별성 있는 논거와 참신한 사례를 바탕으로 독창적인 답안 작성

라. 요구한 답안 분량을 반드시 준수해야 하며, 분량이 초과되거나 부족하면 감점

마. 문제지와 답안지에 표기된 논술작성 유의사항을 철저히 준수

II. 기출문제 분석

기출 연도	출제 의도
2024학년도 수시 논술 [인문체육계]	논제 [I]의 [가],[나],[다] 제시문들은 인지 과정에서 이성의 중요성을 강조한 입장, 감정 중심의 사회가 갖는 부정적 측면을 비판한 입장, 이성만이 아니라 감정적 요소를 함께 고려할 때 사법적 정의가 성취될 수 있다는 입장 등 이성과 감정의 중요성에 관한 다양한 논점을 확인할 수 있도록 선별되었다. 인간의 중요한 특징인 이성과 감정이 어떠한 가치와 한계를 지닐 수 있고, 개인 및 사회에 대해 어떠한 긍정적·부정적 영향을 끼칠 수 있는지를 탐색·고찰하게 하는 것이 목표이다. 특히 이성과 감정에 대해 여러 각도에서 바라보고 균형 있게 사고할 수 있는지 평가하는 데 주안점을 두었다. 제시문 [가]는 이성에 충실한 인지 과정만이 진실에 다가갈 수 있다고 본다. 제시문 [나]는 감정이 지배하는 현실이 진실과 거짓의 구분을 불가능하게 만듦으로써 결국 거짓이 횡행하는 현실을 초래했다고 지적한다. 제시문 [다]는 사법적 정의는 이성만이 아니라 감정적 요소를 함께 고려함으로써 성취될 수 있다는 주장을 전개한다. 제시문 [다]의 시각에서 볼 때, 제시문 [가]는 감정이 인간에게 끼치는 긍정적인 영향을 고려하지 않는다는 한계가 있고, 제시문 [나]는 몇몇 부정적 사례만을 부각시킴으로써 감정 자체를 부정적인 것으로 인식하게 한다는 한계가 있다.
	[논제 Ⅱ]의 [라]~[사] 제시문들은 현대사회에서 개인과 공동체의 중요한 덕목으로 간주되는 공감의 긍정적 의미와 가치를 강조하는 입장과 공감을 도덕 법칙의 근거로 규정하는 태도의 위험성과 한계를 지적한 입장, 공감의 역기능을 지적한 입장 등 대조되고 상반된 논점을 확인할 수 있도록 선별되었다. 공감이라는 가치가 어떠한 의미와 한계를 지닐 수 있는지, 또한 그것이 우리 사회의 문제를 해결하는 과정에서 어떠한 실용적 효과를 낼 수 있는지를 탐색·고찰하게 하는 것이 목표이다. 특히 오늘날 공감은 개인이나 특정한 공동체를 넘어 국제적 문제 해결 과정에서도 자주 언급되므로 그것을 다양한 시각에서 비판적으로 바라보고 균형 있게 사고할 수 있는지 평가하는 데 주안점을 두었다. 제시문 [라]는 공감의 가치를 사회적 측면에서 강조한다. 사회적 공감의 확장이 폭넓은 사회적 교류를 가능하게 하는 사회적 접착제라는 것이 핵심적인 주장이다. 제시문 [마]는 인간의 공감 능력이 대상에 따라 크게 달라진다는 사실을 근거로 타자에게 공감하는 행위가 보편적인 친절을 끌어내는 충분한 자극이 될 수 없음을 역설한다.

<table>
<tr><td></td><td>제시문 [바]는 공감의 가치를 감정의 영역에서 찾는다. 공감은 사람들 간의 거리를 뛰어넘게 하는 정신적 초능력이며, 이러한 감정의 전염으로 인해 인류와 동물은 사회성을 획득하는 방향으로 진화할 수 있었다는 것이다. [사]는 공감이 제로섬 상황을 가져온다는 점, 공사 구분을 불분명하게 만들어 잘못된 윤리적 판단을 초래한다는 점을 근거로 공감의 한계를 지적한다.</td></tr>
<tr><td rowspan="4">2024학년도
수시 논술
[사회계오전]</td><td>자연을 바라보는 관점 중 인간 중심주의 자연관과 생태 중심주의 자연관을 다루었다. 이 주제는 환경오염, 지구 온난화, 생태주의, 녹색 경제, 탄소 배출권 등의 문제와 연결되어 있기 때문에 고등학교 교육 과정의 핵심적 주제로서, 이에 대한 이해는 대학에서 사회과학 분야의 공부를 함에 있어서 중요한 부분을 차지한다. 이 주제에 대해 응시생이 얼마만큼의 기초적 소양을 갖추어 얼마나 명확히 이해하고 비판적·종합적 시각으로 볼 수 있는지 논술고사를 통해 평가한다. 나아가, 최근 사회과학의 주요 관심사인 생태주의, 지구 온난화, 탄소 배출권, 녹색 경제 등의 관한 자료를 이용해 정확하게 해석하고 수리적 계산 및 추론을 통해 판단하는 능력도 평가한다.
인간 중심주의 자연관과 생태 중심주의 자연관의 개념과 예시는 통합사회, 생활과 윤리, 윤리와 사상, 경제, 사회· 문화 등 고등학교 교과 과정 전체에 걸쳐 광범위하게 언급되고 있다.</td></tr>
<tr><td>[논제 I]에서는 인간 중심주의 자연관과 생태 중심주의 자연관에 관한 제시문들을 응시생이 정확하게 분류하고 명료하게 요약할 수 있는지 평가하고자 했다.</td></tr>
<tr><td>[논제 II]는 자연을 바라보는 관점인 인간 중심주의 자연관과 생태 중심주의 자연관 중 어느 관점이 사회 현실을 더 잘 설명할 수 있다고 생각하는지 응시생으로 하여금 선택하고 그 근거를 제시하도록 요구했다. 또한 세 개의 추가 지문에 담긴 관점을 정확하게 파악하고 자신이 선택한 관점에서 각 제시문을 평가하도록 요구했다.</td></tr>
<tr><td>[논제 III]은 자료들을 정확하게 해석하고 이들이 인간 중심주의 자연관과 생태 중심주의 자연관 중 어느 관점을 지지하는 근거로 사용될 수 있는지 판단하는 능력을 평가하고자 했다. 또한 고등학교 수학 교과서에 나오는 이차함수의 최댓값을 구하는 방법을 이용하고, 여기에서 나온 결과를 토대로 제시문의 주장을 비판적으로 검증할 수 있는지 평가하고자 했다.</td></tr>
<tr><td>2024학년도
모의 논술
[인문체육계]</td><td>제시문은 교육의 본질과 역할을 하향식 가르침에서 찾거나 학습자 중심의 배움에서 찾는 내용의 지문을 다양하게 선별하였다. [논제 I]은 제시문 [다]의 내용이 제시하는 관점을 파악하고 이를 바탕으로 제시문 [가], [나]의 입장을 평가하는 문제로, 교육의 가치와 본질에 대한 다양한 관점을 인문학적 시각에서 성찰하는 능력을 평가하기</td></tr>
</table>

	위해 출제하였다.
	경희대학교 수시모집 논술고사의 정형적 패턴 대신 새로운 방식으로 접근한 [논제 II]를 출제하였다. 동서고금의 다양한 텍스트 가운데 교육의 본질과 역할을 각각 '공적 기능'과 '사적 기능'에서 찾는 텍스트에서 선별하였다. [논제 II]는 그동안의 정형적인 유형에서 벗어나 네 개의 제시문을 제시하고, 입장이 같은 두 묶음으로 분류한 후 한 입장을 선택하여 그 입장을 요약하고 다른 입장을 비판하는 문제를 출제하였다. 다양한 제시문을 동일한 시각으로 분류할 수 있는 능력을 측정하고 한 입장을 정하여 다른 입장을 비판적으로 사유하는 능력을 평가하기 위하여 출제하였다.
2024학년도 모의 논술 [사회계오전]	물질주의의 만연과 자본주의의 고도화 속에서 사회 구성원들이 갖고 있는 '행복에 대한 관점'을 주제로 출제하였다. 행복에 대한 가치관은 충분한 물질적 조건과 경제적 자원이 있을 때 충족될 수 있다는 물질적, 경제적) 관점과, 타인과의 좋은 관계와 정신적 안정에서 얻을 수 있다는 비물질적(비경제적) 관점으로 나눌 수 있다. 『고등학교 윤리와 사상』 교과는 행복과 윤리에 관해 독립된 장을 할애해 중요하게 다루고 있다. 행복과 윤리를 쾌락주의 윤리와 금욕주의 윤리, 이상주의 윤리와 현실주의 윤리 등의 다양한 관점을 통해 설명하고 있다. '최대다수의 최대행복'이라는 공리주의적 윤리와 '의지'와 도덕법칙에 근거한 의무론적 윤리의 대립 또한 자세히 소개하고 있다. 『고등학교 경제』 교과는 개인이 자신의 행복을 위해 경제적 효용을 극대화하는 것이 시장의 주요 작동 원리라고 설명하며, 행복, 효용, 시장의 문제를 경제학의 고전적인 문제로서 상세히 다루고 있다. 『고등학교 정치와 법 교과에서는 개인의 행복 추구권이 인간의 존엄한 권리이며, 행복 추구권은 물질적 풍요뿐만 아니라 정신적 만족도 동시에 충족할 수 있는 권리라고 설명하고 있다. 즉 행복에 대한 물질적 관점과 비물질적 관점은 고등학교 교육과정에 전반에 걸쳐 광범위하게 다루고 있는 의제이다.
	논제 [I]은 행복과 물질(경제)의 관계에 관해 대비되는 관점을 이해하고, 이를 바탕으로 다양한 주제의 글을 분류할 수 있는 능력을 평가하고자 하였다. 첫 번째는 행복을 바라보는 관점 중 물질(경제) 중심적 관점에 해당하고, 두 번째는 행복을 바라보는 관점 중 비물질(비경제) 중심적 관점에 해당한다. 응시생에게는 주어진 제시문을 두 가지 입장으로 분류하고 각 제시문의 핵심 내용을 주어진 분량에 맞게 요약할 수 있는 능력이 요구된다.
	[논제 II]는 행복에 관한 두 가지 관점 중에서 응시생이 지지하는 관점 하나를 선택하고 그 관점을 지지하는 이유를 서술한 후, 이를 바

	탕으로 제시문 [사], [아], [자]를 비판적으로 평가할 수 있는 능력을 측정하고자 했다. 제시문 [사]는 화자가 일 년에 한 번씩 귀향해 도시화, 현대화하는 고향의 낯선 모습을 보며 느끼는 씁쓸함과 안타까움을 묘사하고 있다. 이는 행복의 구성 요소로서 물질을 중시하는 [가], [다], [마]의 관점과 대비된다. 제시문 [아]를 보면, 사회자본과 여가활동은 행복 추구에 중요한 요소로서, 월 가구소득 정도에 따라 참여하는 여가활동의 구체적인 종류는 달라진다. 이는 소득이 높을수록 취미·오락 활동보다는 문화예술 활동과 같이 더 수준 높은 여가활동을 누릴 수 있다는 점에서 제시문 [가], [다], [마]의 관점과 맥을 같이한다. 제시문 [자]의 경우, 다른 사람의 소득이 자신의 소득에 대한 만족도에 영향을 미치는 것을 보여준다. 이는 행복을 위해 자신의 소득 증가의 필요성을 강조하는 측면에서는 [가], [다], [마]의 물질(경제) 중심적 관점과 맥을 같이하나, 동시에 자신의 소득 증가의 효과는 다른 사람의 소득 증가와 비교할 때만 유의미하게 체감된다는 점에서는 [가], [다], [마]의 관점과 차별성을 갖는다.
	[논제 Ⅲ]은 그래프에 나타난 사실들을 정확하게 해석하고, 주어진 제시문을 이용해서 이러한 사실 들을 논리적으로 설명할 수 있는지를 평가하고자 했다. 수학 문제를 정확하게 풀고 주어진 제시문을 이용해서 수학 문제에 나타난 결과의 의미를 해석할 수 있는지도 평가하고자 하였다. 응시생은 문제를 통해 통계 자료와 수학 문제의 답에 나타난 사실들을 객관적으로 파악하고, 제시문에 대한 이해를 바탕으로 자료의 사실들을 적절하게 해석할 수 있는 능력을 갖추고 있어야 한다.
2023학년도 수시 논술 [인문체육계]	사회와 문화에 대한 인식이 급변하는 오늘날에 '대중문화 및 정보사회의 의미와 긍정적이고 부정적인 양면성'을 성찰하도록 하는 데 목표를 두었다. [논제 Ⅰ]의 [가], [나], [다] 제시문들은 대중문화에 대한 부정적인 입장, 대중문화가 개인에게 긍정적 가치를 지닌다는 입장, 대중문화가 세상을 변화시키는 실천적 가치를 지닌다는 입장 등 대중문화에 관한 다양한 논점을 확인할 수 있도록 선별되었다. 대중문화가 어떠한 문제와 한계를 지닐 수 있고, 어떠한 개인 및 사회 차원의 순기능을 할 수 있는지를 탐색·고찰하게 하는 것이 목표이다. 특히 대중문화를 문화산업, 개인의 성장, 사회의 진보 등 여러 각도에서 비판적으로 바라보고 균형 있게 사고할 수 있는지 평가하는 데 주안점을 두었다.
	사회와 문화에 대한 인식이 급변하는 오늘날에 '대중문화 및 정보사회의 의미와 긍정적이고 부정적인 양면성'을 성찰하도록 하는 데

	목표를 두었다. [논제 II]의 [라], [마], [바], [사] 제시문들은 오늘날 정보사회의 상징인 소셜 미디어(누리 소통망, SNS)의 사회적 유용성을 긍정적으로 강조하는 입장과 SNS로 인해 사람들이 진정한 자아를 잃게 되는 부정적 측면을 주목하는 입장 등 대조되고 상반된 논점을 확인할 수 있도록 선별되었다. SNS가 어떠한 문제와 한계를 지닐 수 있고, 또한 어떠한 사회 차원의 실용적 효과를 낼 수 있는지를 탐색·고찰하게 하는 것이 목표이다. 특히 오늘날 대부분의 청소년이 빈번하게 사용하는 SNS를 사회적 기능의 차원에서, 그리고 인간 자아의 측면에서 여러 각도로 비판적으로 바라보고 균형 있게 사고할 수 있는지 평가하는 데 주안점을 두었다.
2023학년도 수시 논술 [사회계오전]	[논제 Ⅰ]은 사회 발전과 문제 해결을 위한 시민 참여를 바라보는 두 가지 대비되는 관점을 이해하고, 이를 바탕으로 다양한 주제의 글을 분류할 수 있는 능력을 평가하고자 했다. 첫 번째 관점은 시민 참여가 사회 발전과 문제 해결에 긍정적 효과를 가져 온다는 관점이고, 두 번째 관점은 시민 참여가 부정적 결과를 야기할 수 있다는 관점이다. 응시생들은 주어진 제시문을 두 가지 관점으로 분류하고 각 제시문의 핵심 내용을 주어진 분량에 맞게 요약할 수 있는 능력이 필요하다
	[논제 Ⅱ]는 시민 참여를 바라보는 두 가지 대비되는 관점 중에서 응시생이 지지하는 관점 하나를 선택하고 그 관점을 지지하는 이유를 서술한 후, 이를 바탕으로 제시문 [사], [아] [자]를 비판적으로 평가할 수 있는 능력을 측정하고자 했다.
	<논제 Ⅲ>에서는 주어진 두 점을 이용하여 a와 b에 관한 연립방정식을 만든 후 이들의 해를 구하여 선거참여율과 행복 지수에 관한 함수를 구하고 이를 x와 y의 그래프에 나타내는 능력을 검정하고 있다. 그리고 x를 제곱식으로 표현하여 y가 최대가 되는 점을 구한 후 이 점이 x의 범위에 속하기 때문에 그 점이 y의 최댓값임을 논의해야 한다. 그리고 그 점을 기준으로 왼쪽 구간에서는 값이 증가하면서 y값이 증가하지만, 오른쪽 구간에서는 값이 증가하면서 y값이 감소함을 논의해야 한다. 이러한 선거참여율과 행복 지수의 관계는, 과도한 시민 참여가 이루어지면 정치적 혼란이 일어날 수 있다는 [나]의 지문에 부합하는 관찰임을 설명할 수 있어야 한다.
2023학년도 수시 논술 [사회계오후]	사회·문화를 바라보는 관점 중 기능론(사회 통합)과 갈등론(사회 갈등)의 주제를 다루었다. 기능론과 갈등론은 사회과학의 핵심적 주제로서, 이에 대한 이해는 대학에서 사회과학 분야의 공부를 함에 있어서 중요한 부분을 차지한다. [논제 Ⅰ]에서는 기능론 혹은 갈등론의 시각으로 사회 현상을 바라고 있는 제시문들을 응시생이 정확하

	게 분류하고 명료하게 요약할 수 있는지 평가하고자 했다.
	최근 사회과학의 주요 관심사인 교육 불평등과 임금 격차, 사회 통합과 사회 발전 등에 관한 자료를 이용해 정확하게 해석하고 수리적 계산 및 추론을 통해 판단하는 능력도 평가한다. [논제 Ⅱ]는 사회·문화 현상을 바라보는 관점인 기능론과 갈등론 중 어느 관점이 사회 현실을 더 잘 설명할 수 있다고 생각하는지 응시생으로 하여금 선택하고 그 근거를 제시하도록 요구했다. 또한 세 개의 추가 지문에 담긴 관점을 정확하게 파악하고 자신이 선택한 관점에서 각 제시문을 평가하도록 요구했다.
	[논제 Ⅲ]은 자료들을 정확하게 해석하고 이들이 기능론과 갈등론 중 어느 관점을 지지하는 근거로 사용될 수 있는지 판단하는 능력을 평가하고자 했다. 또한 고등학교 수학 교과서에 나오는 연립이차방정식을 풀고 여기에서 나온 결과를 토대로 제시문의 주장을 비판적으로 검증할 수 있는지 평가하고자 했다.
2023학년도 모의 논술 [인문체육계]	<논제 I>에서는 세 개의 지문을 제시하고, 하나의 글의 관점에서 나머지 두 글의 입장을 옹호하거나 비판하는 문제를 출제하였다. 세 개의 지문이 '자유'에 대해 조금씩 다른 관점을 취하고 있지만, 유사성이 존재하는 두 개의 지문과 이질적인 입장을 지닌 하나의 지문을 동시에 제시함으로써 각 지문을 읽어내는 문해력, 다른 입장을 지닌 지문을 비판적으로 읽는 능력을 함께 평가할 수 있도록 의도하였다.
	<논제 II>에서는 네 개의 제시문을 제시하고, 입장이 같은 두 집단으로 분류한 후 한 입장을 채택하여 그 입장을 요약하고 다른 입장을 비판하는 문제를 출제하였다. 다양한 제시문들을 동일한 시각으로 분류할 수 있는 능력을 측정하고 한 입장을 정하여 다른 입장을 비판적으로 평가하는 능력을 평가하기 위하여 출제하였다.
2023학년도 모의 논술 [사회계]	[논제 Ⅰ]은 사회적 문제에 대한 정부의 개입 문제에 대해 두 가지 대비되는 관점을 이해하고, 이를 바탕으로 다양한 주제의 글을 분류할 수 있는 능력을 평가하고자 했다. 첫번째 관점은 국가(정부)의 개입 없이 개인의 자유나 시민사회의 자율성을 바탕으로 해결해야 한다는 관점이고, 두 번째 관점은 국가나 정부가 사회적 문제에 법과 제도를 통해 적극적으로 개입해야 한다는 관점이다. 응시생들은 주어진 제시문을 두 가지 관점으로 분류하고 각 제시문의 핵심 내용을 주어진 분량에 맞게 요약할 수 있는 능력이 필요하다.
	[논제 Ⅱ]는 국가(정부) 개입에 관한 두 가지 관점 중에서 응시생이 지지하는 관점 하나를 선택하고 그 관점을 지지하는 이유를 서술한 후, 이를 바탕으로 제시문을 비판적으로 평가할 수 있는 능력을 측정하고자 했다.
	[논제 Ⅲ]은 그래프와 표를 정확하게 해석하고, 이를 바탕으로 출산

<table>
<tr><td></td><td>장려를 위한 현금 지원 정책과 육아 지원 정책이 갖는 각각의 효과를 정확히 판단할 수있는 능력을 평가하고자 했다. 자료에 나타난 사실들의 일부는 제시문에 나타난 견해를 옹호하는 근거로 사용될 수있으나, 다른 사실들은 제시문의 견해를 비판할 수 있는 근거로 사용될 수 있음을 설명할 수 있는지 평가하고자 했다. 학생들은 문제를 통해 객관적인 근거를 토대로 균형적인 시각에서 제시문을 평가할 수있는 능력을 기를 수 있다.</td></tr>
<tr><td rowspan="2">2022학년도
수시 논술
[인문체육계]</td><td>관계맺음에 대한 인식이 변화하는 코로나19 팬데믹 시대에 ‘인간관계와 사랑’을 성찰해 보게 하는 데 목표를 두었다. [논제Ⅰ]에서는 인간관계를 바라보는 각기 다른 태도들을 보여주는 제시문들을 선별하였다. 이들 제시문들은 코로나19로 인해 관계의 양상이 변화한 오늘날 공동체와 인간관계 속 개인의 위치에 대해 다각도로 해석하는 능력을 묻기 위해 선별되었다.</td></tr>
<tr><td>[논제 Ⅱ]의 제시문 [라]에서 [사]는 포스트코로나시대의 관계와 사랑에 대한 입체적 사유를 이끌어 내기 위해 선별되었다. 주체와 낭만적 사랑을 강조하는 시각과, 현실적인 관점에서 사랑을 계층적 배경에 맞춘 선택으로 보는 시각의 차이를 파악해 비판할 수 있는 사고력을 평가하고자 하였다.</td></tr>
<tr><td rowspan="3">2022학년도
수시 논술
[사회계오전]</td><td><논제 Ⅰ>은 개체(개인)와 전체(공동체)의 가치 중 어디에 우선순위를 둘 것인가에 관한 두 가지 대비되는 관점을 이해하고, 이를 바탕으로 다양한 주제의 글을 분류할 수 있는 능력을 평가하고자 했다. 첫 번째 관점은 전체의 이익과 권리를 우선시하는 관점이고, 두 번째 관점은 개체의 이익과 권리를 우선시하는 관점이다. 응시생들은 주어진 제시문들을 두 관점으로 분류하고 각 제시문의 핵심 내용을 요약할 수 있는 능력이 필요하다.</td></tr>
<tr><td><논제 Ⅱ>는 개체(개인)와 전체(공동체)의 가치 중 어디에 우선순위를 둘 것인가에 관한 두 가지 관점 중 응시생이 지지하는 관점을 선택하고 그 관점을 지지한 이유를 서술한 후, 이를 바탕으로 제시문을 비판적으로 평가할 수 있는 능력을 측정</td></tr>
<tr><td><논제 Ⅲ>에서는 주어진 조건과 표를 이해하고 해석하여 보조금 정책이 평균 자녀수에 미치는 효과를 수치로 계산해 내고, 그 결과를 바탕으로, 평균 자녀수는 감소하고 있으나 보조금 정책으로 인해 감소 추세가 완화됨을 추론할 수 있어야 한다.</td></tr>
<tr><td>2022학년도
수시 논술
[사회계오후]</td><td>분배적 정의의 실질적 기준과 관련하여 업적(능력)에 따른 분배와 필요에 따른 분배라는 주제를 다루었다. 분배적 정의의 문제는 사회과학과 인문학의 핵심적 주제로서, 이에 대한 이해는 대학에서 사회과학 분야의 공부를 함에 있어서 중요한 부분을 차지한다.
[논제 Ⅰ]은 정의라는 공정성의 가치 추구에 있어 사회적 약자에게</td></tr>
</table>

	더 많은 분배가 이루어지도록 하는 것의 정당성과 업적(능력)이 뛰어난 사람에게 더 많은 분배와 보상이 이루어지는 것의 정당성을 비교하고 있다. 사회적 정의를 실현하는 데 있어 대비되는 이러한 두 가지 관점을 이해하고 이를 바탕으로 다양한 주제의 글을 분류할 수 있는 능력을 평가하고 있다.
	[논제 Ⅱ]는 정의로운 분배의 기준에 관한 두 가지 관점 중 응시생이 지지하는 관점을 선택하고 그 관점을 지지한 이유를 서술한 후, 이를 바탕으로 제시문을 비판적으로 평가할 수 있는 능력을 측정하고자 했다.
	[논제 Ⅲ]은 교육 불평등 및 교육을 통한 부의 대물림을 나타내는 그래프를 정확하게 해석하고, 이를 바탕으로 그래프에 나타난 사실들이 분배적 정의의 두 가지 기준 중 어느 기준을 비판할 수 있는 근거로 사용될 수 있는지 판단하는 능력을 평가하고자 했다.
2022학년도 모의 논술 [인문체육계]	<논제 Ⅰ>은 제시문 [다]의 근대윤리학이 전제하는 합리적 행위 주체가 어떻게 객관적 판단에 쓰이는지 제시하는 관점을 파악하고 이를 바탕으로 제시문 [가]의 이슬람 문화권에 잔존하고 있는 명예살인과 투석형의 문제점을 보여줌으로써 불합리하고 폭력적인 제도들이 문화적 다양성이라는 이름으로 옹호되고 있는 현실을 비판하고 있으며, [나]에서는 허생의 처의 주장이 '인륜'과 '예의'라는 중세의 보편적 가치가 보편이 아니라 남성의 전유물, 즉 특수임을 폭로함으로써 불편부당한 초월적 도덕성에 이르지 못했음에서 제시한 상황 또는 입장을 평가하는 문제로, 현실의 문제를 해결하기 위한 다양한 태도를 인문학적 시각에서 성찰하는 능력을 평가하기 위해 출제하였다
	<논제 Ⅱ>는 그동안의 정형적인 유형에서 벗어나, 네 개의 제시문을 제시하고, 입장이 같은 두 집단으로 분류한 후 한 입장을 채택하여 그 입장을 요약하고 다른 입장을 비판하는 문제를 출제하였다. 다양한 제시문들을 동일한 시각으로 분류할 수 있는 능력을 측정하고 한 입장을 정하여 다른 입장을 비판적으로 평가하는 능력을 평가하기 위하여 출제하였다.
2022학년도 모의 논술 [사회계]	<논제 1>은 변화와 발전의 동인에 대한 두 가지 대비되는 관점을 이해하고, 이를 바탕으로 다양한 주제의 글을 분류할 수 있는 능력을 평가하고자 했다. 첫 번째 관점은 발전이 외부의 도움 없이 자생적으로 일어나는 것을 강조하는 관점이고, 두 번째 관점은 발전이 외부의 도움이나 접촉에 의해서 일어난다는 관점이다. 응시생들은 주어진 제시문들을 두 관점으로 분류하고 각 제시문의 핵심 내용을 요약할 수 있는 능력이 필요하다.
	<논제 2>는 발전의 양상에 관한 두 가지 관점 중 응시생이 지지하는 관점을 선택하고 그 관점을 지지한 이유를 서술한 후, 이를 바탕으

	로 제시문을 비판적으로 평가할 수 있는 능력을 측정하고자 했다. 한류의 기원이 고대 제천의식이나 판소리와 같은 민요적인 전통에 있다고 주장하고 있어서 발전이 자생적으로 이루어지는 관점과 발전을 위해서는 외부의 도움이 필수적인 경우가 많으며 외부의 도움은 대체로 발전에 실보다는 득이 된다고 하는 관점에 의문을 제기한다고 할 수 있다 응시생들은 이러한 관점들의 차이를 이해하는 능력이 필요하다.
	<논제 3>은 그래프를 정확하게 해석하고, 이를 바탕으로 그래프에 나타난 사실들이 발전 방식에 대한 대비되는 두 가지 관점 중 어느 관점에 부합하는지 판단할 수 있는 능력을 평가하고자 했다. 또한 그래프에 나타난 사실 근거들과 반대되는 견해를 정확하게 요약하고 사실 근거들을 토대로 비판적으로 논평할 수 있는지 평가하고자 했다
2021학년도 수시 논술 [인문체육계]	<논제 I>은 제시문 [가]에서 현대인의 평범한 생활 속에 도사리고 있는 디지털 감시체제의 위험성을 경고하고 탈피에 대한 내용을 [나]의 정보 사회, 정보 감옥인 파놉티콘에서 벗어나 정보의 쌍방향성인 내용을 요약하고, 논지의 차이를 비교하는 것으로 자료에 대한 독해력과 비교·분석 및 서술 능력을 평가하기 위해 출제하였다.
	<논제 Ⅱ>는 제시문 [바]의 기술 발전에 대한 인간의 가치가 어떻게 변화, 수용되는지 제시하는 관점을 파악하고 이를 바탕으로 제시문에서 제시한 상황 또는 입장을 평가하는 문제로, 현실의 문제를 해결하기 위한 다양한 태도를 인문학적 시각에서 성찰하는 능력을 평가하기 위해 출제하였다.
2021학년도 수시 논술 [사회계오전]	[논제 I]은 사회 갈등을 해결하기 위해 통합을 달성하는 두 가지 방식, 즉 협력적이고 합의에 의한 통합과 강제적이고 일방적인 통합을 구별할 수 있는 능력을 평가하고자 했다. 첫 번째 방식은 통합이 참여자의 합의와 소통을 통하여 이루어지는 경우이고, 두 번째 방식은 통합이 강제나 어느 한 세력에 의해 일방적으로 이루어지는 경우이다. 수험생들은 주어진 제시문들을 협력적이고 합의적인 통합 방식과 강제적이고 일방적인 통합 방식으로 분류하고, 각 제시문의 핵심 내용을 요약할 수 있는 능력이 필요하다.
	[논제 II]는 활발한 반대 의견 표출과 지속적 경합의 필요성을 이해하고, 사회 갈등을 통합으로 해결하는 사례를 비판적으로 평가하는 문제이다. 문제를 풀기 위해서는 제시문 [사]가 앞선 제시문들과 달리 갈등이 해결 불가능하며 역동적 사회를 위해 필요한 요소라고 주장하는 점을 이해해야 한다. 또한 제시문 [라]와 제시문 [마]가 통합을 지향하는 공통점을 가지며, 동시에 강제와 합의라는 통합 방식의 차이점을 보여주고 있음을 이해해야 한다. 이를 토대로 제시문 [라]

<table>
<tr><td></td><td>에 대해서는 지역 내 소수민족의 강제 통합은 완벽한 갈등 해결이라고 할 수 없으며, 소수 민족의 반대 의견 표출 권리는 물론 실질적 의견 표출의 기회조차 제공되지 않았다는 점을 지적할 수 있어야 한다. 제시문 [마]에 대해서는 반대 의견에 대한 인정과 소통이 일시적으로 허락됐지만, 갈등이 최종적으로 해결될 수 없으며 지속적으로 표출되어야 한다는 점을 서술해야 한다.</td></tr>
<tr><td></td><td>[논제 Ⅲ]은 고등학교 수학, 확률과 통계 및 수학 Ⅱ 교과과정에 나오는 함수, 조건부 확률, 도함수 및 부정적분을 활용하는 능력을 평가하는 문제이다. 특히, 현실에서 발생할 수 있는 사회 현상을 수식 및 그래프로 표현하고, 논제와 질문에 대한 정확한 이해를 바탕으로 이를 해석할 수 있는 능력을 요구한다. 수험생들은 문제 풀이를 통해 도출한 다양한 결과를 비교 분석하여, 사회 갈등은 부정적인 효과를 낳기도 하지만, 통합으로 갈등을 완전히 해결하려는 시도가 바람직한 것만은 아니라는 것을 논리적으로 설명하고 추론해야 한다.</td></tr>
<tr><td rowspan="3">2021학년도
수시 논술
[사회계오전]</td><td>[논제 Ⅰ]은 사회적 현상·관계와 관련해서 두 가지 관점, 즉, 명확한 경계(구분)를 중시하는 관점과 경계를 넘어 융합을 강조하는 관점을 구분하고 대비할 수 있는 능력을 평가하는 취지를 지닌다. 전자의 관점은 각각 민족, 정당, 업계의 경계를 보여주는 사례를 통해, 후자의 관점은 각각 산업, 종교, 국경, 지역의 경계를 넘어 융합·연계되는 사례를 통해 뒷받침된다. 응시생은 주어진 제시문들을 이 두 가지 관점에 따라 분류하고 각 제시문의 핵심 내용을 요약할 수 있는 능력이 필요하다.</td></tr>
<tr><td>[논제 Ⅱ]는 사회적 경계를 중시하는지 혹은 융합을 강조하는지의 관점과는 다른 차원에서, 그 실천 방안을 정부의 제도·정책 차원에서 찾는 현실론과 각 개인의 마음속 성찰에서 찾는 이상론을 대비시켜 이해할 수 있는지 평가하는 문제이다. 문제를 풀기 위해서는 제시문 [아]가 다른 제시문들과 달리 경계 혹은 융합 중 어느 한쪽을 선호하는 것이 아니라 감정이입과 마음속 대화를 통해 사회적 유대감과 일체감을 키울 수도 있고 이해와 관용의 가치를 실천할 수도 있음을 이상적으로 주장한다는 점을 주목해야 한다. 또한 제시문 [바]와 [사]가 경계냐 융합이냐의 관점에서는 차이점이 있으나 대처 방안을 정부의 정책·제도 차원에서 현실적으로 찾는다는 데서 공통점을 지닌다는 점을 이해해야 한다. 응시생은 이상론과 현실론 간의 차이를 인지해 서술할 필요가 있다.</td></tr>
<tr><td>[논제 Ⅲ]은 고등학교 확률과 통계 교과서에 나오는 이항분포, 사건의 독립, 확률의 곱셈정리, 표본 평균의 분포, 정규분포, 기댓값을 이용하여 사회 현상을 수리적으로 분석하고 이해하는 능력을 평가하는 문제이다. 문제의 답을 도출하고 해석하는 과정을 통해 수험생들</td></tr>
</table>

	은 실제 현실을 분석하고 정책을 도출하는 과정에 확률과 통계 교과서에 나오는 개념들이 중요하게 응용될 수 있음을 이해할 수 있다.
2021학년도 모의 논술 [인문체육계]	[논제 1]은 제시문 (가)는 외국 유명 브랜드에 대한 선호 현상을 날카롭게 비판하며 이를 문화 사대주의로 표현하였고, 제시문 (나)는 아랍인의 음식에 대한 태도와 생경한 문화적 차이가 나타나는 식사 풍경을 통해 에티켓과 문화 상대주의의 의미를 파악해 요약하고, 논지의 차이를 비교하는 것으로 자료에 대한 독해력과 비교·분석 및 서술 능력을 평가하기 위해 출제하였다
	[논제 2]는 제시문 (바)의 문화적 상대주의, 문화적 사대주의의 내용이 함축하고 있는 의미를 파악하고 그것을 바탕으로 제시문 (다)의 천하도, (라)의 영어회화 열풍과 영어 오남용, (마)에서 불상으로보는 수용과 창조에 대한 상황을 평가하는 문제로 사회 현상을 바라보는 인문학적 시각을 확인하기 위해 출제하였다.
2021학년도 모의 논술 [사회계]	시간에 대한 관점들을 주제로 삼고 있다. 사회에 있어서 시간을 장기적으로 보는 관점과 단기적으로 보는 관점을 대비하도록 하였고, 개인에 초점을 맞춰 시간을 이해하는 철학적 관점에서는 이러한 사회적 장단기 관점을 어떻게 비판적으로 평가할 지, 그리고 이러한 평가에 대해 사회적 관점에서는 어떻게 반박할지를 논하도록 하였다. <논제 1>은 시간에 대한 두 가지 대비되는 관점을 이해하고, 이를 바탕으로 다양한 주제의 글을 분류할 수 있는 능력을 평가하고자 했다. 첫 번째 관점은 시간을 장기적으로 보며 미래를 대비해야 한다는 관점이고, 두 번째 관점은 시간을 단기적으로 보며 현재에 충실해야 한다는 관점이다. 응시생들은 주어진 제시문들을 두 관점으로 분류하고 각 제시문의 핵심 내용을 요약할 수 있는 능력이 필요하다.
	<논제 2>는 베르그송의 철학적 관점을 이해하고, 그 관점에서 사회적 장기적.단기적 관점을 각각 어떻게 비판적으로 평가할지, 그리고 이러한 평가에 대해 사회적 관점에서는 어떻게 반박할지를 논하는 능력을 평가하고자 했다. 베르그송은 시간을 개인적 체험의 관점에서 이해하였고, 사회적 문제를 장기적으로 보든 단기적으로 보든 각 개인의 체험적 상황을 경시해선 곤란하다고 비판할 것이다. 이에 대해 사회적 관점에서는, 실용적으로 사회문제를 다루고 풀기 위해 시간을 때론 길고 때론 짧게 구분해봐야 한다고 반박할 것이다. 응시생들은 이러한 관점들의 차이를 이해하는 능력이 필요하다.
	<논제 3>은 경제 문제를 객관적으로 이해하고 설명하기 위해 수리적 모형을 적절히 구성하고, 이를 해석하여 실제 사안에 적용할 수 있는 능력을 평가하고자 했다. 확률과 통계 교과서에 나오는 이항분포,

	정규분포, 이산확률변수의 기댓값과 표준편차 등을 정확히 이해하고 이용해서 문제를 풀 수 있는 능력이 필요하다. 나아가 수리능력을 통해 사회적 문제에 대한 입장을 세우는 추론 능력도 평가하고자 했다.
2020학년도 수시 논술 [인문체육계]	<논제 I>은 두 제시문이 공통으로 다루고 있는 주제를 파악한 후, 제시문 간의 주요한 차이점이 무엇인지를 요약하고 설명할 수 있는 능력을 파악하기 위해 출제됐다. 제시문 [가]와 [나]는 현대 사회의 지속 가능성에 대한 문제를 다루고 있는데, [가]는 지속 가능한 성장 자체가 불가능하다고 주장한다. 반면 [나]는 경제·사회·환경 등의 조화와 균형을 통한 상호증진적인 성장을 옹호한다
	<논제 Ⅱ>는 제시문 [바]의 내용이 함축하고 있는 의미를 파악하고 그것을 바탕으로 제시문 [다], [라], [마]에 제시된 상황을 평가하는 문제로, 이를 통해 현실의 문제를 비판적으로 성찰하는 능력을 평가하기 위해 출제되었다. 제시문 [바]는 지속 가능한 공동체 구성을 위해서 생태주의적 가치의 수용과 법적 제도의 정비가 병행되어야 한다고 주장한다. 이를 바탕으로 [다], [라], [마]에 나타난 상황을 평가할 때, 먼저 [다]가 묘사하는 자연은 인간문명의 이기심과 욕망으로부터 벗어난 아름답고 조화로운 존재다. 화자는 자연을 인간의 한계를 넘어선 이상적인 위치로 승격시키는데, 하지만 바로 그런 이상화로 말미암아 자연은 이질적이고도 대상화된 모습에 갇히게 된다. 화자의 낭만적인 동경이 끝내 '사람'과 '대자연'의 이분법을 넘어서지 못한다는 점에서 모든 생명체의 상호연결성을 주장한 [바]에 의해 비판될 수 있다.
2020학년도 수시논술 [사회계오전]	[논제 I]은 사회 불평등을 바라보는 두 가지 관점을 이해하고, 이를 바탕으로 다양한 주제의 글을 분류할 수 있는 능력을 평가하고자 했다. 첫 번째 관점은 불평등이 사회 전체를 위해 중요한 기능을 수행하므로 당연하다는 기능론이고, 두 번째 관점은 불평등이 지배 집단의 권력과 강제에 의한 것이라는 갈등론이다. 수험생들은 주어진 제시문들을 기능론 관점과 갈등론 관점으로 분류하고, 각 제시문의 핵심 내용을 요약할 수 있는 능력이 필요하다.
	[논제 Ⅱ]는 사회 불평등의 갈등론 관점을 대표하는 두 시각을 이해하고, 각 시각이 가지고 있는 장단점에 대해 비판적으로 평가하는 문제이다. 제시문 [라]는 사회 불평등을 경제 불평등의 단일 차원으로 환원하는 경향이 있고, [마]는 다양한 차원에서 사회 불평등을 설명하고 있다는 점에서 [라]의 논의보다 한 걸음 더 나아간다. 지극히 개인적이고 자연적인 성향으로 보이는 취향이 어떻게 사회 불평등과 연관되어 있는지 분석한다는 점에서 [사]는 [마]의 다차원적 불평등론과 궤를 같이 한다. 이에 더해 [사]에서는 취향의 형성에 반영되어

	있는 경제적 불평등을 드러내고, 취향이 가지고 있는 계급 재생산 효과를 보여줌으로써, 다차원적 불평등의 유기적 관계를 드러내고 있다. 이런 점에서 [사]는 다차원적 불평등을 단순 열거하고 있는 [마]를 넘어서고 있다.
	[논제 Ⅲ]은 사회 현상을 객관적으로 설명하기 위해 필요한 수리적 모형을 적절히 구성하고, 이를 해석하여 실제 적용할 수 있는 능력을 평가하고자 했다. 이에 [논제 III]에서는 이윤을 구하는 방정식을 기초수학의 교과과정에 나오는 1차 함수식으로 설정하도록 하였고, 확률과 통계의 교과과정에 나오는 이산확률변수의 기댓값과 표준편차 공식을 통해 답을 구하도록 하였다. 이를 통해, 갈등론 관점에서 사회 불평등이 어떻게 발생하는지를 추론하도록 하였다.
2020학년도 수시 논술 [사회계오후]	[논제 Ⅰ]은 사회 정의에 관한 두 가지 관점을 이해하고, 이를 바탕으로 다양한 주제의 글을 분류할 수 있는 능력을 평가하고자 했다. 첫 번째는 공정한 기회의 원칙과 바른 절차를 강조하는 공정으로서의 정의의 관점을, 두 번째는 개인의 자유로운 선택이 분배의 중요한 원칙이 되는 소유 권리로서의 정의의 관점을 제시한다. 수험생들은 주어진 제시문들을 공정으로서의 정의의 관점과 소유 권리로서의 정의의 관점으로 분류하고, 각 제시문들의 핵심 내용을 요약할 수 있는 능력이 필요하다.
	[논제 Ⅱ]는 다수의 정의의 원칙이 존재한다는 다원적 평등(복합 평등)으로서의 정의의 관점을 통해 공정으로서의 정의의 관점과 소유 권리로서의 정의의 관점을 비판적으로 평가하는 문제다. 다양한 정의의 영역이 존재하기 때문에 어떤 가치도 다른 가치에 의해서 지배되어서는 안 된다는 다원적 평등으로서의 정의 관점에서 순수한 절차적 정의를 강조하는 공정으로서의 정의의 관점과 개인의 '자유로운 선택'(동의)을 강조하는 소유 권리로서의 정의의 관점을 모두 비판할 수 있는 능력이 필요하다.
	[논제 Ⅲ]은 고등학교 확률과 통계 교과과정에 나오는 확률과 기댓값을 활용하여 사회 현상을 수식으로 표현하고, 문제 풀이를 통해 정부 정책의 시사점을 추론하고 객관적으로 분석하는 능력을 평가하는 문제다. 수험생들은 수리 문제로부터 도출된 다양한 결과를 비교 분석하여, 이분화된 계급 사회에서 사회 정책 및 제도 변화를 통해 공정성을 확보하려는 노력이 계급 간 불평등을 완화시킬 수 있다는 것을 논리적으로 추론할 수 있는 능력이 필요하다.
2020학년도 모의 논술 [인문체육계]	<논제 I>에서는 인간의 자연에 대한 인식의 차이를 다루었다. 인간과 자연의 관계, 도구적 자연관과 인간중심주의 윤리, 생명중심주의 윤리와 환경 문제, 환경 문제 해결을 위한 윤리적 자세 등에 대한 이해를 바탕으로 인간이 자연을 대하는 다양한 관점이나 태도를 생

<table>
<tr><td></td><td>각해 볼 수 있는 기회를 갖도록 하였다.</td></tr>
<tr><td></td><td><논제 Ⅱ>는 생태계 전체를 이루는 모든 구성원들에게 ‘권리’가 있다는 인식을 바탕으로, 도구적 자연관과 인간 중심주의적 사고를 넘어 새로운 탈인간 중심주의적 자연관과 가치의 도입이 필요하다는 점을 강조하고 있다. 지구는 우리 삶의 기반이다. 인간은 역사 이래로 자연을 이용하고자 하는 욕구를 지속적으로 확대해왔다. 이제 지구의 수용력은 한계에 이르렀다. 이러한 인식을 바탕으로 기존의 인간중심주의 역사관, 서구중심적 인종차별주의, 무차별적인 환경파괴 등의 문제를 비판적으로 검토하고 새로운 윤리와 가치를 모색할 필요가 있다는 점이 <논제 Ⅱ>의 핵심 질문이다.</td></tr>
<tr><td rowspan="3">2020학년도
모의 논술
[사회계]</td><td>[논제Ⅰ]에서는 사회·문화 현상의 연구방법에 대한 두 가지 관점을 이해하고, 이를 바탕으로 다양한 주제의 글을 분류할 수 있는 능력을 평가하고자 했다. 첫 번째는 사회·문화 현상을 자연 현상과 같은 방법으로 연구할 수 있다는 양적 연구방법의 관점이고, 두 번째는 사회·문화 현상을 자연 현상과 다른 방법으로 연구해야 한다는 질적 연구방법의 관점이다. 수험생은 주어진 제시문들을 양적 연구방법의 관점([나], [라], [바])과 질적 연구방법의 관점([가], [다], [마])으로 분류하고, 각 제시문의 핵심 내용을 요약할 수 있어야 한다.</td></tr>
<tr><td>[논제 Ⅱ]에서는 양적 연구방법과 질적 연구방법이 각기 장단점을 갖고 있다는 점을 이해하고, 이 관점에서 다른 제시문의 논지를 비판할 수 있는지를 평가하고자 했다. 이를 통해 양적 연구방법이든 질적 연구방법이든 어느 한쪽만으로는 사회·문화 현상을 이해하는 데 한계가 있을 수밖에 없음을 비판적으로 인식하고 이 점을 논리적으로 표현하는 능력을 측정해볼 수 있다.</td></tr>
<tr><td>[논제 Ⅲ]은 사회 현상을 객관적으로 설명하기 위해 필요한 수리적 모형을 적절히 구성하고, 이를 해석하여 실제 적용할 수 있는 능력을 평가하고자 했다. 이에 [논제 Ⅲ]에서는 대표적인 질적 연구 방법인 인터뷰의 성공 여부에 대해 「확률과 통계」교과과정에 나오는 경우의 수와 확률분포표를 작성하고 기댓값을 구하도록 하였다. 이를 통해, 인터뷰를 통한 분석방식이 궁극적으로 연구자의 주관적 판단에 의존함을 추론하도록 하였다.</td></tr>
</table>

III. 논술이란?

1. 논술이란?

1) 논술이란?

어떤 문제에 대해 자기 나름의 주장이나 견해를 내세운 다음, 여러 가지 근거를 제시하여 그 주장이나 견해가 옳음을 증명하는 글쓰기 활동을 말한다. 따라서 논술의 가장 기본적인 요소는 주장과 근거이다. 다시 말해 어떤 주제에 관해서 자신의 견해를 밝히고 자기 의견을 내세우는 글이 바로 논술이다. 때문에 논술은 특별히 논리적이어야 한다는 요구를 받게 된다. 왜냐하면 여러 가지 의견이 있을 수 있는 문제에 대해 자신의 의견을 세워 다른 사람을 설득하려면, 그 주장이 충분한 근거 위에서 논리적으로 개진될 때만 가능하기 때문이다.

2) 대한민국 논술고사는?

한국에서의 대학 입시 논술고사는 실제 교과 과정과 교과서가 기본이 되어 응용된 사고와 풀이 능력과 지식을 바탕으로 한다. 논술고사는 일반적을 비판적으로 글을 읽는 능력과 창의적으로 문제를 설정하고 해결하는 능력 그리고 논리적으로 서술하는 능력을 종합적으로 평가하는 시험이다. 비판적으로 글을 읽는다는 것은 능동적으로 자신의 관점에서 글을 읽는 것을 말하며, 창의적으로 문제를 설정하고 해결하는 능력이란 심층적이고 다각적으로 논제에 접근함으로써 독창적인 사고와 풀이를 이끌어낼 수 있는 능력을 말한다. 그리고 논리적 서술 능력은 글 구성 능력, 근거 설정 능력, 표현 능력 등을 포괄한다.

3) 인문계 논술? 그리고 그 변화

모든 글은 일반적으로 3가지 종류로 나뉘어진다. 시, 소설 등 문학 작품과 같은 글쓰기인 창작적 글쓰기(creative writing)와 설명문이나 해설문의 글쓰기는 해명적 글쓰기(expository writing), 그리고 논설문의 글쓰기인 비판적 글쓰기(critical writing)가 있다. 이 글쓰기 중 대한민국의 대학입시에서 시행되고 있는 인문계 논술은 창작적 글쓰기는 포함되지 않는다. 새로운 문학 작품을 쓰는게 아니라 제시문을 읽고 내용을 구체화시켜 잘 설명하는 설명문의 형태가 있고, 주어진 문제에 대해 생각하고 깊이있는 주장을 피력하는 비판적 글쓰기도 있다.

2. 논술의 기본 용어

1) 논제 : 논술의 문제를 의미한다.

반드시 해결하고 접근하여야 할 논술 시험의 대상이다.

(1) 중심 논제 : 채점할 때 가장 배점이 높으며, 핵심적으로 해결해야 할 논술의 문제

(2) 세부 논제 : 큰 논제 속에 포함된 작은 문제, 각 단계별 채점의 기준이 되며 세부 채점 항목으로 필수 해결 항목이다.

2) 논거 : 논술에서 설명하고 주장하는 논리적인 근거 혹은 이유

3) 주장 : 수험생이 생각하고 채점자에게 알리고 싶은 생각

4) 제시문 : 보기 지문을 말한다.

(3) 출제자가 논제 해결을 위해 보여주는 다양한 글

(4) 각종 그래프, 도표, 그림 등

자료가 정해져 있지는 않다. 하지만 고등학교 교과서를 가장 많이 인용하고, 고등학교 교과 과정으로 분석하고 판단할 수 있는 내용을 제시한다.

5) 개요 : 논제에 맞게 더 구체적으로는 세부 논제에 맞게 글의 진행 방향을 간략하게 정리하는 과정이다.

3. 논술의 명령어

논술고사 후 대학의 발표 자료를 보면 논술은 출제자의 의도에 부합하게 글을 써야 한다고 강조한다. 그런데 출제자의 의도를 파악하는 것은 자칫 상당히 모호하고 주관적인 것으로 판단하기 쉽다.

하지만 인문계 논술에서는 명령어가 한정되어 있다. 그 명령어들을 잘 익히고 의미를 파악한다면 훨씬 논술의 이해가 높아질 것이다. 또한 대학의 채점 기준에는 명령어의 요구조건을 충족하는지를 평가한다. 그러므로 인문계 논술의 명령어는 수험생에게는 아주 기초적이지만 필수적이며 절대 잊지 말아야 할 중요한 핵심이다.

1) ~ 에 대해 논술하시오.

; 주장을 밝히고 근거를 제시한다.

2) ~ 에 대해 설명하시오.

: 사실, 주장 등을 쉽게 풀어서 밝힌다.

- **~ 제시문 간의 관련성을 설명하시오.**
- **~ 제시문의 논리적 타당성과 문제점을 설명하시오.**
- **~ 제시문을 참고하여 주어진 자료의 특징을 설명하시오.**
- **~ 제시문의 관점에서 왜 그런 현상이 생기는지 그 이유를 설명하시오.**

3) ~ 의 비교하시오. 혹은 대조하시오.

: 공통점과 차이점을 중심으로 설명한다.

- **~ 공통점과 차이점을 설명하시오.**

4) ~ 을 분석하시오.

: 주제를 구성요소로 나누고 각 부분의 의미와 상호관계를 밝힌다.

5) ~ 제시문과 주어진 자료를 참고하여 현상을 예측해 보시오.

: 주어진 자료를 해석하고 자료로부터 얻을 수 있는 시간에 따른 변화나 자료의 발생 이유를 살핀다.

6) ~ 제시문의 문제점을 지적하고 그 문제점을 해결할 방법을 제시하시오.

: 보통은 수학이나 과학의 역사에서 발생했던 여러 오류나 실험과정에서 나타난 문제점을 가지고 있다. 또한 이론이나 실험, 학생의 실험보고서 등과 같이 확실한 오류가 있는 제시문을 주기도 한다. 분명히 문제점을 파악하여 답안에 서술하고 문제점이나 해결할 수 있는 방법 등을 명확히 하여야 한다.

- **~ 제시문의 관점에서 왜 그런 현상이 생기는지 그 원리를 설명하고 그런 현상을 예방할 수 있는 방안을 제시하시오.**
- **~ 문제점을 지적하고 합리적 대안을 제안해 보시오.**
- **~ 주어진 관점을 검증할 수 있는 방법을 논하시오.**
- **~ 주어진 문제점을 해결할 수 있는 실험을 설계해 보시오.**

7) 제시문의 관점에서 주장을 비판하시오.

: 어떤 주장의 타당성이나 가치 등을 평가한다.

4. 인문계 논술 글쓰기 유의사항

① 논제의 해결이 핵심이다. 출제자가 원하는 답을 써야 한다.

② 논제에 부합하는 글을 일관성 있게 써야 한다.

③ 한편의 글을 완성하여야 한다. 나열하거나 사례를 보여주는 것은 의미가 없다.

④ 제시문을 활용, 인용하는 것과 제시문을 그대로 옮겨 쓰는 것은 다르다. 적절하게 제시문의 내용을 사용하여 논제를 해결하여야 한다. 절대 제시문의 문장을 그대로 쓰면 안 된다. 금기사항이고 감점요인이다.

⑤ 부적절한 문장 즉, 비문을 만들지 말아야 한다. 주어와 서술어가 적절하게 있어 문장의 의미를 명확히 전달하여야 한다. 주어를 생략하거나 지시어를 과도하게 사용하면 문장의 의미가 모호해 진다.

⑥ 문장은 짧고 간결하게 써야 한다. 자신의 의견을 명확히 간결하고 효과적으로 밝혀야 한다.

5. 논술 확인 사항

① 시간의 제한이 시험이다. 논술 시험은 자유롭게 글을 쓴다고 생각하고 주어진 시간을 체크하지 않는 경우가 정말 많다. 대학별로 요구하는 시간에 알맞게 답안을 구성해야 한다.

② 문단의 구성, 맞춤법, 띄어쓰기 등을 무시하면 절대 안 된다. 글쓰기의 기본은 의미의 전달 과정임으로 효율적인 연습과 준비가 되어 있어야 한다.

③ 습관적으로 물어보는 의문문, 같이 할 것을 제안하는 청유형은 사용하지 않는 것이 좋다. 문법의 오류가 아니라 격을 떨어뜨리고 글을 단조롭고 어색한 글 전개가 될 가능성이 높다.

④ 500자 미만이면 서론에 해당하는 도입과정은 과감히 생략하고 바로 논점으로 들어간다.

⑤ 한국어에는 수동태가 없다. 그러나 워낙 영어 번역하며 많이 사용하다 보니 논술 답안에도 수험생들이 자주 사용한다. 문법에 맞는 효과적인 표현이 필요하다. 학생이 수험생이 대학의 논술 고사에 응시하고 답안지에 논술 답안을 쓰는 것이다. 대학의 논술 답안지가 수험생으로부터 답안으로 쓰여지는 것이 아니다.

⑥ 많은 수험생들은 착각을 한다. 논술을 멋진 글쓰기라고 생각해 감상적이거나 비유적인 표현도 많이 사용한다. 그런데 오히려 이러한 표현은 채점자가 수험생의 사고능력 파악이 힘들어지고, 오히려 논제 해결을 했는지 판단하는데 혼동을 준다. 또한 일상에서 사용하는 구어체도 사용하면 안 된다. 논술은 글쓰기에서 쓰는 조금 딱딱한 문어체를 사용하는 것이다.

⑦ 아무리 강조해도 글씨의 중요성은 지나치지 않을 것이다. 채점하는 교수님들의 한결같은 큰 애로점은 이해할 수 없는 학생의 글씨라고 한다. 글씨체를 갑자기 바꿀 수 없지만 타인이 알 수 있게 규칙적으로 줄을 맞춰 쓰고, 분량에 맞는 큰 글씨로, 흘려 쓰지 않는 정자체로 답안을 작성하여야 한다.

IV. 인문계 논술 실전

1. 각 대학별 논술 유의사항을 파악하라!

많은 대학에서 글자수 제한을 확인하여야 한다. 그래서 원고지 형이 많지만, 문항별 칸을 만들거나 밑줄 답안 형식도 있다. 논술 시험 시간은 각 대학별로 다양하다. 60분 즉, 한 시간을 시작으로 많게는 2시간까지 (120분)까지 다양하게 있다. 대학별로 준비해야 하는 중요한 이유이다. 답안을 작성하는 필기구도 다양하다. 연필(샤프펜)의 사용이 꾸준히 증가하지만 아직까지 검정색 볼펜이나 청색 볼펜으로 사용하는 학교도 많다. 주의할 것은 수정법이다. 수정은 학교에 따라 수정액, 수정테이프의 사용을 제한하는 경우도 있고 틀리면 두줄을 긋고 써야 하는 곳도 있다. 그러므로 각 대학별 특징을 파악하고, 미리 답안 작성 연습은 물론이고 작성할 때도 대학별로 금지하는 내용을 숙지하고 시험장에 가야 한다.

각 대학별 유의사항 사례
사례 1) **가. 답안은 한글로 작성하되, 글자수 제한은 없다.** **나. 제목은 쓰지 말고 특별한 표시를 하지 말아야 한다.** **다. 제시문 속의 문장을 그대로 쓰지 말아야 한다.** **라. 반드시 본 대학교에서 지급한 필기구를 사용하여야 한다.** **마. 수정할 부분이 있는 경우 수정도구를 사용하지 말고 원고지 교정법에 의하여 교정하여야 한다.** **바. 본 대학교에서 지급한 필기구를 사용하지 않거나, 수정도구를 사용한 경우, 답안지에 특별한 표시를 한 경우, 또는 원고지의 일정분량 이상을 작성하지 않은 경우에는 감점 또는 0점 처리한다.** **사례 2)** **Ⅰ. 필요한 경우 한 개 또는 여러 개의 제시문을 선택하여 논의를 전개하고, 사용한 제시문은 꼭 참고문헌 형태로 표시하시오.** **예) …[제시문 1-4].** **예) …되며[제시문 2-4], …의 경우는 ~을 보여준다[제시문 2-1].** **Ⅱ. [문제 1]부터 [문제 4]까지 문제 번호를 쓰고 순서대로 답하시오.** **Ⅲ. 연필을 사용하지 말고, 흑색이나 청색 필기구를 사용하시오.** **Ⅳ. 인적사항과 관련된 표현을 일절 쓰지 마시오.** **Ⅴ. 문제당 배점은 동일함.** **사례 3)** **◇ 각 문제의 답안은 배부된 OMR 답안지에 표시된 문제지 번호에 맞춰 작성하시오.** **◇ 각 문제마다 정해진 글자수(분량)는 띄어쓰기를 포함한 것이며, 정해진 분량에 미달하**

거나 초과하면 감점 요인이 됩니다.

◇ 답안지의 수험번호는 반드시 컴퓨터용 수성 사인펜으로 표기하시오.

◇ 답안은 검정색 필기구로 작성하시오. (연필 사용 가능)

◇ 답안 수정시 원고지 교정법을 활용하시오. (수정 테이프 또는 연필지우개 사용 가능)

◇ 답안 내용 및 답안지 여백에는 성명, 수험번호 등 개인 신상과 관련된 어떤 내용, 불필요한 기표하면 감점 처리됩니다.

사례 4)

◆ 답안 작성 시 유의사항 ◆

□ 논술고사 시간은 90분이며, 답안의 자수 제한은 없습니다.

□ 1번 문항의 답은 답안지 1면에 작성해야 하고, 2번 문항의 답은 답안지 2면에 작성해야 합니다. 1, 2번을 바꾸어 작성하는 경우 모두 '0점 처리'됩니다.

□ 연습지는 별도로 제공하지 않습니다. 필요한 경우 문제지의 여백을 이용하시기 바랍니다.

□ 답안은 검정색 또는 파란색 펜으로만 작성하며 연필, 샤프는 사용할 수 없습니다.

□ 답안 수정은 수정할 부분에 두 줄로 긋거나 수정테이프(수정액은 사용 불가)를 사용해서 수정합니다.

□ 답안지에는 답 이외에 아무 표시도 해서는 안 됩니다.

□ 답안지 교체는 고사 시작 후 70분까지 가능하며, 그 이후는 교체가 불가합니다.

2. 제시문에 먼저 눈을 두지 말고 문제를 파악하라!!!

대학별 고사인 논술의 어려운 점은 시간의 제한이 있는 글쓰기 시험이라는 것이다. 자유롭게 잘 쓸 수 있는 내용일지라도 시간의 제한이 있으면 얘기가 달라진다. 특히 지금과 같이 각 대학별로 다양하게 등장하는 시험에 익숙하지 않은 수험생에게는 더 큰 부담으로 작용을 한다.

대학에서는 다양하게 제시문과 문제를 분포시킨다. 문제를 등장시키고 제시문이 등장하는 경우, 그림과 도표, 그래프 등과 같이 자료를 제시하고 제시문과 문제를 함께 등장시키는 경우, 제시문을 많이 등장시키고 마지막에 문제를 제시하는 경우 등... 이렇듯 다양한 문제에 시간의 적절한 활용은 대학별 고사의 실전에서는 당락을 결정하는 중요 요소이다.

이러한 실전적 논술에서 핵심은 바로 목적을 가지고 제시문의 읽기가 선행되어야 한다. 글 읽기의 핵심은 문제을 통해 논제를 구체적으로 파악하고 그 논제에 부합하게 제시문을 분석하는 것이다.

① 문제를 먼저 확인하라!! - 제시문을 읽고 문제를 보면 다시 긴 제시문을 또 읽어 시간을 낭비한다.

② 세부 논제 확인하라!! - 한 문제라도 그 문제 속에 다루는 논제는 여러 개가 될 수 있

다. 그 질문 내용을 파악하라. 그리고 요구한 논제에 맞게 글을 구성한다.
③ 전제적 요건 파악하라!! - 각 문제의 전제적 요건 및 글로 표현된 부연 설명 등이 중요한 키워드가 될 수 있다.

Ⅴ. 경희 대학교 기출

1. 2024학년도 경희대 수시 논술 [인문체육계]

※ 다음을 읽고 물음에 답하시오.

[가]

깨어 있든 잠자고 있든 이성의 명확한 증거에 의하지 않고서는 결코 사물을 믿어서는 안 된다. 내가 여기에서 상상이나 감각이 아니라 이성을 말하고 있다는 사실을 유념하라. 이를테면 태양을 아무리 자세히 본다고 해도 그것이 보이는 그대로의 크기일 것이라고 판단해서는 안 된다. 또한 양(羊)의 몸통에 사자의 머리가 붙어 있는 모습을 상상할 수 있다고 해서 그런 괴물이 세상에 존재한다고 결론지어서는 안 된다. 이성은 우리가 보거나 상상하는 것이 진실은 아니라고 가르친다. 이성에 따르면, 관념이나 개념은 모두 무엇인가 진실에 근거한다. 완전하고 진실한 신(神)이 진실성이 없는 관념을 우리 속에 두지는 않았을 것이다. 따라서 잠자고 있을 때의 추리는 결코 깨어 있을 때만큼 명확하지도 완전하지도 않다. 비록 상상이 수면 중에 명료히 각성될 때가 간혹 있다 해도 말이다. 이성은 다음과 같이 가르친다. 우리가 모든 면에서 완전한 것은 아니므로 우리의 생각도 모든 면에서 진실일 수는 없지만, 그래도 진실은 꿈꿀 때보다 깨어 있을 때 더 잘 발견된다고.

[나]

지금 우리는 거짓에 쉽사리 빠질 수 있는 시대에 살고 있다. 근본적으로 인간은 이성적인 존재가 아니다. 이성적으로 살고 싶어 하지만 실상은 정반대이다. 인간의 비이성적인 특성은 우리 사회 곳곳에서 드러나고 있다. 독일의 소설가이자 영화감독인 알렉산더 클루게는 인간에게는 '호모 에코노미쿠스(homo economicus)'에 대한 신념이 있다고 주장했다. 즉, 우리 인간은 스스로 경제적이고 합리적이라고 생각한다는 것이다. 하지만 현실과 이상이 늘 일치하는 것은 아니다. 인간은 우리가 생각하는 것만큼 그렇게 합리적이지 않으며, 이성적 판단을 바탕으로 행동하지도 않는다.

트럼프는 2016년 미국 대선 당시 "미국을 다시 위대하게 만들자."라는 슬로건을 들고 출마했고, 많은 사람들이 그의 구호에 동조했다. 그들은 모두 과거의 안정을 그리워했던 것이다. 인간은 격세지감(隔世之感)을 느낄 때 과거로 돌아가려는 경향을 보인다. 세상의 모든 것들이 너무 낯설 때, 거기로부터 벗어나려 하고 생경한 것들이 모두 사라져야 한다고 생각한다. 인간은 과거에 머물러 있으며 불편한 현실을 마주하면 이를 피하려는 감정을 갖기 때문이다. 대중들이 이성적이고 합리적인 판단이 아닌, 단순한 감정적 문제 해결책을 가진 지도자를 갈망하게 되면서, 우리는 지금까지 믿어온 진실을 거짓으로 느끼거나 사실과 거짓의 차이를 구별할 수 없는 세상에 살게 되었다.

지금 우리 시대에 뻔뻔한 거짓말들이 통하고 거짓이 넘쳐나는 이유는 무엇일까? 그 저변에는 인간의 특성이 깔려 있다. 우리는 항상 진실에만 관심이 있는 것은 아니다.

때때로 우리는 진실이 아닌 다른 무언가를 더 중요하게 여긴다. 그렇다면 진실보다 더 중요한 것은 무엇일까? 칸트와 같은 학자들은 스스로 이성적으로 사는 것을 계몽이라고 말하였다. 하지만 인간이 이성을 사용한다는 생각 자체가 인간을 감정의 동물로 본다는 것을 의미한다. 즉, 인간은 감정적 존재이기 때문에 상황에 따라 이성을 사용하지 않기도 한다는 것이다. 인간에게는 아주 오래된 갈망이 있는데, 그것은 바로 진실 그 자체보다 세상을 명쾌하게 설명해 주고 이해하기 쉽게 만들어 주는 이야기를 원한다는 것이다. 단순 명료하고 방향성을 제시하는 이야기가 존재할 때 인간은 안정감을 느낀다. 그러한 갈망 때문에 거짓말을 하더라도 그것의 거짓 여부에 사람들은 관심이 없다. 중요한 것은 사실이 아니라 감정이며, 그 안정감에 대한 희구로 진실을 받아들이지 않는 것이다.

[다]

이성에 근거하는 법이 갖는 효과에 대해서는 대중적인 공감대가 형성되어 있다. 그러한 시각을 수용하면 여러 가지 이론적이고 실천적인 논쟁을 쉽게 끝낼 수 있는 것처럼 보인다. 하지만 감정을 고려하지 않는 법은 생각할 수 없다. 공리주의 전통에서 있는 일부 학자들은 법에서 감정을 배제하라고 주장해 왔다. 그들은 범죄자의 정신 상태 대신에 법을 통한 억제를 고려함으로써 감정을 배제한 순수한 법률 체계를 옹호해 왔다. 예를 들면, 살인 행위를 처벌할 때 그러한 처벌이 살인자 본인이나 다른 사람들에게 어떤 영향을 줄 수 있는지만 생각하는 것이다. 이러한 시각은 많은 면에서 문제를 가지고 있다. 특히 공정성의 측면에서 그렇다. 자신의 아이가 살해당해서 충동적으로 죄를 저지른 사람은 사전에 모의해서 살인을 저지른 사람과 분명히 다른 내적 동기를 가지고 있다. 행위에 내재된 특성도 매우 다르다. 순전히 억제에만 기반을 둔 시각은 이러한 내재적 차이를 포착하지 못한다.

주디 노먼은 수년간 남편에게 물리적·정신적으로 학대를 당했다. 남편은 강제로 그녀에게 성매매를 시키기도 했으며, 죽여 버리겠다고 자주 위협했다. 어느 날 저녁 남편은 노먼을 '개'라고 부르면서 가혹하게 구타했고, 자신은 침대 위에서 자면서 아내는 바닥에서 자게 했다. 노먼은 아이를 친정집에 맡기고 돌아와 잠들어 있는 남편을 총으로 쏴 죽였다. 재판 과정에서 피고인 측 전문가는 노먼이 두려움 때문에 살인을 저질렀다고 증언했다. 그녀는 남편을 없애지 않으면 "자신은 최악의 고문과 학대를 겪으며 살아가야 했을 운명"이며, "그에게서 벗어나는 것은 불가능했다."라고 말할 정도로 두려워했다는 것이다. 그러나 노스캐롤라이나 주 대법원은 피고 측이 배심원들에게 정당방위임을 호소할 기회를 주지 않은 1심 재판부의 결정을 지지했다. 다수의견을 낸 주 대법원 판사들은 피고 측 전문가의 소견이 "긴박한 죽음의 위협이나 심각한 육체적 위해에 대한 두려움 때문에 남편을 죽였다는 사실 인정을 뒷받침하지 못한다."라고 보았다. 하지만 소수의견을 낸 판사는 남편의 "야만적 행위가 피고인의 삶의 질을 최악의 상태로 떨어뜨렸으며, 배심원들도 비참한 생명을 유지하기 위한 그녀의 행위가 납득된다는 점을 알아야 할 것"이라고 주장했다.

1976년 미국의 연방대법원은 노스캐롤라이나 주의 사형제도법령에 대해 위헌 판결을 내렸다. 형벌을 결정하는 과정에서 피고인에게 자신의 삶의 이력을 이야기하고, 배심원들에게 동정심을 호소할 기회를 주지 않는다는 이유에서였다. 이 판결문에는 형사범에게 양형을 선고할 때에 동정심을 구할 기회를 제공하는 것이 필수적이라고 적혀 있다. 물론 무분별한 동정심이 양형의 근거가 될 수는 없다. 하지만 '모든' 동정심을 배제하는 것은 분명히 헌법에 위배되는 것이다.

[라]

공감의 확장은 갈수록 복잡해지는 사회적 교류와 인프라의 유지를 가능하게 하는 사회적 접착제이다. 공감이 없는 사회생활이나 사회조직은 상상조차 할 수 없다. 자아도취에 빠진 사람, 반사회적 이상 성격자, 자폐적인 사람들로 가득한 사회를 생각할 수 있는가? 사회는 사교적이어야 하고 사교적인 사회가 되기 위해서는 공감이 확장되어야 한다. 사회가 복잡할수록 다양한 종류의 다른 사람들과 접촉이 많아야 하며, 공감이 확장될 수 있는 가능성이 더 커져야 한다.

확장된 공감은 사람들을 진정으로 평등한 위치에 올려놓는 유일한 인간적 표현이다. 다른 사람들과 공감할 때 구별은 사라지기 시작한다. 다른 사람의 고군분투를 자신의 것처럼 동일시하는 행동이 평등 의식의 궁극적 표현이다. 한 사람의 존재가 다른 사람과 감정적으로 같은 지평 위에 있지 않으면 진정한 공감은 불가능하다. 상대방보다 신분이 우월하거나 열등하다고 느끼고, 그래서 다르고 낯설다고 생각하면. 그들의 기쁨이나 슬픔을 자신의 것처럼 실감하기 어렵다. 상대방에게 동정을 느낄 수도 있고 상대방이 안됐다고 생각할 수도 있지만, 그 사람과 진정으로 공감하려면 그들이 나 같다는 느낌과 반응이 있어야 한다. 공감을 하는 순간에는 '내 것'과 '네 것'이 없고 오직 '나'와 '너'만 있을 뿐이다. 공감은 같은 영혼이라는 공동의식이며, 그것은 사회적 신분의 구별을 초월하는 시간과 공간에서 이루어진다.

그렇다고 해서 공감의 순간이 신분의 차이와 구별을 없애 버리는 것은 아니다. 공감의 범위를 넓히는 순간, 다른 사람의 어려움을 자신의 것처럼 여기며 위로하고 지지하는 행동을 통해, 재산이나 교육이나 직업적 신분 등 다른 사회적 장벽이 잠시 뒤로 물러나는 것뿐이다. 평등하다고 느끼는 것은 법적 권리나 경제적 수준의 평등에 관한 것이 아니라, 어느 누구라도 우리와 마찬가지로 고유하고 유한한 존재이며 잘 살 권리가 있다는 생각을 나타내는 것이다.

공감한다는 것은 다른 사람의 존재를 긍정하는 것이고 그들의 인생을 예찬하는 것이다. 공감의 순간은 살면서 누릴 수 있는 경험 가운데 가장 밀도 높은 생생한 경험이다. 주변과 연결되어 있다는 감각을 경험할 수 있기 때문에, 누구나 살아 있다는 것을 더 크게 실감한다. 공감 의식이 성숙할수록 서로의 삶이 더 가까워지고 보편적이게 된다.

[마]

다른 사람의 시선으로 세상을 바라보고, 다른 사람의 감정을 함께 느낄 수 있는 능력은 우리 인간에게 주어진 선물이다. 이러한 공감 능력에 입각한 해결책은 국제 문제에 관한 정책을 수립하는 사람들 사이에서도 많은 지지를 받고 있다. 머나먼 타국에 사는 사람들을 포함해서 타인을 대하는 우리의 태도에 공감이 얼마나 중요한 역할을 하는지를 설명한 누스바움 같은 철학자 역시 이 방식을 지지한다. 소설가 중에도 이 견해를 지지하는 이들이 있다. 그들은 소설이 주는 유익함 중 하나가 도덕적 상상력을 확장하는 것이라고 본다. 1856년에 조지 엘리엇은 타인에게 친절을 베풀려면 감정을 자극하는 무언가가 필요하다고 주장하면서 소설과 그 밖의 예술 작품이 이런 도덕 감정을 불러일으킬 수 있다고 말했다. 그리고 이런 결론을 내렸다. "위대한 예술가가 표현하는 삶의 모습은 더없이 평범하고 이기적인 사람마저 놀라게 하고, 자신과 무관한 대상에게 관심을 갖게 한다. 이것을 도덕 감정의 원재료라고 불러도 좋을 것이다."

그러나 영문학자 일레인 스캐리는 공감에 입각한 해결책에 의문을 표시했다. 타자의 삶을 상상하는 행위가 친절을 끌어내는 충분한 자극이 될 수 있을지 의심스러웠기 때문이다. 스캐리는 상대가 친한 친구라 하더라도 그의 처지를 상상하기가 어려운데 독일에 거주하는 튀르키예인들. 미국에 사는 불법체류자들, 폭격으로 사망한 수많은 이라크 군인들과 시민들의 경우처럼 낯선 사람들의 처지를 상상하기란 불가능하다고 말한다. 나도 이 의견에 동의한다. 사실, 공감은 많은 경우 감정적 편견에서 자유롭지 않다. 우리는 수천 명의 타인이 끔찍하게 죽었다는 소식보다 내 아이가 살짝 다쳤다는 소식에 훨씬 더 가슴 아파한다. 부모라면 그런 태도를 취하는 것이 마땅한지도 모른다. 하지만 정책 입안자라면 그래서는 안 된다.

이처럼 낯선 사람의 처지를 상상하기가 어렵다고 주장하면 대다수 사람들은 그럴수록 우리가 타인의 마음을 헤아리려고 더욱더 노력해야 한다고 말할 것이다. 만일 어떤 사람이 나 때문에 고통당하고 있다면 이런 요구가 타당할지 모른다. 그러나 내가 전혀 모르는 다수가 관련되어 있는 경우에는 그 요구가 올바르다고 볼 수 없다. 우리가 사랑하는 사람에게 품는 마음이 낯선 사람에게도 똑같이 형성되지는 않기 때문이다. 100만 명이 겪고 있는 고통을 목격한다고 해서 한 사람의 고통을 목격했을 때보다 100만 배 더 가슴이 아프지는 않다.

공감에 입각한 해결책을 지지하는 사람은 타인이 느끼는 즐거움과 괴로움을 자신의 것만큼 중시하는 개인에게 초점을 맞춘다. 그러나 듣기엔 좋지만 말처럼 쉬운 일이 아니다. 예를 들어, 부유한 미국인은 굶주리는 아프리카 어린이의 삶을 자기 자식의 삶만큼 중요하게 생각하지 않는다. 지구 온난화나 미래 전쟁이 불러올 결과를 개인의 삶보다 더 중요하게 여기는 사람은 없다. 지구 온난화나 미래 전쟁으로 피해를 보는 사람은 구체적인 대상이 아니라 추상적인 다수이기 때문이다.

[바]

감정을 감지할 수 있는 센서가 장착된 고글(goggle)을 쓰고 있다고 상상해 보자. 번쩍이는 적외선을 통해 사람들 내부에서 분노나 창피함, 서러움. 기쁨이 피어오르는 장면을 볼 수 있을 것이다. 계속 지켜본다면 감정이 한 사람에게만 머무르지 않는다는 것도 알게 될 것이다. 감정은 전염된다. 친구가 당신 앞에서 울거나 웃긴 이야기를 들려줄 때, 그들의 목소리와 표정은 당신과 친구 사이의 공기를 통과해 당신의 뇌로 들어와 변화를 일으킨다. 당신은 친구의 감정을 넘겨받고 그들의 생각을 해석하고 그들의 안녕을 염려한다. 친구에게 공감하는 것이다. 대부분의 사람들은 공감이 그 자체로 하나의 감정이라고 생각한다. '내가 당신의 고통을 느끼는 것'이니 말이다. 하지만 공감은 그보다 더 복잡하다. 사실 공감이란 사람들이 서로에게 반응하는 몇 가지 방식을 말한다. 다른 사람이 어떤 감정을 느끼는지 인지하는 것. 그들의 감정을 함께 느끼는 것, 그들의 생활을 개선하고 싶은 마음을 갖는 것 등이 바로 그것이다. 나는 당신이 파란색을 어떻게 느끼는지 확실히 알 수 없고, 흥분했거나 두려울 때 당신이 정확히 뭘 느끼는지도 모른다. 각자의 사적인 세계는 불안정하고 가변적인 궤도를 따라 서로의 주변을 맴돌지만, 궤도가 완전히 겹쳐지는 일은 결코 없다. 두 사람이 친구가 되면 두 세계는 서로 더 가까이 다가간다. 공감은 그렇게 거리를 뛰어넘게 하는 정신의 초능력이다. 우리는 공감을 통해 다른 사람의 세계로 들어가고, 그들로 존재하는 것이 어떤 느낌일지 추측한다. 모르는 사람이 하는 감정적인 이야기를 들어도 우리는 그들이 느끼는 감정을 상당히 정확하게 묘사할 수 있다. 얼굴을 힐끗 보는 것만으로도 그 사람이 무엇을 즐기고 있는지, 얼마나 믿을 수 있는 사람인지 직관적으로 알 수 있다.

공감의 역할 중 하나는 친절한 마음을 불러일으키는 것이다. 친절함은 경직된 세상에서 가질 수 있는 가장 부드러운 기술 중 하나이다. 다윈은 친절함을 납득하지 못했다. 다윈에 따르면 생명체는 다른 무엇보다 자신을 보호해야 한다. 그렇지만 타인을 돕는 것은 그 명제에 들어맞지 않으며, 특히 남을 돕느라 자신의 안전을 위험에 빠뜨릴 때는 더욱 그렇다. 하지만 친절은 동물의 세계에서도 가장 중요한 생존 기술이다. 친절의 기원은 인류 역사보다 앞선다. 생쥐, 코끼리, 원숭이. 까마귀까지 모두 공감과 친절한 행동을 보인다. 쥐는 같은 우리에 있는 다른 쥐가 전기 충격을 받는 것을 보면 동작을 멈추고 얼어붙은 듯 꼼짝하지 않는데, 이는 불안을 나타내는 신호이다. 이처럼 다른 개체의 고통을 볼 때 불안을 느끼기 때문에, 쥐들은 한 우리에 있는 친구의 고통을 덜어 주기 위해 자기 몫의 초콜릿 조각을 내어 주는 식으로 서로를 돕는다.

수천 년을 거치면서 우리 인류는 서로 관계를 맺을 수 있도록 진화했다. 얼굴은 부드러워졌으며, 공격성은 줄어들었다. 다른 사람의 시선을 쉽게 추적할 수 있도록 눈의 흰자가 커졌고, 얼굴 근육은 정교해졌으며 감정을 더욱 잘 표현할 수 있게 되었다. 우리의 뇌는 서로 다른 생각과 감정을 더 잘 이해할 수 있도록 발달되었다. 그 결과 우리는 가까운 친구나 이웃뿐 아니라 적이나 모르는 사람의 마음에까지 들어가 볼 수 있게 되었고 다른 사람을 도울 수 있게 되었다. 예컨대, 2017년에 사람들은 미국에서만 4,100억 달러를 자선활동에 기부했고, 자원봉사 활동으로 거의 10억 시간을 소비했다. 이런 친절의 상당 부분은 공감의 직접적인 결과이다. 공감 능력이 뛰어난 사람은 다른 사람보다 자선활동에 더 많이 참여하고 자원봉사 활동을 더 자주 한다. 과거에 우리는 친족이나 소수의 친구 같은 좁은 범위의 사람들만 배려했지만, 시간이 지나면서 그 배려의 원(圓)은 부족과 마을, 심지어 국가를 넘어설 정도로 확장되었다.

[사]

공감의 특성을 제대로 인지하지 못하면 개인에게나 조직에게나 해가 초래될 수 있다. 무엇보다 공감은 제로섬 상황을 가져온다. 내 배우자에게 공감을 많이 할수록 내 어머니에게 드릴 공감의 양이 줄어든다. 공감을 하려는 의지와 공감하는 데 필요한 노력의 양은 한정되어 있다. 이 점은 가족, 친구, 고객, 동료 등 모든 인간관계에 해당된다. 미용사, 소방관, 전자통신 전문가 등 844명의 근로자를 대상으로 한 어느 연구 결과를 보면, 직장에서의 공감과 가정에서의 공감은 하나가 커지면 다른 하나는 작아지는 제로섬 상쇄 관계에 있음을 알 수 있다. 직장에서 동료들의 어려움과 걱정거리를 경청해 주고 동료들의 과중한 업무를 옆에서 도와준다고 응답한 사람들일수록 가족과의 소통이나 연결에서는 한계를 느낀다고 했다. 이러한 제로섬 상황은 특히 내부인-외부인 관계에서 우려할 만한 양상으로 나타난다. 우리 팀이나 조직에 속한 내부인을 향해 공감을 느낄수록 그 바깥에 있는 외부인에 대해서는 공감 능력을 발휘하기 힘들어진다는 것이다. 내부 유대감이 커질수록 외부와의 거리감 혹은 단절감이 비례해서 커진다. 이렇게 되면 여러 상이한 조직이나 직능 분야 간에 폭넓은 협력이 이루어질 수 없다. 공감의 또 다른 특성은 윤리적 판단 상황에서도 찾아볼 수 있다. 지인들에게 공감하고 그 공감을 유지하려고 노력하는 가운데 그들의 이익이 곧 내 이익인 양 착각할 수 있다. 그럴 경우 그들이 잘못을 저질러도 너무 쉽게 눈감아 준다. 심지어 우리 자신도 잘못을 저지를 수 있다. 즉, 남에게 공감해서 그를 위하겠다는 이타적 생각을 할 때, 그것을 합리화의 근거로 삼아 무언가를 속이거나 부정직한 행동을 쉽게 하는 경향이 있다. 동료들에 대한 공감으로 인해 조직 내의 비리에 대한 공익 제보를 꺼리기도 한다. 공사(公私) 구분을 못 한다는 말이다. 회사, 사회단체, 정부기관 등 각종 조직의 많은 결함, 특히 억압적 태도, 무례한 언행, 성희롱, 업무상 비위에 관한 실제 예들을 떠올려 보자. 주로 내부인보다는 구성원들과의 공감 가능성이 낮은 외부인에 의해 파헤쳐지고 변혁되었다는 점이 명확히 드러난다. 여러 국가에 관한 비교 연구에 의하면, 집단적 충성심을 중시하는 국가들에서 뇌물 등 부정부패의 정도가 더 심하다고 한다. 집단주의 문화에 젖어 소속감, 상호 의존성, 연대감을 강하게 느끼는 사람들이 서로의 마음을 헤아리다가 각종 비리에 관대해지기 때문일 것이다.

[논제 Ⅰ] [다]의 시각에서 [가]와 [나]의 입장에 대해 평가하시오. [801자 이상 ~ 900자 이하: 배점 40점]

[논제 Ⅱ] [라]~[사]를 입장이 유사한 두 부류로 묶어 그 중 한 입장을 선택해 요약하고, 이를 바탕으로 다른 입장을 비판하시오. [1,001자 이상 ~ 1, 100자 이하: 배점 60점]

2. 2024학년도 경희대 수시 논술 [사회계]

※ **다음을 읽고 물음에 답하시오.**

[가]

자연은 물체로 채워지고, 그 변화는 운동에 의해 설명되며, 운동 자체는 외부의 힘에 의해 발생하는데 일단 운동이 시작되면 물체는 자동적으로 계속 움직인다. 모든 물질적 존재는 동일한 역학 법칙의 지배를 받는 기계이며, 인간 역시 동식물이나 무기물과 차이가 없다. 살아있는 인간의 육체는 하나의 시계와 같다. 즉, 자연도 기계이고 인간도 기계이다. 그것은 시계와 같이 감겨진 태엽에 의해 움직이며. 따라서 태엽과 운동이 인과 연쇄로 결부되어 있다.

우리를 둘러싼 온갖 물체의 힘과 작용을 분명하게 알고, 그것들을 어떤 용도에든 이용하고, 그럼으로써 우리 자신을 자연의 지배자이자 소유자가 되도록 해야 한다. 여기서 유의할 것은 자연 지배라 할 때, '지배'라는 말의 의미이다. 그것은 자연 체계에 대한 파악을 토대로 자연의 각종 힘이나 소재를 인간의 다양한 목적을 위해 응용하는 것이다. 물질적 존재, 즉 모든 자연을 동일한 역학 법칙에 의해 통일적으로 파악할 수 있다면 이를 토대로 자연의 내적 힘을 우리의 목적을 위해 이용할 수 있다.

[나]

대지에 대해 인간이 맺는 윤리적 관계는 그것에 대한 사랑과 존중 그리고 그것의 가치에 대한 높은 평가 없이 형성될 수 없다. 내가 말하는 가치란 단순한 경제적 가치보다 훨씬 광범위한 것이다. 즉, 철학적 의미의 가치이다.

대지 윤리의 진화를 가로막는 가장 심각한 장애는 우리의 교육 및 경제 체제가 대지에 대한 의식에서 멀어지고 있다는 사실일 것이다. 현대인은 헤아릴 수 없이 많은 물질적 도구들로 인해 대지에서 격리되어 있다. 현대인은 대지와 깊은 관계를 맺고 있지 않다. 그들에게 대지는 도시와 도시 사이에서 작물이 자라는 공간일 뿐이다. 그들을 하루 동안 대지 위에 풀어놓아 보라. 그 땅에 골프장도 절경도 없다면 그들은 아주 따분해 한다.

적절한 대지의 사용이 오직 경제적인 문제라는 생각을 멈춰라. 경제적으로 무엇이 유리한가 하는 관점뿐만 아니라 윤리적·심미적으로 무엇이 옳은가의 관점에서도 검토하라. 대지 윤리에 대한 인식이 생명 공동체의 통합성과 안정성 그리고 아름다움의 보전에 이바지한다면. 그것은 옳다. 그렇지 않다면 그르다.

[다]

오늘 아침에 그만 늦잠을 자고 말았다. 서둘러 샴푸로 머리를 감고 교복을 급히 챙겨 입고 있는데 어머니께서 출근하면서 차로 등교를 도와주겠다고 하셨다. 야호! 차로 학교 앞까지 편하게 올 수 있어서 기분이 좋았다. 교실에 들어갔더니 친구들이 학교 곳곳에 벚꽃이 피어서 한창 예쁘다고 하면서 사진을 찍자고 했다. 나는 친구들과 함께 쉬는 시간을 아껴서 신나게 사진을 찍었다. 이왕이면 벚꽃이 흩날리는 게 멋질 것 같아서 나뭇가지를 툭툭 치니 꽤 근사한 사진을 찍을 수 있었다. 아침밥을 못 먹고 왔더니 점심시간 즈음에는 정말 배가 고팠다. 우아! 내가 제일 좋아하는 돈가스가 나왔다! 허겁지겁 밥을 먹다 보니 생각보다 금방 배가 불렀다. 욕심을 내어 가져온 밥과 반찬 중에서 남은 것은 모두 버리고 교실로 돌아왔다. 하교 후, 소파에 앉아 쉬고 있는데 애완견 코코가 꼬리를 흔들며 나에게 다가온다. 코코는 기분이 좋은지 날 보면 연신 짖는다. 얼마 전 성대 수술을 해 주었더니 소리가 한결 작아졌다. 이제는 층간 소음 걱정이 없어서 다행이다. 오늘도 즐거운 하루였다. 내일은 또 어떤 즐거운 일이 나를 기다리고 있을까?

[라]

대다수의 동물들은 단지 환경 속에 거주하는 것에 불과하다. 그들이 환경을 바꾸었다 해도, 그것은 내재적 본능에 따라 무의식적으로 그렇게 했을 뿐이며, 자연적으로 활용 가능한 능력의 발생적 선택에 불과하다. 동물은 의식적으로 환경을 재구성하는 것이 아니라, 살아남으려는 본능을 따를 뿐이다. 이와 대조적으로 인간은 의식적으로 환경에 작용을 하고, 새로운 물질적 기술을 개발하고, 자신의 요구를 충족시키기 위해 의도적으로 대상을 조작한다. 간단히 말해 동물은 적응하는 반면, 인간은 스스로를 개선한다. 이 명백한 차이점은 단순히 정도의 문제가 아니라 질적으로 다른 것이다.

우리가 자연이라는 유기적 세계를 하나의 진화 과정으로 본다면, 인간과 자연의 관계는 낭만주의적인 관점보다는 복잡하고 보다 진보된 방식으로 조명해야 한다. 인간의 출현과 문화 창조를 이해하려면, 자연을 생물학적 세계와 사회적 세계로 구분할 필요가 있다. 모든 인간은 포유류이지만, 모든 포유류가 반드시 인간은 아니다. 실로 동물과 인간 사이에는 진화적인 연속성뿐만 아니라 명백한 단절이 있다.

[마]

인간이란 종은 핵전쟁과 환경 파괴 때문에 멸종할 위기에 처한 수백만 생물종 가운데 하나이다. 지난 12,000년 동안의 역사가 증언해 주는 '인간의 본성'은 우리의 호전적이고 탐욕스럽고 무지한 방식을 바꿀 희망을 별로 보여주지 않지만, 그보다 훨씬 오래된 화석의 역사는 우리가 바뀔 수도 있음을 분명히 말해 준다. 진화의 역사는 우리가 물고기이기도 하고 절묘한 유연성으로 죽음을 물리친 무수히 많은 다른 생물이기도 하다는 사실을 말해 준다. 지금의 인류가 이 모양이지만 어느 정도의 확신은 가질 만도 하다. 그런 관점에서 볼 때, 멸종의 위기는 변화하고 진화하라는 요청 같기도 하다.

지금의 환경 위기에서 살아남기 위해 우리는 의식적으로 우리의 진화적이고 생태적인 유산을 기억해 내야 한다. 우리는 '산처럼 생각하는' 법을 배워야 한다. 새로운 의식의 진화를 받아들인다면 우리는 우리의 임박한 멸종에 정면으로 맞서야 한다. 인간은 지금 40억 년 진화의 유전이, 유기체로서의 생명이 당장 끊어질지 모르는 아슬아슬한 찰나에 와 있다. 돌이 춤을 추려고 하며 뿌리가 40억 년보다 더 깊이 뻗으려 한다는 자각은 우리에게 절망을 직시하고 좀 더 생명력 있는 의식을 길러내도록 용기를 준다. 그러한 의식은 지속 가능하며, 다시금 생명과 조화를 이룰 수 있는 것이어야 한다.

[바]

우리 인디언들은 모든 일에는 필요한 때와 장소가 있다고 말한다. 그것을 말하기는 쉬워도 이해하기는 어렵다. 삶을 통해서 그것을 이해해야 한다. 그런 이해를 바탕으로 삶을 살고 삶 속에서 그것과 조화를 이룬다. 그렇게 해서 우리는 약초를 구하는 때와 장소를 안다. 그것이 약초가 필요할 때 우리가 그것을 구하는 방법이다.

약초는 여름철에 가장 상태가 좋다. 물론 조금 일찍, 혹은 늦게 채취하는 약초도 있다. 약초를 캐는 것은 시간이 많이 걸리고, 손이 많이 가는 일이다. 그리고 때맞춰 채취하는 것이 중요하다. 주의를 기울이지 않으면 여름이 그냥 지나가 버릴 것이고, 그러면 약초를 전혀 얻지 못하게 된다. 하지만 겨울철에 약초가 필요할 경우, 나는 밖으로 나가서 그것을 구해 올 것이다. 한겨울에 눈 속에 있는 여름 꽃을 따온 적도 몇 번 있었다. 약초가 꼭 필요할 때만 나는 그렇게 했다. 우리 인디언들은 이유 없이 어떤 일을 하지 않는다.

약초뿐 아니라 해와 땅, 구름, 모기, 식물, 사람과 동물들도 그 법칙에서 벗어나지 않는다. 우리는 해가 떨어진 다음에는 약초를 채취하지 않으며, 필요할 때에만 약초를 수집한다. 그리고 주기 전에는 어떤 것도 받지 않는다. 어떤 풀을 뽑아서 그냥 내버리는 일이 없으며, 재미로 무엇을 죽이는 법도 없다. 우리는 이유 없이 일을 하지 않으며, 반면에 해야 할 이유가 있는 일을 하지 않고 놔두지도 않는다. 우리에게는 잡초라는 것도 이유 없이 모기에 물리는 것도, 원하지 않는 비도 없다. 위험한 식물이나 동물도 없다. 우리는 두려움도 갖고 있지 않다. 바람과 비, 모기와 뱀이 모두 우리 자신 안에 있다. 우리는 그것들을 자신의 존재 속에 포함시킨다.

자신의 진정한 모습을 알고 나면, 꾸며 낸 모습이 아니라 진정한 자신의 모습을 알고 나면, 겨울의 눈도 우리 자신이고 여름의 꽃도 우리 자신임을 깨닫게 된다. 인간의 본질은 우주의 본질과 하나이며, 따라서 인간은 자연으로부터 자신의 본성을 배울 수 있다. 기술과 물질에 기초한 생활은 인간이 시도한 것 중에서 가장 자연스럽지 못한 생활 방식이다.

[사]

1953년 네덜란드인들에게 북해는 공포의 대상이 되었다. 1953년 2월 북해에서 올라온 태풍과 강우가 만나 라인강 하구를 덮쳤다. 해수면보다 4m가 높은 파도로 네덜란드 북부와 남부의 섬, 그리고 해안선 지역 136,500헥타르가 물에 잠겼다. 해안을 따라 설치되어 있던 제방 162km도 속수무책이었다. 1,836명이 숨지고, 75만 명의 이재민이 생겼다. 1만 개 건물이 파손됐고, 37,300개 건물이 침수됐다. 네덜란드 정부는 이후 1997년까지 44년간 매년 6조 원가량이 투입되는 대규모 방재 프로젝트를 가동했다. 북해와 라인강이 만나는 지류에는 대규모 방파제를 설치했고 내륙의 주요 관문에도 둑이 둘러쳐졌다. '복구'를 넘어 '국가 대개조'가 추진된 것이다. 라인강 하류 지역에는 1,250년에 한 번 발생할 가능성이 있는 대홍수에도 버틸 수 있도록 방파제를 설계했다. 상대적으로 높은 고지대는 200년 주기의 홍수에 대비할 수 있도록 했다. 네덜란드 수자원공사에 따르면 상습 범람 지역은 2,000년 주기의 태풍과 해일에 대비한 방파제가 설계됐다. 1953년 대홍수가 발생했던 북해 쪽 서해안 지역은 1만 년 주기의 태풍과 해일에도 견딜 수 있도록 방파제를 쌓았다. 이 같은 방식으로 라인강과 뮤즈강 하류의 로테르담과 지랜드 등에 7개의 방파제가 건설됐다.

[아]

허자(虛子)가 사람과 만물의 차이를 말하자, 듣고 있던 실옹(實翁)이 말했다.

"오호라! 그대의 말대로라면 사람과 만물이 다른 점이 거의 없는 것이 아니냐? 무릇 털과 피부 같은 재질과 정혈의 교감은 초목이나 사람이나 다를 바가 없거늘, 하물며 사람이 짐승과 다를 것이 있겠느냐? 이번에는 내가 다시 묻겠다. 이 세상에 생명체가 세 가지 있으니. 첫째가 사람이고 둘째가 짐승이며, 셋째가 초목이다. 초목은 거꾸로 땅에 붙어 자라나는 까닭에 아는 것[知]은 있지만 깨달음[覺]이 없다. 짐승은 옆으로 기어 다니는 까닭에 깨달음은 있어도 지혜는 없다. 이 세 가지 생명체가 한없이 서로 얽히고설켜 살면서 서로 쇠하게도 하고 성하게도 하는데, 이들 사이에 귀하고 천함의 차등이 있다고 할 수 있겠는가?"

허자가 자신 있게 말했다.

"하늘과 땅 사이에 살아 있는 생명체 중에 오직 사람이 제일 귀합니다. 지금 저 짐승이나 초목은 지혜도 감각도 없으며, 예의도 의리도 없습니다. 사람이 짐승보다 귀하고 초목은 짐승보다 천한 것입니다."

실옹은 고개를 젖히고 크게 웃으면서 말했다.

"허허허. 너는 진실로 사람인 게로구나. 오륜(五倫)과 오사(五事)는 사람의 예의이고, 떼를 지어 다니면서 서로 불러 먹이는 것은 짐승의 예의이며, 여러 줄기가 하나로 뭉쳐져서 가지별로 잎이 무성한 것은 초목의 예의이다. 따라서 사람의 기준으로 만물을 보면 사람이 귀하고 만물이 천하며, 만물의 기준에서 사람을 보면 만물이 귀하고 사람이 천하다. 그런 이치로 하늘에서 바라보면 사람과 만물은 균등하다."

실옹이 계속해서 말했다.

"무릇 짐승과 초목은 지혜가 없는 까닭에 속이거나 거짓이 없고 깨달음이 없는 까닭에 허튼짓도 하지 않는다. 그렇다면 만물이 사람보다 훨씬 귀하다고 할 것인데 이 역시 거리가 멀다. 또한 봉황은 천 길을 날고 용은 하늘을 날며, 점을 칠 때 쓰는 풀인 시초(蓍草)와 제사 때 쓰는 술인 울창주는 신과 통하며, 소나무와 측백나무는 재목으로 쓰인다. 그대가 볼 때 이것들을 사람과 견주어본다면 어느 것이 귀하고 어느 것이 천하겠느냐?"

허자가 의아해하며 물었다.

"봉황과 용이 아무리 높이 날아올라도 짐승에 불과하고, 시초와 울창주가 신과 통하고 소나무와 측백나무가 재목으로 쓰인다 하지만, 이것 또한 초목에서 벗어나지 못합니다."

<중략>

허자가 강하게 의문을 제기하자 실옹이 답했다.

"너의 미혹됨이 심하구나! 용이 물고기를 놀라게 하지 않고 물을 흐리지 않는 것은 백성을 위한 용의 혜택이며, 참새를 겁나게 하지 않음은 봉황이 세상을 다스림이다. 또한 구름의 고운 다섯 가지 빛깔은 용의 화려하게 차려입은 의장이요, 온몸에 두른 아름다운 무늬는 봉황의 차려입은 복식이다. 천둥과 번개가 치는 것이 용의 무기이자 형벌이며, 높은 언덕에서 곡조 있게 울리는 소리는 봉황의 예악(禮樂)이다. 시초와 울창주는 종묘와 사직의 제사에 귀하게 쓰이고, 소나무와 측백나무는 집을 짓는 데 필요한 아주 귀중한 재목이다. 그러므로 옛 성인들이 백성에게 혜택을 주고 세상을 다스림에 만물로부터 본받지 않은 바가 없었다. 군신 간의 의리는 벌에게서, 병법에서 진을 치는 법은 개미로부터 가져온 것이다. 또한 예절의 제도는 다람쥐에게서 그물 치는 법은 거미에게서 각각 가져온 것이다. 그런 까닭에 '성인(聖人)은 만물을 스승으로 삼는다'고 하였다. 그런데 지금 그대는 어찌하여 하늘의 관점에서 만물을 보지 않고 오로지 사람의 관점에서 만물을 보는가?"

실옹의 날카로운 가르침을 들은 허자가 깜짝 놀라며 크게 깨닫는 바가 있었다.

[자]

지구 온난화 물질 중에서 가장 중요한 이산화탄소는 눈에 보이지 않는 무색, 무취, 무미한 기체이다. 이산화탄소가 눈에 보이지 않는 것은 시장 경제에서도 마찬가지이다. 그러다 보니 정부와 기업을 포함한 우리 모두가 이산화탄소는 없다고 여기며 살아가고 있다. 하지만 우리가 없다고 여기고 있는 이산화탄소가 실제로는 지구를 파괴하고 있다.

기후 위기를 해결하기 위해 시장 경제의 힘을 이용할 수 있는 가장 쉽고 확실하며, 또 가장 효율적인 방법은 이산화탄소에 가격표를 다는 것이다. 즉, 이산화탄소 배출이 야기하는 부정적 영향에 대해 그에 상응하는 비용을 지불하게 하는 것이다. 가격표를 늦게 붙일수록 고탄소 자산과 사업 활동 관련 투자로 인한 경제적 리스크는 점점 더 커진다.

우리가 내린 선택이 어떤 결과로 이어지는지를 분명히 알고 나면 우리는 좀 더 나은 선택을 할 수 있다. 우리가 시장에 적절한 신호를 보낸다면 시장 경제가 기후 위기 문제를 해결하는 데에 도움이 될 수 있다. 우리는 공해 물질이 실제로 어떠한 경제적 영향을 미치는지에 대해 스스로에게 솔직히 말해야 하며, 또한 이런 영향을 미치는 온난화 공해의 양을 측정해야 한다. 한마디로 말해서, 우리는 지금까지 무시해 왔던 부정적인 외부 효과를 고려해야 한다.

[논제 Ⅰ]

제시문 [가] ~ [바]를 유사한 관점을 가진 것끼리 분류하고 요약하시오. [501자 이상 ~ 600자 이하: 배점 25점]

[논제 Ⅱ]

[논제 Ⅰ]의 두 관점 중 어느 관점을 지지하는지 그 이유를 서술하고, 그 관점에서 [사], [아], [자]를 평가하시오. [601자 이상 ~ 700자 이하: 배점 40점]

[논제 Ⅲ]

(1) <자료 1>은 각국의 1인당 GDP와 환경오염도의 관계를 나타내고, <자료 2>는 각국의 1인당 GDP와 오염물질을 1단위 감소시키는 데 드는 비용의 관계를 나타낸다. <자료 3>은 1인당 GDP에 따라 국가를 10개의 그룹으로 나누고 각 그룹별로 환경오염 1단위 감소를 위해 지불할 용의가 있는 평균 금액을 나타낸다.

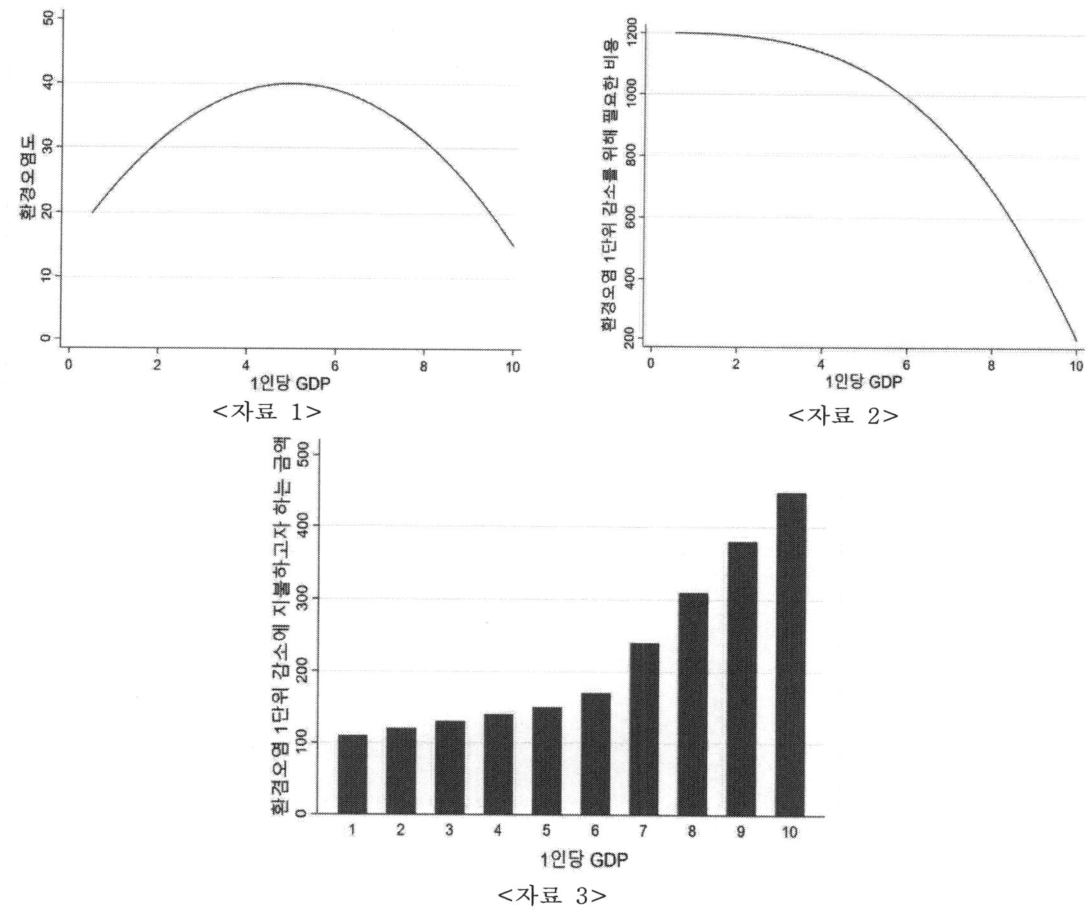

<자료 1> <자료 2>

<자료 3>

<자료 2>와 <자료 3>을 이용하여 왜 <자료 1>과 같은 결과가 나타날 수 있는지 설명하시오. 그리고 <자료 1>이 [논제 Ⅰ]의 두 관점 중 어느 쪽을 지지하는 근거가 될 수 있는지 설명하시오.

(2) 국가 A에서는 1단위의 생산물을 생산하는 과정에서 생산물의 만큼 탄소를 배출한다. 국가 B는 국가 A의 탄소 배출로 인해서 탄소 배출량의 20배에 해당하는 만큼의 피해를 입는다. 국가 A의 생산과 탄소 배출에 따른 국가 A와 국가 B에서의 국민 총만족도는 다음과 같은 함수로 나타난다.

(국가 A의 국민 총만족도) = 10 × (생산물의 총량) − (탄소 배출량)^2 − (피해보상액) (국가 B의 국민 총만족도) = 2000 + (피해보상액) − (피해액)

① 국가 A에서 국가 B에 탄소 배출에 대한 피해 보상을 하지 않을 때, 국가 A의 국민 총만족도를 최대로 하기 위한 생산물의 총량과 탄소 배출량을 구하시오.

② 국가 A의 탄소 배출로 인해서 국가 B가 입은 피해액만큼 보상을 해준다고 할 때, 국가 A의 국민 총만족도를 최대로 하는 생산물의 총량과 탄소 배출량을 구하시오.

③ 국가 A가 국가 B에 피해 보상을 하지 않는 경우와 보상하는 경우, 각각에 대해 국가 A와 국가 B의 국민 총만족도의 합을 계산하시오. 이 결과를 토대로 제시문 [자]를 평가하시오.

[주어진 답안지 양식 범위 내에서 자유롭게 쓰시오. 배점 35점]

3. 2024학년도 경희대 모의 논술 [인문체육계]

※ 다음을 읽고 물음에 답하시오.

[가]

백성을 다스리는 일은 백성을 가르치는 것일 뿐이다. 백성의 소득을 고르게 하는 것도 장차 백성을 가르치기 위해 하는 것이고, 백성의 부역을 고르게 하는 것도 장차 백성을 가르치기 위해 하는 것이다. 관청을 만들고 수령을 두는 것도 장차 백성을 가르치기 위해 하는 것이고 벌을 분명히 하고 법을 제정하는 것도 장차 백성을 가르치기 위해 하는 일이다. 모든 정사가 닦이지 않아 교화(化)를 일으킬 겨를이 없었으니 이것이 백세(百世) 동안 좋은 정치가 이루어지지 않은 까닭이다.

중국 주례(周禮)에 족사(族師)*는 매월 초하루에 그 백성을 불러 모아 나라의 법규를 읽어 주고, 효도하고 공손하며 화목하고 우애 있는 사람을 기록하였다. 당정(黨正)*은 4계절 중 첫 달 초하룻날에 그 백성을 불러 모아 나라의 법규를 읽어 주고 덕행과 도덕이 있는 자를 기록하였다. 주장(州長)*은 정월 초하룻날에 그 백성을 불러 모아 법을 읽어 주어 덕행과 도덕을 심사하여 허물과 악행을 살폈다. 향대부(鄕大夫)*는 정월 초하룻날에 사도(司徒)*에게서 가르치는 법규를 받아 물러나와 자신이 다스리는 향(鄕)에 그 법규를 반포한다.

내가 살피건대, 주나라 때에 백성을 가르칠 때 달마다 성적을 매기고 때마다 감독하여 그 덕행에 대해 등급 매기기를 관리를 평가하듯이 하였고, 허물과 악행 통제하기를 세금 독촉하듯이 하였다. 이것이 만민을 가르치고 만민을 통제한다는 것이다.

그런데 오늘날의 수령은 길게는 삼 년을 있고 짧게는 일 년을 있으니 지나가는 손님이라 할 수 있다. 30년이 지난 뒤에야 교화가 젖어들고, 1백 년이 지난 뒤에야 예악(禮樂)이 일어나는 것이니, 그렇다면 백성을 교화시키는 것은 지나가는 손님이 할 수 있는 바가 아니다. 그러나 이미 수령이 되고서 백성이 오랑캐나 금수의 지경으로 빠져 드는 것을 서서 보기만 하고 구할 생각을 하지 않는다면 또한 잠시 동안의 책무(責務)나마 다하지 않는 것이다. 예의범절을 행하도록 권장하고 향약(鄕約)을 닦도록 권하는 것을 어찌 그만둘 수가 있겠는가. (…중략…) 가르치지 않고서 벌을 주는 것을 망민(罔民)**이라고 하니 비록 가장 나쁜 불효자라 해도 우선 그를 가르쳐야 한다. 그래도 고치지 않으면 그 뒤에 벌할 것이다.

*족사(族師), 당정(黨正), 주장(州長), 향대부(鄕大夫), 사도(司徒): 중국 주나라의 관직명. 작은 단위를 다스리는 관직부터 큰 단위를 다스리는 관직까지 순서대로 언급되었음.

**망민(罔民): 법망을 엄하게 하여 백성이 거기에 걸리게 하는 것.

[나]

정보 획득을 위한 동기부여, 자극, 보상은 프로그램 그 자체에 내장되어야 한다. 외부에서 주어지는 보상은 동기요인이 되지 못한다. 학습자는 정보 획득 과정의 모든 단계마다 학습행위로부터 만족감을 느껴야 한다.

학습은 오직 학습자만이 가능하다. 그것은 '가르치는 교사'에 의해서 달성될 수는 없다. 교사는 배우는 일에 있어 다만 협조하는 사람이어야 하고, 만약 그렇지 않다면 오히려 저해요인이 될 수밖에 없다. (…중략…) 배우는 과정에서 외부의 재촉이나 감독을 필요로 하는 학생은 제대로 배우지 못할 것이다. 외부로부터의 감독은 내적 반발심과 피로를 유발하기 때문에 학습 자체를 불가능하게 만든다. (…중략…) 배우는 일을 감독하는 교사는 '가르치는 것'이 아니다. 그 사람은 질서 정리를 하고 있을 뿐이다. 가르치는 일을 잘하는 아주 '훌륭한 교사'는 배우는 과정에서 방해하지 않을 것이다. (…중략…) 배우는 일을 감독만 하려 드는 그저 그런 평범한 교사는 학생들에게 도움이 되기보다는, 오히려 해를 끼칠 뿐이다. 가르치는 일은 매우 어려운 것이 아닐 수도 있다. 그것은 또한 매우 즐거운 일이기도 하다. 가르치는 일이 어렵고 즐겁지 않은 이유는 단지 우리가 교사들로 하여금 학생들이 배우는 일을 감독하도록 그들을 잘못 활용하기 때문이다. 교사들을 잘못 활용하게 된 이유는, 배우는 것에 관한 적절한 '프로그램'을 우리가 만들지 않았기 때문이다. 우리는 학생들에게 그들이 원하는 일, 즉 배우는 일을 하는 데 필요한 도구들을 제공해오지 못했다. 그 결과, 우리는 교사에게 그가 당연히 해야 할 일, 즉 가르치는 일을 제대로 하도록 허용하지 못하고 있는 것이다.

[다]

옛날 도둑질을 업으로 삼는 자가 그 기술을 아들에게 모두 가르쳐 주었다. 그러자 아들은 모든 기술을 배웠으므로 젊은 자신이 아버지보다 훨씬 낫다고 자만하며 지냈다. 어느 날 아비 도둑은 아들을 데리고 부잣집에 숨어 들어가 아들이 보물을 쓸어 담는 사이 창고 문을 잠그고 달아나버렸다. 꼼짝없이 창고에 갇히게 된 아들 도둑은 빠져 나올 궁리를 하다가 쥐 소리를 흉내 내어 주인으로 하여금 문을 열게 하고는 겨우 창고를 빠져나왔다. 그런데 이번에는 마당에 있던 주인집 식구들에게 쫓기는 신세가 되었다. 아들 도둑은 연못 주위로 도망을 치다가 큰 돌을 집어 물속으로 던지고는 몸을 숨겼다. 쫓아오던 사람들은 연못을 에워싸고 도둑을 찾았다. 이 틈에 아들 도둑은 간신히 빠져 나올 수 있었다. 집에 돌아온 아들 도둑은 자신을 곤경에 빠뜨린 아비를 원망하였다. 그러자 아비 도둑이 말하였다.

"이제부터 네가 이 세상에서 독보적인 도둑이 될 것이다. 무릇 남에게 배운 것은 한정이 있지만 스스로 터득한 것은 그 쓰임이 끝이 없다. 하물며 위급한 상황은 사람의 의지를 굳게 하고 심신을 단련시키지 않더냐. 내가 너를 위기에 처하게 한 것은 곧 너를 편안하게 살도록 하기 위한 배려였고, 너를 곤경에 빠뜨린 것도 앞으로 닥쳐올 위험을 미리 구제하기 위한 것이었다. 너는 곤경에 처하여 지혜를 얻었고 상황에 잘 대처하여 기지를 발휘하였다. 이제 스스로 그것들을 깨우쳤으니 너는 이 세상에서 독보적인 도둑이 될 것임이 분명하다."

그 뒤로 아들 도둑은 과연 천하에 맞설 자가 없는 도둑이 되었다고 한다.

진정한 배움은 남의 것을 훔치는 게 아니다. 천하에 몹쓸 짓인 도둑질도 그 기술을 스스로 터득한 뒤에야 천하제일이 되니, 하물며 공부는 말할 필요가 없다. 단순히 가르침을 전수받는 데에 만족하는 것은 남의 것을 훔치는 데(모방)에 그치는 것이니 진정한 배움이 되지 못하고, 마땅히 경험을 통해 스스로 터득하는, 자득(自得)의 길로 나아가야 한다.

[라]

교육은 사람을 위한 것이다. 우리는 교육을 위한 하나의 안을 디자인하기 이전에 학생들을 책임감 있고 민주적이며, 국내적 세계적 중요성을 띤 다채로운 이슈들에 대해 제대로 생각하고 결정할 수 있는 시민들로 만드는 방법에 대해 고민할 필요가 있다. 도대체 인간 삶의 그 무엇이 평등한 존중, 법의 평등한 보호에 기초한 민주 제도의 지탱이라는 과제를 어렵게 만드는 것일까? 그 무엇이 우리로 하여금 다양한 형태의 위계적 권력에, 심지어 특정한 집단에 대한 폭력적인 적대에 그토록 쉽게 빠지게 만드는 것일까? 어떠한 힘들이 유세(有勢)한 집단으로 하여금 통제와 지배를 추구하게 하는 것일까? 무엇 때문에 다수는 소수를 중상모략하고 낙인찍으려고 애쓰는 것일까? 이 힘들이 무엇이든 간에, 국가와 국제 세계에 대해 책임감을 지닌 시민을 길러내기 위한 교육이 대항하여 싸워야만 하는 것은 궁극적으로 바로 이 힘들이다. 그리고 그러한 교육은, 민주주의가 계급 제도를 이길 수 있도록 도와주는, 인간 성정(性情) 내의 그 모든 자원을 활용하여 그 싸움을 수행해야만 한다. (…중략…) 어떻게 하여 사람들은 존경과 민주적 평등이라는 가치들을 내면에 수용할 수 있게 되는 것일까? 무엇이 그들로 하여금 지배를 추구하게 하는 것일까? 이러한 질문들에 답하려면 우리는, 상호 존경과 상호 의존이라는 원칙에 나쁘게 작용하는 그 모든 개인 안의 힘을, 민주주의를 강력하게 지탱하는 그 모든 개인 안의 힘을 이해하는 한편, '문명의 충돌'의 속성을 보다 더 심층적 차원에서 추적해봐야만 한다.

[마]

A 고등학교는 미국에서 가장 오래된 보딩스쿨(기숙사형 사립학교)에 속한다. 200년이 훌쩍 넘는 오랜 역사 동안 이 학교는 많은 졸업생을 배출했다. 그중에는 페이스북 설립자 마크 주커버그, 세계적 베스트셀러 『다빈치 코드』의 작가 댄 브라운과 같은 유명 인사도 다수 포함되어 있다. 이러한 인재들이 단지 명문고 출신이라는 학벌을 가졌기 때문에, 혹은 학교에서 많은 지식을 머릿속에 집어넣었기 때문에 사회로부터 인정받는 것일까? 미국의 명문고등학교로 간주되는 A 고등학교가 많은 인재를 배출하는 비결은 그런 것에 있지 않다. A 고등학교의 교육 이념에서 핵심은 인성이다. 존 필립스는 1781년 A 고등학교를 세우며 재산 기부 증서에 이렇게 썼다. "교사의 가장 큰 책임은 학생들의 마음과 도덕성에 주의를 기울이는 것이다. 지식이 없는 선함은 약하고, 선함이 없는 지식은 위험하다. 이 두 가지가 합쳐서 고귀한 인품을 이룰 때 인류에 도움이 되는 뛰어난 사람이 될 수 있다." 이 말은 A 고등학교의 헌법과도 같이 여겨진다. A 고등학교의 표어라 할 수 있는 'Non Sibi'는 이 고등학교의 일상에서 자주 언급되는 언어이다. A 고등학교는 지성만을 갖춘 인재를 원하지 않는다. 학

생들은 감성을 키우는 예술 수업으로 정서를 가다듬고, 자신을 단련하는 체육 수업으로 건강한 신체로 거듭난다. 더불어 봉사활동과 다채로운 교류활동으로 세상과 호흡한다. 이를 통해 재능에 몰입하여 지성, 감성, 체력이 조화를 이룬 전인적 인간으로 성장한다. 따라서 이러한 인성 중심의 교육을 통해 학생들은 훗날 더 큰 자유의 바다를 만났을 때 두려움 없이 맘껏 헤엄칠 수 있는 능력을 기른다. 학생들은 이러한 종합적인 훈련을 통해 자신이 가진 잠재력과 기량, 재능을 꽃피울 수 있고 경쟁에서 인정받는 뛰어난 인재로 재탄생하는 것이다.

[바]

교육은 개인의 지위 상승에 필요한 지식을 제공한다. 교육을 통해 개인은 직무에 특화된 숙련(specific skill)뿐만 아니라, 훈련적합성(trainability)을 키우는 일반적 숙련(general skill)을 기를 수 있다. 고등학교 때 머리를 쥐어짜며 미적분을 공부하는 이유는 그것이 다른 모든 업무 관련 지식을 빨리 습득할 수 있는 일반적 숙련을 길러주기 때문이다. 미적분을 풀면서 훈련적합성을 키우고, 궁극적으로 회사에서 어떤 업무를 익히든 개인의 능력이 높아진다. 보다 구체적으로 교육이 개인의 능력을 높이는 경로는 세 가지다. 하나는 교육이 개인의 인지능력을 향상시킨다. 교육을 받지 않은 사람은 문맹이다. 읽을 수 있고, 기본적인 셈을 할 수 있는 사람과 문맹의 차이는 크다. 해방 직후 한국의 문맹률은 78%에 달했다. 글을 읽고 쓸 줄 알면 국민 전체 상위 20%에 드는 지식인이었다. 지금은 직업 지위가 높다고 간주하지 않을 우편배달원이 20세기 초기의 관점에서는 상당한 숙련을 요하는 직업이었다. 배달을 하기 위해서는 글을 읽을 수 있고, 지리를 기억하고, 운송수단을 다룰 수 있어야 한다. 교육은 읽고 계산하는 기본적인 인지 기능을 갖추게 해준다. 교육이 개인의 능력을 높이는 두 번째 경로는 일에 직접 사용되는 구체적인 훈련을 제공한다는 점이다. 통계학을 배우지 않으면 회귀분석을 할 수 없고 양적 방법을 이용하여 사회현상을 검증하는 사회과학자가 될 수 없다. 용접훈련을 받지 않고 선체 용접 기술을 읽힐 방법이 없다. 마지막으로 교육은 사회적으로 다른 사람과 같이 일할 수 있는 능력을 길러준다. 교육을 통해 시간을 지키고 다른 사람과 같은 공간에서 행동하는 법을 배우고 대화하고 협동하는 법을 배운다. 교육은 이렇게 개인의 능력을 향상시켜 경쟁에 유리하도록 하고 개인이 더 높은 지위를 획득하게 한다.

[사]

우리의 이 나라에서도 그 정체(政體)*가 보존되려면, 이와 같은 감독자가 언제나 필요하지 않겠는가? 이것들이 바로 교육과 양육의 규범들이겠네. 그 다음으로 우리가 결정해야 할 것은 무엇이겠는가? 그야 바로 이들 중에서 누가 '다스리고', 또 누가 '다스림을 받을 것인가 하는 게 아니겠는가? (…중략…) 우리가 아이들로 하여금 아무나 지어낸 아무 이야기든 닥치는 대로 듣게끔 이토록 경솔하게 내버려둠으로써, 그들이 성장했을 때, 그들이 가져야만 할 것들로 우리가 생각하고 있는 것들과는 대개

반대되는 생각들을 그들의 마음속에 지니게끔 할 것인지? 우리로선 무엇보다도 먼저 설화 작가들을 감독해야만 하겠거니와, 그들이 짓는 것이 훌륭한 것이면 받아들이되, 그렇지 못한 것이면 거절해야만 될 것 같으이. 그러나 일단 우리가 받아들이게 된 것들을 보모들과 어머니들로 하여금 아이들에게 이야기해 주어, 그들의 손으로 아이들의 몸을 가꾸어 주는 것 이상으로 그들이 설화로써 아이들의 마음(혼)을 형성해 주도록 설득할 걸세. 바로 이런 까닭으로 이들이 처음 듣게 되는 이야기들은 훌륭함(덕)과 관련해서 가능한 한 가장 훌륭하게 지은 것들을 듣도록 하는 것을 어쩌면 아주 중요하게 여겨야만 할 걸세. (…중략…) 만약에 어떤 사람이 어떤 경우에나 좀처럼 홀리지 않고 의젓하며, 자기 자신과 자기가 배운 시가(詩歌)의 훌륭한 수호자인 걸로 보인다면, 그래서 이 모든 경우에 있어서 자신을 단정하고 조화로운 사람으로 드러내 보인다면, 그런 사람이야말로 자기 자신을 위해서나 나라를 위해서 가장 유용한 사람일 걸세. 그리고 아이들 사이에서나 청년들 사이에서 그리고 어른들 사이에서 언제나 그런 시험을 거쳐 더럽혀지지 않은 것으로 판명된 사람을 우리는 나라의 통치자 및 수호자로 임명해야 하네. 또한 그에게는 살아서도 영예가 주어져야 하지만, 죽어서도 무덤이나 그 밖의 기념물에 있어서 최대의 특전을 부여받아야만 하네. 하지만 그렇지 못한 사람은 제외해야만 하네.

* 정체(政體): 국가의 통치 형태.

[논제 Ⅰ] [다]의 시각에서 [가]와 [나]의 입장에 대해 평가하시오. [801자 이상~900자 이하: 배점 40점]

[논제 Ⅱ] [라] ~ [사]를 입장이 유사한 두 부류로 묶어 그 중 한 입장을 선택해 요약하고, 이를 바탕으로 다른 입장을 비판하시오. [1,001자 이상~1,100자 이하: 배점 60점]

4. 2024학년도 경희대 모의 논술 [사회계]

※ **다음을 읽고 물음에 답하시오.**

[가]

자연 상태에서 인간은 다른 자연물들처럼 그저 '움직이는 물체'이다. 이처럼 물질적 존재로 규정할 때 인간은 존재론적으로 다른 인간들과 분리된 대상이 된다. 어떤 영성적인 연결성이나 일체감이 전혀 없이, 다른 인간들과 물리적으로 떨어진 별개의 존재가 되는 것이다. 이때 인간은 내적으로도 타인의 안녕에 별로 관심을 기울이지 않는 독자적인 존재의 위상을 갖는다. 즉 인간은 자기의 삶을 보전하고 행복을 좇는 데 관심을 기울이며, 자기의 이익을 추구하는 존재이다. '나'의 행복에 관해 가장 잘 판별할 수 있는 이는 자기 자신이므로, 인간은 자신에게 가장 좋은 것이 무엇인지 알아내기 위해 자율성을 가져야 한다.

자유주의가 생각하는 '인간형 모델'은 효용을 극대화하는 인간이다. 고전적 자유주의에 의하면, 인간은 가능한 한 쾌락을 즐기고 고통을 피하려는 일차적인 행동 동기를 지니고 있다. '인간의 선악'이라는 개념도 애초에 인간이 자신에게 유용한 것이 무엇인지를 자각하는 데서 비롯되었다. 쾌락을 경험하는 것은 좋은 일이고 고통을 경험하는 것은 나쁜 일이기에, '좋은 삶'을 영위하기 위해서 인간은 자신의 경제적 이익을 추구해야 한다. 이런 행동은 결코 타락의 징표가 아니다. 만약 인간이 자신의 이익과 행복 및 삶의 보전에만 신경을 쓴다면, '국가의 영광을 위한 전쟁'과 같은 거대한 행동 목표를 추구하지는 않을 것이다.

[나]

'긍정심리학'의 창시자 중 한 명인 크리스토퍼 피터슨에게 긍정심리학이 무엇인지 한 마디로 설명해달라고 하면, 그는 이렇게 대답한다. "타인". 긍정적인 것이 홀로 있는 경우는 극히 드물다. 당신이 마지막으로 큰소리로 웃었을 때는 언제인가? 말할 수 없이 기뻤던 순간은? 최근에 심오한 의미와 목적을 감지했던 순간은 언제인가? 자신의 성취에 엄청난 자긍심을 느꼈던 때는 언제였나? 당신의 삶에 피어난 이 절정의 순간들을 내가 속속들이 알 수는 없지만, 나는 그것의 형상만큼은 알고 있다. 그 모든 순간은 바로 타인을 중심으로 펼쳐졌을 것이다.

인생의 내리막길에서 타인은 최고의 해독제이며 가장 믿을 수 있는 유일한 존재이다. 나는 사르트르의 "타인은 지옥이다."라는 말이 아주 못마땅하다. 내 친구가 자기 어머니에 관한 이야기를 들려준 적이 있다. 내 친구가 어렸을 때 어머니는 그가 기분이 언짢은 것을 볼 때마다 이렇게 말씀하셨다. "골이 난 모양이구나. 밖에 나가서 다른 사람을 도와주지 않을래?" 어머니의 제안은 경험을 통해 그 효과가 검증되어왔다. 과학자들은 친절한 행위가 행복을 일시적으로 증가시킨다는 사실을 규명했다.

[다]

삶을 의미 있게 만드는 요소는 무엇일까? 한국인은 '물질적 풍요'가 삶을 의미 있게 만드는 가장 큰 가치라고 대답했다. 2021년에 미국의 여론조사업체 퓨리서치센터가 발표한 조사 결과이다. '물질적 풍요'를 1순위로 꼽은 국가는 한국이 유일했다. 조사 대상은 한국을 포함한 17개 선진국으로, 호주, 뉴질랜드, 스웨덴, 프랑스, 그리스, 독일, 캐나다, 싱가포르, 이탈리아, 네덜란드, 벨기에, 일본, 영국, 미국, 스페인, 대만 등이었다. 성인 1만 9,000명이 조사에 참여했다.

조사 대상 17개국 중 14개국은 '가족'이 삶을 의미 있게 하는 가장 중요한 가치라고 답했다. 호주, 뉴질랜드, 프랑스, 독일, 일본, 영국, 미국 등이었다. 가족이 1순위에 오르지 못한 국가는 3개국으로, 한국과 스페인, 대만이었다. 스페인은 1순위로 '건강'을 지목했고, 대만은 '사회'를 선택했다. 퓨리서치센터는 "삶을 의미 있게 만드는 원천 중 한 가지가 압도적으로 우세하다는 사실은 분명했다."라며 "조사 대상 17개국 가운데 14개국이 '가족과 아이들'을 가장 많이 꼽았다."라고 밝혔다. 한국인이 '물질적 풍요'(19%) 다음으로 중요한 가치로 꼽은 요소는 '건강'(17%)이었다. 14개 국가에서 1순위로 꼽힌 '가족'은 한국에서는 3순위(16%)를 기록했으며, '사회', '자유' 등이 그다음 순위를 이었다.

[라]

에피쿠로스학파는 쾌락을 좋아하고 고통을 싫어하는 인간의 자연스러운 본성에 근거하여 윤리 사상을 전개하였다. 에피쿠로스에 따르면, 쾌락이야말로 우리가 진정으로 바라고 원하는 것이자 가장 좋은 것, 즉 최고선이다. 그러므로 이러한 쾌락을 누리는 삶이 곧 행복한 삶이다.

그런데 에피쿠로스가 주장한 쾌락은 가능한 한 많은 욕구를 충족하거나, 사치스러운 향락을 누림으로써 얻어지는 것이 아니다. 무분별하게 욕구를 채우려고 하거나 향락을 좇다 보면 장기적으로 오히려 고통에 빠질 수 있다. 에피쿠로스는 진정한 쾌락을 누리려면 자연적이고 필수적인 욕구를 최소한으로 충족하면서, 불필요한 욕구를 자제하는 절제되고 소박한 삶에 만족할 수 있어야 한다고 주장하였다.

또한, 에피쿠로스에 따르면, 우리는 사회의 부정의나 인간관계에서의 불화 등으로 말미암아 사회적 삶에서도 고통을 받을 수 있다. 따라서 그는 번잡한 세속의 삶을 떠나 작은 공동체에서 살아갈 것을 강조하였다. 그 속에서 친구와 우정을 나누고 지적으로 교류하면서 정의롭게 살아갈 때 행복에 이를 수 있다고 보았다. 이처럼 지혜를 통해 마음에 불안이 없고 육체에 고통이 없는 상태에 도달하는 것이 에피쿠로스학파가 지향한 쾌락주의의 이상이었다. 그들은 이러한 평정심의 상태를 아타락시아(ataraxia)라고 불렀다.

[마]

사람들은 자신이 실업자가 아니더라도 실업과 관련해 불행감을 느낄 수 있다. 실업자의 불운한 운명에 동정심을 가지거나, 자신도 장차 실업자로 전락하지는 않을까 걱정하는 과정에서다. 사람들은 경제와 사회 전반의 부정적인 상황을 두려워하기도 한다. 가까운 장래에 예상되는 실업보험 분담금의 인상이나 세금 증가를 꺼릴 수도 있고, 범죄의 증가나 사회적 긴장의 심화를 염려할 수도 있다. 심지어 실업으로 인한 폭력적인 시위나 소요 사태를 우려하며 불안해할 수도 있다. 한 연구에 따르면, 다른 모든 요인을 일정하게 통제한 상황에서 실업률만 1% 상승할 경우 사람들의 삶의 만족도는 0.028점 줄어들었는데(4점 척도 기준), 이는 대단히 큰 영향력이라고 해석할 수 있다.

[바]

흥부 부부가 박 덩이를 사이하고
가르기 전에 건넨 웃음살을 헤아려 보라.
금이 문제리,
황금 벼 이삭이 문제리,
웃음의 물살이 반짝이며 정갈하던
그것이 확실히 문제다.

없는 떡방아 소리도
있는 듯이 들어내고
손발 닳은 처지끼리
같이 웃어 비추던 거울 면(面)들아.

웃다가 서로 불쌍해
서로 구슬을 나누었으리.
그러다 금시
절로 면(面)에 온 구슬까지를 서로 부끄리며
먼 물살이 가다가 소스라쳐 반짝이듯
서로 소스라쳐
본(本)웃음 물살을 지었다고 헤아려 보라.
그것은 확실히 문제다.

[사]

(…) 일 년에 한 번, 아버지 추도식에 참석하기 위해 고속버스를 타고 전주에 갈 때마다 표지판이 아니면 언뜻 알아볼 수 없을 만큼 달라져 있는 고향의 모습이 내게는 낯설기만 하였다. 이제는 사방팔방으로 도로가 확장되어 여관이나 상가 사이에 홀로 박혀 있는 친정집도 예전의 모습을 거의 다 잃고 있었다. 옛집을 부수고 새로이 양옥으로 개축한 친정집 역시 여관을 지으려는 사람이 진작부터 눈독을 들이고 있는 중이었다. 집 앞을 흐르던 하천이 복개되면서 동네는 급격히 시가지로 편입되기 시작하였다. 그마나 철길이 뜯기면서는 완벽하게 옛 모습이 스러져버렸다. 작은 음악회를 열곤 하던 버드나무도 베어진 지 오래 였고 찐빵가게가 있던 자리로는 차들이 씽씽 달려가곤 했다. 아무래도 주택가 자리는 아니었다. 예전에는 비록 정다운 이웃으로 둘

러싸인 채 오순도순 살아왔다 하더라도 지금은 아니었다. 은성장여관, 미림여관, 거부장호텔 등이 이웃이 될 수는 없었다. 게다가 한창 크는 아이들이 있었다. 우리 형제들은 물론, 조카들까지 제 아버지에게 이사를 하자고 졸랐었다. 하지만 큰오빠는 좀체 집을 팔 생각을 굳히지 못하였다. 집을 팔라는 성화가 거세면 거셀수록 그는 오히려 집수리에 돈을 들이곤 하였다. 그 동네에서 마지막까지 버티고 있는 유일한 사람이 바로 큰오빠였다.

일 년에 한 번씩 타인의 낯선 얼굴을 확인하러 고향 동네에 가는 일은 쓸쓸함뿐이었다. 이제는 그 쓸쓸함조차도 내 것으로 남지 않게 될 것이었다. 누구라 해도 다시는 고향으로 돌아가지 못할 것이었다. 고향은 지나간 시간 속에 있을 뿐이니까.

[아]

여가와 사회자본은 행복 추구에 중요한 요소이다. 삶의 만족도가 높은 나라의 시민들일수록 사회적 자본을 주로 문화활동, 스포츠활동, 종교활동 등에서 얻는 것으로 나타났다. 여가활동은 행복의 중요한 원천으로, 다양한 여가활동은 서로 다른 긍정적인 감정을 발생시킨다. 가구소득에 따른 여가활동 참여 또한 더욱 폭넓고 다채로워지고 있다. 소득 수준이 높을수록 문화예술 관람 활동, 문화예술참여 활동이 더 활발하고, 스포츠참여 활동에도 적극적이다. 특히 문화적 자본과 관련된 여가활동인 문화예술관람 활동, 문화예술참여 활동은 월소득 300만 원 이상 집단에서 상대적으로 참여도가 높으며, 스포츠참여 활동도 월소득 300만 원 이상 집단에서 더 활발하다. 한편 취미·오락 활동은 소득수준 200만 원 이상 집단에서 활발하고, 사회관계 활동은 소득수준 200만 원 미만 집단에서 더 적극적으로 즐기고 있다. 월 가구소득에 따른 여가활동 참여 분석 결과를 보면, 200만 원 미만 집단은 산책, 낮잠과 같은 휴식 활동, 계모임·동호회, 잡담 통화·문자 보내기와 같은 사회관계 활동에 참여하는 비율이 높다. 월수입 200만~400만원 집단에서는 스포츠 관람, 각종 취미·오락 활동에 적극적으로 참여하고, 월수입 400만 원 이상 집단에서는 스포츠활동 참여와 음악회·연극·무용·전시회·박물관 관람, 문학행사 참석 등의 문화예술관람 참여가 다른 집단에 비해 활발하다. 이처럼 고소득층에서는 문화자본과 관련된 문화예술 활동이나 적극적이고 활동적인 여가활동에 대한 참여도가 높은 것을 알 수 있다.

[자]

당신의 소득이 엄청나게 증가했는데 주변 사람들의 소득은 아무런 변화가 없다면, 당신은 예전보다 행복할까요? 대다수는 "그렇다."라고 대답할 것입니다. 자, 그럼 질문을 뒤집어봅시다. 당신의 소득은 아무런 변화가 없고 다른 모든 사람의 소득이 엄청나게 증가했다면, 당신은 예전보다 행복할까요? 대다수가 "아니오."라고 대답할 것입니다. 이처럼 다른 사람들이 벌어들이는 소득은 당신 자신의 소득에 대한 만족도에 영향을 미칩니다. 사람들은 의식하든 의식하지 않든 간에 항상 자신을 다른 사람들과 비교하지요. 경제 총생산이 증가하면 사람들의 소득도 대체로 증가합니다. 자신의 소득이 증가할 때 준거기준인 다른 사람들의 소득도 함께 증가하기에, 소득 증가분이 행복에 미치는 순효과는 얼마 되지 않습니다. 실제로 사람들은 자신의 소득 증가가 행복에 미치는 긍정적 효과와 다른 사람의 소득 증가가 자신의 행복에 미치는 부정적 효과를 동시에 경험합니다. 물론 자신의 소득이 평균보다 더 증가해서 행복 수준이 더 높아진 사람들도 있겠지요. 그러나 그런 사람이 있다면, 소득이 증가하기는 했으나 다른 사람보다 그 액수가 적거나 증가 폭이 좁아 행복 수준이 더 낮아진 사람들도 있기 마련입니다. 모든 사람의 평균적인 행복 수준에서 본다면 소득 증가가 행복에 미치는 전체적인 효과는 변화가 없는 것으로 나타납니다.

[논제 Ⅰ] 제시문 [가] ~ [바]를 유사한 관점을 가진 것끼리 분류하고 요약하시오. [501자 이상 ~ 600자 이하: 배점 25점]

[논제 Ⅱ] [논제 Ⅰ]의 두 관점 중 어느 관점을 지지하는지 그 이유를 서술하고, 그 관점에서 [사], [아], [자]를 평가하시오. [601자 이상 ~ 700자 이하: 배점 40점]

[논제 Ⅲ]

국가 A는 매년 사람들의 소득 수준과 행복도를 조사해오고 있다. <자료 1>은 국가 A에서 2011년에 조사한 소득집단별 평균 행복지수를 나타낸다. 행복지수가 높을수록 개인들이 더 행복하다고 응답한 것을 의미한다. <자료 2>는 국가 A의 1991년부터 2015년까지 1인당 평균 소득과 평균 행복지수를 나타낸다. 해당 기간에 국가 A에서 소득 이외에 사람들의 행복에 영향을 줄 수 있는 다른 요인의 변화는 없었다고 가정한다.

(1) <자료 1>과 <자료 2>에 나타난 사실들을 설명하고, 이 사실들을 제시문 [자]를 이용해서 해석하시오.

(2) 개인의 행복은 여가시간(측정 단위: 시간)과 소득(측정 단위: 만 원)의 곱에 의해 결정된다고 가정하자. 개인에게 주어진 시간은 24시간으로, 그는 이 시간을 근로나 여가 둘 중 하나를 위해 사용한다. 개인의 소득은 근로시간에 시간당 임금을 곱하여 계산한다. 시간당 임금이 1만 원인 사람과 2만 원인 사람이 있다고 가정하여 두 사람이 경험하는 24시간 동안의 행복도를 가장 높게 하는 여가시간을 구하고, 이때의 소득과 행복 수준을 구하시오. 제시문 [아]를 활용하여 두 사람의 행복 수준에 차이가 나는 이유를 설명하시오.

[수식을 사용하여 주어진 답안지 양식의 범위 내에서 자유롭게 쓰시오. 배점 35점]

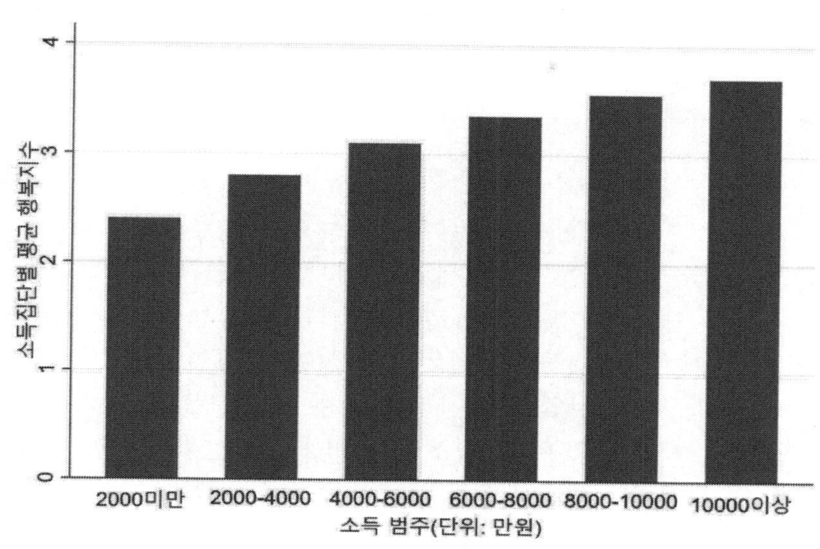

소득집단별 평균 행복지수
0
1
2
3
4
2000미만
2000-4000
4000-6000
6000-8000
8000-10000
10000이상
소득 범주(단위: 만원)

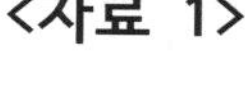
<자료 1>

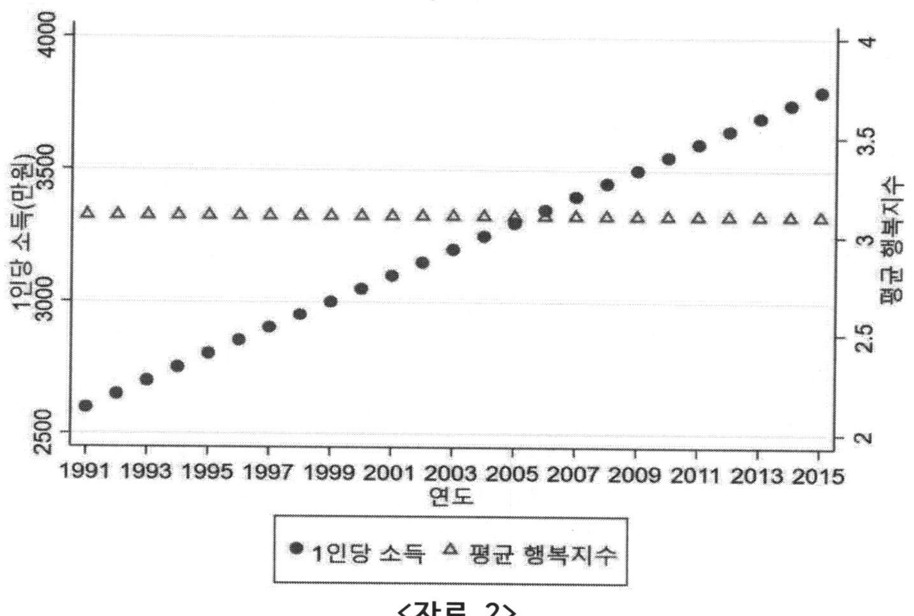

1인당 소득(만원)
2500
3000
3500
4000
평균 행복지수
2
2.5
3
3.5
4
1991 1993 1995 1997 1999 2001 2003 2005 2007 2009 2011 2013 2015
연도
1인당 소득
평균 행복지수

<자료 2>

5. 2023학년도 경희대 수시 논술 [인문체육계]

※ 다음을 읽고 물음에 답하시오.

[가]

오늘날 우리가 향유하고 있는 대중문화는 문화 산업의 산물이다. 대중문화에 대한 우리의 열광 역시 대중 매체와 문화 산업의 직접적인 영향을 받는다. 그러다 보니 다른 사람의 목소리를 내 목소리인 것처럼 착각하고 사는 경우가 많다. 이는 특히 청소년에게서 두드러지는 문제이다. 오늘날 청소년은 가장 크고 중요한 대중문화의 소비층이고, 따라서 대중 매체나 문화 산업의 입장에서 보면 청소년은 가장 중요한 판매 시장이다. 미디어와 문화 산업은 어떤 식으로든 청소년을 공략하기 위해 혈안이 되어 온갖 광고와 판매 전략을 동원해 청소년을 현혹하고 있다. 이런 상황에서 자칫 마음을 놓으면 문화 산업의 광고 전략에 넘어가 한낱 소비자로 전락하기 십상이다. 그렇게 한낱 소비자일 뿐이면서 마치 자기 스스로 문화를 판단하고 선택한 것처럼 착각하기 쉽다는 것이다. 이럴 경우 그는 단지 문화의 객체일 뿐 결코 주체라 할 수 없다. 요즘 청소년들을 보면 거의 비슷한 외모와 비슷한 스타일로 꾸미면서, 거기에 비슷한 상품을 들고 다닌다. 그러면서도 그들은 당당히 '개성'을 내세운다. 도대체 모두 똑같이 하고 다니는 것이 어떻게 개성일 수 있는가. 결국 대중문화를 향유하면서 문화 산업의 목소리를 자신의 목소리로 착각하고 있다고 할 수밖에 없다.

[나]

노래 제목이었구나. 나는 터치 패드를 넘겨 가며 저장된 곡을 찾기 시작하는 태수의 기다란 손가락을 본다. 약간 후회스러운 기분이 다. 흔들리는 버스에서 책을 읽는다거나 이어폰으로 음악 듣는 건 내 취향이 아니다. 유행가를 안 듣는 건 아니지만 특별히 좋아하는 가수도 노래도 없다.

할 수 없이 태수가 건네주는 커다란 헤드폰을 받아서 머리에 쓰며 나는 버스 안을 흘끔 살펴본다. 무슨 음악 디제이(DJ)도 아니고 차 안에서 이런 걸 쓰고 있다니 어색하다. 태수는 곡을 못 찾은 모양이다. 혼자 중얼거린다. 어디 갔지? 지웠나?

그때 갑자기 분수대에서 떨어지는 시원한 샘물 방울처럼 또렷하고 생기에 찬 목소리가 내 귓속으로 빠르게 쏟아져 들어온다.

언제부턴가 거울을 쳐다보는 습관이 생겼지

"잠깐만."

나는 태수의 무릎 위에서 엠피스리(MP3)를 가져다 내 손에 쥔다.

> *이젠 그게 너무도 익숙하니 꽤 멋진 표정도 어색하지 않을 정도로 지을 수 있어*
> *하지만 내 주위에서 나를 바라보는 시선은 결코 편하지 않아*
> *그들이 내게 강요하는 것은 오로지 하나 남자스러움 말야*

난 자꾸 그럴수록 마냥 불쾌한 듯 찡그리다가 나중엔 그냥 웃지

그 목소리는 천둥처럼 나를 전율시킨다. 가슴이 뛰기 시작한다.

이건, 내 이야기잖아!

한순간 온몸이 굳었으며, 마치 누군가의 손이 나타나서 뻣뻣해진 내 몸을 낚아채 잡아끌기라도 한 듯이, 그대로 나는 다른 세계로 빨려 들어간다.

무엇다워야 한다는 가르침에 난 또 놀라
우린 아마 이렇게 멍들어 가는지도 몰라
습관적으로 모든 일들에 익숙한 척 가슴을 펴지만
그 속에서 곪은 상처는 아주 천천히 우리들을 바보로 만들어
우리는 진짜보다 더 강한 척해야 하므로

다섯 살 때였던가, 내가 여자 옷을 입고 싶다고 말한 적 있었다. 엄마는 레이스가 달린 원피스를 사 와서 내게 입히고, 뭘 하든 기왕이면 예뻐야 한다며 머리핀도 꽂아 주었다. 나는 치맛자락을 날리며 들뜬 표정으로 놀이터로 뛰쳐나갔다. 놀이터를 한 바퀴 돌고 그네와 미끄럼틀을 한 번씩 탄 뒤 집으로 돌아왔다. 그뿐이었다. 그 뒤로 다시 그 원피스를 입었던가? 그건 기억나지 않는다. 이웃 아줌마들에게 놀림은 당했던 것 같다. 고추가 떨어진다나 뭐라나. 하지만 그 한 번의 경험이 너무나 상쾌하고 신기해서 마치 우주여행이라도 한 것 같았다.

나만 그럴까. 누구나 한 번쯤 그런 옷을 입어 보고 싶을 수 있는 거 아닌가. 다른 존재에 대한 호기심이 흉내가 되기도 하는 것 아닌가. 한 인간의 내면에 여러 가지 다른 성격이 섞여서 들어 있다는 사실은 이상할 것 하나 없다고 언젠가 엄마도 말했듯이.

[중략]

노래가 끝났다.

나의 가슴은 터질 듯 빠르게 뛰었고 아랫배에는 잔뜩 힘이 들어가 있었다.

어쩐지 눈물이 날 것만 같아 창밖으로 고개를 돌린 나는 그제야 정류장을 지나쳤을지도 모른다는 생각이 들었다.

[다]

방탄소년단(BTS)의 영향력은 크다. 그 영향력은 BTS의 음악적 성취와 세계적 아티스트로서의 위상에서만 나오는 것이 아니다. 팬덤 ARMY(아미)를 움직이는 것은 BTS의 메시지다. 세상의 불평등과 폭력을 용인하지 말고, 자신을 사랑하고, 더 나은 세상을 위해 함께하자는 메시지가 전 세계의 아미를 행동하게 했다. 단순히 대중문화를 즐기고 소비하는 팬의 입장을 넘어서, 아미는 'LOVE YOURSELF'와 'SPEAK YOURSELF'라는 BTS의 메시지에 영감을 받아 정치, 환경, 차별 등 여러 문제에 대해 목소리를 내고 있다. 다양한 캠페인을 주도하고 많은 기부를 이어오며 여러 현안에 목소리를 높여온 BTS는 아미가 현실에서 원하는 변화에 대해 적극적인 태도를 취하도록 격려한다. 그것이 아미가 사회적·환경적 대의를 위해 움직이는 참여자가 되는 이유다.

그 중 하나가 브라질의 Army Help The Planet(AHTP)이다. BTS의 행동에 감동과 영향을 받아 선행을 실천한다는 것이 그들의 원칙이고, '팀워크가 꿈을 만든다.'는 것이 운영 철학이다. 아마존 보존지역에 토종 나무를 심는 자금을 모으는 캠페인, 세계 최대 열대 습지인 판타날 지역에서 반복되는 화재 방지 캠페인 등 환경에 대한 노력뿐 아니라 코로나19 기간 동안 의료 물자를 지원하기 위한 긴급 자금을 모으는 프로젝트도 진행됐다. 브라질에서 온 마리아나 파치롤리는 "한국의 일곱 소년은 대중문화를 통해 전 세계 수 백만명을 감동시켰고, 모든 사람이 언어, 인종, 성별, 나이, 종교적 신념의 장벽을 극복하고 자신의 목소리를 사용하도록 격려했다."며 "아미는 그들의 목소리가 힘을 가지고 있다는 것을 깨닫고 사회 변화를 위한 강력한 네트워크를 만들어냈다."고 말했다. 남아프리카공화국 아미 제시카 듀허스트는 인권운동가다. 2013년 남아프리카 비영리 인권단체 '저스티스 데스크(The Justice Desk)'를 설립해 인신 매매, 성폭력 등 인권침해 문제를 다루고 있다. BTS는 그가 처음 접한 케이팝 그룹이었다. "심적으로 지쳐갈 때쯤 우연히 BTS의 '낫 투데이'를 듣게 됐다. 내게 필요한 도움을 받았을 뿐 아니라, 계속해서 불의에 맞서 싸울 수 있도록 영감을 주었다." 이 노래는 "패배하는 날이 올지도 모른다. 하지만 오늘은 아니다. 오늘 우리는 싸운다."는 RM의 랩으로 시작한다. 2017년 2월 발매된 '낫 투데이'는 사회운동에 나선 아미들에게 투쟁가와 같은 곡이다. 듀허스트는 BTS의 노래에 담긴 포용과 사랑이라는 메시지가 인권운동의 저항 정신과 맞닿아 있다고 느낀다.

[논제 I] [다]의 시각에서 [가]와 [나]의 상황에 대해 평가하시오.

[801자 이상 ~ 900자 이하: 배점 40점]

※ **다음을 읽고 물음에 답하시오.**

[라]

페이스북 설립자 겸 최고경영자인 마크 저커버그는 사람들에게 "공유할 권한을 부여해서 더욱 개방되고 더욱 연결된 세상을 만드는 것"이 페이스북의 목적이라고 정의하면서 이렇게 썼다. "우리는 세계를 연결하는 데 진전을 이루고 있습니다. 이제 세계를 서로 더 가깝게 합시다. 당신과 이 여정을 함께하게 되어 영광입니다." 세계를 서로 더 가깝게 만든다는 생각이 처음부터 저커버그에게 생기와 추진력을 불어넣은 것이다. 그의 연설, 투자자에게 보낸 서한, 페이스북에 올린 글, 언론 인터뷰, 그리고 2017년 초 조용히 미국 전역을 돌아본 것은 모두 그 주제와 잘 통한다. 그는 자신의 회사가 전 세계 사람들을 하나로 묶을 수 있다고, 그래야만 한다고 생각했다. 또한 그 결과는 예측 가능하고 대체로 유익할 것이라고 믿었다.

저커버그는 2017년 초 페이스북 페이지에 공개한 성명서에서 "지난 10년간 페이스북은 친구들과 가족을 연결하는 데 집중해 왔다"라고 썼다. "그 기초 위에서 우리가 다음에 집중할 것은 공동체를 위해, 우리를 지원하고, 안전하게 하고, 정보를 제공하고, 시민사회에 대한 참여를 돕고, 우리 모두를 포함하는 소셜 인프라를 발전시키는 것이 될 것이다." 저커버그와 페이스북으로서는 전환의 표시였다. 페이스북이 개인들을 연결하는 기능에 그치지 않고 시민사회의 참여, 나아가 세계를 연결함으로써 세계 평화와 공존에 도움이 될 것이라는 확고한 믿음의 표현이었다.

저커버그는 2016년 내내 페이스북이 영국의 유럽연합(EU) 탈퇴 국민투표와 미국의 도널드 트럼프 선출에 영향을 끼친 선전 선동에 자리를 깔아주고 부추겨 왔다는 점을 인정하라는 압박을 받았다. 페이스북은 라이브 비디오 스트리밍 서비스 때문에도 상당한 비판을 들었다. 많은 사람들이 자살 또는 살인 장면을 이 서비스를 통해 공개했기 때문이었다.

이러한 비판에 굴하지 않고 저커버그는 2017년 성명서에서 "투표 이상으로 가장 훌륭한 기회는 사람들이 투표소에서 몇 년마다가 아니라 날마다 중요한 문제에 잘 참여하도록 돕는 것"이라고 밝혔다. 그는 "우리는 국민과 선출된 지도자들 간의 직접적인 대화와 책임감 확립을 도울 수 있다."라고 강조했다. 저커버그는 이어 페이스북이 민주정치 과정에 유용하다는 점을 믿게 된 가장 놀라운 사례들을 거론했다. "인도의 모디 총리는 장관들에게 회의와 정보를 페이스북에 공유해 국민의 직접적인 피드백을 들으라고 지시했다." 저커버그는 이렇게 덧붙였다. "인도와 인도네시아에서부터 유럽을 거쳐 미국에 이르기까지 세계적으로 최근 선거에서, 페이스북에서 참여도가 가장 높은 팔로워를 가장 많이 가진 후보들이 대부분 승리하는 것을 우리는 봐 왔다. 텔레비전이 1960년대 시민 소통의 주요미디어가 되었듯이 21세기에는 소셜 미디어가 그렇게 되고 있다."

[마]

소셜 미디어가 우리에게 장려하는 행동은 온라인에서 우리 자신의 진짜 모습을 감추는 것이다. 페이스북에 "이번 주말 내내 잠옷 차림으로 시트콤을 보면서 비스킷을 열 통이나 먹었다."라고 쓰는 사람이 있을까? 우리는 우리 삶에서 자랑스럽고 빛나는 장면, 행복한 순간, 파티, 축하, 하얀 백사장, 입에 침이 고이게 하는 음식 따위를 잘 골라서 온라인에 공유한다. 문제는 이렇게 포토샵으로 꾸며지고 필터링된 우리 자신은 우리의 진정한 자아와 근본적으로 단절되어 있을 때가 많다는 사실이다.

실제로 나는 누구일까? 내가 인스타그램에 올리는 항상 행복하고 사교적이며 성공한 그 사람이 나일까, 아니면 때로는 실패하고 주저하고 자신 없는 누군가가 나일까? 내 친구들이 '가짜 나'를 더 좋아한다면 어떻게 될까? 우리가 우리의 소셜 미디어 인생을 신중하게 포장하면 할수록 프로필 뒤에 가려진 '진짜' 나를 아무도 모르고 좋아하지 않는다고 느낄 위험성은 그만큼 커진다. 이것은 고립감이고 단절감이다. 캘리포니아 출신으로 똑똑하고 예술적인 17세 테사가 아주 적절한 표현을 썼다. "우리는 가면 갈수록 온라인 비디오 게임의 아바타처럼 사는 것 같아요." 흠잡을 데 없이 완벽한 아바타, 바로 그것이다. 2016년 시장 조사 기업 커스터드가 영국에서 2,000명을 대상으로 설문 조사한 결과, 겨우 18%만이 페이스북 프로필이 자신의 정확한 모습이라고 답했다.

어쩌면 겉으로 드러나는 모습에 필사적으로 신경쓰고 때로는 우리의 실제 모습보다 더 나아 보이려고 일종의 연기를 하는 것은 인간의 본성일지 모른다. 어쨌든 400년 전에 셰익스피어도 "온 세상이 연극 무대"라 하지 않았는가. 특히 10대는 어느 시대에나 이러한 경향이 강했다. 캣아이 메이크업, 초미니스커트, 롱부츠, 가방에 든 니체의 『차라투스트라는 이렇게 말했다』는 내가 14세일 때 신중하게 공들여 만든 페르소나(persona, 가면)였다.

하지만 소셜 미디어의 시대에는 이 핵심적 측면에서 전통적인 인간 행동에 변화가 생겼다. 과거에 우리는 자주 연기를 멈추고 사생활 속의 진정한 자아로 돌아가곤 했다. 가령 14세의 나는 일주일에 한 번은 화장기 없이 잠옷 차림으로 식구들과 붙어 앉아 통속 드라마를 보곤 했다. 하지만 이제 우리는 항상 우리의 스마트폰을 두드리며 인생의 매 순간이 잠재적 인생샷이니 이 연기가 대체 언제 멈출까?

[바]

경기도의 한 도시에 작은 빵집이 있다. 제과제빵 기능장이 정성껏 좋은 재료로 만드는 과자와 빵은 동네 사람들에게 사랑을 받았지만 그것으로 가게를 유지하기에는 역부족이었다. 이를 걱정한 빵집의 손님이 빵집이 기획한 과자 세트의 온라인 판매를 홍보하는 글을 자신의 SNS에 올렸고, 장인이 심혈을 기울여 만든 다과를 즐기고 어려움에 처한 소상공인을 돕길 원했던 SNS 사용자들의 주문이 몰려 과자 세트는 판매 목표 수량을 아득하게 뛰어넘는 사랑을 받았다. 빵집의 상호가 들어간 해시태그(#)가 생기고 '실시간 트렌드'에 등극했으며, 이를 본 다른 수많은 사용자들이 빵집의 SNS 계정을 방문했다. 주문이 하도 몰려 빵집의 오프라인 매장을 잠시 닫고 발주에 집중해야 할 정도였다. 이후 이 빵집은 인터넷 판매로 전환해 현재까지도 SNS 사용자들에게 많은 사랑을 받고 있다.

이처럼 SNS는 인터넷에서 다양한 인적 관계망을 구축하고 정보를 공유하며 의사소통을 도와주고, 현실에 영향을 미칠 수 있는 뉴미디어 중 하나이다. 뉴 미디어는 기술 및 의사소통 방식의 측면에서 종합화, 상호 작용성, 비동시화 등의 특징을 지닌다. 종합화는 아날로그 시대에 개별적으로 존재했던 매체들이 하나의 정보망으로 통합되는 것이다. 상호 작용성은 뉴 미디어가 기존의 대중 매체가 지닌 일방향성을 극복하고 송·수신자 간의 쌍방향성을 증진한 것이다. 비동시화는 과거에는 송신자가 정보를 제공하는 시간이나 프로그램을 수신자가 선택하여 볼 수 없었지만, 뉴 미디어는 수신자가 자신이 원하는 시간이나 프로그램을 선택하여 볼 수 있게 된 것을 가리킨다. 이제 우리는 언제 어디서나 원하는 정보를 원하는 형식으로 손쉽게 다룰 수 있게 되었다.

특히, SNS의 상호 작용성은 소비자와 생산자 간의 쌍방향성을 강화해 모두가 행복해지는 결과를 도출한다. 해시태그는 관심 있는 키워드를 한데 모아 볼 수 있게 하면서 소비자와 생산자를 연결해주기도 한다. SNS의 사용자들은 자신이 관심 있어 하는 분야에 대한 정보를 얻어 비슷한 관심사를 가진 이들과 공유하고, 자신들이 원하는 것들을 보다 쉽게 얻을 수 있다. 손님이 필요한 가게가 SNS를 활용해 자신들을 알리고, 자신의 취향에 맞춘 소비를 하고자 하는 손님들은 SNS를 통해 자신이 원하는 곳에 방문한다.

[사]

피드백 중독은 '좋아요' 증상이다. '좋아요'는 초를 다툰다. 접속과 동시에 누군가의 일거수일투족을 알거나 지속적으로 자신을 노출한다. '좋아요'는 실시간 숫자로 명기되며 인맥의 유지를 확인시켜준다. 개인 계정은 확장적 자아로 기능하면서 네트워크에 접속해 교류하고 지속적 관계 맺기를 확인받는다. 누가 클릭해주지 않으면 모든 것이 무의미하기라도 하다는 듯 불안한 침묵은 '좋아요'로부터 구원받는다. 사람들은 '좋아요'를 통해 불안을 달래고 고독을 떨쳐내고 세계와 '나'의 연약한 고리를 붙잡는다. '좋아요'를 통해 타자와 간격을 좁히다 못해 일체를 꿈꾼다. 경계가 사라지고 타자가 사라진 세계에서 자아는 구별 불가능하다. 자아는 실시간 소비사회 속에서 계산되고 소멸된다. SNS의 허구성을 발견하지도, 깨부술 의지를 갖기도 어렵다. 자아가 불안한 관성과 침묵 속으로 빠져들지 못하도록 곳곳에서 모든 힘이 동원된다. 평소 팔로우해 온 셀럽, 페친, 트위터 유저의 진단과 예측을 무조건 흡수하고 그의 판단 아래, 정보의 통제를 넘어 생각의 통제를 가속화한다. 공유와 리트윗을 통해 자아를 보고 조각조각 흩어진 정보를 가용해 편리대로 이해한다. 실체를 파악하기 힘들어하는 '나' 대신 누군가 이어 붙인 이미지를 보고 본질을 파악한다. 소속감과 동일시가 이루어지는 곳에서 필연적인 소외가 발생하지만 결국 자발적 소외다. 나의 '자아'는 SNS의 몰시간성에 의해 타자와 거리를 상실한 채 어쨌거나 당신이 그렇다면 나도 그렇다고 여기게 된다.

소셜 네트워크에서 나와 같은 의견을 가진 타자는 얼마든지 '추가'되고 다른 의견을 가진 타자는 '삭제'될 수 있다. 이 때문에 SNS는 대화를 가르치지 않는다. 자신과 비슷한 타자로 둘러싸인 환경에서 자신의 목소리가 메아리 돼 돌아오는 소리에 안식을 얻고 자기 자신의 반사된 얼굴에 '좋아요'를 누르는 일종의 자기 중독에 빠진다.

[논제 II] [라] ~ [사]를 입장이 유사한 두 부류로 묶어 그 중 한 입장을 선택해 요약하고, 이를 바탕으로 다른 입장을 비판하시오.

[1,001자 이상 ~ 1,100자 이하: 배점 60점

6. 2023학년도 경희대 수시 논술 [사회계 오전]

※ 다음을 읽고 물음에 답하시오.

[가]

미투 운동은 자신이 겪었던 성폭력을 '미투(Me Too)'라는 해시태그(#)를 달아 누리 소통망(SNS)에 올려 공개함으로써 그 심각성을 알리는 캠페인이다. 2006년 미국의 사회 운동가 타라나 버크가 성범죄에 취약한 유색 인종 여성 청소년을 위해 시작하였고, 2017년 미국 배우 알리사 밀라노가 제안하면서 빠르게 확산되었다. 이후 수많은 저명인사 및 일반인들이 해시태그를 통해 자신의 경험을 공개했다. 이 움직임은 수많은 성추행 및 성폭력 사건들을 수면 위로 끌어올렸다.

한국에서도 2018년 1월 19일 현직 검사가 한 방송에 출연해 검사장이었던 상사의 성폭력 실상을 공개적으로 밝히면서 미투 운동이 본격화되었다. 법조계에서 시작된 미투 운동은 이후 문화·예술·체육계를 비롯해 정치권 등으로 확산되면서 사회적 관심을 불러일으켰다. 예컨대 연극 연출가의 성추행 사실이 누리 소통망을 통해 폭로되면서 '위력에 의한 성폭력'에 대한 고발이 이어졌다. 더불어 시인, 극작가, 배우, 정치인 등 20명에 달하는 인사들이 가해자로 지목되었다. 이 운동은 성폭력과 성차별 등을 금지하고 인권 보호와 성평등을 실현해야 한다는 공감대의 확산에 기여하였다.

[나]

효과적인 정치 참여를 위해서는 많은 시간과 노력을 들여 정치적 지식과 정보를 습득하고 많은 비용을 감내하며 정치 활동을 해야 한다. 그런데 다른 사람이 충분한 정치적 지식과 정보를 가지고 헌신적으로 정치 활동을 한다면, 나는 그러한 노력과 비용을 들이지 않고 무임승차를 하는 것이 합리적이다. 또한 다른 사람이 정치 참여를 위한 노력과 비용을 들이지 않는다면, 나의 헌신적인 정치 참여는 의미가 없게 된다. 이처럼 수단의 합리성의 관점에서는 정치 참여가 그리 매력적이지 못하다. 더 나아가서 대부분의 시민들은 생업에 쫓겨 자신의 생활 영역에서 벗어난 문제, 특히 전국적인 문제나 자신의 이해관계에 직접 영향을 미치지 않는다고 생각하는 문제에 대해서는 관심이 없거나 관심을 쏟을 시간적·경제적 여유와 지적 능력이 충분하지 않다. 이렇게 볼 때, 과연 질적으로 수준 높은 시민의 참여가 보장될 수 있을 것인가라는 의문이 제기된다. 또한 양질의 정치 참여가 가능하다고 하더라도, 많은 참여 그 자체가 반드시 바람직한 것인가에 대한 의문이 있다. 과도한 참여는 다양한 요구를 산출하여 정치와 행정 과정에 많은 부담을 주게 된다. 그리하여 정치적 의사결정이 지연되고 결정된 의사의 일관성이 훼손될 가능성이 있다. 더 나아가서 결정된 의사를 집행하는 데에도 많은 어려움을 초래하여 정치적 혼란을 발생시킬 수도 있다.

[다]

오늘날 시민들의 정치 참여는 한국 사회와 정치의 구조적 변화를 보여준다. 지금 이 나라에선 남녀노소 할 것 없이 점점 더 많은 시민이 정치에 지대한 관심을 가지며,

정치에 관한 많은 지식과 정보를 얻고 있다. 나아가 정치 고관여층은 특정 정당이나 정치인을 단지 지지하는 것만이 아니라, 그들에게 영향을 행사할 수 있는 능력과 자원을 보유하게 됐다. 이제 정치가 선거 이상의 그 무엇이 됐다는 뜻이다. 투표권은 현대 민주주의 사회에서 시민이 행사할 수 있는 가장 기본적인 정치적 권리다. 하지만 오늘날 민주주의에서 정치 참여는 투표권 행사라는 제도화된 형태를 완전히 뛰어넘는 다양한 지대로 확장되고 있다. 이제 사람들은 몇 년에 한 번 투표장에 가는 것에 만족하지 않는다. 촛불집회나 태극기집회 등 대중행동을 벌이거나, 온라인 커뮤니티에서 정치 현안에 관한 여론을 형성하거나, 팬덤 형태로 정치인의 지지자 집단을 형성하거나, 정당 당원으로 가입해 당의 노선과 지도부의 결정에 조직적 영향력을 행사하려 한다. 즉, 한국 정치를 움직이는 주체가 정치엘리트의 울타리를 넘어 다양한 연령, 성별, 계층의 시민들로 확장된다는 것이다. 역설적이게도 민주적 권리 행사로서 정치 참여는 민주주의의 독이 될 수 있다. 사회학자 마이클 맨은 『민주주의의 어두운 이면』에서 현대 민주주의가 '민(民)의 통치'라는 이상을 추구하지만 여기서 그 '민'이 어떻게 이해되느냐에 따라 민주주의 이념은 다원주의적 상호 인정과 이익 조정을 뜻할 수도 있고, 배타적이고 독단적인 이념으로 변질될 수도 있음을 경고했다. 무엇보다 자신들이 진정한 '국민의 뜻'을 대변한다고 믿는 일군의 대중이 열렬히 정치에 관여해 영향을 미칠 때, 이 설익은 주권자 민주주의의 열정은 위험한 것이 된다. 더구나 정치엘리트들이 사회의 다양한 이익을 조정할 능력은 없으면서, '국민'을 대변한다는 앙상한 관념에 지배돼 일부 결집한 대중의 요구에 따른다면 그것은 곧 정치의 실종을 의미한다.

[라]

지방 자치는 주민 주권에 근거하여 주민 대표를 선출하고, 주민 자치에 근거하여 주민의 뜻을 모아 주민 스스로 지역의 문제 해결과 발전에 참여한다는 점에서 민주 정치의 원리를 담고 있다. 또한 권력 분립의 원리에 근거하여 중앙 정부와 지방 자치 단체의 권한을 분립함으로써 지방 자치 단체의 고유 사무에 관한 자치권을 보장하는 정치 제도이다. 이러한 관점에서 지방 자치는 민주 정치의 원리를 실현하는 하나의 제도로서 그 의미를 지닌다.

중앙 정부 차원에서의 국민 자치는 국민의 대표를 선출하여 국회를 구성하고 국회에서 정책을 결정하는 대의 민주 주의의 성격을 띤다. 이와 마찬가지로 지방 자치 단체 차원에서의 주민 자치도 지역 주민의 대표를 선출하여 지방 의회를 구성하고 지방 의회에서 정책을 결정한다는 점에서 대의제의 성격을 지닌다. 이에 따라 지방 자치는 주민이 자치를 직접 체험함으로써 민주주의를 학습하는 민주주의의 학교이면서 주민 자치를 통해 민주주의를 실현하는 풀뿌리 민주주의로서 의의를 지니는 것으로 평가된다.

[아]

행정이 공익 증진의 역할을 수행하기 위해서는 관료들이 전문직업적 자질을 갖추어야 한다. 뿐만 아니라 시민대표로서 관료는 시민자질(civic capital) 향상에 기여해야 한다. 시민자질은 문제해결에 필요한 지식과 이를 행동으로 옮기는 태도, 그리고 통치과정에 참여할 수 있는 시민능력을 말한다. 관료들은 자신의 전문적 지식이나 정보를 시민들에게 공개, 공유함으로써 시민자질 형성에 기여해야 한다.

일찍이 아리스토텔레스는 적극적 시민을 공익 결정에서 실제적 지혜를 제공하고 통치 과정에서 중대한 결정에 공동으로 참여하는 사람이라고 규정하였다. 적극적 시민성을 비판하는 학자들은 인간 본성의 결함 때문에 적극적 시민성의 집행이 불가능하다고 지적하였다. 시민의 인간적 특성은 다양하다. 어떤 사람은 정열적이고 이기적인 반면에 어떤 사람들은 수동적이고 모든 일에 무관심하다. 따라서 적극적 시민성을 모든 이에게 요구한다는 것은 불가능하다. 이러한 논리는 모든 시민이 동등하게 도시국가(polis)의 행정에 참여하는 게 바람직하지 않다는 플라톤의 주장에서 유래한다. 행정에 의한 편익은 모든 사람이 나누어 갖는 것이 바람직하다고 지적하면서 행정을 관료들에게 맡기라는 것이다. 왜냐하면 도시국가를 지배하고 관리하는 사람들은 초월적 진리에 대한 최고의 지식을 소유한 사람들이기 때문이다. 이런 사실에 비추어 볼 때 플라톤이 그리는 관료상은 진리에 대해 우월한 지식을 소유한 슈퍼 시민이었다.

[자]

스위스에서는 10만 명 이상 시민의 유효서명을 취득하면 개헌을 발의할 수가 있다. 그렇기 때문에 시민들이 '내가 사회의 주인이다.'라는 사명의식을 더 강하게 갖게 된다. 2009년 진보성향의 사회당이 '모두를 위한 의무 유급휴가를 6주로 늘리자.'는 안을 발의한 적이 있었다. 유효서명을 받았었고, 이것이 연방법원에 제출됐다. 그런데 정부는 이 안을 받아들일 수 없다고 기각했다. 기각 이유는 '현명한 생각이 아니다.'라는 것이다. 왜냐하면 스위스에서 법으로 규정된 유급휴가는 4주인데 6주로 늘리는 것은 너무 길며, 이로 인해 중소기업이 어려움을 겪게될 것이라는 것이 정부의 입장이었다. 그 이후 의회에서도 찬성률이 낮았다. 반대 122표, 찬성 61표가 나왔다. 정부와 의회가 같은 목소리를 냈다. 그러나 국민위원회에서는 반대 10표, 찬성 32표가 나왔다. 국론은 분열되는 양상을 보였고 이로 인한 정치적 의사 결정은 지연되었다. 그래서 많은 경제적 비용을 수반하는 국민투표에 부쳐졌다. 유급휴가를 늘리겠다는 이 안은 사실 사람들에게 좋은 일이기 때문에 찬성하는 사람이 많을거라 생각하기 쉬운데, 투표한 사람들 중 66%가 반대했다. 그리고 모든 칸톤(자치주)에서 기각됐다. 긴 휴가를 가는 건 물론 좋지만, 이미 법으로 규정된 휴가가 4주나 된다. 게다가 스위스는 임금 수준도 높다. 따라서 '임금을 높게 받으면서 6주나 되는 휴가를 간다는 것은 솔직히 도둑놈 심보다.'라는 공감대가 있어 통과되지 않았던 것 같다. 어쨌든 정부와 의회의 입장과 국민투표의 결과가 일치하여 모두가 한마음이 된 사례였다.

[마]

나 하나 꽃 피어
풀밭이 달라지겠느냐고
말하지 말아라
네가 꽃 피고 나도 꽃 피면
결국 풀밭이 온통
꽃밭이 되는 것 아니겠느냐
나 하나 물들어
산이 달라지겠느냐고도
말하지 말아라
내가 물들고 너도 물들면
결국 온 산이 활활
타오르는 것 아니겠느냐

[바]

갓 태어난 쌍둥이가 죽었다. 산부인과에 하나뿐인 인큐베이터는 백인 전용이었고, 아기들의 피부는 검었기 때문이었다. 1960년대에는 백인과 구분 짓기 위한 흑인 전용 대학이 있었고, 강도 사건 때마다 흑인들이 용의자로 몰렸다. 길거리에 널린 백인 전용 의자에 흑인이 앉으면 곧바로 철장에 가뒀다. 저항 운동은 작은 움직임에서 시작됐다. 백인 교수인 하워드 진이 학생들에게 '앉아 있기 운동'을 제안한 것이다. 도서관에서 흑인 학생들이 백인 전용 의자에 가만히 앉아 있는 방식의 '비폭력 저항'이었다. 진은 학생들에게 "달리는 기차에서 중립은 없다. 역사가 잘못 흘러가고 있을 때 중립을 지키는 것은 그 잘못에 동조하는 행위이다."라고 가르쳤다. 진은 흑인들과 함께 이러한 비폭력 저항운동을 함으로써 '보편적 자유'의 증진에 기여했다.

[사]

오늘날 국가 간의 교류는 증가하고 있고, 서로 긴밀하게 연결되어 영향을 주고받고 있다. 이에 따라 다른 국가나 전세계에서 발생하는 문제가 우리에게 영향을 미치기도 하고, 우리의 행동이 다른 나라와 전 세계에 영향을 미치기도 한다. 따라서 우리는 세계를 하나의 공동체로 인식하고 자신이 지구촌의 한 구성원임을 자각해야 한다. 그리고 세계 시민 의식을 가지고 지구촌 문제에 관심을 가져야 한다. 지구촌 문제와 인류 보편적 가치에 대한 이해를 바탕으로 세계 시민으로서 공감과 연대 의식을 가지려면, 문화의 차이를 인정하고 다양성을 존중하는 자세가 필요하다. 또한 책임 의식을 가지고 지구촌 문제를 해결하기 위해 적극 동참하고 실천하는 노력이 필요하다. 앞으로 우리의 후손이 계속 살아가야 한다는 점을 떠올린다면, 우리는 평화롭고 밝은 미래 지구촌의 건설을 위해 노력해야 할 것이다.

[논제 Ⅰ]

제시문 [가] ~ [바]를 유사한 관점을 가진 것끼리 분류하고 요약하시오.

[501자 이상 ~ 600자 이하: 배점 25점]

[논제 Ⅱ]

[논제 Ⅰ]의 두 관점 중 자신은 어느 관점을 지지하는지 그 이유를 서술하고, 그 관점에서 제시문 [사], [아], [자]를 평가하시오.

[601자 이상 ~ 700자 이하: 배점 40점]

[논제 Ⅲ]

국가 A에서 선거참여율과 행복 지수의 관계가 다음과 같은 조건을 만족한다고 하자.

① 선거참여율 x에 따른 행복 지수 y는 $y=-5x^2+ax+b$라는 이차함수의 형태를 따른다.

② 선거참여율의 범위는 $0 \le x \le 1$ 이다.

③ 행복 지수는 값이 작을수록 행복감이 낮다는 것을, 값이 클수록 행복감이 높다는 것을 의미한다.

④ 아무도 선거에 참여하지 않았을 때 행복 지수는 $\frac{3}{5}$이고, 모두 선거에 참여했을 때 행복 지수는 $\frac{18}{5}$이다.

(1) a와 b값을 구하고, 주어진 이차함수의 그래프를 그린 후 y절편과 $x=1$에서의 점의 좌표(x, y)를 표시하시오.

(2) 행복 지수가 최대가 되는 선거참여율을 구하고, 그 점에서의 행복 지수 값을 구한 후 (1)에서 그린 그래프 위에 점의 좌표(x, y)를 표시하시오.

(3) (1)과 (2)에서의 분석 결과를 토대로 제시문 [나]의 견해를 평가하시오.

7. 2023학년도 경희대 수시 논술 [사회계 오후]

※ 다음 제시문을 읽고 논제에 답하시오.

[가]

비교적 오랜 정당 정치의 역사를 갖는 서구 민주주의 국가들을 보면, 한편으로는 유사한 특성의 정당이 존재하며 다른 한편으로는 각 나라마다 서로 다른 정당 구성의 모습을 보인다. 예컨대, 영국의 노동당, 독일의 사회민주당, 프랑스의 사회당, 스웨덴의 사회민주노동자당 등은 나라는 다르지만 비슷한 정당들이다. 그러나 다른 한편으로 이들 각국의 정당 체계의 구성이 다르다. 이러한 정당체계의 유사성과 차이는 어디에서 기원하는 것일까?

립셋과 록칸은 균열(cleavage)이라는 관점에서 국가별로 상이한 정당체계의 등장을 설명했다. 이들은 정치에 대한 비교사회학적 접근을 통해 국가 공동체 내 균열 체계의 기원과 발전을 위한 조건에 대해 밝히고자 했다. 이러한 기본적 논의를 토대로 립셋과 록칸은 두 개의 거대한 역사적 사건이 초래한 네 가지 균열의 형태를 제시했다. 이들이 주목한 두 가지 역사적 사건은 국민혁명과 산업혁명이다. 국민혁명은 두 가지 균열을 초래했다. 하나는 중심부 대 주변부 간의 균열이었다. 국민국가의 성장은 영토 내에서 중앙을 기준으로 하는 통일화와 표준화를 진전시키게 되어 그만큼 지방에 존재해 온 고유한 문화적 정체성이 위협을 받을 수밖에 없었고, 그로 인한 갈등이 생겨나게 되었다.국민혁명에 의해 초래된 또 다른 균열은 교회와 세속 권력 간의 갈등이었다. 국민국가 건설 이전까지 유럽은 교황을 정점으로 하는 가톨릭교회가 종교적 권위, 그리고 그에 기반한 정치적 권력을 누리고 있었다. 그러나 국민국가의 등장은 영토 내에 교황이나 교회의 권위를 넘어서는 국왕이라는 세속적 권위, 세속적 권력의 부상을 의미하는 것이었다. 두 번째 역사적 사건은 산업혁명이다. 산업혁명은 경제적 이해관계, 그리고 새로운 기술과 시장의 확대에 따라 점차 증대된 부의 배분을 둘러싸고 또 다른 두 가지 균열을 만들어 냈다. 하나는 도시와 농촌 간의 균열이었고, 다른 하나는 노동자와 자본가 간의 이해를 둘러싼 균열이었다.

[나]

범죄와 처벌은 모든 사회구조를 떠받치는 의례의 기본적인 일부다. 의례란 집단이 수행하는 표준화된 예식적 행동임을 되새겨 보라. 여기에는 공통의 감정이 관련되어 있으며, 의례를 통해 사람들을 집단에 더 단단히 묶어놓는 상징적인 믿음이 만들어진다. '범죄-처벌' 의례의 가장 중요한 대상은 범죄자가 아니라 사회 전체라고 할 수 있다. 재판은 법에 대한 믿음을 다시 확인해 주고 사회 구성원들을 다시 하나로 묶어 주는 감정적 유대를 만들어 낸다. 범죄자는 이렇게 유대감을 만들어 내는 기계에 꼭 필요한 원료이지 그 기계의 혜택을 나눠 가지는 수혜자가 아니다. 범죄가 없다면 처벌 의례도 없을 것이다. 범죄가 없다면 사회 구성원들이 규칙을 위반한 자에 대해 공통으로 분노를 느낄 때 생겨나는 도덕 감정도 더 이상 느낄 수 없게 된다. 범죄와 처벌 없이 오랜 시간이 흐르면 사회를 묶어 주는 유대감이 희미하게 사라지고 사람들은 뿔뿔이 흩어질 것이다.

[다]

영화 <설국 열차>의 줄거리는 다음과 같다. 각국 정부는 지구 온난화 문제가 심각해지자 기후 조절 물질을 살포하였는데 그 물질 때문에 지구에 빙하기가 와 인간이 생존하기 어려워진다. 인간이 생존할 수 있는 곳은 1년에 지구를 한바퀴 도는 설국 열차 안뿐이다. 살아남은 사람들이 탑승한 이 열차는 계급에 따라 객실이 나누어져 있어 앞쪽으로 갈수록 상류층이, 뒤쪽으로 갈수록 하류층이 생활하고 있다. 이 열차는 17년째 달리고 있는데 꼬리 칸에 타고 있던 젊은 지도자 커티스는 꼬리 칸 사람들과 함께 상류층이 탄 앞쪽 칸을 장악하려고 시도한다.

<설국 열차>는 지배 계급이 만든 구조 속에서 사는 피지배 계급의 어두운 현실을 보여준다. 피지배 계급은 열차를 움직이게 하는 중요한 역할을 하지만, 지배 계급이 정한 구조 속에서 제대로 혜택을 받지 못하고 단백질 블록만 먹으며 앞쪽 칸 사람들의 횡포를 그대로 받고 살아간다. 결국 잘못된 구조를 바로잡기 위해 꼬리 칸 사람들이 반란을 일으킨다.

[라]

미국의 한 경제 정책 연구소가 미국의 매출 기준 350대 기업 CEO들의 보수를 조사한 결과, 이들은 올해 평균 1,550만 달러(약 173억 원)의 연봉을 받은 것으로 나타났다. 이 연봉은 지난해 실적을 반영하여 전년에 비해 4.5% 인상된 금액이다. 반면, 일반 근로자들의 임금은 2.2% 인상되었다. 이렇게 역할의 중요성과 역할 수행 능력의 차이에 따라 보수가 차등적으로 분배되는 것은 당연하며 그렇기 때문에 사회적 불평등은 불가피하다. 즉, 사회에는 기능적으로 더 중요한 일과 덜 중요한 일이 있으며 각각의 일은 적절한 자질과 능력을 갖춘 사람들이 수행하고 이에 따라 합당한 보수가 주어진다. 이와 같은 사회적 불평등은 사람들로 하여금 경쟁을 통해서 중요한 역할을 성취하려는 동기를 부여하고 자신의 자질과 능력을 최대한 발휘하게 하여 사회 발전에 기여한다. 더불어 사회적 불평등으로 인해 인재가 적재적소에 배치될 수 있어 사회가 원활하게 기능한다.

[마]

사회적 계층과 무관하게 모든 아동에게 일률적이고 반복적으로 가르쳐야 할 사상과 정서와 관습이 많이 있다는 것을 부정할 사람은 아무도 없을 것이다. 역사의 전개 과정 중에서 인간성과 개인차의 중요성, 권리와 의무, 사회, 개인, 진보, 과학, 예술 등에 관한 사상 체계가 형성되어 왔으며, 바로 이러한 것들이 동질적인 국민정신의 기초가 되고 있다. 부유한 자의 교육이든, 가난한 자의 교육이든, 전문 직업 교육이든, 산업 기술 교육이든 상관없이 모든 교육은 위와 같은 공통 요소를 아동에게 심어 주지 않으면 안 된다. 사회가 존속하려면 그 구성원들 사이에 동질성이 충분히 유지되지 않으면 안 된다. 교육은 아동에게 어릴 때부터 집단생활에 필요한 기본적인 동일성을 형성시킴으로써 사회의 동질성을 영속시키고 동시에 강화한다.

[바]

형은 점심을 굶었다. 점심시간이 삼십 분밖에 안 되었다. 우리는 한 공장에서 일했지만 격리된 생활을 했다. 노동자들 모두가 격리된 상태에서 일만 했다. 회사 사람들은 우리의 일 양과 성분을 하나하나 조사해 기록했다. 그들은 점심시간으로 삼십 분을 주면서 십 분 동안 식사하고 남는 이십 분 동안은 공을 차라고 했다. 우리들은 좁은 마당에 나가 죽어라 공만 찼다. 서로 어울리지 못하고 간격을 둔 채 땀만 뻘뻘 흘렸다. 우리는 제대로 쉬지도 못하고 일했다. 공장은 우리에게 일방적으로 원하기만 했다. 탁한 공기와 소음 속에서 밤중까지 일을 했다. 물론 우리가 금방 죽어가는 상태는 아니었다. 그러나 작업 환경의 악조건과 흘린 땀에 못 미치는 보수가 우리의 신경을 팽팽하게 잡아당겼다. 그래서 자랄 나이 에 제대로 자라지 못하는 발육 부조 현상을 우리는 나타냈다. 회사 사람들과 우리의 이해는 늘 상반되었다. 사장은 종종 불황이라는 말을 사용했다. 그와 그의 참모들은 우리에게 쓰는 여러 형태의 억압을 감추기 위해 불황이라는 말을 이용하고는 했다. 그렇지 않을 때는 힘껏 일한 다음 노-사가 공평히 나누어 갖게 될 부에 대해 이야기했다. 그러나 그가 말하는 희망은 우리에게 아무 의미를 주지 못했다. 우리는 그 희망 대신 간이 알맞은 무말랭이가 우리의 공장 식탁에 오르기를 더 원했다. 변화는 없었다. 나빠질 뿐이었다. 한 해는 두 번 있던 승급이 한 번으로 줄었다. 야간작업 수당도 많이 줄었다. 노동자들도 줄었다. 일 양은 많아지고, 작업 시간은 늘었다. 돈을 받는 날 우리 노동자들은 더욱 말조심을 했다. 옆에 있는 동료도 믿기 어려웠다. 부당한 처사에 대해 말한 자는 아무도 모르게 쫓겨났다. 공장 규모는 반대로 커갔다. 활판 윤전기를 들여오고, 자동 접지 기계를 들여오고, 옵셋 윤전기를 들여왔다. 사장은 회사가 당면한 위기를 말했다. 적대 회사들과의 경쟁에서 지면 문을 닫을 수밖에 없다고 말했다. 이것은 노동자들이 제일 무서워하는 말이었다. 사장과 그의 참모들은 그것을 알고 있었다.

[논제 Ⅰ] 제시문 [가] ~ [바]를 유사한 관점을 가진 것끼리 분류하고 요약하시오.

[501자 이상~600자 이하: 배점 25점]

[논제 Ⅱ] [논제 Ⅰ]의 두 관점 중 어느 관점을 지지하는지 그 이유를 서술하고, 그 관점에서 [사], [아], [자]를 평가하시오.

[601자 이상~700자 이하: 배점 40점]

[논제 Ⅲ]

<자료 1>은 각 국가의 소득 불평등도와 세대 간 계층 이동을 조사한 후 그 관계를 그래프로 나타낸 것이다. 소득 불평등도를 나타내는 수치가 높을수록 그 사회의 소득 분배가 더 불평등하다는 것을 의미한다. 세대 간 계층 이동 지수는 세대 간 계층 이동의 정도를 수치로 측정한 것으로 이 수치가 높은 사회일수록 세대 간 계층 이동이 더 활발히 이루

어진다. <자료 2>는 국가들을 사회 통합의 정도에 따라 6개의 집단으로 구분하고 각 집단별 평균 1인당 국내 총생산을 그래프로 나타낸 것이다. 사회 통합의 정도가 1에서 6으로 커질수록 더 통합적인 국가다.

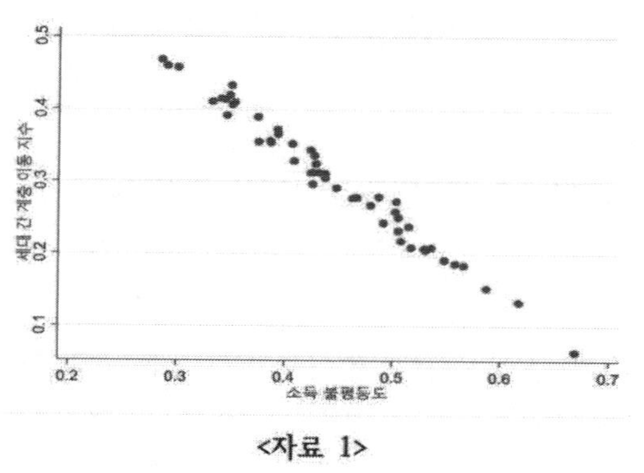

<자료 1>

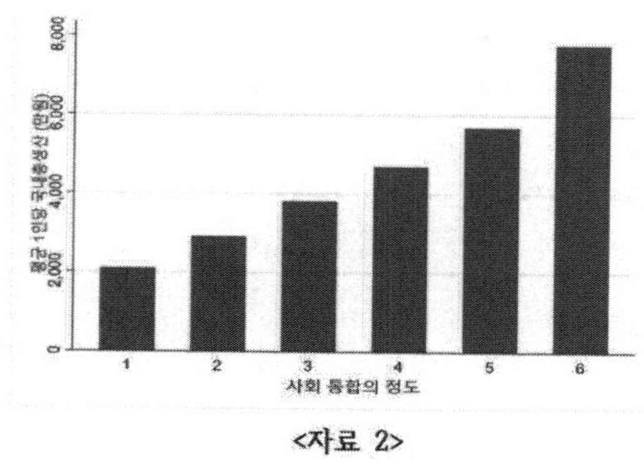

<자료 2>

(1) <자료 1>과 <자료 2>를 해석하고, 각각의 자료가 [논제 Ⅰ]의 두 관점 중 어느 쪽을 지지하는 근거가 될 수 있는지 설명하시오.

(2) 사회평등지수 x와 사회발전지수 y의 관계는 일차함수 $y=ax+b$로 표현되는데 이 일차함수와 그 계수들은 다음의 네 가지 조건들을 만족한다.

① $-2a+b=2$

② $a^2+b^2=8$

③ 사회평등지수는 0에서 1까지의 값을 가질 수 있다($0 \le x \le 1$). 사회평등지수가 높을수록 그 사회는 더 평등하고,그 지수가 낮을수록 사회는 더 불평등하다.

④ 주어진 사회평등지수의 구간($0 \le x \le 1$).에서 y는 양의 값을 갖는다. 사회발전지수가 더 큰 값을 가질수록 더 높은 수준의 사회발전 정도를 나타낸다.

위의 조건들을 만족시키는 계수 a와 b를 갖는 일차함수를 구하시오. 이를 토대로 제시문 [라]를 평가하시오.

[수식을 사용하여 주어진 답안지 양식 범위 내에서 자유롭게 쓰시오.: 배점 35점]

8. 2023학년도 경희대 모의 논술 [인문체육계]

※ 다음 제시문을 읽고 논제에 답하시오.

[가]

집회와 시위를 할 자유를 헌법이 보장하는 건 그게 자유가 유리된 이들을 발견하는 사회적 장치이기 때문이다. 그러니 '나도 너처럼 살고 싶다'는 자유를 향한 원초적인 몸부림에 대해 자유를 중히 여기는 사람들이라면 늘 환영해야 함이 마땅하다. 하지만 그런가? 헌법이 보장하는 자유를 실천하는 이들은 시끄럽다, 타인에게 피해를 준다, 떼만 쓰면 다 되는 줄 안다 등등의 수식어를 덕지덕지 붙이고 살아가야 한다. 밑도 끝도 없이 자유만 뱉으며 실제 그 자유의 결핍을 상징하는 불평등에 대해서는 둔감한 이들이 어디 한둘이었던가? '너희들이 누리는 자유를 내게도 달라'는 장애인의 지하철 시위는 쉽사리 '내 자유를 침해하고 있는' 비문명적 시위로 포장된다. 그 자유, 그러니까 지하철을 이용하여 제때 이동하는 일상이 출근시간에 휠체어를 이용하는 사람이 없어야 한다는 어마어마한 불평등을 전제로 만들어졌음은 한순간에 휘발된다. 보편적 자유를 위해 누군가의 허락이 필요한 괴상한 사회는 그렇게 흘러간다. 자유라는 말이 빈번하면, 오용된다. 노키즈존을 운영할 자유, 난민을 배제할 자유, 특수학교를 반대할 자유, 임대아파트 주민을 무시할 자유, 부동산 투기할 자유, 제재 없이 기업 활동을 할 자유, 여성은 돌봄 노동에 적합하다고 여길 자유 등등은 자유가 오용된 대표적인 반지성주의 사례다.

[나]

전체 인류 가운데 단 한 사람이 다른 생각을 가지고 있다고 해서, 그 사람에게 침묵을 강요하는 일은 옳지 못하다. 이것은 어떤 한 사람이 자기와 생각이 다르다고 나머지 사람 전부에게 침묵을 강요하는 일만큼이나 용납될 수 없는 것이다. 어떤 의견이 본인에게는 모를까 다른 사람한테는 아무 의미가 없고 따라서 그 억압이 그저 사적으로 한정된 침해일 뿐이라 할지라도, 그런 억압을 받는 사람이 많고 적음에 따라 이야기는 달라질 수 있다. 그러나 어떤 생각을 억압한다는 것이 심각한 문제가 되는 가장 큰 이유는, 그런 행위가 현 세대뿐만 아니라 미래의 인류에게까지 - 그 의견에 찬성하는 사람은 물론이고 반대하는 사람에게까지 - 강도질을 하는 것과 같은 악을 저지르는 셈이 되기 때문이다. 만일 그 의견이 옳다면 그러한 행위는 잘못을 드러내고 진리를 찾을 기회를 박탈하는 것이다. 설령 잘못된 것이라 해도 그 의견을 억압하는 것은 틀린 의견과 옳은 의견을 대비함으로써 진리를 더 생생하고 명확하게 드러낼 수 있는 대단히 소중한 기회를 놓치는 결과를 낳는다.

[다]

만인을 위해 내가 일할 때 나는 자유
땀 흘려 함께 일하지 않고서야
어찌 나는 자유이다라고 말할 수 있으랴

만인을 위해 내가 싸울 때 나는 자유
피 흘려 함께 싸우지 않고서야
어찌 나는 자유이다라고 말할 수 있으랴

만인을 위해 내가 몸부림칠 때 나는 자유
피와 땀과 눈물을 나눠 흘리지 않고서야
어찌 나는 자유이다라고 말할 수 있으랴

사람들은 맨날
겉으로는 자유여, 형제여, 동포여! 외쳐대면서도
안으로는 제 잇속만 차리고들 있으니
도대체 무엇을 할 수 있단 말인가
도대체 무엇이 될 수 있단 말인가
제 자신을 속이고서

[라]

어떤 이는 눈망울 있는 것들 차마 먹을 수 없어 채식주의자가 되었다는데 내 접시 위의 풀들 깊고 말간 천 개의 눈망울로 빤히 나를 쳐다보기 일쑤, 이 고요한 사냥감들에게도 핏물 자박거리고 꿈틀거리며 욕망하던 뒤안 있으니 내 앉은 접시나 그들 앉은 접시나 매일반. 천 년 전이나 만 년 전이나 생식을 할 때나 화식을 할 때나 육식이나 채식이나 매일반.

문제는 내가 떨림을 잃어 간다는 것인데, 일테면 만 년 전의 내 할아버지가 알락꼬리암사슴의 목을 돌도끼로 내려치기 전, 두렵고 고마운 마음으로 올리던 기도가 지금 내게 없고 (시장에도 없고) 내 할머니들이 돌칼로 어린 죽순 밑둥을 끊어 내는 순간, 고맙고 미안해하던 마음의 떨림이 없고 (상품과 화폐만 있고) 사뭇 괴로운 포즈만 남았다는 것.

내 몸에 무언가 공급하기 위해 나 아닌 것의 숨을 끊을 때 머리 가죽부터 한 터럭 뿌리까지 남김없이 고맙게, 두렵게 잡숫는 법을 잃었으니 이제 참으로 두려운 것은 내 올라앉은 육중한 접시가 언제쯤 깨끗하게 비워질 수 있을지 장담할 수 없다는 것. 도대체 이 무거운, 토막 난 몸을 끌고 어디까지!

[마]

'인생은 한번 뿐'이란 생각을 가진 욜로족들이 실제로는 충동적인 소비보다 할인, 쿠폰, 중고 매매 등을 활용하는 '짠테크'(짠돌이+재테크) 소비 패턴을 보인다는 분석이 나왔다. 해당 보고서에 따르면 '욜테크'가 가장 활발하게 나타나는 분야는 여행이다. 여행 분야에선 소비자가 숙박·항공·교통·맛집 등 여행을 준비하는 과정에서 다양한 절약 정보를 탐색해 합리적인 계획을 세우려는 경향이 두드러진다. 숙박은 무조건

저렴한 가격의 낙후된 시설만을 선택하지 않고, 합리적 가격의 프리미엄급 숙소를 찾는 것으로 나타났다.보고서는 “욜로족은 숙박、항공권 구매에 앞서 다양한 가격비교 사이트와 모바일 애플리케이션을 활용해 할인코드, 특가 혜택, 포인트 전환 기회를 수시로 확인하고 환율에 따른 비용 절감을 노리는 등 합리적인 프리미엄을 추구하는 성향을 보였다”며 “맛집 탐색은 해외 현지인들이 사용하는 앱을 통해 할인과 예약 정보 등을 확인하는 것으로 나타났다”고 분석했다. 이수진 이노션 디지털 커맨드 센터장은 “충동적 탕진 개념의 욜로를 넘어 합리적 소비와 효율적 가치실현을 위한 욜테크 트렌드는 앞으로 더욱 확산될 것”이라고 전망했다.

[바]

유기농이 ‘시대의 아이콘’으로 떠오른 만큼 이제는 득실을 잘 따져봐야 할 때가 됐다. 득(得)은 우리 식탁에서 농약·화학비료·식품첨가물 등 각종 화학물질의 잔류 걱정을 덜 수 있다는 것이다. 또 비타민·미네랄·필수 아미노산 등 각종 영양소도 일반 식품보다 유기농 식품에 더 많이 함유돼 있을 것으로 여기는 사람이 많다. 하지만 둘의 영양상 차이는 거의 없다고 보는 것이 합리적이다. 독일 영양협회도 유기농 식품이 영양가 면에서 일반 식품보다 더 낫다는 증거는 없다고 밝힌 바 있다. 실(失)은 유기농업의 생산성(수확량)이 비료·농약을 사용하는 통상적인 농업에 비해 크게 떨어진다는 것이다. 이 때문에 늘어나는 세계 인구를 유기농업으로 먹여 살릴 수 있느냐 하는 의문이 제기됐다. 수확이 떨어지면 가격은 올라가고 소비할 수 있는 여력을 가진 사람들은 적어진다. 또한 유기농 농산물은 수확량이 적어 넓은 경작지를 필요로 하기 때문에 단위 작물당 탄소 배출량이 더 많아 지구온난화를 촉진한다는 연구도 있다. 최근 부각되는 유기농 식품의 문제점은 식중독을 일으키는 세균이나 곰팡이 독소 등의 오염 가능성이 일반 식품보다 더 높을 수 있다는 것이다. 하지만 유기농업에선 퇴비·농업용수 관리가 엄격하므로 식중독균 오염 가능성이 특별히 높을 까닭은 없다는 의견도 있다. 유기농 식품의 식중독균 오염 가능성에 대해 양론이 존재하나 적어도 유기농 식품이 각종 식중독균 오염으로부터 자유롭지 못하다는 것은 분명하다. 더욱이 ‘유기농 식품=안전 식품’이란 근거 없는 믿음은 소비자에게 방심을 부를 수 있다는 것이 문제다.

[사]

우리가 쇼핑을 하면서 물건을 하나씩 구매할 때마다 우리는 투표를 하고 있는 것입니다. 우리가 ‘노동착취’를 통해 만들어진 값싼 옷을 사는 것은 노동자들의 착취에 찬성표를 던지는 것이며, 연료 소비가 많은 자동차를 구입하는 것은 기후 변화에 찬성표를 던지는 것입니다. 소량일지라도, 커피, 차, 아침에 먹는 시리얼, 빵과 야채등 생활필수품을 구매하는 행위는 의사표시 행위가 될 수 있습니다. 유기농 생산물을 선택하는 것은 환경적인 지속가능성에 대해 지지를 보내는 것이며, 공정무역은 인권을 위한 지지를 표명하는 것입니다. 쇼핑을 할 때 윤리적인 이슈에 대해 생각해 보는 것은 세상에 대한 이러한 영향을 고려한다는 것을 뜻합니다. 소비자의 한 사람으로서 우리는 지갑 안에 의견을 표명할 힘을 가지고 있는 것입니다. 식품 회사와 대형 유통업체들이 유전자조작식품(genetically modified food)에 대해 어떻게 대응하는지 보세요. 이 때문에 고객이 줄어든다고 위협을 느끼게 되면 회사 정책도 바뀌게 됩니다.

[논제 Ⅰ]

[다]의 시각에서 [가]와 [나]의 상황에 대해 평가하시오.

[801자 이상 ~ 900자 이하: 배점 40점]

[논제 Ⅱ]

[라] ~ [사]에서 입장이 유사한 두 부류로 묶어 그 중 한 입장을 선택해 요약하고, 이를 바탕으로 다른 입장을 비판하시오.

[1,101자 이상 ~ 1,200자 이하: 배점 60점]

9. 2023학년도 경희대 모의 논술 [사회계]

※ 다음 제시문을 읽고 논제에 답하시오.

[가]

브라질 남부 도시 포르투알레그리는 주민 참여 예산 제도 시행의 모범적인 사례로 꼽힌다. 이 도시에서는 1989년 주민 참여 예산 제도를 도입하고, 시 전체를 17개 지구로 세분화해 지구별로 4~5월에 주민 총회를 연다. 시 전체 주민 참여 예산 회의에 참여하는 대의원은 지구별 주민 총회에서 선출되며, 이들은 이웃 주민들의 의견을 수렴하여 시 전체 대의원 회의에 전달한다.

이 제도의 도입 이후 이 도시에서는 현재까지 6,300여 건의 사업이 주민들이 편성한 예산으로 집행되었다. 또한 제도 도입 10년 만에 식수 보급률은 89%에서 98%로, 하수 시설을 이용할 수 있는 주민 비율은 46%에서 85%로 상승했다. 저소득층 지역에 학교가 늘어나면서 공립학교 재학생 수는 10년 만에 두 배로 늘었다. 지방 분권에 따른 지방 자치 단체의 자율성 보장과 지방 행정 과정에 주민 참여를 확대하는 제도의 도입, 주민의 적극적인 관심 및 참여 덕분에 이룬 성과라고 할 수 있다.

[나]

통상적 의미에서 그가 자기 중심적이든 아니든 그것은 별로 중요하지 않다. 가장 중요한 요점은 그 누구든 어떤 한 사람이 한정된 분야 이상을 조사하고, 한정된 수 이상의 필요에 대해 그 시급성을 모두 인식한다는 것은 불가능하다는 사실이다. 그가 자신의 육체적 필요에 관심이 쏠려있든 아니면 모든 아는 사람들의 복지에 따스한 관심을 가지고 있든 상관없이, 그 사람 자신이 관심을 가질 수 있는 목적들의 범위는 언제나 모든 인간들의 필요에 비하면 너무나 작은 편린에 불과할 것이다.

이것이 모든 개인주의 철학이 기초하는 궁극적 사실이다. 자주 단언하는 것과는 달리 개인주의는 사람이 자기중심적이라거나 이기적이라거나 혹은 그래야 한다고 가정하지 않는다. 개인주의는 단순히 논쟁할 여지가 없는 다음과 같은 확실한 기본적 사실로부터 출발한다. 우리의 상상력의 한계로, 우리는 우리들의 가치척도 속에 사회 전체의 필요들 가운데 일부분 이상을 포함할 수 없으며, 또 엄격하게 말해서 가치의 척도들은 개인 각자의 정신 속에서만 존재하기 때문에, 불가피하게 개인들마다 다르고 또 상충할 때가 많은 가치의 단편적 척도 이외에는 아무것도 존재하지 않는다. 이 사실로부터 개인주의자들은 개인이 정해진 한계 안에서는 다른 사람의 가치나 선호에 의해서가 아니라 자기 자신의 가치와 선호에 따라 행동할 수 있어야 한다고, 즉 이 영역들 안에서는 개인의 목적 체계가 최고의 선이며, 다른 그 누구의 그 어떤 지시에도 종속되지 않는다고 결론 짓는다.

[다]

최저 임금제는 국가가 근로자들의 생활 안정을 위해 임금의 최저 수준을 정하고 사용자가 그 수준 이상의 임금을 지급하도록 법으로 강제하는 제도이다. 적용 대상은 1인 이상 근로자를 사용하는 모든 사업장이다. 최저 임금 위원회가 매년 인상안을 의

결해 정부에 제출하면 고용노동부 장관이 8월 5일까지 최저 임금을 결정해 고시한다. 사용자는 매년 8월 31일까지 최저 임금액, 최저 임금에 산입하지 않는 임금의 범위, 효력 발생일 등을 근로자가 볼 수 있는 장소에 게시하거나 그 외 적당한 방법으로 근로자에게 알려 주어야 한다. 사용자는 근로자에게 최저 임금 이상의 임금을 지급해야 하며, 최저 임금을 이유로 종전의 임금 수준을 낮춰서는 안 된다. 최저 임금에 미달하는 임금을 정한 근로 계약은 그 부분에 한해 무효가 되고, 최저 임금과 동일한 임금을 지급하기로 한 것으로 간주한다. 근로자가 지급받는 임금이 고용노동부 장관이 정하는 최저 임금보다 낮을 때에는 사업장 관할 지방 노동 관서에 신고해 권리 구제를 요청할 수 있다.

[라]

시장에서 자원이 효율적으로 배분되려면 시장 참여자 간의 자유로운 경쟁과 교환을 통해 시장 가격이 결정되어야 한다. 이러한 원리가 작동하는 시장을 경쟁 시장이라고 한다. 경쟁 시장에서는 다수의 수요자와 공급자가 시장에 참여하기 때문에 개별 수요자와 공급자가 시장 가격에 영향을 줄 수 없다. 이들은 경쟁을 통해 결정된 시장 가격을 수용하고 이를 바탕으로 거래에 참여한다. 또한 기업의 시장 진입과 탈퇴가 자유롭기 때문에 소수의 기업이 시장에 영향을 끼치지 못한다. 경쟁 시장에서 시장 가격은 경제 주체들이 합리적인 경제 행위를 하도록 이끌어 한정된 자원을 효율적으로 배분하는 역할을 한다. 시장 가격이 형성되면 소비자는 그 가격 수준에서 효용을 극대화할 수 있는 상품을 구매하므로, 상품은 가장 필요로 하는 사람에게 돌아간다. 시장 가격이 형성되면 생산자는 그 가격 수준에서 이윤이 가장 많이 남는 상품을 선택하여 생산량을 결정하고, 이를 바탕으로 생산 요소를 가장 효율적으로 결합하여 생산한다. 이처럼 시장 가격은 경제 주체들에게 합리적인 경제 활동의 방향을 제시하여 자원이 낭비되지 않고 효율적으로 배분되도록 한다. 또한 사회 전체적으로 재화, 서비스, 생산 요소 등이 거래를 통해 필요한 곳에 필요한 만큼 배분되므로 거래에 참여한 생산자와 소비자의 이득의 합, 즉 사회 전체의 이득이 극대화된다.

[마]

암호화폐 투기 확산으로 투자자 피해 우려가 커지면서 정부가 투자자 보호를 위한 대책 마련에 나서야 하는 게 아니냐는 목소리가 높아지고 있다. 그러나 정부는 암호화폐는 내재가치가 없는 가상의 자산일 뿐이라며, 제도권으로 편입하기 어려우며 개인 차원에서 투자에 신중해야 한다는 태도를 견지하고 있다. 암호화폐는 무엇으로 불리든 간에 전통적인 화폐로 인정받기는 쉽지 않다. 화폐가 되기 위해선 안정성이 무엇보다도 필요한데 하루에도 수십, 수백 퍼센트씩 오르내리는 큰 변동성을 가진 자산이 화폐로서 기능하기는 어렵다. 그러나 이런 본질적 논의를 떠나 이미 수 백만명의 투자자가 투자를 하고 있는데다, 거래소들이 난립하면서 무늬만 암호화폐인 코인들을 유통시켜 투자자들이 큰 피해에 노출돼 있는 현실을 방치해두긴 어렵다는 주장이 설득력을 얻고 있다.

[바]

정보 사회가 가져다준 편리함의 이면에는 정보화의 역기능으로 인한 다양한 사회 문제가 존재한다. 국민이 아닌 국가 기관이 정보를 독점할 경우 감시 사회가 도래하고 왜곡된 정보를 대중하게 전달하면서 민주주의 발전을 저해할 수도 있다. 한편 개인 및 국가 간 정보 격차가 소득 및 국가의 빈부 격차로 이어질 것이라는 우려도 있다. 정보의 소유와 활용 능력에 따른 사회 불평등 구조가 형성되고 사이버 범죄, 사생활 침해와 같은 문제가 나타나고 있다. 뿐만 아니라, 개인 정보 유출, 지적 재산권 침해, 인터넷의 익명성을 악용한 악성 댓글 등의 문제도 발생하고 있다. 또한, 인간관계가 매개체를 통해 간접적으로 형성되면서 피상적으로 변화될 수 있으며, 인간 소외 문제도 심화할 수 있다. 이와 같은 문제를 최소화하려면 우선 국가적 차원에서 정부는 사생활과 개인 정보 보호, 정보 격차 해소 등과 관련된 법률을 정비해야 한다. 또한, 국가 권력의 감시와 정보 통제를 막기 위해 정보 처리 과정을 공개하고, 법적 규제를 강화해야 한다. 개인은 정보의 중요성을 인식해야 하고 가상 공간에서는 누리꾼 예절 (네티켓)을 지켜야 하며, 악성 댓글로 타인에게 상처를 주지 않도록 노력해야 한다. 또한 잘못된 정보와 왜곡된 사실을 퍼뜨리지 않도록 주의해야 한다.

[사]

자식을 낳는 것은 기본적으로 개인의 선택 영역에 속하는 문제다. 출산율이 급격히 떨어지는 것은 급격한 경제·사회적 여건 변화에 따른 자연스런 현상이라고 볼 수 있다. 종래의 농경사회와 도시화된 현대사회에서 자식이 갖는 의미는 판이하게 다를 수밖에 없다. 따라서 현대인은 자식의 양보다 질을 선택하게 되는 것인데, 이와 같은 선택에 아무도 간섭할 수 없고 간섭해서도 안 된다.

정부가 아무리 출산을 장려한다 해도 정작 본인이 자식을 많이 낳지 않기를 원한다면 그것으로 끝이다. 따라서 정부가 무리한 방법까지 동원해 가면서 출산을 장려할 필요는 없다고 본다. 오히려 경제구조를 저출산율의 상황에 맞춰 조정해 나가는 것이 더욱 현명한 대응이라고 생각한다. 지금의 생산방식, 지금의 국민연금제도를 그대로 유지한다면 출산율의 저하는 매우 심각한 문제가 된다. 그러나 출산율의 저하를 주어진 여건으로 보고 새로운 틀을 짠다면, 일부 전문가들이 예측하는 것처럼 그렇게 위험스런 상황으로 치닫지는 않으리라 믿는다.

[아]

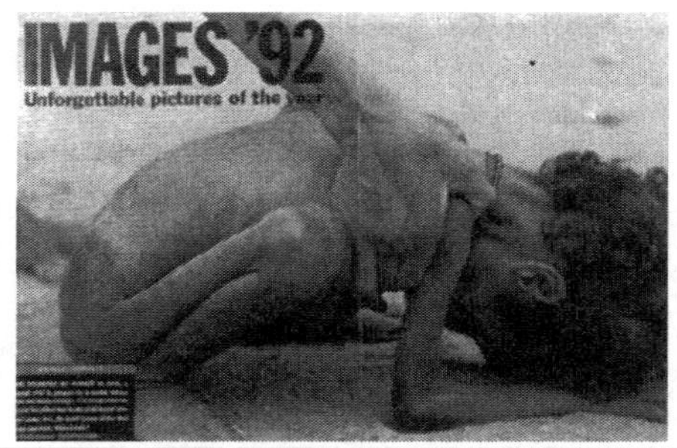

식사 감사의 기도를 드리는 교인을 향한
인류의 죄에서 눈 돌린 죄악을 향한
인류의 금세기 죄악을 향한
인류의 호의호식을 향한
인간의 증오심을 향한
우리들을 향한
나를 향한

소말리아
한 어린이의
오체투지의 예가
나를 얼어붙게 했다.
자정 넘어 취한 채 귀가하다
주택가 골목길에서 음식물을 게운
내가 우연히 펼친 <TIME>지의 사진
이 까만 생명 앞에서 나는 도대체 무엇을

[자]

제2차 세계 대전 이후 영국은 '요람에서 무덤까지'라는 말로 대표되는 복지 정책을 시행하였다. 그러나 복지의 확대는 국민의 근로 의욕을 떨어뜨렸고, 재정 지출은 걷잡을 수 없이 늘어났다. 1970년대 들어 영국의 복지 지출은 국민 총생산의 약 30%에 육박하였다. 공공 부문 파업과 제1차 석유 파동이 겹치며 영국 경제는 무너져 내렸고, 1976년 급기야 국제통화기금(IMF)의 구제 금융을 받기에 이르렀다. 이와 같은 영국의 현실을 '영국병'이라고 부르기 시작하였다.

1979년 집권한 보수당의 대처 수상은 각종 국유화와 복지 정책 등을 포기하고 민간의 자율적인 경제 활동을 중시하는 경제 개혁을 추진하였다. '대처리즘'으로 불리는 개혁의 내용은 복지를 위한 공공 지출의 삭감과 세금 인하, 국영 기업의 민영화, 노동조합의 활동 규제 등이었다. '영국병'을 치유하였다는 대처 수상에 대한 평가는 '영국을 가장 많이 변화시킨 선구자'에서부터 '영국을 가장 불평등한 국가로 만든 인물'이라고 말할 정도로 그 평가가 엇갈리고 있다.

[논제 Ⅰ]

제시문 [가] ~ [바]를 유사한 관점을 가진 것끼리 분류하고 요약하시오.

[501자 이상 ~ 600자 이하: 배점 25점]

[논제 Ⅱ]

[논제 Ⅰ]의 두 관점 중 자신은 어느 관점을 지지하는지 그 이유를 서술하고, 그 관점에서 제시문 [사], [아], [자]를 평가하시오.

[601자 이상 ~ 700자이하:배점 40점]

[논제 Ⅲ]

국가 K는 지역 A와 지역 B, 두 지역으로 이루어져 있다. 지역 A는 지역의 아동 인구를 늘리기 위해 2015년부터 출산 가구에 출생아 1명당 500만 원을 1회 지원하는 출산장려금 정책을 시행했다. <자료 1>은 지역 A의 2010년부터 2020년까지 연도별 출생아 수와 2세 아동 수를 보여주며, <자료 2>는 같은 기간 동안 지역 B의 연도별 출생아 수와 2세 아동 수를 보여준다. <자료 3>은 지역 A와 지역 B의 어린이집 수, 어린이집 이용 유자녀 가구 비율, 육아휴직 경험이 있는 가구의 성별 비율을 제시하고 있다. 제시한 수치는 2010년부터 2020년까지 일정하게 유지되었고, 지역 A와 지역 B는 자료에서 제시된 것 이외의 다른 특성은 동일하다. 또한 국가 K에서 해외로의 인구 이동이나 해외에서 국가 K로의 인구 유입은 없다.

<자료 1> 지역 A의 출생아 수와 2세 아동 수의 추이

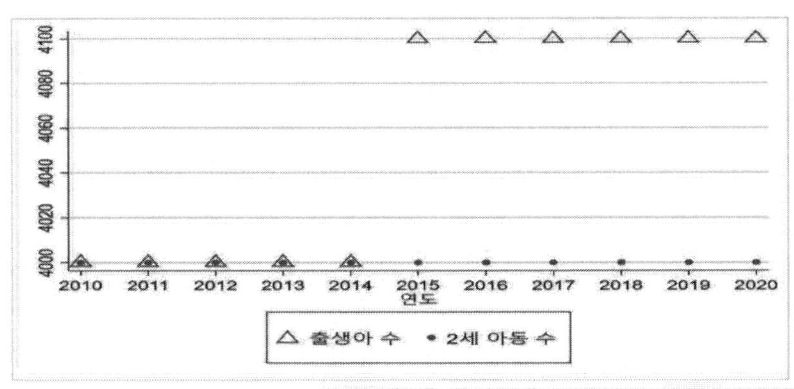

<자료 2> 지역 B의 출생아 수와 2세 아동 수의 추이

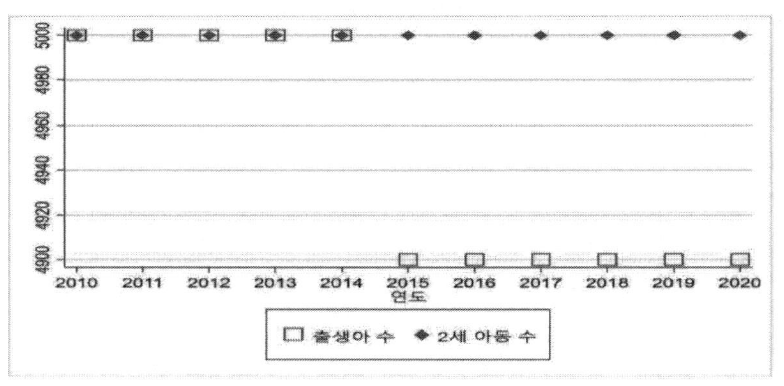

<자료 3> 지역 A와 지역 B의 양육 환경 비교

	지역 A	지역 B
어린이집 수	200개	400개
어린이집 이용 유자녀 가구 비율(%)	60	90
육아휴직 경험이 있는 유자녀 여성의 비율(%)	40	85
육아휴직 경험이 있는 유자녀 남성의 비율(%)	10	55

(1) <자료 1>과 <자료 2>의 결과를 해석하고, 이를 근거로 지역 A의 출산장려금 정책을 평가하시오.

(2) <자료 3>을 근거로 출산장려금 정책 시행 이전에 지역 A와 지역 B에 출생아 수와 2세 아동의 수에 차이가 존재하는 원인을 설명하시오.

(3) (1)과 (2)에서의 분석 결과를 토대로 제시문 [사]의 견해를 평가하시오.

[주어진 답안지 양식 범위 내에서 자유롭게 쓰시오.: 배점 35점]

10. 2022학년도 경희대 수시 논술 [인문체육계]

※ 다음 제시문을 읽고 논제에 답하시오.

[가]

내가 단추를 눌러 주기 전에는
그는 다만
하나의 라디오에 지나지 않았다.

내가 그의 단추를 눌러 주었을 때
그는 나에게로 와서
전파가 되었다.

내가 그의 단추를 눌러 준 것처럼
누가 와서 나의
굳어 버린 핏줄기와 황량한 가슴속 버튼을 눌러 다오.
그에게로 가서 나도
그의 전파가 되고 싶다.

우리들은 모두
사랑이 되고 싶다.
끄고 싶을 때 끄고 켜고 싶을 때 켤 수 있는
라디오가 되고 싶다.

[나]

한국 사회에서 개인들은 자기 정체성이 희미한 가운데 남들과의 관계 속에서 스스로를 비교하며 행복과 불행, 오만과 콤플렉스 사이의 왕복을 거듭한다. 귀천이나 우열의 가파른 위계 서열에서 상위 몇 퍼센트를 차지하는 것으로 자존감을 찾으려 한다. 그래서 실제 자신이 처한 현실이나 맞이하게 될 미래를 직시하면서 스스로를 투명하게 바라보지 못하고 천박한 통념과 허위의식에 사로잡힌다. 육체노동을 경시하던 조선 시대의 직업관이 자본주의 소비사회의 위세 경쟁과 맞물려, 차별의식이 더욱 첨예해져 일상에서 스스럼없이 편견을 노출하면서 사람에게 모멸감을 안겨주기도 한다. 나의 지인은 어느 중학교에서 급식 도구를 운반하는 자원봉사를 하고 있었는 데, 교사 한 명이 멀리서 이분을 가리키며 "너희들 공부 안 하면 저렇게 된다."라고 말했다고 한다. 이것은 손가락질당하는 사람에 대한 모멸이자, 동시에 그런 일을 하면서 살아갈지도 모르는 상당수 아이들에 대한 저주이기도 하다.

자신이 하고 싶은 일을 찾는 것이 아니라 남들에게 그럴듯해 보이는 직업으로 쏠리는 가운데 행복의 본질은 점점 잊혀져간다. 그렇게 남의 이목에 신경을 곤두세우도록 자라나면, 부끄러워할 필요가 없는 일에도 모멸감을 느끼게 된다. 그러다 보니 사소한 일에 매우 방어적이 되고, 밀리고 눌리지 않기 위해 공격적인 언사를 퍼붓기 일쑤다. 바로 다음과 같은 말들이다. '나 무시하지 마!' '내가 그렇게 우습게(만만해) 보여?' '뒷방 늙은이 신세 취급하지 마라.' '***면 다야?' '나(우리)를 뭐로 보길래,' '이래 봬도…….' '내가 누군지 알아?' '지가(제까짓 게) 뭔데,' '어따 대고…….' '너 도대체 몇 살이야?' '말 다 했어?' '눈에 뵈는 게 없어?' '두고 보자.'와 같은 표현이 오갈 때 인간관계는 극도로 긴장 상태가 된다. 인간관계가 더 이상 개인에게 만족이나 위안을 주는 것이 아닌, 피곤한 힘겨루기가 되는 것이다.

[다]

뉴올리언스는 재즈의 고향이자, 블루스의 발원지인 미시시피 삼각지의 중심지다. 블루스는 슬픔과 독창성과 다양한 음악적 전통의 혼합 속에서 탄생했다. 뉴올리언스는 백인과 흑인 간 빈부격차가 극심한, 분열된 도시다. 피부색에 따라 거주구역마저 분리된 이 도시에서 음악이라는 자산은 인종주의라는 깊은 결핍을 상쇄시켰다. 세컨드 라인 퍼레이드(뉴올리언스의 전통적인 춤이 곁들여진 브라스 밴드 퍼레이드)를 주관하는 '사회부조와 기쁨 클럽'은 남북전쟁 이후 장례식을 비롯한 여러 형태의 지원과 우애와 안전을 제공하기 위해 신설된 '해방 흑인국(Freedmen's Bureau)'에서 나온 '아프리카계 미국인 공제회'가 발전한 조직이다. 이 클럽은 지금보다 사람들의 관계가 긴밀했던 시절의 여러 상호부조 형태 중 하나로, 뉴올리언스에 여전히 잔존해 있다. 그들의 이름 자체가 상호부조와 기쁨이 서로 연결되어 있으며 인간관계 안에서 서로를 묶어주는 유대가 의무인 동시에 축복임을 보여준다. 뉴올리언스 사람들은 잦은 축제 속에서 전통과 고향과 서로에 대한 유대를 새롭게 다졌다. 퍼레이드의 이러한 순기능을 경험한 대표적인 인물로 뉴올리언스 출신 재즈 거장인 루이 암스트롱이 있다. 그는 젊은 시절 퍼레이드 덕분에 뉴올리언스 전역을 비교적 자유롭게 넘나들 수 있는 외교적 특전을 누린 기억을 떠올리며 몹시 즐거워했다. 그는 경쟁 집단의 마을들, 특히 평소에는 출입이 제한되었던 백인 지구들을 누비고 다니며 연주를 했다. 퍼레이드는 당연히 곳곳을 돌아다니기 마련이고, 암스트롱이 젊었을 때 퍼레이드에 참가했던 연주자들은 거의 어디든 갈 수 있었고 가는 곳마다 환영받았다. 이것이 암스트롱에게 '턱시도 브라스 밴드'와 함께한 초기 퍼레이드가 가장 행복한 기억인 이유다. 암스트롱은 그때를 회상하며 이렇게 말했다. "난 뭐라도 된 기분이었다."

[논제 I] [다]의 시각에서 [가]와 [나]의 상황에 대해 평가하시오.

[701자 이상 ~ 800자 이하: 배점 40점]

※ 다음 제시문을 읽고 논제에 답하시오.

[라]

"다음 카드는 누군가요?" 레오가 퉁명스레 물었다.

살즈만은 마지못해 세 번째 카드를 뒤집었다.

"루스 K. 열아홉. 우등생. 마땅한 신랑감에게 현찰로 1만 3천 달러를 주기로 부친이 약속함. 부친 직업은 의사. 대단한 실력을 갖춘 위(胃) 전문의. 형부는 의류 사업체 사장. 특출한 집안."

살즈만은 비장의 카드라도 내놓은 사람처럼 보였다.

"열아홉이라고 했습니까?" 레오가 흥미를 보이며 물었다.

"두말하면 잔소리죠."

"귀염성은 있나요?" 레오가 부끄러워하며 얼굴을 붉혔다. "예쁜가요?"

살즈만은 자기 손 끝에 키스를 했다. "작은 인형이죠. 장담합니다. 오늘밤 제가 그 부친께 전화를 걸겠습니다. 그러면 예쁘다는 게 뭔지 눈으로 보게 될 겁니다."

그러나 레오는 불안했다. "열아홉이 확실합니까?"

"나이만큼은 자신 있습니다. 부친이 출생증명서를 보여줄 겁니다."

"무슨 하자가 없는 게 확실합니까?" 레오가 집요하게 물었다.

"하자 있다고 누가 그럽디까?"

"그 나이의 미국 여자가 왜 중매인을 찾는지 이해가 안 돼서요."

살즈만의 얼굴에 미소가 번졌다.

"댁하고 같은 이유로 저를 찾는 겁니다."

레오의 얼굴이 빨개졌다. "전 시간이 촉박해서 그런 거고요."

살즈만은 자기가 요령 없이 굴었다는 걸 깨닫고 재빨리 해명했다.

"여자가 아니라 그 부친이 찾아왔습니다. 딸한테 최고의 신랑감을 구해주고 싶어서 여기저기 찾아보는 중이라고 하더군요. 마땅한 남자를 찾으면 딸한테 인사시키고 적극 밀어주겠답니다. 경험도 없는 어린 여자 혼자서 혼사를 떠맡는 것보다 이 방법이 더 낫습죠. 굳이 이런 말까지 안 해도 잘 아시겠습니다만."

"하지만 이 젊은 아가씨가 사랑을 믿으면 어떡하죠?" 레오가 걱정하며 물었다.

살즈만은 웃음이 터져나오는 것을 간신히 참고 근엄하게 말했다. "사랑의 감정은 마땅한 상대를 만나야 생기는 것이지 그전에 생기는 게 아닙니다."

[마]

줄리엣	그대의 이름만이 나의 적일 뿐이에요. 몬터규가 아니라도 그대는 그대이죠. 몬터규가 뭔데요? 손도 발도 아니고 팔이나 얼굴이나 사람		애인이라 불러만 준다면 다시 세례받은 뒤 앞으로는 절대로 로미오라 안 할게요.
		줄리엣	누구신대 이렇게 밤의 장막 속에서 제 비밀과 마주치게 된

	몸 가운데 어느 것도 아니에요. 오, 다른 이름 가지세요! 이름이 별건가요? 우리가 장미라 부르는 건 다른 어떤 이름을 붙여도 같은 향기가 날 거예요. 로미오도 마찬가지, 로미오라 안 불러도 호칭 없이 소유했던 그 귀중한 완벽성을 유지할 거예요. 로미오, 그 이름을 벗어요, 그대와 상관없는 그 이름 대신에 나를 다 가지세요.		거죠?
로미오	그 말 듣고 가질게요.	로미오	이름으론 누구인지 그대에게 말할 수 없군요. 성자시여, 제 이름은 제가 미워합니다. 그것이 그대의 적이기 때문이죠. 만약에 써 놨다면 찢어 버릴 겁니다.
		줄리엣	그대 혀가 내놓은 말 내 귀로 마신 것이 백 마디도 안 되지만 그 음성은 알아요. 로미오가 아닌가요, 그리고 몬터규죠?
		로미오	아가씨가 싫다면 어느 쪽도 아닙니다.

[바]

현대 사회에서 가족은 계급의 표식이 되었다. 이 과정을 이해하기 위해서는 경제구조와 같은 사회 변화가 어떻게 배우자 선택에 영향을 미치는지 고찰할 필요가 있다. 경제구조의 변화가 가족 행동에 미치는 영향을 살펴보려면 결혼 및 그 밖의 친밀한 관계를 상품으로 보아야 한다. 즉, 관계는 교환의 결과로 발생한다. 물론 관계의 시장은 조금 특별하다. 이 시장은 신뢰를 기반으로 하며, 성별에 대한 고정관념이 존재하고, 결혼제도와 같은 사회적 압력을 반영한다. 이 시장에서 이루어지는 교환은 다른 종류의 인간관계와 마찬가지로 수요와 공급에 의해 결정된다. 수요와 공급의 변화는 신뢰의 바탕이 되는 요인들에 영향을 미친다. 예컨대 사람들은 동반자에게 열정을 느끼는지가 아닌, 동반자를 믿고 의지할 수 있을지 묻게 되었다. 또한 그런 믿음직한 동반자를 만나기 위해 어떠한 조건을 고려해야 하는지 묻게 되었다. 좋은 동반자를 만나려면 학업을 지속하는 것이 중요할까? 어떤 직업을 선택하는 것이 현실적일까? 이러한 고려 사항들은 우리가 가치라고 여기는 것의 일부로, 현실의 변화를 반영한다. 결혼 시장의 변화는 사랑을 할 대상에 대한 가치관의 변화도 야기한다. 여기서 결혼은 사랑의 완성이자 결과물이 아닌, 비슷한 조건의 동반자를 찾는 선택의 결과로 여겨진다.

[사]

큐피드의 화살은 제멋대로이며 이유를 댈 수 없는 감정인 사랑의 가장 오래된 상징이다. 그래서 기욤 드 로리스는 그 화살이 몸과 살을 파고들어오면, 화살을 뽑아낼 수 없듯이 사랑하기를 멈출 수 없다고 강조한다. 사랑하지 않을 수 없다는 마당에 무슨 이유를 들먹일까. 사랑은 그 자체로 볼 때 누군가를 사랑하도록 강제하는 힘이다.

사랑의 경험은 사랑하는 사람이 경험하는 현실을 압도한다. 이탈리아로 진격한 프랑스군 최고사령관 나폴레옹은 1796년 3월 30일 아내에게 이런 편지를 썼다. "당신을 사랑하지 않고 지낸 날은 단 하루도 없었소. 당신을 품지 않고 보낸 밤도 없었소. 내 인생의 영혼, 곧 당신으로부터 나를 멀리 떨어뜨려놓는 명예와 야심을 저주하지 않고서는 차 한 잔도 마시지 못했소." 멀리 떨어져서, 전쟁터의 한복판에서 이런 글을 쓰다니. 여기서 사랑은 사랑하는 사람의 실존적 현실 자체를 통째로 장악하는 감정이다. 1812년 7월 6일 애인에게 보낸 편지에서 베토벤은 자기 심경을 이렇게 간결하게 정리했다. "내 영원한 연인이여. 내 천사이자 내 모든 것이며, 나 자신의 자아여!" 이처럼 사랑받는 대상은 사랑하는 주체와 떨어질 수 없다. 사랑의 경험은 자아를 총체적으로 끌어들여 움직이기 때문이다.

[논제 II] [라] ~ [사]를 입장이 유사한 두 부류로 묶어 그 중 한 입장을 선택해 요약하고, 이를 바탕으로 다른 입장을 비판하시오.

[901자 이상 ~ 1000자 이하: 배점 60점]

11. 2022학년도 경희대 수시 논술 [사회계 오전]

※ 다음 제시문을 읽고 논제에 답하시오.

[가]

세계 여러 선진국들은 공업화, 도시화로 인해 영국 런던 스모그, 일본 미나마타병 등과 같은 대규모 환경오염 사건을 경험하였다. 이후 사람들은 자원의 한계와 환경의 중요성을 인식하게 되었고, 여러 국제회의에서는 본격적으로 환경 문제를 다루기 시작하였다. 1972년 국제연합 인간환경회의에서 '지속 가능성'이라는 표현이 제시된 이후, 1992년 브라질 리우데자네이루에서 열린 국제연합 환경개발회의에서 본격적으로 지속 가능한 발전이 거론되었다. 지속 가능한 발전은 전 세계가 함께 협력해야 이룰 수 있다. 예를 들어 '지구의 시간(Earth Hour)'은 '지구를 위한 한 시간'이란 뜻으로 일 년에 한 번 정해진 시간에 60분 동안 지구촌 전등을 모두 꺼서 지구를 쉬게 하자는 취지로 시작되었다. 과도한 에너지 사용에 따른 기후 변화의 심각성을 생각해 보면서 실제 온실가스 배출량을 줄이는 게 목적이다. 지구의 시간은 세계자연보호기금 주도로 2007년 오스트레일리아 시드니에서 처음 시작되었고, 매년 3월 넷째 주 토요일에 뉴질랜드에서 시작해 순차적으로 전 세계의 참여 도시에서 정해진 시각에 소등을 한다.

[나]

코로나19 무료 선별검사소가 문을 닫는다. 식당이나 카페, 쇼핑몰, 헬스장 등을 이용하려면 백신 접종을 마쳤다는 증서가 있어야 한다. 상상이 아니라 실제 미국과 주요국에서 벌어지고 있는 '백신 의무화' 움직임이다. 경제를 필두로 거의 전 분야에서 국제사회와 교류하는 한국도 정도의 차이는 있을지언정 의무화 정책을 뒤따를 가능성이 높다. 백신을 맞으면 '~할 수 있다'는 인센티브가 백신을 맞지 않으면 '~할 수 없다'는 제한과 압박으로 바뀔 거란 얘기다. 접종률 90% 달성을 목표로 이미 정부는 12~17세와 임신부에게도 백신을 접종하겠다고 밝혔는데, 이에 대한 우려의 목소리로 뒤숭숭한 분위기가 감지된다.

복병으로 떠오른 것은 예상치 못한 백신 부작용이다. 미열이나 근육통 같은 일반적인 반응뿐만 아니라 혈전증, 심근염, 심낭염 등 미국 질병통제예방센터(CDC)가 안내한 심각한 부작용도 여럿이다. 특히 청장년층 백신 접종이 시작되면서 백혈병, 부정출혈(하혈), 손발 저림과 마비증상, 치주염(잇몸 붓기) 등의 이상 반응과 심지어 가족, 친지, 지인이 사망했다는 글이 인터넷 공간과 청와대 국민청원 게시판에 끊이지 않고 있다. 정부의 반응은 일관된다. '해당 부작용은 다양한 원인으로 유발되며, 백신 접종과의 인과성 근거는 없다는 것'이다. 본래 학자들은 실험을 통해 증명된 내용이나 수치가 아니면 명확한 판단이나 결론을 말하기를 꺼린다. 현재로서는 변이를 거듭하는 코로나19 바이러스가 100% 밝혀진 것도 아니고, 백신의 효과나 안전성을 거듭 모니터링할 만큼 시간도 흐르지 않았다는 점에서 질병관리청과 정부의 대응도 이해가 간다. 하지만 개인에게는 나와 가족의 건강이 가장 중요하다. 백신으로 인해 오히려 건강을 심각하게 해칠 수 있다면 그 확률이 아무리 낮더라도 망설일 수밖에 없다.

[다]

인구의 감소와 더불어 2002년부터 정부에서 저출산 대응 정책을 적극적으로 논의하기 시작하면서 2005년 '저출산·고령사회 기본법'이 제정되었다. 이를 통해 같은 해에 출산율을 제고하고, 저출산에 대응하는 정책으로의 변화가 일어났다. 이러한 정책적 변화의 연장선에서 최근 모자보건법, 건강가정 기본법, 저출산·고령사회 기본법 등의 관련 법제를 정비하고, 임신, 출산 및 보육 지원 등의 재생산 건강을 지원하는 사업에 재정을 지속적으로 투입, 확대해 왔다. 현재 실행 중인 다양한 임신과 출산 지원 사업은 산모와 영유아의 건강과 복지를 지원하는 정책이라는 점에서 중요하나, '출산율 제고'를 목표로 하는 정책의 틀 내에서 이루어져 산모와 영유아의 인권과 복리의 충분한 보장에는 한계가 있다. 또한 과거에서부터 현재에 이르기까지 출산과 관련된 법과 정책을 살펴보면, 출산에 대한 여성의 자율적 권리 보장보다 인구 감소 또는 증대를 위한 정책 중심이었다는 비판이 제기되고 있다. 출산율이 높았던 과거에는 여성의 높은 출산율이 국가 발전과 성장의 저해 요인이라 보고 국가가 출산 억제 정책을 실시함으로써 여성의 몸을 통제하였다면, 현재의 저출산 시기에는 출산이 국가와 사회에 기여한다는 관점에서 출산의 사회적 기능을 강조하면서 여성의 출산에 대한 의무를 강조해 온 것이다. 그러나 기본적으로 출산은 여성의 재생산권에 관한 문제이다. 1994년 카이로에서 개최된 유엔 국제인구개발회의에서도 "인구 개발 정책이 인구 수 조절, 국가 발전 등의 특정한 인구학적 목표에 초점을 맞추는 것에서 개인의 욕구, 열망, 권리에 초점을 맞추는 방향으로 전환되어야 하고, 재생산 권리를 포함해 인권, 성평등, 여성 권한 강화, 삶의 질 향상이 정책의 근본이 되어야 한다."고 선언하였다. 그러므로 국가의 저출산 정책은 개인의 성(性)과 재생산 권리를 보장하는 차원에서 이루어져야 한다.

[라]

김 군, 잘 지내는가? 취직 시험 준비에 고생이 많겠지? 지난번 만났을 때 자네가 던진 질문이 아직도 귓가에 맴도네. 솔직히 우리 먹고살기도 어려운데 통일은 꼭 해야 하느냐고.

나는 통일은 단순히 정치나 경제만의 문제가 아니라 동시에 정신적인 문제라고 믿네. 사람이 육와 정신으로 구성된 존재라면 돈으로만 사는 것이 아님도 분명하겠지. 개인들이 모여 형성된 국가나 민족도 마찬가지일 것이네. 물질적으로 잘사는 국가가 되는 것이 대단히 중요하지만, 그것이 전부는 아니라는 말이네.

그런데 언제부턴가 우리는 통일 이야기만 나오면 비용부터 계산하려 했네. 통일 문제를 돈으로 따지는 세태는 국가나 민족도 역사 속에 살아 움직이는 정신적 존재라는 사실을 우리 시대가 잊어버렸음을 드러내 주네. 우리는 지금 비정상적이고 파행적인 삶을 살고 있다는 것이지.

물론 경제적으로 계산해도 통일은 큰 이득이 될 것일세. 이제까지 한국은 해양 경제권에 진출해서 이만큼 성공했지만, 지금은 탈출구가 필요한 시점이네. 통일이 되면 대륙 경제권으로 진출해서 반도라는 지리적 위치를 딜레마가 아니라 축복으로 바꿀 수 있을 것이네. 물론 당장은 부담이 좀 오겠지. 그러나 통일 비용을 우리 국민 세금만으로 충당해야 한다고 생각할 필요는 없네. 아마도 한국이 통일된다면 그것만으로 전 세계 뉴스가 되고 투자처를 찾는 수많은 국제 투자가가 몰려들 것이네. 그런데도 세금 좀 더 내고 당분간 고생할 것이니 통일은 싫다고 말한다면, 참 난감하네.

자네도 결혼해서 아이를 낳아 길러 보게. 고생은 되지만 참 예쁘네. 그런데 요즈음 손자 손녀를 본 내 친구들은 이렇게 이야기하네. 아들딸 낳았을 때와 또 다르다고. 손자 손녀가 얼마나 예쁜지, 자는 모습을 가만히 들여다보면 황홀감이 든다고. 그 예쁜 손자 손녀가, 또 그들의 자손이 통일 한국의 시민으로 국제 사회에서 당당하게, 풍요로운 선진국 시민으로서 살아가게 만들어 주는 것이 통일일 것이네. 그래도 내가 편하게 살아야 하므로 기회가 왔는 데도 통일을 외면했다고 가정해 보세. 그들 세대가 조상인 자네 세대에게 뭐라고 말할 것 같은가? 혹시 나라 잃은 조상 못지않게 못난 조상이었다고 욕하지 않겠는가? 역사의식이란 별것 아니네. 이게 역사의식이네.

[마]

운동 경기에 있어서도 많은 사람들은 그들의 체력이 감당할 수 있는 것보다 더 과도하게 탐닉하기 쉽다. 왜 국가가 이런 일에도 간섭하면 안 되는가? 인터넷 게임에 빠진 사람들에게 게임을 절제해야 함을 이해시키는 것은 참 힘든 일이다. 국가가 이런 일에 대해서도 참견해야 하지 않겠는가? 많은 사람들이 얘기하기를 이러한 쾌락보다 더 해로운 것이 저급한 문학작품을 읽는 것이라 한다. 사람들의 저급한 본능에 영합하는 출판물이 영혼을 더럽히는 일이 허용되어야만 하는가? 음란한 그림의 전시나 불경스러운 연극공연, 한마디로 말해 부도덕한 것에 대한 모든 유혹들을 금지시켜야 되지 않는가? 또 잘못된 사회학적 이론을 전파하는 것이 이와 똑같이 사람들과 국가에 대해 해악이 되지 않겠는가? 사람들이 타인들을 자극하여 내란이나 외국과의 전쟁으로 끌어들이는 것을 허용하여야 하는가? 저속한 만화나 신성모독적인 비방이 신과 교회에 대한 존경심을 약화시키는 것을 허용하여야 하는가? 여기서 우리가 볼 수 있는 것은 국가가 개인의 생활방식에 관하여 간섭하지 말아야 한다는 원칙을 포기하는 즉시 개인 생활의 아주 세세한 부분에 이르기까지 규제하고 제한하게 된다는 것이다. 그 결과 개인의 자유가 파괴된다.

[바]

알리바바 1천억 위안(약 18조 원), 텐센트 500억 위안(약 9조 원), 메이투안 23억 달러 주식(약 2조7천억 원), 샤오미 22억 달러 주식(약 2조5천억 원). 이상은 올해 6월 이후 중국 주요 기업들이 사회 기부를 약속한 금액이다. 이윤 추구가 설립의 1차 목표이자 주주 환원에도 신경을 써야 하는 민간 기업들이 평소 기업의 사회적 책임(CSR) 예산의 수십 배에 달하는 예산을 앞다퉈 기부하고 있다. 또한 블룸버그 통신에 따르면 홍콩 거래소에 상장된 73개 의 중국 기업들이 최근 한 달 사이에 공개한

실적보고서에 '공동부유(共同富裕, common prosperity)'라는 표현이 갑자기 등장하는 등 중국 기업들의 경영 전략에 큰 변화가 일어나고 있다. 중국 기업들의 이런 움직임은 2021년 8월 17일 중국 중앙재경위원회 제10차 회의에서 시진핑 주석이 '공동부유는 사회주의의 본질적 요구'임을 강조한 뒤부터 나타나고 있는 현상이다. "공동부유는 전체 인민이 부유해지는 것으로 인민의 물질적 생활과 정신적 생활이 모두 부유해지는 것이며 소수의 부유함도 아니고 획일적인 평균주의도 아니다. 그리고 공동부유는 단계적으로 촉진해야 한다."는 것은 이 회의에서 공동부유에 대해 제시한 구체적 요구이다. 공동부유는 전체 인민들이 근면한 노동과 상부상조를 통해 생활이 풍요롭고 정신적으로 자신감이 넘치고 자강하며 조화롭고 모두가 공공서비스의 혜택을 누릴 수 있는 사회를 조성해 인류와 사회 전반의 진보를 실현하고 행복하면서 아름다운 생활을 공유하기 위해 필요하다.

[사]

인간은 다음 네 가지 특성을 가진 존재로 규정할 수 있다. 첫째, 인간은 존엄한 존재이며 합리성과 보편 의지를 갖는다. 둘째, 인간은 자율성을 가진 존재이다. 다시 말해, 인간은 스스로 합리적 결정을 내릴 역량을 가지고 있고 사회는 인간이 그러한 역량을 발휘할 수 있는 환경을 조성해야 한다. 셋째, 인간은 사생활을 존중받아야 하는 존재이다. 따라서 인간은 외부 감시 없이 자유롭게 행동할 수 있는 사적 영역을 보장받아야 한다. 넷째, 인간은 자기 계발에 대한 규범적 가치를 부여받아야 하는 존재이다. 즉, 인간은 타인의 재능 발휘를 방해하지 않는 범위에서 본인의 재능을 꽃피울 수 있어야 한다.

이와 같은 시각은 여러 분야에서 인간의 자유를 제약하는 사회 구조를 타파하는 데 크게 공헌하고 있다. 종교적 으로는 교황이 신을 매개한다고 보는 이전의 가톨릭 교리 대신에 개인이 직접 신과 소통할 수 있다는 개신교 교리를 종교개혁 시기 유럽에 전파하였다. 이에 따르면 개인과 신을 매개하는 사제는 불필요한 존재가 된다. 정치적으로는 종파, 길드, 노조, 무역 연합, 시민 단체, 시민 사회를 구성하는 기타 조직 등과 같은 시민과 국가 간의 매개체를 불필요한 것으로 만든다. 경제적으로는 사유재산권이 있는 개인이 벌이는 활동을 토대로 경제를 조직하게 하며 개인을 독과점자가 없는 경쟁 시장의 참여자로 만든다.

[아]

고향이 고향인 줄도 모르면서 / 긴 장대 휘둘러 까치밥 따는
서울 조카아이들이여 / 그 까치밥 따지 말라
남도의 빈 겨울 하늘만 남으면 / 우리 마음 얼마나 허전할까
살아온 이 세상 어느 물굽이 / 소용돌이치고 휩쓸려 배 주릴 때도
공중을 오가는 날짐승에게 길을 내어 주는 / 그것은 따뜻한 등불이었으니
철없는 조카아이들이여 / 그 까치밥 따지 말라
사랑방 말쿠지*에 짚신 몇 죽 걸어 놓고 / 할아버지는 무덤 속을 걸어가시지 않았느

냐
그 짚신 더러는 외로운 길손의 길보시가 되고 / 한밤중 동네 개 컹컹 짖어 그 짚신 짊어지고
아버지는 다시 새벽 두만강 국경을 넘기도 하였으니
아이들아, 수많은 기다림의 세월 / 그러니 서러워하지도 말아라
눈 속에 익은 까치밥 몇 개가 / 겨울 하늘에 떠서
아직도 너희들이 가야 할 머나먼 길
이렇게 등 따숩게 비춰 주고 있지 않으냐.

---

* 말쿠지: 말코지. 물건을 걸기 위하여 벽 따위에 달아 두는 나무 갈고리.

[자]

경제 생활은 엄밀한 논리로는 해결할 수 없는 대립을 실제로 화해시킬 것을 끊임없이 요구한다. 사회 전체의 관리 영역에서는 언제나 계획과 자유를 모두 확보할 필요가 있다. 그것도 약하고 활기 없는 타협을 통해서가 아니라 양자가 모두 필요하다는 점의 타당성을 자유롭게 인정함으로써 확보할 필요가 있다. 이는 기업의 경영 영역에서도 마찬가지이다. 경영자에게 기업 경영에 대한 책임과 권한이 충분히 부여되어야 하고, 노동자도 경영상의 의사결정에 자유롭게 참가할 수 있어야 한다. 기업의 경영 영역에서도 이러한 두 가지 요구 사항, 즉 계획과 자유의 대립을 둘 중 어느 것도 제대로 충족시킬 수 없는 엉성한 타협으로 완화시키는 것이 아니라, 양자를 모두 수용하는 것이 중요하다. 대립항의 한 쪽인 계획에만 집중하면 스탈린주의로 이어진다. 자유에만 집중해도 혼돈으로 빠진다. 그런데도 통상적인 선택은 어느 한 쪽 입장을 지지하는 것이다. 그러나 이러한 선택만이 가능한 것은 아니다. 근거 없이 비판하는 것 대신에 서로의 시각을 이해하기 위한 지적인 노력을 기울인다면, 우리는 대립항들 중 그 어느 것도 손상시키지 않으면서 그것들을 조화시킬 수 있는 중간의 길을 발견할 수 있을 것이다.

[논제 Ⅰ]

제시문 [가] ~ [바]를 유사한 관점을 가진 것끼리 분류하고 요약하시오.

[501자 이상 ~ 600자 이하: 배점 30점]

[논제 Ⅱ]

[논제 Ⅰ]의 두 관점 중 자신은 어느 관점을 지지하는지 그 이유를 서술하고, 그 관점에서 제시문 [사], [아], [자] 를 평가하시오.

[601자 이상 ~ 700자 이하: 배점 40점]

[논제 Ⅲ]

두 국가 A, B를 가정하자. <표 1>은 두 국가의 연도별 가구당 평균 자녀수(이하 평균 자녀수)를 나타낸다. 국가 A는 출산 보조금을 지원하고 있지 않지만, 국가 B는 평균 자녀수가 감소하는 것에 대처하기 위해 2019년부터 당해 출산을 하는 가구에 매년 출산 보조금을 지급하고 있다. 국가 B의 출산 보조금 정책은 평균 자녀수에 미치는 영향이 매년 일정하게 증가하도록 설계되었으며, 보조금을 지급하지 않는 경우 각 국가의 평균 자녀수는 매년 일정하게 변한다. 보조금 정책과 시간에 따른 추세 외에 평균 자녀수에 영향을 미치는 다른 조건들은 매년 동일하다고 가정한다.

<표 1>

	가족당 평균 자녀수	
연도	국가 A	국가 B
2016	2.74	1.89
2017	2.67	1,82
2018	2.6	1.75
2019	2.53	1.71
2020	2.46	1.67
2021	2.39	1.63

(1) 국가 A, B의 2022년도 예상 평균 자녀수를 각각 구하고, 국가 B의 출산 보조금 정책의 효과에 대해 논하시오.(단, 보조금을 지급하지 않는 경우 두 국가의 평균 자녀수의 연도별 추세는 동일하다.)

(2) 국가 B에 대한 아래 정보를 추가로 이용하여 질문에 답하시오.

- 국가 B는 미래에 자녀들이 부모 세대 모든 가구의 노후를 책임지는 복지 제도를 실시하고 있다.
- 미래에 자녀에게 부모 세대에 대한 복지를 부담시키는 것은 이를 신경 쓰는 부모에게 비용이 된다.
- 자녀의 미래 1인당 부모 세대에 대한 복지 부담률(이하 1인당 미래 부담률)이 커질수록 부모에게 발생하는 비용도 증가한다.
- <그림 1>은 가임 가구 중 자녀가 없는 비출산 가구만을 대상으로 각 자녀수에 대한 예상 순편익(편익-비용)을 전수조사한 자료를 이용하여, 예상 순편익에 대한 해당 가구의 수를 히스토그램으로 나타낸 것이다.
- <그림 2>는 평균 자녀수가 1인당 미래 부담률에 미치는 영향을 그래프로 나타낸 것이다.

국가 B는 출산 보조금 재원 마련을 위해 비출산 가구에 부담금을 부과하는 정책을 시행하려고 한다. 국가 B가 부담금 정책을 시행하기 위한 근거를 제시문 [가]의 관점에서 논하시오.

[수식을 사용하여 주어진 답안지 양식 범위 내에서 자유롭게 쓰시오: 배점 30점]

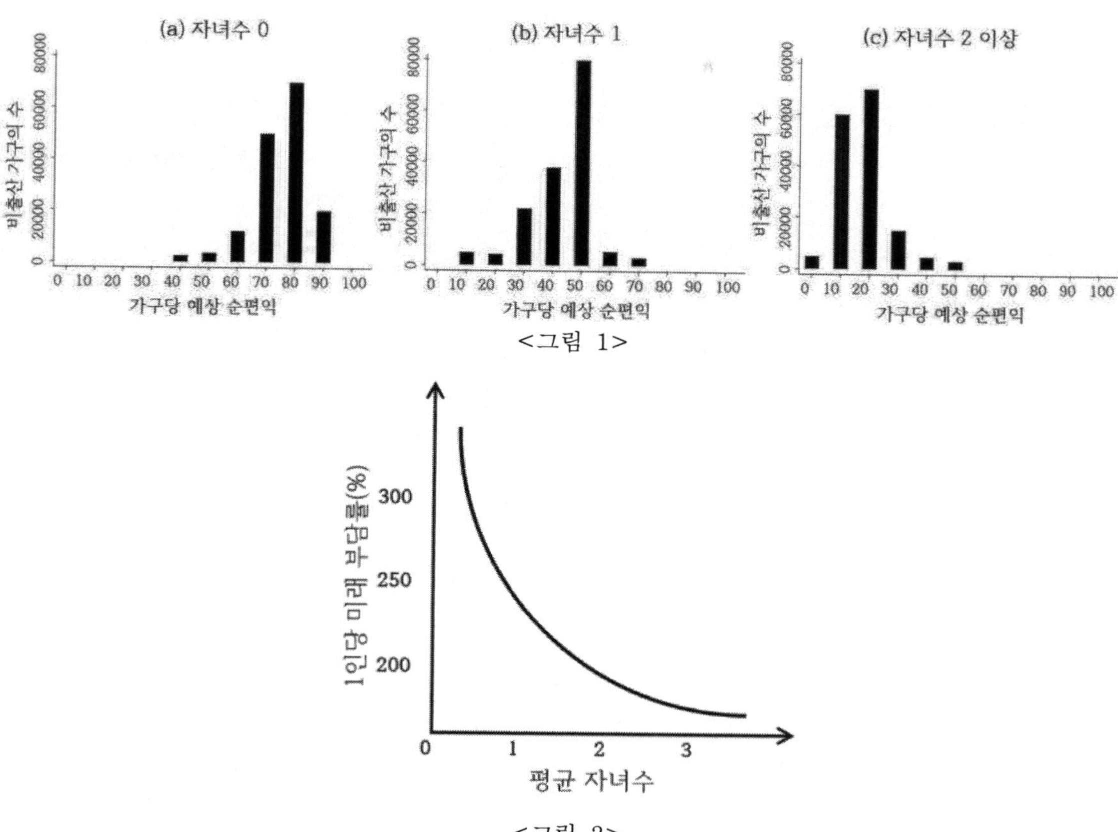
(a) 자녀수 0
(b) 자녀수 1
(c) 자녀수 2 이상
비출산 가구의 수
0 20000 40000 60000 80000
0 10 20 30 40 50 60 70 80 90 100
가구당 예상 순편익
1인당 미래 부담률(%)
200 250 300
0 1 2 3
평균 자녀수

<그림 1>

<그림 2>

12. 2022학년도 경희대 수시 논술 [사회계 오후]

※ 다음 제시문을 읽고 논제에 답하시오.

[가] 1970년대에 이탈리아에서는 임금 격차가 크게 줄어들었다. 이는 근로자와 경영자가 협상을 통해 생활비용 증가와 연계해 임금을 정하는 데 합의했기 때문이다. 북유럽 국가들에서는 임금 격차를 줄이는 데 단체교섭의 역할이 중요했다. 노동조합이 조합원을 대신해 단체교섭을 하고 정부가 노동시장에 개입한 것이다. 피케티는 프랑스에서 소득 분배의 방향이 바뀐 것은 국가의 임금 정책, 특히 최저임금 정책의 방향이 바뀐 결과라고 말한다. 네덜란드 정부도 1974년에 최저임금을 크게 올리고 임금 격차를 줄이는 정책을 추진했다. 이것으로 인해 남녀 간 임금 격차도 줄어들어 전체적인 소득불평등이 줄었다. 이 시기에 여러 나라에서 임금 차별을 없애는 법이 발효되었다. 영국에서 남녀 간 임금 격차가 절반 이하로 줄어든 것은 이러한 법의 결과이다.

[나] 시민이 주장할 수 있는 권리 중 하나로 사회적 소수자 우대 정책을 들 수 있다. 이러한 정책은 많은 의미를 내포하고 있다. 논리적인 측면에서만 보자면, 누군가는 숙련도가 대동소이한 분야에서 사회적 소수에게 일정 비율의 일자리를 나눠주는 할당제를 주장할 수 있다. 숙련도가 대동소이하다는 것은 한 사람이 다른 사람으로 즉시 대체될 수 있다는 말이다. 따라서 정부가 소수자 우대 채용 정책을 시행하는 것은 노동의 숙련도가 동일하다는 것을 전제하는 것이나 다름없다. 예컨대 남성과 여성의 박사학위 취득 비율을 조사하여 그 비율만큼 여성의 대학 교원 임명을 할당한다고 해보자. 그것은 바로 모든 박사학위 소지자들을 개인의 재능이나 업적과 관계없이 동일하게 취급한다는 것을 의미한다.

숙련도가 동일하다면 어떤 개인이 다른 개인으로 대체될 수 있다는 것은 많은 직업에서 사실일 수 있다. 그러나 대학의 본령인 교육과 연구는 이와 다르다. 왜냐하면 대학에서의 연구와 교육은 개인의 우수한 능력이 발휘되어야 하는 분야이기 때문이다. 사회적 소수자 우대 정책이 갖고 있는 역설은 개인이 속한 집단의 정체성(성, 인종, 나이, 계층 등)에 근거한 사회적 차별을 비판해온 인본주의적 가치와 정반대의 논리에 입각해 있다는 것이다. 인간 개개인의 가치와 권리, 창의성, 그리고 자유를 주장하는 인본주의적 입장에서, 어떤 개인이 아무리 정당하게 일자리를 얻었다 하더라도 그것이 그의 집단 정체성에 기반을 둔 것이었다면 그것은 비판받아 마땅하다.

[다] 이 나라에 살고 있는 여러분은 실은 모두 형제입니다. 그러나 신은 여러분을 만들면서 통치할 수 있는 사람들에게는 금을 섞었습니다. 금이 섞였기 때문에 이들이 가장 존경받는 것입니다. 또한 신은 수호자들에게는 은을 섞었고 농부나 다른 장인들에게는 철과 청동을 섞었습니다. 대부분의 경우에 여러분은 자신과 닮은 자손을 낳게 됩니다. 하지만 때로는 금의 부모로부터 은의 자식이 태어나며, 반대의 경우도 일어납니다. 다른 모든 계급의 사람들도 자신이 속하지 않은 계급으로부터 태어나기도 합니다. 그러므로 여러분의 자손이 훌륭한 통치자나 수호자가 되기를 바란다면 무엇보다도 먼저 자손의 혼에 무슨 성분이 혼합되어 있는지 살펴봐야 합니다. 만약에 자손

의 혼이 철이나 청동 성분이 혼합된 상태로 태어나면, 결코 동정하지 말고 그에 합당한 지위를 부여해서 농부나 장인이 되게 하고, 자손의 혼이 황금이나 은 성분이 혼합된 상태로 태어나면 예우하여 통치자나 수호자로 만들면 됩니다. 이는 철이나 청동의 성분을 가진 사람이 통치자나 수호자가 되면 나라가 멸망할 것이라는 신탁의 말씀이 있기 때문입니다.

[라] 인간은 본능적으로 종족 보존뿐만 아니라 다른 사람과의 조화로운 삶을 꾀하게 된다. 본능을 독립적이고 근원적인 것으로 간주하건 그렇지 않건 간에, 혹은 사회가 이기심으로 팽배해진 후에야 그 본능을 인식할 수 있다고 생각하건 그렇지 않건 간에, 인간이 하등동물들과 마찬가지로 군집 충동을 갖고 있을 뿐만 아니라 사회적 약자에 대한 연민에 기초하여 공동체의 낙오자들에게 도움을 준다는 사실은 너무나 분명하다. 인간의 도덕적 능력을 오직 이성에서만 도출하여 이성과 본능을 대립시키는 합리주의적 도덕가들은 사회적 본능의 도덕적 자질을 평가절하하는 불합리를 저질렀다. 앞에서 살펴본 바와 같이, 인간의 사회적 본능은 자연 상태에 뿌리를 두고 있으며 정의로운 것이다. 그러므로 인간에게 있어서 이성이 도덕의 유일한 기초는 아니다. 인간의 사회적 본능이 이성에 비해 훨씬 깊은 도덕성의 연원을 갖고 있기 때문이다.

[마] 미국 뉴저지주(州)에 사는 한국계 미국인 김○○ 씨는 지난 3월 실직한 뒤 주정부 실업급여 680달러에 연방정부가 주는 실업보너스 600달러를 더해 한 주에 1,280달러를 받는다. 따라서 김○○ 씨의 소득은 실직 전과 큰 차이가 없다. 김씨는 "주당 실업보너스 600달러 덕분에 저소득자들은 직장을 다닐 때보다 더 많은 돈을 받는 경우도 꽤 있어서, 저소득층 근로자 상당수는 일부러 고용주에게 해고해 달라고 요구한 것으로 안다."고 말했다. 이는 지난 3월 27일 통과된 신종 코로나바이러스 감염증 관련 '경기부양법'에 따라 정부가 2,500억 달러(약 310조원)를 투입해 실업급여 혜택을 대폭 확대한 탓이다. 이 법에는 각 주가 실업자에게 26주간 지급하는 실업급여 기간을 39주(약 10개월)로 확대하고, 연방정부가 추가로 실업보너스(주당 600달러)를 오는 7월 말까지 주는 내용이 들어있다.

뉴욕타임스에 따르면 평균 실업급여는 주당 371달러이다. 여기에 600달러를 더 받게 되면 작년 4분기 미국 가계소득의 중간값인 936달러보다 더 많아진다. 싱크탱크 헤리티지재단의 연구에 따르면 연봉 62,000달러 이하인 미국인의 경우 실업급여를 통해 얻는 소득이 일을 해서 얻는 소득보다 더 크다. 헤리티지재단 선임연구원 A씨는 "600달러 실업보너스는 실업에 인센티브를 준 것"이라며 경기부양법을 비판했다. 코로나19 사태 이후 지난 9주간 실업급여 청구 건수가 기록적인 3,860만 건에 달한 것은 이러한 과다한 실업급여 혜택이 영향을 준 것으로 추정된다. 헤리티지재단은 600달러 실업보너스로 인해 약 1,390만 명의 추가 실업자와 1조 4,900억 달러의 국내총생산 손실이 발생할 수 있다고 분석했다. 이것은 개인의 능력이나 노력과 관계없이 오로지 실업 여부에 따라 금전적 혜택을 제공하는 정책의 폐단을 보여준다.

[바] 사회 발전의 속도는 권력과 지능의 결합 정도에 따라 좌우된다. 한 세기 전 영국은 재능 있는 사람들에게도 육체노동의 굴레를 씌우면서 자원을 탕진했으며, 자기 능력을 인정받으려고 시도하는 하층 계급 성원들을 가로막았다. 그러나 학교와 제조업은 점차 능력을 가진 사람에게 문호를 개방했다. 이는 각 세대의 똑똑한 아이들에게 지위 상승의 기회를 부여하려는 조치였다. 지능 지수가 130 이상인 사람의 비율을 끌어올릴 수는 없었지만, 직장에서 자기 능력을 최대한 발휘하라고 요구받는 사람의 비율은 꾸준히 늘어났다. 그 결과 러더퍼드 같은 재벌, 존 메이너드 케인스 같은 경제학자, 에드워드 엘가 같은 음악가가 나타났다. 문명은 둔감한 대중, 곧 일반적 감각을 지닌 사람에게 달려 있는 것이 아니다. 문명은 창조적 소수, 곧 한 번의 손놀림으로 1만 명의 노동을 절감할 수 있는 혁신가, 놀라운 눈으로 바라볼 수밖에 없는 총명한 소수, 유전적 세습을 생물학적 사실만이 아니라 사회적 사실로 만들어가는 엘리트들에 달려 있다. 능력이 우월한 엘리트들에 대한 교육은 그들의 특권을 유지하는 방향으로 진행되었다. 그로 인해 엘리트들의 권력은 한없이 커지고 있다. 발전이란 곧 엘리트들의 승리이며, 현대 세계는 엘리트들의 금자탑이다.

그렇지만 만약 사회 발전에 따르는 희생을 무시한다면 우리는 인간관계의 영역에서 은밀히 퍼지는 이기심의 희생양이 된다. 능력을 성공의 척도로 삼는 풍조가 우리에게 어떤 부작용을 일으켰는지를 살펴야 한다. 한 명을 선택할 때마다 얼마나 많은 사람이 버려지는가! 지금까지 우리가 버려진 사람들의 처지를 제대로 헤아리지 못했고, 따라서 그런 사람들에게 필요한 분배를 하지 못한 사실을 이제 솔직하게 인정하자.

[사] 요즘 사회적 약자를 배려하여 결과의 평등을 이루고자 하는 제도들이 많이 있죠? 그중 오늘 소개할 내용은 '배리어 프리(barrier free)'예요. '배리어 프리'란 고령자나 장애인들도 살기 좋은 사회를 만들기 위해 물리적·제도적 장벽을 허물자는 운동을 말해요. 1970년대 초반부터 미국, 스웨덴, 일본 등의 선진국을 중심으로 휠체어를 탄 고령자나 장애인들도 일반인과 다름없이 편하게 살 수 있도록 주택이나 공공시설을 지을 때 문턱을 없애자는 운동으로 시작되었어요. 그러다가 2000년 이후에는 물리적인 개념뿐만 아니라 자격, 시험 등을 제한하는 제도적·법률적 장벽을 비롯해 각종 차별과 편견, 나아가 장애인이나 노인에 대해 사회가 가지는 마음의 벽까지 허물자는 의미로 폭넓게 사용되고 있죠.

우리나라에서도 이 개념을 받아들여 '무장애 도시'를 만들기 위해 노력하고 있는 지방 자치 단체가 있어요. 그 도시는 바로 2015년 7월, 전국 최초로 무장애 도시를 선언한 △△시예요. △△시는 장애인과 노약자가 불편없이 일상생활을 할 수 있는 여건을 갖추어 모두가 살기 좋은 도시를 만들자는 목표로, '무장애 도시' 관련 조례를 제정하여 도시 내 시설의 장애물을 제거하고 있어요. 횡단보도에 배리어 프리 디자인을 도입했고, 식당, 병원, 대형 마트, 금융 기관 등 사람들이 많이 이용하는 시설에 '문턱 없애기' 운동을 추진하고 있어요. 시민들도 자발적 성금, 재능 기부, 봉사 활동 등을 통해 여기에 적극적으로 참여하고 있죠.

[아] 모든 역사적 과정에는 대부분 일정한 과오가 있게 마련입니다. 하지만 그렇다고 해서 본질이 바뀌는 것은 아닙니다. 마르크스가 말한 자본가들의 착취나 수탈이 경제 발전과 부의 축적 과정에 영향을 준 것은 사실이지만, 그것은 말 그대로 '영향' 정도로 평가해야 합니다. 근본적으로는 기술 개발을 위한 창조적인 노력과 새로운 분야를 개척했던 모험정신이 발전의 동력이었다고 봐야 합니다. 그렇기 때문에 재분배 문제도 사회적인 조건을 중심으로 생각하기보다는 개인의 재능과 노력에 기초한 기여도의 문제로 접근해야 합니다. 다시 말해서 재분배의 문제는 정당한 취득과 권한의 원리, 즉 소유권의 테두리 내에서 이루어져야 합니다. 모든 개인은 자신의 삶을 자율적으로 기획하고 이를 실현하기 위하여 노력합니다. 그래서 그가 취득한 재산이 정당한 노력의 대가로 이루어진 것이라면, 그 결과가 비록 현저한 불평등으로 나타나더라도 그것은 정의를 위하여 치러야 할 대가로 봐야 합니다. 그 결과가 불평등으로 나타난다고 해서 여기에 불만을 갖는 것은 타당하지 않은 것입니다.

누군가는 나의 논리를 '강자의 논리'라고 하는데, 그것은 어쩔 수 없는 것입니다. 결과의 정당성은 불평등의 규모에 따른 게 아니라 취득 수단과 과정에 달려 있기 때문입니다. 또한 정의의 원칙은 개인의 소유권에 기초하여 이루어지는 교환의 공정성에서 찾아야 합니다. 저는 이러한 공정한 교환을 보장하는 것이 곧 시장이라고 봅니다. 따라서 차등의 원칙에 의한 재분배는 오히려 개인의 권한에 대한 부당한 간섭이자 사회정의에 대한 침해에 해당합니다.

[논제 Ⅰ]

제시문 [가] ~ [마]를 유사한 관점을 가진 것끼리 분류하고 요약하시오.

[501자 이상 ~ 600자 이하: 배점 30점]

[논제 Ⅱ]

[논제 Ⅰ]의 두 관점 중 자신은 어느 관점을 지지하는지 그 이유를 서술하고, 그 관점에서 [바], [사], [아]를 평가하시오.

[601자 이상 ~ 700자 이하: 배점 40점]

[논제 Ⅲ]

국가 A에는 학생들이 가장 입학하기를 원하는 10개의 상위권 대학들이 있고 대학입학 시험 결과에 따라 입학이 결정된다. 연구자 K는 상위권 대학들에 어떤 학생들이 다니는지 살펴보기 위해 재학생 부모의 소득 수준을 분석했고 그 결과는 아래의 <자료 1>과 <자료 2>에 나타나 있다. <자료 1>은 상위권 대학 내에서 부모의 소득분위(x축)별 학생의 비율(y축)을 나타낸다. 예를들어 부모의 소득분위가 99라는 것은 부모의 소득이 상위 1%에 속한다는 것을 의미한다. <자료 1>에서 소득분위 99에 해당하는 y값은 13.8로 이는 상위권 대학 재학생의 13.8%는 부모의 소득이 상위 1%에 속한다는 것을 의미한다. 반면에 부모의 소득

이 중위소득 미만인 학생의 비율은 부모의 소득분위가 0에서부터 49까지의 학생 비율을 모두 합해서 계산되는데 이는 8.3%이다. <자료 2>는 상위권 졸업생의 각 연령별 평균소득과 그 이외 대학 졸업생의 연령별 평균소득을 나타낸다.

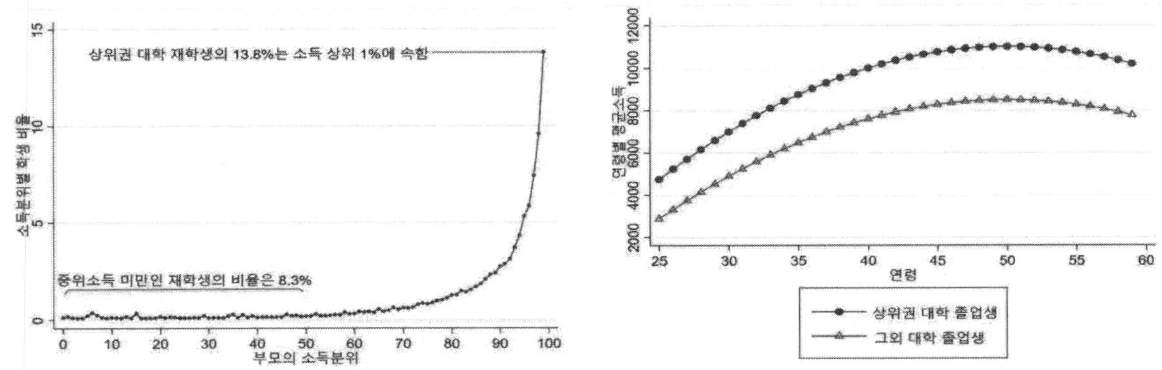

(1) <자료 1>과 <자료 2>의 결과들이 [논제 Ⅰ]의 두 관점 중 어느 쪽을 비판하는 근거가 될 수 있는지 설명하시오.

(2) 학생이 상위권 대학에 입학할 확률은 학생의 노력 $x(0 \le x \le \frac{1}{2})$와 부모의 소득 수준(고소득층과 저소득층의 두 계층으로 구분)에 의해서 결정된다. 학생이 상위권 대학에 입학하지 못하면 그 이외의 대학에 입학하게 된다. 부모가 고소득층에 속하는 학생이 상위권 대학에 입학할 확률은 노력의 2배인 $2x$이며, 저소득층인 학생이 입학할 확률은 그 학생이 들인 노력 수준과 같은 x이다. 학생이 들인 노력에 따라 비용이 발생하는데, 고소득층 부모를 둔 학생의 비용은 $5x^2$이며 저소득층 부모를 학생의 비용은 $4x^2$이다. 국가 A의 화폐단위는 비트이고 상위권 대학에 입학하면 평생 동안 10비트의 소득을 얻으며 상위권 대학에 입학하지 못하면 9비트의 소득을 얻게 된다.

학생의 노력 수준이 임의의 x일 때 부모가 고소득층인 학생의 순소득(평생소득-비용)의 기댓값과 저소득층 학생의 순소득의 기댓값을 각각 계산하여 x의 함수로 나타내시오. 그리고 순소득의 기댓값을 최대로 하는 노력 수준을 고소득층에 속하는 학생과 저소득층에 속하는 학생 각각에 대해 구하시오. 이 결과를 바탕으로 제시문 [아]를 평가하시오.

[수식을 사용하여 주어진 답안지 양식 범위 내에서 자유롭게 쓰시오.: 배점 30점]

13. 2022학년도 경희대 모의 논술 [인문체육계]

※ 다음 제시문을 읽고 논제에 답하시오.

[가]

2014년 5월 27일 파키스탄의 제2 도시인 펀잡주의 라호르시 고등법원 앞에서 파르자나 파르빈(25)이 아버지와 오빠에 의해 돌에 맞아 살해당했다. 가족의 허락 없이 무함마드 이크발(45)과 결혼해 가족의 명예를 더럽혔다는 것이 이유였다. 파르빈은 임신 3개월인 상태였다. 파르빈은 그의 가족들이 이크발을 납치 혐의로 고소했기 때문에 자신의 뜻으로 결혼했다는 증언을 하기 위해 남편과 함께 법원으로 가던 중이었다. 하지만 법원 앞에서 기다리고 있던 가족들은 파르빈에게 벽돌을 던지고 방망이를 휘둘렀다. 딸을 숨지게 한 아버지는 경찰에 잡혀가면서도 "딸이 허락 없이 결혼을 해 가족 모두를 모욕했기에 살해했다."며 "후회하지 않는다."고 말했다고 로이터통신 등이 보도했다. 파키스탄에서 명예살인은 불법이지만 파키스탄 인권단체 아우랏재단에 따르면 매년 이렇게 숨진 여성이 약 1,000명이나 된다. 대부분의 명예살인이 정부의 행정력이 잘 미치지 않는 시골 지역에서 발생하지만, 이번 사건은 대도시 중심가에 있는 법원 앞에서 대낮에 일어났다는 점 때문에 파키스탄 내에서도 충격을 주고 있다.

[나]

"남자들은 저 편리한 대로 신의니 뭐니 잘도 갖다 대더군요. 우리가 혼인한 것이 약속이니 지켜야 한다고 합시다. 하지만 어찌 그 약속을 여자 홀로 지켜야 하는 것입니까? 당신이 그 약속을 저버리고 저를 돌보지 않으니 제가 약속을 지켜야 할 상대는 어디 있는 겁니까? 차라리 전 팔자를 고쳤으면 합니다."

"사대부집 아녀자가 어찌 입에 담아선 안 될 험한 소리를 하오? 당신이 인륜을 저버리고 예의, 염치도 모르는 행동을 하리라곤 생각할 수 없소."

"인륜? 예의? 염치? 그게 무엇이지요? 하루 종일 무릎이 시도록 웅크리고 앉아 삯바느질을 하는 게 인륜입니까? 남편이야 무슨 짓을 하든 서속이라도 꾸어다가 조석을 봉양하고, 그것도 부족해서 술친구 대접까지 해야 그게 예의라는 말입니까? 하루에 열두 번도 더 청소하고 빨래하고 설거지하는 게 염치를 아는 겁니까? 아무리 굶주려도 찍소리 못하고 눈이 짓무르도록 바느질을 하고 그러다 아무 쓸모없는 노파가 되어 죽는 게 바로 인륜이라는 거지요? 나는 그런 터무니없는 짓 않겠습니다. 분명 하늘이 사람을 내실 때 행복하게 살며 번성하라고 내셨지, 어찌 누구는 밤낮 서럽게 기다리고 굶주리다 자식도 없이 죽어버리라고 하셨겠는가 말이에요?"

[다]

근대윤리학은 도덕적 이성의 핵심적 특징은 불편부당성이라고 설정한다. 그리고 모든 합리적 행위 주체에게 똑같은 보편적인 관점을 각 행위 주체가 채택할 때에만 이기주의를 피하고 객관성을 확보할 수 있다고 본다. 불편부당성의 이상은 이렇게 보편적이고 객관적인 '도덕적 관점'을 추구하면서 나온 결과물이다.

도덕 이론가나 합리적 행위 주체는 어떻게 도덕적 관점에 도달할까? 도덕적 이성의 성찰 대상인 상황의 개별 특수성을 남김없이 사상(捨象)하는 방식을 통해서이다. 불편부당하게 추론하는 자는 상황의 개별 특수성에 거리를 두고 그에 관심을 가지지 않는다. 즉, 이성은 도덕적 추론이 일어나는 상황의 구성 요소인 개별적이고 특수한 경험들과 역사들을 사상시켜 버린다. 불편부당한 추론을 수행하는 자는 또한 그 자신이나 타인이 상황에 대해 가지게 되는 감정, 욕구, 이해관계, 가치지향 및 다짐을 사상시켜 버린다. 끝으로, 불편부당한 추론을 수행하는 자는 보편적인 추론을 수행한다.

불편부당한 이성의 목표는 구체적인 행위 상황의 외부에서 판단하는 도덕적 관점을 취하는 것이다. 구체적인 주체들이나 주체들 집합의 관점, 속성, 성격과 이해관계를 넘어서는 초월적 '관점'이 그러한 도덕적 관점이다.

[라]

내부 고발의 영어 표현 'whistle blowing'은 영국 경찰관이 호루라기를 불어 위법 행위를 경계하고 시민의 위험을 경고하던 데서 유래한 말이다. 내부 고발은 조직이나 집단의 전·현직 구성원이 조직이나 집단 내에서 발생한 불법, 부정부패, 비리, 예산 낭비 등의 문제를 영향력 행사가 가능한 사람이나 감독·수사 기관 등에 알리는 행위다. 내부 고발자들이 자신의 목소리를 낸다는 것은 많은 고민과 엄청난 용기를 필요로 한다. 동료나 자신의 잘못을 인정해야만 하는 데다가 옳은 길을 가기 위한 선택으로 인해 손가락질을 받는 경우도 많기 때문이다. 1990년대에는 감사원 감사 비리, 군 부정 선거, 보안사 민간인 사찰 등 정권과 관련된 내부 고발이 주를 이루었으나, 2000년대 들어서는 인천 신공항 부실 시공, 적십자사 혈액 관리 부실, 자동차 리콜 지연, 불량 밀가루 유통, 사학재단 비리 등 안전, 건강, 교육 등 생활과 밀접한 분야로 내부 고발이 확대되었다. 이런 일들은 소속 집단 내부의 이해관계보다 시민으로서 개인의 자유로운 판단에 의해 가능한 것이었다. 한 일간지의 보도에 따르면 1990년 이후 이뤄진 내부 고발 102건을 추적한 결과 진상 규명에 기여하거나 조직 또는 제도 변화를 이끈 경우는 62건(전체의 60.8%)인 것으로 나타났으며, 군부재자 영외투표 개정과 일명 '도가니법' 제정처럼 제도나 시스템 개선을 성공시킨 내부 고발은 청렴 사회의 디딤돌 역할을 해 왔다.

[마]

무릇 신민(臣民)이 된 자가 충성과 의리를 숭상하면 나라가 흥하고 백성이 편안해진다. 반면 불충하고 불의하면 나라는 무너지고 백성은 멸망한다. 우리 2,000만 동포가 나라가 어려움에 처한 때를 만나 어느 한 사람 결심하지도 않고 아무런 계획도 세우지 않은 채 단지 황상(皇上)이 지극히 근심하시는 것만 바라보면서 수수방관한 채 멸망으로 치닫고 있다면, 이것이 과연 합당한 일인가? 근래의 역사를 한 번 살펴보면, 나라가 무너져서 멸망한 이집트·베트남·폴란드 등의 민족이 모두 증거가 될 수 있다. 그들은 단지 자기 몸과 자기 집만 알았을 뿐 군주와 국가를 생각하지 않아 결국 스스로 멸망하고 말았다. 지금이 바로 정신을 차리고 충성과 의리를 분발할 때가 아닌가? 지금 나라의 빚이 1,300만 원이며, 이는 우리 대한제국의 존망에 관계된 일이다. 이를 갚으면 나라를 보존하게 되고 못 갚으면 나라를 잃고 만다. 형세가 여기에 이르렀으나 현재 국고로는 보상하기가 어렵다. 그러므로 삼천리 강토는 장차 우리나라가 아니게 될 것이다.

일반 국민도 이 국채 보상에 대한 의무에 대해 모른 체하거나, 참여하지 않겠다고 말할 수 없다. 모두가 보상에 참여해야만 성공할 수 있다. 2,000만의 백성이 3개월 동안 담배를 끊고 그 돈을 각 사람마다 20전씩 낸다면 1,300만 원을 모을 수 있다. 만약 부족하다면 1원, 10원, 100원, 1000원 등 따로 기부를 받으면 될 것이다. 사람이 마땅히 감당해야 할 의무이니만큼 잠시 결심만 하면 된다. 부족한 우리들이 이렇게 발기하여 경계하는 글을 계속 내면서 피눈물을 흘리는 마음으로 바라는 것은, 우리 대한의 군자들이 모두 보고 말과 글로 서로 경고하여 모든 사람이 이 내용을 알고 실천하는 것이다. 이를 통해 위로는 황상의 은혜에 보답하고 아래로는 강토를 지킬 수 있다면 천만다행이라 생각한다.

[바]

지적재산권은 특허, 저작권, 상표로 보호받는 발명품 등 창작물을 의미한다. 지적재산 보호는 무단 복제를 방지하고 원작자가 금전적인 보상을 받을 수 있게 해준다. 또한 혁신 기업에 단기적인 생산 독점권을 부여해 기업의 개발 비용을 충당하고 투자를 장려한다. 그런데 코로나19 백신과 관련하여 개발도상국이 심각한 백신 부족 문제에 직면하면서, 일부 전문가들은 백신 제조사들이 백신에 대한 지적재산권을 해제하여, 제품생산 기술 등 노하우를 일종의 공공재로 개발도상국들에게 전수해야 팬데믹의 극복에 실질적인 효과가 있을 것이라고 주장했다.

하지만 백신 특허권 면제를 반대하는 입장 또한 존재한다. 생명공학 기업들은 지적재산권 보호가 코로나19 백신을 기록적으로 짧은 기간 안에 생산하는 동기를 제공했다고 주장한다. 그리고 제약업계에 종사하는 반대론자들은 특허 면제로 백신 부족 문제를 해결할 수 없을 것이라고 말했다. 토마스 쿠에니 국제제약협회연맹 사무총장은 BBC 투데이 프로그램에서 "(특허 면제가 아니라) 공급체인에서의 부족 문제를 해결해야 하고, 지금 부유한 국가들이 초기 백신 물량을 가난한 국가들에게 나눠주지 않는 실망스러운 현실이 문제"라고 말했다. 또한 독일 정부는 6일 성명에서 백신 특허권 면제 제안에 대해 반대하며, "백신 생산 전반에 중대한 영향을 미칠 것"이라고 밝혔다. 또 "백신 생산을 제약하는 건 생산능력 및 높은 품질기준 때문이지 특허 때문이 아니"라며 제약사들은 이미 협력사와 손잡고 백신 제조를 늘리고 있다고 밝혔다. 이런 상황에서 특허 포기가 아니라 제약사들이 특허료를 받고 기술 이전을 통해 라이선스 생산을 늘리는 게 현실적이라는 시각도 있다.

[사]

서양 근대의 산물인 자유주의는 삶을 옥죄던 공동체의 가시적 비가시적 강제로부터 개인을 해방시켰고, 이는 민주주의와 자본주의의 성장에 이바지했다. 그런데 경제적 신자유주의의 확산 속에서 사회적 양극화와 불평등이 심화되자 자유주의의 기초인 개인의 권리가 비사회적 개인주의를 낳아 공동체의 존립과 발전을 저해한다며, 공동체의 덕성을 중시한 공동체주의 사상이 등장했다. 공동체주의에서는 공동체적 유대, 공동체 구성원에 대한 상호적 돌봄의 의무, 공동체의 목적에 기여하는 참여 등을 공공선으로 간주하며, 사회적 존재인 개인의 자유와 권리는 공공선보다 우선하지 않는다고 주장한다. 공동체주의자들이 보기에 자유주의는 공동체의 가치를 무시하거나 약화시키고, 가치 있는 삶을 위한 정치적·사회적 참여와 공적 의무의 중요성을 경시한다. 자유주의자들은 개인 권리의 선험적 근원적 우선성을 강조하지만, 개인은 홀로 존재할 수 없고 자신처럼 자유와 권리를 지닌 타인들과 함께 사회를 구성함으로써 존재가치를 갖게 된다. 따라서 자신의 이익과 권리를 위해서라도 공공선과 공동체적 발전을 추구해야만 한다

[논제 I]

[다]의 시각에서 [가]와 [나]의 상황에 대해 평가하시오.

[801자 이상 ~ 900자 이하: 배점 50점]

[논제 II]

[라], [마], [바], [사]에서 입장이 유사한 두 집단으로 짝지어 그 중 한 입장을 요약하고 이에 기초하여 다른 입장을 비판하시오.

[801자 이상 ~ 900자 이하: 배점 50점]

14. 2022학년도 경희대 모의 논술 [사회계]

※ 다음 제시문을 읽고 논제에 답하시오.

[가]

1919년 4월 11일 대한민국임시정부 헌법(「임시헌정」) 제1조에 명시된 민주공화주의 이념은 서양 정치철학사에서 찾아보기 힘든 합성어이다. 서양 정치철학의 전통에서 민주주의와 공화주의 이념은 지배 형식과 통치 형식을 지칭하는 용어로 수준을 달리하며 또한 오히려 일상적인 의미에서는, 오늘날 미국의 양대 정당의 명칭이 시사하듯, 평등과 자유 사이에 일정한 긴장을 수반하기도 한다. 이런 이유로 1776년의 「미국독립선언문」이나 1779년의 「미국 헌법」 어디에서도 이 단어는 나타나지 않는다. 또한 1789년 프랑스혁명의 「인권선언」이나 프랑스공화국 헌법 어디에도 이 개념은 찾아볼 수 없다. 서구 현대 국가 일반과 현재의 대한민국 헌법에도 많은 영향을 미친 독일 바이마르 공화국 헌법은 「임시헌정」보다 몇 달 뒤인 1919년 8월에 제정되었지만, 여기서도 이 개념은 없다. 또한 동아시아에서 첫 번째 공화 혁명이었던 신해혁명으로 만들어진 중화민국도 민주공화주의를 제창하지는 않았다. 민주공화주의는 우리 애국지사들이 당시 노골화하던 제국주의적 침탈의 세계사적 조류를 거슬러 일본의 국권 강탈과 국토 침략에 저항하기 위해 만들어낸 독창적인 정치철학적 이념이며, 국권 회복을 위한 치열한 고뇌를 담아낸 자생적 개념이다.

[나]

751년 7월, 고구려 출신 당나라 장군 고선지는 군사를 이끌고 현재의 카자흐스탄 탈라스강 근처에서 이슬람군과 전투를 벌였고, 크게 패하였다. 이때 수만 명의 당나라 병사가 포로로 붙잡히게 되었는데, 그들 중에는 종이를 만드는 제지(製紙) 기술자가 포함되어 있었다. 이렇게 탈라스 전투는 중국의 제지술이 이슬람 세계에 퍼지는 직접적인 계기가 되었다. 당시 양가죽을 말려 두드린 양피지를 주로 사용하던 중동 지역에는 굉장한 신상품이 나타난 셈이었다. 제지술의 전래로 이슬람 제국의 문학과 학문은 크게 발달하였다.

[다]

독일어와 같은 게르만어인 영어는 외래어.외국어에 대해 독일어가 취했던 것과는 전혀 다른 태도를 취했다. 이미 고대 영어 시절부터 라틴어 단어를 폭넓게 받아들였던 영어는 1066년 노르망디 공 윌리엄의 영국 정복 이래 프랑스어에 깊이 침윤되었다. 지배층은 오로지 프랑스어만을 사용했고, 영어는 피지배 계급의 '천한' 언어였으나, 그 천한 언어에도 지배 계급의 언어가 수혈되어 영어 어휘부에서 프랑스어/라틴어 계열이 차지하는 비중은 점점 늘어났다. 두 개의 중요한 사건이 없었다면 아마 영어는 프랑스어에 눌려 영국 영토에서도 소멸되고 말았을 것이다. 그 사건 가운데 첫 번째는 1204년에 영국이 노르망디의 영토를 잃어버린 것이다. 이것은 영국의 왕실이 자신들의 고향인 유럽 대륙의 프랑스어 사용 지역을 프랑스 왕에게 빼앗김으로써 영국과 프랑스어권과의 영토적 관련이 끊겼다는 것을 의미한다. 두 번째 사건은 1337

년부터 1453년까지 지속된 백년전쟁이다. 이 전쟁은 영국인의 애국심을 고양시킴으로써 '천한 언어'인 영어에 대한 애착을 불러일으켰다. 백년전쟁 기간 중인 14세기 중엽에 영어는 공용어의 지위를 되찾았지만, 이 중세 영어는 적어도 어휘에 있어서는 반 이상이 고대 프랑스어가 되어 버린 언어였다.

그러나 영국인들은 자기들 언어에 깊숙이 들어온 프랑스어를 배척하려 하지 않았다. 영어가 공용어가 된 뒤로도 여전히 궁중의 일부와 법정에서는 프랑스어가 사용되었다는 사실도 이런 너그러움의 이유가 되었다. 영국의 법정이 프랑스어를 포기하고 영어를 채택한 것은 18세기에 이르러서였다. 말하자면 영어와 프랑스어는 영국 땅에서 7백 년 가까이 동거한 셈이다. 그래서 영어는 영국에서 공용어의 지위를 되찾은 뒤에서 프랑스어로부터 끊임없이 새로운 단어를 수혈받았다. 그 단어들은 정치, 법률, 행정, 예술, 과학, 종교 등 상부 구조 전반에 걸친 것이었다. 오늘날 영어 단어 가운데 비교적 고급스러운 말들은 대체로 프랑스어에서 온 말들이다.

영어는 프랑스어나 유럽의 고전어들뿐만 아니라, 어떤 외래어에도 저항을 보인 일이 없었다. 영국이 영어의 중심이었을 때도 이미 영어 속에는 세계 구석구석이 원산지인 단어들이 들어 있었고, 20세기 들어 영어의 새로운 중심이 된 미국의 영어는 이미 수백 년 전부터 아메리카 원주민들의 언어에서 많은 어휘를 차용했다. 그것은 영어를 위해 정말 다행스러운 일이었다. 수많은 언어로부터 영어에 흡수된 풍부한 어휘는 영어에 미세한 결들을 만들어 이 언어의 발달과 세련화에 크게 기여했기 때문이다.

[라]

봄은
남해에서도 북녘에서도
오지 않는다.

너그럽고
빛나는
봄의 그 눈짓은,
제주에서 두만까지
우리가 디딘
아름다운 논밭에서 움튼다.

겨울은,
바다와 대륙 밖에서
그 매운 눈보라 몰고 왔지만
이제 올
너그러운 봄은, 삼천리 마을마다
우리들 가슴속에서

움트리라.
움터서,
강산을 덮은 그 미움의 쇠붙이들
눈 녹이듯 흐물흐물
녹여 버리겠지.

[마]

걸프 사회를 이해하기 위해서는 사회의 기초를 이루고 있는 가정, 그리고 가정의 중심에 서 있는 여성을 이해하는 것이 필수적이다. 걸프 사회가 다른 사회와 구별되는 보수성과 폐쇄성의 중심에 바로 여성이 자리 잡고 있기 때문이다. 국가에 따라 약간의 차이가 있기는 하지만 걸프 사회는 사회적, 문화적, 종교적 정통성의 상징을 사회의 기초가 되는 가정, 즉 여성에 대한 통제를 통해 구현해 내고 있다. 여성들은 사회적으로 격리되어 가정 내의 한정된 역할만을 수행하도록 강요당하며, 이동의 자유도 제한받고 있다. 외국 여행은 물론 국내 여행을 위해서도 반드시 후견인의 동의나 동행이 필요하다. 이슬람법 샤리아(Sharī'ah)에 기초한 가족법은 혼인과 이혼에서 남성에게 절대적인 권한을 부여하고 있으며 여성에게는 혼인이나 이혼 문제에서 스스로의 운명을 선택할 여지가 매우 제한되어 있다. 남녀 간의 유별은 여성들에게 교육의 권리와 선택의 폭을 제한하고 있으며, 교육받은 여성의 사회 참여도 교육이나 보건 등의 한정적인 분야에 제한되어 있다.

그러나 세계화 시대 정보통신기술(ICT)의 발달에 따른 뉴미디어의 확산은 걸프 지역의 사회 변화에 도화선 역할을 할 가능성을 보이고 있다. 전통적으로 걸프 국가들은 체제에 위협이 되거나 이슬람적 가치에 반하는 내용을 차단하기 위해 엄격한 사전 검열을 통해 미디어를 통제해 왔다. 그러나 이러한 검열과 통제는 오히려 검열되지 않은 뉴미디어에 대한 국민들의 열망을 불러일으켰으며, 뉴미디어에 대한 국가의 장악력은 뉴미디어가 가지는 기술적 특성으로 약화될 수밖에 없었다. 다양한 뉴미디어 가운데에서도 일차적으로 일대다(one-to-many) 방식의 위성 방송은 걸프 지역 사람들에게 '닫힌 사회'로부터 탈출하여 '열린 사회'를 들여다볼 수 있는 돌파구가 되었으며, 이차적으로 다대다(many-to-many) 방식의 인터넷은 여성을 포함한 걸프 사회의 젊은 층에 깊숙이 침투되면서 걸프 사회의 변화를 예고하고 있다.

[바]

한반도의 춤과 노래의 기원은 많은 남녀가 모여 함께 술을 마시며 춤추고 노래를 불렀다는 고대 사회의 제천 의식 기록에서 찾을 수 있다. 고대 제전의 면모는 오늘날 풍어제나 대동굿 같은 무속 제의와 무당을 통해 미루어 짐작할 수 있다. 신의 의사와 인간의 기원을 악기와 무가를 통해 노래하고, 신의 모습이나 다양한 인간사를 춤과 몸짓으로 표현하는 무속인은 연기자와 가수, 무용수라는 점에서 한반도 공연예술의 기수이자, 한류의 선조라 볼 수 있다. 한편 사회가 발전하여 유흥의 자리에서 예능인의 기예를 감상하려는 일반인의 요구에 부응하면서 기녀와 가객 같은 전문 예능인 부류가 파생되었다. 대표적인 예로 기녀 황진이와 작가 남영로가 만든 소설 속 캐릭터 강남홍을 들 수 있는데, 이들은 가무와 문예의 재능을 완벽히 갖춘 이상적인 여성 예능인상으로서 한류의 전범이자 모델의 지향점이기도 하다. 말로 이야기할 부분을 리듬에 맞추어 열거한다는 점에서 팝의 랩과 판소리의 아니리는 상통한다. 4.4조 2음보 연첩의 율격을 빠른 템포로 구연하는 코리안 팝의 특징은 판소리의 자진모리와 휘모리 장단의 창에서 유사한 성격을 찾을 수 있다. 또 빠른 템포로 창송하여 엮어 내는 가사의 창법은 골계화, 장편화되어 길어진 노랫말을 빠른 속도로 엮어 내는 엮음 사설의 민요적 전통에서는 팝의 랩과 유사한 기능과 리듬감이 나타난다.

[사]

정부가 3일 정부서울청사에서 청년고용 지원 규모를 104만 명으로 확대하는 '청년고용 활성화 대책'을 발표했다. 코로나19사태로 청년 취업난이 심각해지자 고용노동부가 기재부와 교육부 등 관계 부처와 합동으로 특별 대응책을 내놓은 것이다. 이에 따라 정부의 올해 청년고용 지원 규모가 당초 79만4천 명에서 24만6천 명 더 늘었고, 관련 예산도 4조4천억 원에서 5조9천억원으로 증가했다. 청년 실업이 늘면 사회가 불안해지는 만큼 해소 대책이 시급하다. 청년들은 코로나19로 더욱 좁아진 취업 기회에 좌절하고 있다. 지난해 청년 취업자 수는 2019년보다 18만3천 명 감소했다. 체감 실업률도 25.1%로 늘어났다. 코로나19사태가 장기화됨에 따라 기업과 서비스 업체에서 경기 침체를 이유로 채용을 축소했다. 그중에서도 청년 일자리가 급격하게 줄었다. 청년 실업의 상승으로 인한 청년들의 노동시장 진입의 지연과 근로 경험의 상실은 청년들에게 지속적인 부정적 영향을 미칠 수 있고 궁극적으로 경제 발전에 부정적인 요인으로 작용할 수 있다. 이번 정부 대책은 기업 지원을 통한 청년층 민간 일자리를 확대하는 것에 초점을 맞추고 있다. 조기 경기 회복 가능성이 높지 않은 탓에 민간의 획기적인 고용 개선을 기대하기 어려워 정부가 특별 지원에 나설 수밖에 없다. 그 결과 5만 명이었던 '청년 디지털 일자리사업' 대상이 11만 명으로 늘어난다. 중소기업의 청년 신규 채용을 유도하기 위해 '특별 고용 촉진 장려금' 대상 5만 명 중 2만 명을 청년층에 우선 지원하기로 했다. 민간 기업이 더 많은 청년을 채용할 수 있도록 정부는 지원을 아끼지 말아야 할 것이다.

[아]

우리가 가난한 이웃을 도와주듯, 지구촌 선진국이 가난한 나라를 돕는 일은 자연스럽다. 선진국들로 구성된 경제협력 개발기구 개발원조위원회(OECD DAC)가 가난한 나라의 경제 발전과 빈곤 퇴출을 위해 공적개발원조(ODA) 프로그램을 운영하고 지원하는 것도 같은 맥락이다. 물론 우리나라도 기획재정부, 한국수출입은행, 대외경제협력기금(EDCF Korea), 한국국제협력단(KOICA), 비정부단체(NGO) 등이 나서 유상과 무상으로 많은 나라를 원조한다.

문제는 원조의 딜레마다. 좋은 뜻이 반드시 좋은 결과를 낳지는 않는다는 이야기가 원조에도 적용된다. 예를 들어 아프리카 원조는 '원조가 과연 도움이 되기나 한 것일까'라는 회의를 갖게 한다. 아프리카 남중부에 있는 잠비아의 경제학자 담비사 모요는 "원조는 도움이 안 된다. 과거에도 그랬고 미래에도 그럴 것이다. 사실 원조 자체가 문제다."라고 말했다. 모요의 '원조 비관론'은 원조의 부패 구조와 관계가 있다. 대부분의 원조는 정부와 정부가 주고받는 형태다. 아프리카 등 후진국 정치 구조는 독재 구조다. 무상이든 유상이든 정부를 통해 지원이 되면 상당 규모의 원조가 독재자 개인 재산으로 빼돌려진다. 이 같은 부패는 원조가 실행되는 하부 단계에서 연쇄적으로 일어나 원조가 정작 경제 개발이나 발전에 쓰이지 않게 된다. 국제통화기금(IMF)의 라구람 라잔과 어빈드 서브라마니안은 "어떤 종류의 원조도 국가 경제 성장을 유발했다는 증거를 찾지 못했다."는 연구 조사 결과를 내놓기도 했다.

이들이 든 예가 바로 잠비아다. 1960년 이래 잠비아가 받은 원조는 지속적으로 늘었으나, 같은 기간 성장률은 오히려 추락했다. 원조는 또 원조 이익을 두고 정치 세력 간 극단적인 정쟁을 부추기는 요인으로 작용한다. 정치적 안정이 없는 가난한 나라에서 원조는 큰 이권에 해당한다. 이권을 놓고 벌이는 정치적 갈등은 '전부 아니면 전무' 게임으로 악화되게 마련이다. 원조가 기업가 정신을 북돋우지 못한다는 지적도 있다. 예를 들어 무상 원조를 통해 많은 상품이 쏟아져 들어오는 순간, 부족하나마 시장에서 거래되던 자국의 상품 시장이 죽게 된다. 우리나라가 북한에 다양한 상품과 의약품, 의복, 식량 등을 공짜로 지원해 주면 그나마 형성된 북한의 장마당이 문을 닫는다고 한다. 공짜 물량이 쏟아져 들어오는데 거래가 될 리 없다. 노벨경제학상 수상자인 앵거스 디턴은 "시혜적인 원조는 삶을 스스로 개선하려는 노력을 떨어뜨린다."고 지적했다.

[논제 1]

제시문 [가]~[마]를 같은 관점을 가진 것끼리 분류하고 요약하시오.

[401자 이상 ~ 500자 이하: 배점 30점]

[논제 2]

[논제 1]의 두 관점 중 자신은 어느 관점을 지지하는지 그 이유를 서술하고, 그 관점에서 [바], [사], [아]를 평가하시오.

[601자 이상 ~ 700자 이하: 배점 40점]

[논제 3]

국가 A는 고용된 근로자 수가 20인 미만인 기업을 소기업으로 정의하고, 이들이 성장할 수 있도록 각종 지원 정책을 시행하기로 결정했다. <자료 1>은 국가 A에서 소기업 지원 정책을 시행한 전후로 피고용 근로자 규모별 기업의 분포 변화를 정리한 것이다. 도표의 점선 왼쪽에 있는 기업들은 근로자 수가 20인 미만으로 소기업에 해당한다. 한편, 국가 B는 산업구조 변화에 따라 장년층의 고용 상황이 악화됨에 따라 사회 안전망을 강화하고 이들의 경제 활동을 지원하기 위해 만 50세 이상의 모든 국민에게 매월 50만원을 지급하는 정책을 시행했다. <자료 2>는 새로운 사회보장 정책 시행 전후로 연령별 고용률의 변화를 나타낸다. 도표의 각 점은 출생 연도 및 출생 월이 같은 사람들의 고용

률을 나타내며, 점선의 오른쪽에 있는 만 50세 이상의 사람들이 새로운 정책의 수혜 대상이다. 두 국가 모두 정책 시행 전후로 다른 조건의 변화는 없었다. <자료 1>과 <자료 2>를 해석하고, 이 자료들이 [논제 1]의 두 관점 중 어느 쪽을 지지하는 근거가 될 수 있는지 설명하시오.
이를 바탕으로 제시문 [사]의 견해를 평가하시오. [501자 이상~600자 이하 : 배점 30점]

<자료 1> 소기업 지원 정책 시행 전후 근로자 규모별 기업의 분포

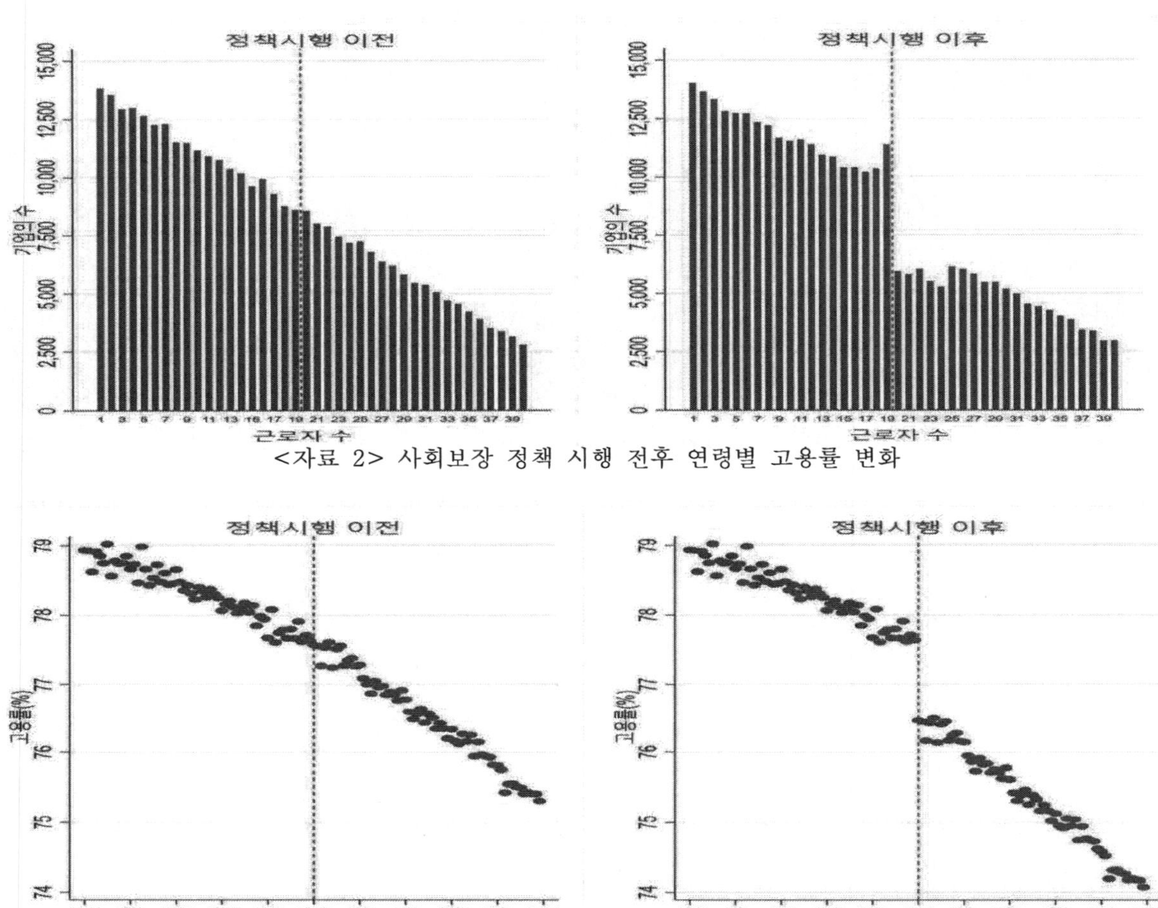

<자료 2> 사회보장 정책 시행 전후 연령별 고용률 변화

15. 2021학년도 경희대 수시 논술 [인문체육계]

※ 다음 제시문을 읽고 논제에 답하시오.

[가]

개인은 흔히 정부나 기업의 감시 대상이고, 역학 관계에서 그들에게 속절없이 밀리기 십상이다. 자신의 정보가 불법 수집, 분석, 저장, 공유되고 있다고 하더라도 그 사실 자체를 모르거나 알게 된다고 해도 속수무책이다. 우리는 권력 기관이 감시의 수준을 높이더라도 그것이 직접 체감할 수 있는 침해의 형태로 나타나지 않는다면 별로 문제 삼지 않는다. '정부든 누구든 감시하면 어때? 나는 아무것도 잘못한 게 없으니 괜찮아.'라는 반응을 보일 것이다. 그러나 IT 보안 전문가 브루스 슈나이어는 다른 관점을 제시한다. 화장실에 갈 때, 샤워를 하며 노래를 부를 때, 우리는 무슨 잘못을 저지르는 게 아니다. 직장 상사 모르게 다른 일자리를 찾거나, 홀로 명상을 위해 은밀한 장소를 찾는 행위도 잘못이라고 볼 수 없다. 죄를 짓는 것은 더더욱 아니다. 프라이버시는 주어진 장소와 상황, 맥락에 맞는 페르소나*를 발현할 수 있게 해 준다. 페르소나는 가정에서, 일터에서, 공공장소에서 저마다 다르게 나타난다. 만나는 사람에 따라 변별적으로 작동된다. 그렇다면 프라이버시는 우리 각자의 인격과 사회적 얼굴을 보장하는 '인권'이다.

그런데 누군가가 우리를 지켜보고 있다는 것을 깨닫는 순간, 주변에 설치된 감시 카메라를 인식하는 순간, 우리는 다른 사람이 된다. 우리 자신이 아닌 다른 사람으로 가장하고 연기한다. 말과 행동에 의도적 제약을 가하게 된다. 표현의 자유를 간접적으로 위축시키는 이른바 '냉각 효과 (chilling effect)'이다. 프라이버시의 참뜻을 이해한다면, 잘못한 게 없어도 프라이버시의 필요성을 깨닫게 된다. 이 지점에서 일상의 디지털 환경에 대한 새로운 시각이 요구된다. 우리는 지금도 인터넷과 스마트폰, 소셜 미디어를 통해, 웨어러블 컴퓨터와 집 안의 '사물인터넷'을 통해 온갖 정보를 공유하며 또 공개하고 있다.

* 페르소나(persona): 우리가 외부로 표현하는 개인의 이상적 측면. 개인이 자신의 역할을 안전하게 수행하면서 주변 세계와 상호관계를 맺는데 요청됨.

[나]

푸코는 원형 감옥 파놉티콘(panopticon) 모델을 한 사람의 권력자가 만인을 감시하는 현대 정보사회의 상징으로 읽는다. 파놉티콘에는 바깥쪽으로 원주를 따라 죄수를 가두는 방이 있다. 중앙의 원형 공간에는 간수가 위치하는데, 그는 죄수의 일거수일투족을 감시할 수 있다. 파놉티콘의 구조적 특징으로 인해 죄수는 자신을 감시할 수 있는 간수의 시선을 의식하고, 그 시선 규율을 벗어나는 행동을 자제하게 된다. 그런데 사회학자 보인은 최근 사회적 질서가 바뀌었다고 말한다. 감시보다는 대비와 예방에 초점을 둔 사회, 감시의 쌍방향성이 나타나는 탈파놉티시즘 사회가 되었다는 것이다.

오늘날 인터넷과 같은 쌍방향 분산 네트워크는 큰 변화를 야기하고 있다. 이제 "빅

브라더가 당신을 감시하고 있다."라는 전통적인 주장은 "바로 당신 감시하는 빅 브라더이다."라는 말로 대체된다. 시민과 다양한 NGO들에 의한 정부 권력 감시, 기업의 개인 정보 유출에 대한 감시, 의정과 언론에 대한 감시, 그리고 정보 공개권의 확보 등이 가능해지면서 역감시 기제의 작동이 활발해지고 있다. 기업의 소비자 정보 수집도 피감시자의 자발적인 실천과 협조를 거치곤 한다. 특히 쌍방향 네트워크의 발전으로 정보 공개도 투명해지고 있다. 이로써 다수의 보통 사람들이 소수의 권력자를 감시하는 시놉티콘(synopticon) 모델이 나타나고 있다. 시놉티콘은 권력자와 대중이 동시에 서로를 감시하는 체계다. 사회학자 라이언이 지적했듯이, 감시는 '야누스의 두 얼굴'을 가지고 있다.

[다]

장작불 잦아들고
몇 걸음씩 뒤로 물러나 있던
어둠이 성큼 다가와 있다
잣나무숲에 닿아 멈춘
어둠의 끝은 은하 저쪽 끝까지
곧바로 연결되어 있다
잣나무숲 속에는
전원이 없다
핸드폰을 끄고

침낭 속으로 들어가
얼굴을 내민다
내 얼굴과 어둠 사이에
아무것도 없다
마침내 언플러그드
빈틈없는 어둠
꿈 없는 잠
나는 탈주에 성공한 것이다

[라]

인공지능의 미래에 대해 활발한 논의를 펼쳐온 로봇공학자 한스 모라벡은 1988년 마음의 아이들(Mind Children)이란 책을 펴낸다. 이 책에서 모라벡은 2040년까지 사람처럼 보고 말하고 행동하는 로봇이 개발된다고 전망한다. 이런 로봇이 출현하면 놀라운 속도로 인간의 능력을 추월하기 시작할 것이다. 결국 2050년 이후 지구의 주인은 인류에서 로봇으로 바뀌게 될 것이다. 이 로봇은 소프트웨어로 만든 인류의 정신적 자산, 이를테면 지식·문화·가치관을 모두 물려받아 다음 세대로 넘겨줄 것이므로 자식이라 할 수 있다. 모라벡은 인류의 미래가 사람 몸에서 태어난 혈육보다는 사람 마음을 물려받은 기계, 곧 마음의 아이들에 의해 계승되고 발전되며 진화할 것이라고 주장한다. 궁극적으로 모라벡은 마음 업로딩(mind uploading) 시나리오를 제시한다. 뇌 속에 들어 있는 사람 마음을 로봇과 같은 기계 장치로 옮기는 것을 마음 업로딩이라고 한다. 사람 마음이 로봇 속으로 몽땅 이식되면, 사람은 말 그대로 로봇이 될 것이다. 로봇 안에서 사람 마음은 사멸하지 않게 되므로 디지털 불멸(digital immortality)이 가능해진다.

[마]

린 랜돌프, 〈실험실, 혹은 앙코마우스의 수난〉, 1994

앙코마우스TM＊는 생득적인 인간의 몸 안에 발생한 문제를 극복하기 위해 고안된 존재다. 그/그녀는 포유동물이면서 유방암을 야기하는 인간의 종양 유전자, 앙코진(oncogene)의 거처다. 그/그녀는 우리의 희생양이며, 우리가 겪어야 할 고통을 견뎌야 한다. 일방적 특권을 가진 우리에게 '암 치료'를 약속하는 존재로 살아가야 한다. 그/그녀의 존재에 찬성하든 안 하든 간에 그/그녀는 인간의 생명 연장을 위해 계속 육체를 내줘야 한다. 그리하여 그/그녀의 인생은 실험 무대다. '암 치료'를 위한 탐구라는 우리의 수십억 달러짜리 프로젝트를 운명적으로 수용해야만 한다. 우리 중 누군가는 언젠가 앙코마우스TM나 그/그녀의 후속 모델 설치류에게 큰 빚을 지게 될 것이다. 앙코마우스TM는 고유성을 가진 단일 개체로 호명되기 어렵다. 다양한 상품의 이식 유전자 연구 생쥐 중 한 부류일 뿐이다. 그/그녀는 질병, 즉 미국 여성 ⅛이 걸린다는 유방암의 살아 있는 동물 모델이다. 앙코마우스TM는 초국가적 자본의 교환 회로에서 평범한 상품으로 흘러 다닐 것이다.

유래 없는 특허품인 그/그녀는 거대한 비유, 그 자체이기도 하다. 그/그녀는 흡혈귀처럼 혈통의 순수성, 종 구분의 확실성, 성과 젠더의 선명성 등을 즉각적으로 교란하는 존재다. 일차적으로 그/그녀의 가치와 활용에 대한 판단은 유방암에 걸린 이들의 몫일 것이다. 그러나 그/그녀가 던지는 질문은 훨씬 더 광범위한 성찰을 요한다. 우리는 그/그녀를 이용하려는 욕망의 이면에서 공포를 느껴야 한다. 그/그녀가 비약적인 개선의 가능성에 대한 비유라는 것은 사실이다. 그러나 그만큼 심대한 침해에 관한 비유라는 점도 직시해야 한다.

* TM: 상표(trademark)를 가리키는 기호. 사업자가 자신이 취급하는 상품을 타인의 상품과 식별하기 위하여 상품에 사용하는 표시.

[바]

인간향상(human enhancement)은 과학기술을 이용하여 인간의 건강 수명 연장이나 노화의 완화를 비롯하여 지적, 신체적, 정서적, 심리적 능력의 개선 혹은 강화를 꾀하는 것을 의미한다. 향상이라는 표현 자체만을 본다면, 마치 인간 존재의 나아짐으로 귀결되는 것처럼 보인다. 그러나 과학기술을 통해 향상되는 것은 인간의 부분적인 능력이다. 더 똑똑하고 신체적으로 강건한 사람이라고 해서 반드시 더 나은 사람인 것은 아니다. 인간 존재의 나아짐은 개인뿐 아니라 사회 실천적 차원에서 지금보다 더 윤리적인 삶을 살게 되는 것이며, 윤리는 나와 타인 사이의 관계에 관한 것이다. 더 많은 사람들이 자신의 가치 지향에 맞춘 삶을 살면서 동시에 타자와의 윤리적 관계를 지속해야 인류가 더 나아진다고 말할 수 있다.

생명보수주의자는 인간의 가치를 위협한다고 생각해 향상기술을 거부한다. 하지만 인류가 기술 문명과 함께 인간의 가치를 증진시켜 왔다는 사실은 부인하기 어렵다. 그래서 중요한 것은 인간 존재의 나아짐을 위해 향상기술을 사용하는 태도다. 이에 대해서는 큰 틀에서 두 가지 방향으로 생각해 볼 수 있다. 먼저 개인적 자율성을 중시하는 이들은 인간향상이 도덕적 개인의 합리적 선택을 통해 결정되어야 할 문제라고 주장할 것이다. 그들은 향상기술 안에 존재하는 위험이 시장의 자율적 기능에 의해 조정되고 해소될 것이라고 믿을 것이다. 두 번째로 사회적 공공성을 중시하는 이들은 향상기술의 안전한 관리와 윤리적 공유를 위해 시민, 국가, 인류 공동체의 노력이 필요하다는 태도를 취할 것이다. 만약 인간향상을 개인과 시장에 맡긴다면, 활용과 접근의 측면에서 새로운 불평등이 초래될 수도 있다. 통제되지 않는 방향으로 비약적인 변화가 나타날 가능성도 배제하기 어렵다.

향상 기술은 그 자체로 더 나은 인간을 만들어 주지도, 더 나은 사회나 삶을 보장해 주지도 않는다. 관건은 삶의 가치와 인류 공동체의 행복 증진을 위해 기술을 활용하려는 의지다. 그런 점에서 정부나 사회단체, 개별 시민 모두가 민주적 공론장을 열어가야 한다. 그곳에서 새로운 향상기술과 함께 출현할 수 있는 윤리적 논점을 공유하며 인간향상의 방향을 모색해 갈 필요가 있다.

[논제 I]

제시문 [가]와 [나]의 내용을 요약하고, 논지의 차이를 서술하시오.

[601자 이상 ~ 700자 이하: 배점 40점]

[논제 II]

제시문 [바]의 관점을 서술하고, 이를 바탕으로 제시문 [다], [라], [마]에 나타난 상황이나 입장을 평가하시오.

[1,001자 이상 ~ 1,100자 이하: 배점 60점]

16. 2021학년도 경희대 수시 논술 [사회계 오전]

※ 다음 제시문을 읽고 논제에 답하시오.

[가]

사회 갈등은 구성원 간 충돌을 일으키고, 이를 해결하기 위한 사회적 비용을 발생시킨다. 사회 갈등을 해결하고 통합에 이르기 위해서는 다른 가치들의 충돌을 합리적으로 조정하고 서로 간의 자발적 합의를 추구해야 한다. 이에 따라 담론 윤리의 필요성이 대두되었다.

담론 윤리의 대표적 연구자인 하버마스(Habermas)는 현대 사회의 다양한 문제를 해결하기 위한 공정한 담론 절차를 강조하면서 자유로운 대화를 통한 상호 합의가 있어야 한다고 주장하였다. 이를 위해 하버마스는 올바른 대화의 기준으로, 서로 무슨 뜻인지 이해할 수 있고, 그 내용이 참이어야 하며, 상대방이 성실히 지킬 것을 믿을 수 있고, 말하는 사람들의 관계가 평등하고 수평적이어야 함을 제시한다. 이렇게 이루어진 담론을 통해 우리는 보편적 도덕 규범에 합의할 수 있고, 그 도덕 규범에 따라 갈등을 바람직한 방향으로 해결할 수 있다.

인간은 고립되어 살아가지 않으며 사회의 일부로서 공동체의 일에 참여하고 서로 긴밀하게 연결되어 있다. 사회 구성원들 간에 담론 윤리를 바탕으로 한 소통과 연대가 필요한 이유이다. 국가는 이들의 자유로운 담론 교환을 보장하고 그 결과를 정책에 반영해야 한다. 사회 구성원들이 도덕 규범에 따라 대화에 참여하고 합의를 지향하는 열린 태도를 가져야 사회 갈등을 극복하고 통합에 이를 수 있다.

[나]

통일은 기적처럼, 또는 폭풍우처럼 밀어닥쳤다. 우리는 전혀 준비되어 있지 않았고, 질서 있는 통일 과정을 위해 우리 자신을 추스를 시간적 여유도 없었다. 베를린 장벽 붕괴 이후 처음 몇 달 동안은 매우 혼란스러웠다. 동독 주민들은 헌법과 법률에 따라 서독 주민들과 같은 사회적 권리(연금, 건강 보험, 장기 요양 보험, 실업 수당, 공공 부조 등)를 보장받게 되었다. 그러나 동독 경제의 붕괴에 따라 발생하는 사회적 비용을 주로 서독이 부담해야 한다는 부작용이 발생했다. 동독과 서독의 통합 방식은 대부분 일방적이었다. 서독이 거의 모든 통제권을 가지고 통일 과정을 조율하고 이끌었다. 따라서 동독인은 자신들의 요구가 모두 수용되지 않았음에도 서독인과 지도자들을 따를 수밖에 없었다. 그러나 이제 독일인에게 전쟁의 저주와 고통의 가능성은 현저히 줄어들었다. 동독 주민들은 정치적 자유와 선거의 자유를 누리게 되었다. 동독 지역은 서독 주민들과 크게 다르지 않은 생활 수준을 누릴 수 있는 매력적인 지역으로 탈바꿈하고 있다.

[다]

최근 정부는 국민연금의 소득 대체율*을 50%로 상향 조정한다고 전격 발표하였다. 국민연금은 세대 간 연대에서 비롯되는 사회 보장 제도이기 때문에 미래 세대가 현 세대를 부양하는 부담을 짊어져야 한다. 보험료 부담이 높아질 수밖에 없는 청년층은 이번 개정안에 대해 반발하는 반면, 국민연금을 받고 있거나 수급을 코앞에 둔 50대 이상 장·노년층은 개정안을 반기고 있다. 연금 개혁에 참여한 한 국회의원은 "출산율이 떨어지고 평균 수명은 늘어나는 등 인구 구조가 변하는 상황에서 소득 대체율의 상향 조정은 현재 청년 실업 등을 겪고 있는 미래 세대에게 부담을 준다."라며 세대 갈등의 가능성을 지적하였다. 이에 반해 노년 빈곤층이 급격히 증가하고 있어서 노후의 삶을 보장해 줄 수 있는 국민연금의 혜택을 더욱 확대해야 한다는 주장도 있다. 청년층도 언젠가는 노년층으로 진입하게 될 것이기 때문에, 장기적으로 보면 연금 제도로 인한 혜택을 전 세대가 고루 나눌 수 있다는 것이다. 정부 관계자는 "현재 정부안에 대한 강한 반발이 있지만, 이 방안이 국가 통합과 장기발전을 위한 가장 현실적 대책"이라며 "정부를 믿고 지지해 달라."고 말했다.

* 소득 대체율: 본인의 평균 소득을 기준으로 해서 퇴직 후에 어느 정도의 연금을 받을 수 있는지를 나타내는 비율

[라]

단층선 분쟁은 서로 다른 문명에 속한 국가나 무리 사이의 집단 분쟁이다. 단층선 분쟁은 폭력을 동반한 전쟁으로 비화하기도 한다. 이 전쟁은 나라들 사이에서, 비정부 집단들 사이에서, 혹은 나라와 비정부 집단 사이에서 일어날 수 있다. 나라 안의 단층선 분쟁은 지리적으로 명확히 구분된 지역에 다수의 인구가 거주하는 집단들 간에 벌어지는 충돌이다. 이는 지리적으로 혼재되어 있는 집단들 사이에서도 발생한다. 인도의 힌두교도와 이슬람교도, 말레이시아의 이슬람교도와 화교처럼 지속적인 긴장 관계가 폭력으로 분출되거나, 신생국이 들어서면서 국경선이 확정되고 주민들을 강제로 이주시키려는 시도가 강행되어 전면전으로 치닫기도 한다. 단층선 분쟁은 때로는 주민들을 장악하려는 투쟁의 양상으로 나타나지만 대개는 영토 분쟁의 양상을 띤다. 당사자들 중에서 최소한 한 진영의 목표는 그 지역의 통합을 위해 영토를 점령한 뒤 다른 진영 사람들을 내쫓거나 죽이거나 둘 다를 감행함으로써, 다시 말해서 '민족 청소'를 함으로써 이 지역에서 다른 진영 사람들이 뿌리내리지 못하도록 만드는 데 있다. 갈등을 빚는 영토는 한 진영에게 또는 양 진영 모두에게 자신들의 역사나 정체성과 관계가 있는, 고도의 상징성이 깃든 지역이다. 그 성스러운 땅은 신성 불가침의 권리를 가진다고 그들은 믿는다. 요르단 강 서안, 캐슈미르, 나고르노-카라바흐 드리나 계곡, 코소보가 그런 곳들이다.

[마]

'도심 속의 거리 박물관'으로 불리는 북촌도 관광 명소로 주목받으며 개발과 보존을 둘러싼 갈등을 비켜갈 수 없었다. 일부 주민들은 관광객 안내소 건립에 대해 "북촌 고유의 모습을 훼손하는 일"이라며 반대하고 나섰다. 반면, 지자체와 다른 주민들은 적극적 개발을 통해 지역 사회 발전의 기회로 삼아야 한다고 목소리를 높였다.

안내소는 계획대로 건립됐다. 결과만 놓고 보면 주무 기관인 구청과 건립을 찬성하는 주민들의 일방적 승리처럼 보이지만, 그 과정을 살펴보면 그렇게만 볼 게 아니다.

구청은 갈등 해결 과정에서 과거처럼 일방적으로 결정하고 강하게 밀어붙이는 행정 방식을 탈피했다. 주민 정서와 의견을 반영해 이해 당사자들 간의 대화와 협의를 시도했다. 전문가 설명회, 주민 간담회, 지역 단체 회의 등 주민들과의 대화가 여러 차례 열렸다. 그 결과 설계안이 변경됐고, 완공도 당초 계획보다 지연됐다. 이런 과정을 거쳐 다양한 의견을 통합한 최종안이 나왔고, 일부 반대 의견은 잦아들었다. 한 주민은 "주민들 사이에 갈등이 있었는데, 모두 최종 합의에 따라주었다."라며 "상호 합의한 뒤에는 추가 이견 없이 안내소 건립이 신속히 진행될 수 있었다."라고 전했다.

[바]

유럽 통합은 그 자체가 목적이 아니라 민족 공동체의 발전과 번영을 위한 수단이라는 시각이 유럽 내에 널리 확산되어 있다. 유럽의 다양한 민족이 평화롭게 공존하기 위해 통합이 필요하다는 주장은 유럽 통합의 역사에서 가장 공식적으로 통용된다. 서유럽이 두 차례의 세계 대전 등 대규모 민족 간 전쟁으로 비참한 결과를 경험한 20세기 중반은 평화주의적이고 국제주의적인 사상적 조류가 강한 시기였다. 특히 프랑스와 독일의 화해는 유럽 전역에 평화를 가져올 것으로 기대되었고 유럽 통합은 프랑스와 독일의 공동 보조 아래 추진되었다.

역사적으로 19세기 유럽에서는 국민국가 간 크고 작은 전쟁이 이어졌고, 20세기에는 제국주의적 민족주의의 충돌이라고 할 수 있는 제1차 세계 대전 등 전쟁이 반복되었다. 이런 상황을 딛고 장기적인 평화가 가능하였던 것은 유럽 통합의 제도적 형식을 취한 프랑스와 독일의 화해가 중요한 역할을 하였기 때문이다. 프랑스와 독일의 제도화된 협력이 양국에게 평화 공존과 경제 번영이라는 혜택을 가져왔다면, 주변의 크고 작은 국가에게도 평화로운 환경을 제공해 주었다. 자국의 정책이나 결정과 상관없이 전쟁에 휘말려야 하였던 베네룩스 3국이 유럽 통합에 적극적이었던 이유를 여기서 찾을 수 있을 것이다.

유럽 연합은 회원국이 27개국에 달할 정도로 확장되었다. 오랜 대립과 반목의 관계를 겪었던 국가들이 자발적인 합의로 작은 분야부터 통합을 시도하여 마침내 경제뿐만 아니라 정치와 외교 분야까지 통합을 시도하고 있다는 사실은 실로 놀라운 일이다.

[사]

역동적인 사회에서는 언제나 적대가 종횡으로 교차한다. 이곳에는 각 진영이 자신의 관점을 활발하게 제시하며 서로 대립하는 헤게모니*적 기획들 간의 갈등이 항상 존재한다. 이러한 갈등을 사회 발전의 장애로 보고 완벽하게 해결하려는 시도는 가능하지 않다. 오히려 사회가 제대로 기능하기 위해서는 서로 다른 입장들 사이의 갈등이 필요하다. 갈등을 혐오하면서 조화를 지나치게 강조하면 사회 참여에 대한 무관심과 불만을 야기할 뿐이다. 특히 민주주의 사회에서 갈등 이슈에 대한 다양한 대안들을 놓고 서로 논쟁하기를 권장하는 것은 이 때문이다.

생동감 있는 사회를 위해서는 단순한 갈등을 넘어선 '경합'이 필요하다. 적대적 진영들이 각자의 관점을 가지고 열정적으로 대립하면서도, 상대 진영의 싸울 권리를 인정해야 한다. 적대 진영을 싸움의 상대로 존중하는 토대 위에서 활발한 의견 대립을 펼치는 '경합적 투쟁'이 요구된다. 통합을 통해 완벽한 사회가 만들어질 수 있다는 것은 환상이다. 반대의 여지를 남겨두고 그것이 지속적으로 표출될 수 있는 제도를 마련해야 한다.

* 헤게모니: 한 집단이 다른 집단을 대상으로 행사하는 정치·경제·문화적 영향력

[논제 Ⅰ]

제시문 [가]~[바]를 비슷한 관점을 가진 것끼리 분류하고, 각 제시문을 요약하시오.

[401자 이상~500자 이하: 배점 30점]

[논제 Ⅱ]

제시문 [사]가 말하고자 하는 바를 서술하고, 이를 근거로 제시문 [라], [마]를 평가하시오.

[601자 이상~700자 이하: 배점 40점]

[논제 Ⅲ]

H구청은 관광객 안내소를 건립하고자 한다. H구청은 1번부터 6번까지의 안내소 위치를 제안하였고, 구민들은 그 중 하나를 선택하여야 한다. H구에서는 안내소 위치를 둘러싼 구민들의 의견을 반영하고자 간담회가 계속 열리고 있다. H구의 갈등지수는 안내소 위치에 대한 구민들 간의등 정도를 수치로 나타낸 것으로, 0부터 10까지의 값을 갖는 실수이다. 갈등지수가 0이면 구민들 간 대립이 없다는 것을 의미하고, 값이 커질수록 대립이 심화된다는 것을 뜻한다. H구의 갈등지수를 x라 하고, H구 구민의 간담회 참여율(%)을 y라 하자. 간담회 참여율은 갈등지수의 함수이며, 갈등지수가 1일 경우 간담회 참여율은 27%이다. 간담회 참여율 함수의 도함수(y')는 일차함수이며, 다음과 같은 두 가지

(ㄱ) 갈등지수가 3.7일 경우, 도함수의 값은 5번 제안이 탈락되었을 때 1번, 3번, 6번 중 하나가 선택될 확률이다. (단, 각 제안이 선택될 확률은 동일하다.)
(ㄴ) 도함수의 x절편 값은 4이다.

조건을 만족한다.

(1) H구 구민의 간담회 참여율(%) 함수를 구하고, 이를 X-Y평면을 이용하여 닫힌구간 [0, 10]에 대해 x절편, y절편 값을 표시하여 그리시오.
(2) 갈등지수가 5일 경우 간담회 참여율(%)을 구하고, 그 결과 값과 (1)에서 구한 x절편, y절편 값을 이용하여 제시문 [사]의 관점을 평가하시오.
[수식과 그래프를 사용하여 주어진 답안지 양식 범위 내에서 자유롭게 쓰시오.]

[배점 30점]

17. 2021학년도 경희대 수시 논술 [사회계 오후]

※ 다음 제시문을 읽고 논제에 답하시오.

[가]

오늘날 디지털 경제에서는 산업 간 경계가 무의미해짐에 따라 기업들은 업종 사이의 융합 없이는 경쟁력을 유지할 수 없게 되었다. 이제는 한 분야만 잘해서는 지속 가능한 성장을 기대하기 어렵다. 예를 들어 아마존, 이베이, 카카오, 페이스북, 네이버 등의 업종 경계가 거의 없다. IT 업체인지, 금융 회사인지, 유통 업체인지 해당 기업들도 스스로의 업종을 명확하게 구분하기가 어려울 것이다. 한국인이 가장 많이 사용하는 토종 소프트웨어의 상징인 '훈글'을 만든 한컴그룹은 블록체인, 인공지능, 로봇, 드론, 모빌리티 등을 포함한 15개 계열사와 함께 빠른 속도로 성장하고 있다. '훈글'만 고집했다면 이루지 못할 일이었고, 디지털 시대에 맞는 첨단 업종을 융합하여 가능한 일이었다. 농촌에서도 산업 간 융합을 통해 새로운 활로를 모색하고 있다. 농촌 융·복합 산업은 농촌의 유·무형 자원(1차 산업)을 바탕으로 식품, 특산품 제조 가공(2차 산업) 및 유통·판매, 체험, 관광(3차 산업) 등을 연계하여 새로운 부가 가치를 창출하는 활동으로 6차 산업이라고 불린다. 이는 농업 생산물에 창의력과 상상력을 더하여 다양한 형태의 가공 상품(건강식품, 생활용품 등)과 관광 체험 서비스 상품 등을 개발하는 것으로 지역 경제 활성화에 도움이 될 것이다. 대관령 양떼 목장은 지금은 누구나 다 아는 명소이지만 알고 보면 6차 산업 시스템을 도입해 더 성공한 사례이다.

[나]

이민자들이 낯선 문화적 환경을 이기고 새로운 삶을 성공적으로 살아나가는 것은 쉬운 일이 아니다. 특히 이민자들은 사회·문화적 동화의 요구에 직면할 수밖에 없다. 자민족 중심주의(ethnocentrism)에 맞닥뜨리게 되는 것 또한 이민자들의 현실이다. 자민족 중심주의란 다른 문화를 판단하거나 규정할 때 자신의 민족적 정체성과 가치 판단을 기준으로 한다는 것이다. 누구나 세계를 바라볼 때 어느 정도는 자기중심적인 사고를 할 수밖에 없다. 그래서 이민자들을 자신들의 세계와 전혀 다른 집단으로 인식하게 된다. 이민자들도 이에 대응하기 위해 같은 국가·민족별로 유대를 형성하고 공동 주거지인 민족집단거주지(ethnic enclave)를 만들어 그들만의 문화 공동체를 형성함으로써 타국에서 받는 스트레스를 해소하고 문화적 평안을 찾는다. 민족 공동체 자체가 하나의 생산과 소비의 시장 역할을 동시에 하므로 이민자들은 민족 공동체 안에서 일자리를 구할 수도 있다. 또한 이민자들이 민족적 집단으로 독자적인 영역을 구축함으로써 정치적인 영향력을 행사할 수 있다.

[다]

국민 참여 경선 제도는 정당의 공직 후보자 선출 시 당원뿐만 아니라 일반 국민도 후보자 선출에 참여하도록 하는 제도이다. 국민 참여 경선 제도의 대표적 사례로 미국의 개방형 예비 선거(open primary)를 들 수 있다. 개방형 예비 선거에서는 정당의 공직 후보자 선출 시 당원 여부와 관계없이 모든 유권자에게 투표권을 주기도 한다. 우리나라 정당들도 대통령 또는 국회의원 후보자를 대의원, 당원, 일반 국민의 투표와 여론 조사 방식으로 선출하는 방향으로 점차 나아가고 있다. 그러나 국민 참여 경선 제도는 긍정적 취지에도 불구하고 여러 한계를 지닌다. 학자, 언론인, 정치인 중에는 그 제도의 단점을 들어 더 이상의 확대를 반대하는 사람들도 있다. 그들이 지적하는 가장 큰 문제는 일반 국민이 공천 과정에 참여함으로써 정당의 정체성이 약해진다는 것이다. 정당의 색채가 불분명해진다면 경쟁 관계에 있는 정당들 상호 간에는 차별성이 뚜렷하게 드러날 수 없다. 그렇게 될 경우 정당은 정치적 견해를 같이하는 사람들이 정권을 획득하여 자신들의 정강을 실현하기 위해 조직한 단체라는 대전제가 흔들리게 된다. 정체성과 노선이 불분명한 정당이 어떻게 국민에게 명확한 공약을 제시해 선택 받고, 어떻게 일관된 방향으로 국정 운영을 할 수 있으며, 어떻게 국정 결과에 대해 정치적 책임을 질 수 있겠는가. 국민 참여 경선 제도는 민주적 성격을 띠는 듯이 보이지만, 자칫하면 민주주의의 핵심 요소인 정당의 존재 가치를 희석시키고 정당 정치를 위축시켜 민주주의에 타격을 가할 수도 있다는 점을 주지할 필요가 있다.

[라]

무굴 제국은 16세기 초부터 19세기 중반까지 오늘날의 인도 북부부터 파키스탄, 아프가니스탄에 이르는 지역을 지배한 이슬람 왕조이다. 무굴 제국의 3대 황제인 아크바르(Akbar)는 활발한 정복 활동으로 대제국을 건설하였다. 아크바르는 거대한 제국의 영토를 소수의 이슬람교도로만 통치하는 것이 불가능하다는 것을 깨닫고, 다른 종교를 존중하는 정책을 펼쳤다. 이에 따라 힌두교도에게 거두어 오던 인두세를 폐지하고, 관직과 군대를 힌두교도에게도 개방하였다. 또한 아크바르 자신도 힌두교도와 결혼하는 등 적극적으로 비이슬람교와의 화합을 추진하여 사회 안정을 도모하였다. 그리고 아크바르는 여러 종교인뿐만 아니라 무신론자, 학자, 성자들까지 초대하여 종교와 사상에 관한 토론을 벌였다. 이러한 종교의 장벽을 뛰어넘으려는 노력 덕분에 무굴 제국 초기는 인도 역사에서 황금기라고 불린다. 특히 힌두 문화와 이슬람 문화의 융합으로 발달한 건축, 문학, 음악 등은 오늘날에도 인도에 상당한 영향을 미치고 있다. 무굴 제국의 대표적 건축물인 타지마할에는 힌두 문화와 이슬람 문화가 잘 어우러져 있다.

[마]

코로나19는 국가 간 교역을 크게 위축시키고 있다. 유엔 무역투자개발회의(UNCTAD)가 발표한 '2020 무역 개발 보고서'에 따르면 올해 1~5월 세계 수출은 지난해 같은 기간과 비교해 8.8% 감소했다. 이처럼 세계 무역이 위축된 것은 글로벌 경제 성장 둔화와 코로나19에 따른 각국의 봉쇄 정책 및 교역 비용 증가 등에 의한 것으로 풀이된다. 국경 폐쇄로 인한 국제 무역의 감소는 각국의 경제에도 부정적인 영향을 미치고 있다. 그러나 과연 그게 전부일까. 만약 사람들이 느끼는 공포가 과장되거나 조작된다면 세계는 무역 장벽 등과 같은 거대한 장애물로 점철된 길을 따라 나아갈 것이다. 일부 정치인들은 벌써부터 코로나19의 책임을 구멍 뚫린 국경과 이민자 탓으로 돌리려 하고 있다. 이탈리아, 프랑스, 독일 그리고 스페인의 극우 정당들 역시 경쟁적으로 공포를 조장하며 국경 통제 강화를 촉구하고 나섰다. 코로나19에 제대로 대처하는 방법은 국경을 폐쇄하거나 무역 장벽을 높이는 것보다 지구촌 차원의 정보 및 의사소통의 개선과 협력을 강화하는 것이다. 실제로 미·중 무역 분쟁으로 높아진 무역 장벽이 코로나19에 대한 대응을 어렵게 했다. 미국 정부가 중국산 제품에 부과한 높은 관세는 코로나19 대응에 필요한 방역복, 개인보호장비, 컴퓨터 단층 촬영시스템 등 의료용품의 부족 현상을 심화시켰다.

[바]

'타다'. 탄생부터 찬반이 팽팽했던 이 서비스를 둘러싼 갈등 양상이 최근 정부·업계·시민단체가 한꺼번에 얽힐 정도로 복잡해졌다. 한편에선 타다 대표의 기소와 타다금지법이 상정되고, 다른 한편에선 혁신 기업에 대한 억압이라며 반발한다. 타다 측은 '기사를 포함한 렌터카 대여서비스'로 택시와 다르다고 주장한다. 하지만 경제 문제는 수사(修辭)가 아닌 시장으로 판단해야 한다. 타다의 시장은 택시 시장과 딱 겹친다. 우리가 혁신 기업을 지지하는 이유는 새 기술 때문이 아니라 새로운 일터와 수익원을 창출하고 삶의 질을 높여줄 것이라는 기대 때문이다. 그런데 타다는 새 시장을 개척한 게 아니라 새 기술로 영세한 서민의 생계를 공격하는 형태의 비즈니스 모델이다. 현재의 1,000여 대는 실험적이라 쳐도, 내년까지 1만 대로 늘린다고 한다. 이는 상생이나 시장 혼란에 따른 사회적 비용 같은 건 괘념치 않는 발상이다. 결국 타다는 택시 업계의 영역을 침범하면서 택시 시장의 매출을 감소시킬 것이다. 우버·에어비앤비 같은, 기존 업종과 겹치는 공유 경제 모델로 인해 다른 나라들에서도 대립 양상이 전개되고 있다. 새로운 서비스의 위협으로부터 기존 산업을 보호하기 위한 각종 정부 규제를 마련해야 한다. 정부 규제란 정책적 목표의 실행 수단으로, 시장 거래가 비효율적이고 불공평한 결과를 초래하는 경우 반드시 필요하다.

[사]

영호남 연극제는 영호남 지역의 특성을 살리면서 서로 교류하는 과정을 통해 연극의 발전과 영호남 지역의 단합을 도모하는 행사이다. 연극 협회장은 "다른 축제들과 다르게 영호남 연극제는 지역 갈등에서 벗어나 동서 화합과 지역 연극의 발전을 위해 개최된 것이니 더욱 의미가 있다."라고 강조한다. 영호남 화합 줄다리기는 영호남을 연결하는 최초의 다리인 섬진교 개통 80주년을 맞아 2016년부터 매년 봄꽃 개화 시기에 맞춰 광양시, 하동군, 구례군의 교류 행사로 정례화되었다. ○○ 군수는 "이 행사를 통해 이웃사촌의 상생 발전과 동서 화합을 염원한다."라고 말한다. 영호남을 잇는 이러한 행사들을 여러 지방 자치 단체가 주요 공공 사업으로 격상시키고 예산으로 뒷받침하고 있어 고무적이다. 지방 자치 제도가 자기 지역의 발전뿐 아니라 지역 간의 화합이라는 취지도 포함한다는 데에 이견이 있을 수 없다. 그 동안 우리나라는 특히 영호남 간의 지역 갈등으로 불필요한 정치적·사회적·경제적 비용을 지불해 왔다. 이제는 중앙 정부도 지역 간 화합을 지방 자치 단체나 민간 단체에게만 맡기지 말고 적극적으로 나서 인재 등용, 균형 개발 등 제도적 차원에서 구체적인 정책을 강구해야 한다. 지역에 따른 배타적 장벽이 낮아져야 정치 안정과 경제 번영을 누릴 수 있다. 인종 갈등에 관련된 외국의 사례이지만, 미국 연방 정부가 인종 간 분리를 없애고 인종 화합을 도모하기 위해 교육·주거·도시개발 등의 정책 분야에서 기울인 노력과 성과로부터 교훈을 얻을 필요가 있다.

[아]

정치철학자 구딘(R. Goodin)은 민주주의에 대한 당위적 이상론을 제시한다. 그의 논의는 민주주의 사회의 시민은 성찰할 수 있어야 한다는 대전제로부터 출발한다. 즉, 다른 사람들의 생각과 이익에 대해 내 마음속에서 성찰하는 내재화 과정을 거쳐야 한다는 것이다. 구딘은 성찰 과정에서 가장 핵심이 감정이입(empathy)이라고 주장한다. 우리는 다른 사람들의 입장에 감정이입을 하고 마음속 상상의 세계에서 그들과 나 자신 사이의 민주적 대화를 진행해야 한다. 감정이입과 마음속 대화의 과정은 자유롭고 신축적이다. 그것은 필요하다면 우리 공동체의 사람들과 마음속에서 연결되어 유대감이나 일체감을 키울 수 있게 해 준다. 또 필요하다면, 다른 공동체의 사람들과도 마음속에서 연결되어 이해와 관용의 분위기를 가꿀 수 있게 해 준다. 시간, 공간, 계층, 조직, 역할 등에 의한 각종 구분과 경계를 나 혼자 인식의 세계에서 설정할 수도 있고 아니면 상황에 따라 뛰어넘을 수도 있게 해주는 것이다. 내가 남들의 입장을 고려해 성찰하겠다는 동기가 있는 한, 모든 유형의 사람, 이익, 의견을 전면적으로 포용할 수 있고 각종 갈등을 극복할 수 있다. 감정이입과 마음속 대화를 성찰의 요체로 삼는 구딘의 이상론을 실천할 수 있다면 집단 내에서든 집단 간에서든 여러 이익 충돌이 조화롭게 조정되고 소외 집단들뿐 아니라 후대 사람들의 이익까지도 존중될 수 있을 것이다.

[논제 Ⅰ]

제시문 [가]~ [사]를 비슷한 관점을 가진 것끼리 분류하고, 각 제시문을 요약하시오.

[401자 이상 ~ 500자 이하: 배점 30점]

[논제 Ⅱ]

제시문 [아]가 말하고자 하는 바를 서술하고, 이를 바탕으로 제시문 [바], [사]에 나오는 대처 방안을 평가하시오. 또한 이러한 평가에 대해 제시문 [바], [사]의 입장에서는 어떻게 반박할지 서술하시오.

[601자 이상~ 700자 이하: 배점 40점]

[논제 Ⅲ]

2020년 1월 코로나19가 전 세계적으로 확산되기 시작했다. A국은 코로나19 확산을 억제하기 위해 국경을 폐쇄했으나, B국은 경제에 미치는 부정적 영향을 고려하여 국경을 폐쇄하지 않았다. 각 개인이 코로나19에 감염될 확률은 A국에서 0.1이고, B국

에서 $p(0 \leq p \leq 1)$이다. 개인의 코로나 19 감염은 독립적으로 발생한다. 양국 모두 코로나19에 감염된 개인은 1년간 수입 없이 치료 비용 10냥을 지출해야 한다. 코로나19에 감염되지 않을 경우, A국의 개인은 연간 30냥의 수입을 얻으며, B국의 개인은 연간 40냥의 수입을 얻는다. A국과 B국의 인구는 100명으로 동일하고 다른 조건들도 같다. A국과 B국의 차이는 오직 국경 폐쇄 여부에 의해 발생한다.

(1) A국에서 2명, B국에서 1명을 무작위로 뽑을 때, 선발된 3명 중 감염자 수가 2명일 확률은 0.044이다. 이를 이용하여 B국에서 각 개인이 코로나19에 감염될 확률 p를 구하시오.

(2) A국에서는 36명을 임의로 추출하여 수입을 조사했다. 조사에 포함된 36명의 수입의 평균이 25냥 이상 28냥 이하일 확률을 아래의 표준정규분포표를 이용하여 구하시오(참고: 코로나19 감염자는 치료 비용만 지출하므로 수입은 －10냥이다.).

(3) A국과 B국 각각에 대해 국민 전체의 순수입(비감염자들의 총수입 － 감염자들의 치료비 총 지출)의 기댓값을 구하시오. 이를 바탕으로 제시문 [마]의 관점을 평가하시오.

[수식을 사용하여 주어진 답안지 양식 범위 내에서 자유롭게 쓰시오.: 배점 30점]

표준정규분포표: $P(0 \leq Z \leq z)$

z	0.00
0.0	0.000
0.5	0.192
1.0	0.341
1.5	0.433
2.0	0.477
2.5	0.494

18. 2021학년도 경희대 모의 논술 [인문체육계]

※ 다음 제시문을 읽고 논제에 답하시오.

[가]

유럽산 브랜드를 달면 우리나라에서는 일단 대접부터 달라진다. 외국 유명 브랜드는 무조건 옳고 좋은 것이고 우리 토종 브랜드는 으레 남의 것 베끼는 뒤처진 것이라는 오해에서 비롯된다. 캐주얼화의 대명사 랜드로바는 느티나무 로고가 팀버랜드의 로고를 모방한 것이라는 오해를 받기도 했다. 그렇지만 랜드로바는 팀버랜드와 똑같이 1976년에 태어났다. 팀버랜드와 같은 시기에 우리나라에서 랜드로바 같은 브랜드가 존재했다는 사실에 팀버랜드 임원들이 감탄했다고 한다. 현재 랜드로바는 팀버랜드의 국내 유통을 전적으로 담당하고 있다. 한방 화장품 설화수는 외국 브랜드를 밀어내고 당당히 한국을 대표하는 화장품 브랜드로 자리매김했다. 얼마 전까지만 해도 화장품은 무조건 외국 브랜드를 선호하는 현상이 국내 소비자들에게 있었던 것이 사실이다. 하지만 설화수 등 최근 우리나라 화장품 브랜드들이 서서히 외국 브랜드가 명품이고 국내 브랜드보다 월등하다는 편견을 깨고 있다. 금강제화 역시 아직까지 편견에서 자유롭지 못하다. 벌써 육십 년 가깝게 구두를 만들어와 전 국민이 금강제화 구두 한 켤레씩은 다 갖고 있다시피 할 정도인데도, 외국 구두 브랜드보다 못한 것으로 치부되는 경우가 있다. 심지어 금강제화가 디자인과 상표를 도용하고 있다는 오해를 하기도 한다. 물론 유럽산 유명 브랜드를 좋아할 수는 있다. 하지만 오래된 토종 브랜드를 근거 없이 폄하하는 태도는 문화 사대주의와 다름없다.

[나]

아랍인에게 먹는 것은 그 무엇보다 중요하다. 이들에게 먹는다는 것은 생존 이상의 의미가 담겨 있다. 누구와, 어떻게, 어떤 음식을 왜 먹는지와 관련된 문제는 음식을 먹는 사람의 됨됨이와 교양을 보여준다. 이를 단적으로 요약하는 단어가 바로 '아다브(adab)'다. 원래 아다브의 의미는 '문학'이다. 그러나 아다브의 어근을 찾아보면 여기에는 '예의 바른', '교양있는', 또는 '정제된 입맛'이라는 의미가 담겨 있으며 '향연'이라는 의미도 있다. 이는 곧 아랍인에게 음식을 먹는 행위는 교양, 학식, 더 나아가 취향과 입맛 등을 복합적으로 보여주는 것임을 의미한다. 그래서 아랍인은 음식 앞에서 상대가 어떻게 행동하는지를 잘 살피면서 그들을 평가한다.

이와 같이 중요한 식사와 관련해서 우리나라 사람과 아랍인 사이에 식사와 관련된 문화적 차이를 가장 크게 느끼는 부분은 식사 중 대화를 나누는 것이다. 우리나라에서는 음식을 앞에 두고 이야기를 많이 나누는 것을 복이 나가는 행위로 간주하고 이를 꺼려 왔다. 그래서 어려서 밥상 앞에서 이야기를 많이 하면 부모에게 꾸중을 들어야 했다. 음식 앞에서 과묵을 요구하는 우리의 문화와는 달리 아랍인은 음식을 매개로 사람들과 이야기를 나누는 것을 중요한 에티켓으로 여긴다. 아랍인은 음식 앞에서 침묵을 지키는 것을 자신들이 별로 좋아하지 않는 페르시아인의 관습으로 간주한다. 즉, 아랍인에게 음식은 안과 밖, 나와 타인을 연결하는 중요한 사교의 장이다.

글로벌 시대, 우리는 세계인과 자유롭게 왕래하며 폭넓은 교류를 해 나갈 것이다. 아랍인들과의 소통 창구도 다양하게 확대될 것이다. 이때 식탁 예절과 같은 사소한 일상 문화에서조차 다양한 차이를 느낄 가능성이 있다. 호혜적인 소통을 원한다면 상대 문화의 고유한 가치와 특성을 포용하는 자세가 중요하다. 자문화 중심의 시각은 그 안에 우열의 논리를 내재하고 있을 가능성이 크며, 상대를 이해하는 데 방해가 될 수도 있다. 우리의 문화도 그들의 입장에서 보면, 특수한 사회적·자연적 환경, 역사성, 관념 체계에서 비롯된 것일 수 있다.

[다]

'천하도'는 중국과 일본 등에서는 찾아볼 수 없는 한국 고유의 지도로서, 중화사상(中華思想)에 입각하여 만든 지도이다. 지리 지식이 부족하였던 조선의 학자들이 조선 중기부터 조선에 들어오기 시작한 서양식 세계 지도에 대응하여 만든 것으로 보인다. 그러면서도 서양식 세계 지도의 형태인 원형 지도 형태를 빌려 왔다.

지도를 살펴보면 지도의 중심에 대륙이 위치하고 있으며, 이 대륙의 중심에 중국이 있고, 그 주위에 조선을 비롯한 주변국의 이름이 적혀 있다. 즉 세상의 중심을 중국으로 설정한 것이다. 그리고 이 대륙을 내해(內海)가 감싸고 있는데, 내해는 다시 환대륙(環大陸)에 둘러싸여 있으며, 또 환대륙 주위를 외해(外海)가 둘러싸고 있다. 내해부터 그 밖의 지역에는 지도에 따라 수십 개가 넘는 나라 이름이 쓰여 있으나 거의가 군자국(君子國)이나 삼수국(三首國)과 같은 가상의 나라들로서 이들 나라의 이름은 유교 및 도교적 용어에서 나온 것들이다. 이를 통하여 '천하도'가 중화사상과 유교사상, 그리고 도교 사상 및 한정적인 지리 지식이 혼합되어 나온 결과임을 알 수 있다.

[라]

부유층 아들딸들이 유치원서부터
영어회화 교육에다
외국인학교 나가고
중학생인 네가 잠꼬대로까지
영어회화 중얼거리고
거리 간판이나 상표까지
꼬부랑글씨 천지인데
테레비나 라디오에서도
영어회화쯤 매끈하게 굴릴 수 있어야
세련되고 교양 있는 현대인이라는데
무식한 공순이 누나는
미국전자회사 세컨라인 리더 누나는
자꾸만 자꾸만 노조에서 배운
우리나라 역사가 생각난다.
말도, 글도, 성도, 혼도 빼앗아가고
논도, 밭도, 식량도, 생산물까지도
마침내 노동자의 생명까지도
차근차근 침략하던 일제하
조선어 말살
생각이 난다.

[마]

신라, 백제에서는 많은 불상이 제작되었으나, 양식상, 형식상의 출발점이 된 것은 중국 불상이었다. 이 경우 작은 불상들은 여행자들에 의해 운반될 수도 있었으나, 큰 불상이나 마애불 같은 것은 직접 가서 보는 수밖에 없었다. 그 때문에 많은 화공들, 조각승들이 유학승들을 따라 중국으로 건너갔을 것이며, 거기서 그들은 불상 의궤에 의한 도상뿐 아니라, 조각법 자체도 공부하고 돌아왔을 것이다.

그렇다고 해서 그들이 마침내 중국의 불공(佛工)이 되고 만 것은 아니다. 충남 서산의 마애 삼존불상이나 경북 군위의 삼존석불에서 보는 것처럼, 비록 옷이나 자세는 중국을 따르고 있지만 가장 중요한 얼굴에 있어서만은 어디까지나 백제의 얼굴이요, 신라의 얼굴인 것이다. 백제불의 얼굴에는 나 자신이 '백제의 미소'라고 명명했던, 백제에서만 볼 수 있는 화창하고 인간적인 웃음이 있고, 군위불의 얼굴에는 '보이소' 하는 경상도의 고집이 뚜렷하다. 이것들은 모두 중국불에서처럼 인격을 초월하여 불격을 과시하려는 상상 세계의 얼굴이 아니라, 살고 있는 백제인, 신라인의 인간으로서의 얼굴들이다.

[바]

봉준호 감독은 "한국 영화의 영향력에 비해 왜 아카데미상은 받지 못했는가?"라는 미국인의 질문에 "그 점에 대해 중요하게 생각하지 않는다."고 답한 바 있다. "아카데미상은 국제 영화제가 아닌 지역 영화제일 뿐이다."라며 미국 위주의 시선과 평가를 일반화하는 것에 대해 우려를 나타내어 미국 중심의 평가와 사대주의를 혐오하는 모든 이들의 찬사를 받았다.

그럼에도 불구하고 국내는 여전히 사대주의의 틀 안에 그대로 멈춰 있다. 봉준호 감독이 아카데미상을 수상하자 그의 모교는 곧바로 곳곳에 현수막을 걸어 놓았고 국내 언론 역시 아카데미상 수상을 통해 글로벌 수준으로 우리나라 영화의 위상이 올라갔다며 모든 기준을 여전히 미국의 시선과 평가 기준에서 바라보고 있다. 봉준호 감독과 같이 세계적 수준이 되기 위해서 한국 고유의 경쟁력을 찾아야 하고 사대주의에서 벗어나야 한다는 기사나 평론은 그 어디에도 없다.

미국의 빌보드 차트 진입과 할리우드 영화계에 도전하기 위해 그간 국내 문화 콘텐츠 업계는 늘 미국 중심의 시각을 바탕으로 시행착오만 거듭해 왔다. 빌보드에 진출하기 위해 항상 아이돌 그룹 중 한 명을 외국인 멤버로 선정하고 영어 노래를 불렀음에도 빌보드에 성공적으로 안착한 가수는 한 명도 없었다. 이와 마찬가지로 할리우드에 걸맞은 대규모 자본과 화려한 액션, 글로벌 합작 영화가 미국 영화계 주류의 평가나 흥행에 성공한 경우 역시 단 한 번도 없었다.

봉준호 감독의 아카데미상 수상과 BTS의 빌보드 1위는 이런 면에서 공통된 교훈을 우리에게 주고 있다. 먼저 <기생충>의 수상은 자존심 강한 미국 영화인들이 낯선 언어(한국어)와 한국적 소재, 생경한 에피소드를 편견 없이 받아들인 결과다. BTS의 인기 역시 '한국적 개성'이라고 할 만한 음악적 요소와 퍼포먼스가 보편적 공감과 지지를 받았다는 증거다. 이질적인 배경에서 탄생한 낯선 나라의 콘텐츠를 문화 상대주의적 시각에서 동등하게 포용하려는 미국인의 태도, 세계인의 마음이 봉준호와 BTS의 오늘을 만든 것이다. 봉준호 감독은 "1인치의 자막이 주는 장벽은 이미 많이 허물어졌다."고 얘기했다. 그는 이미 문화 사대주의 시선으로 모든 기준을 세우지 말고 한국적인 경쟁력으로도 세계의 벽을 넘어설 수 있다는 교훈을 우리에게 던져 주었다.

【논제 1】

제시문 [가]와 [나]의 내용을 요약하고, 논지의 차이를 서술하시오.

[601자 이상~ 700자 이하: 배점 40점]

【논제 2】

제시문 [바]의 관점을 바탕으로, 제시문 [다], [라], [마]에 나타난 상황을 평가하시오.

[1001자 이상 ~ 1100자 이하: 배점 60점]

19. 2021학년도 경희대 모의 논술 [사회계]

※ 다음 제시문을 읽고 논제에 답하시오.

[가]

이상! 우리의 청춘이 가장 많이 품고 있는 이상! 이것이야말로 무한한 가치를 가진 것이다. 사람은 크고 작고 간에 이상이 있음으로써 용감하고 굳세게 살 수 있는 것이다. 석가는 무엇을 위하여 설산(雪山)에서 고행(苦行)을 하였으며, 예수는 무엇을 위하여 광야에서 방황하였으며, 공자는 무엇을 위하여 천하를 철환(轍環)1)하였는가? 밥을 위하여서, 옷을 위하여서, 미인을 구하기 위하여서 그리하였는가? 아니다. 그들은 커다란 이상, 곧 만천하의 대중(大衆)을 품에 안고, 그들에게 밝은 길을 찾아 주며, 그들을 행복스럽고 평화스러운 곳으로 인도하겠다는, 커다란 이상을 품었기 때문이다. 그러므로 그들은 길지 아니한 목숨을 사는가 싶이 살았으며, 그들의 그림자는 천고에 사라지지 않는 것이다. 이것은 가장 현저하여 일월과 같은 예가 되려니와, 그와 같지 못하다 할지라도 창공에 반짝이는 뭇 별과 같이, 산야(山野)에 피어나는 군영(群英)2)과 같이, 이상은 실로 인간의 부패를 방지하는 소금이라 할지니, 인생에 가치를 주는 원질(原質)3)이 되는 것이다.

---

1) 철환(轍環): 수레를 타고 돌아다님 2) 군영(群英): 여러 가지 꽃
3) 원질(原質): 본디의 성질이나 바탕

[나]

"어떻게 답을 얻었냐고 했소? 정말 모르겠소? 당신이 말이요, 어제 허약한 나를 가엾게 여겨 나 대신 밭고랑을 파지 않고 그냥 돌아갔다고 생각해 보시오. 피를 흘리며 우리에게 온 그 남자는 아마도 당신을 해쳤을 것이오. 그랬다면 당신은 나와 함께 있지 않았던 것을 후회하지 않았겠소? 따라서 당신이 첫 번째로 질문한 가장 중요한 순간은 당신이 고랑을 팠던 때라는 해답을 주고 싶소. 두 번째로 질문한 가장 중요한 사람은 누구인가에 대한 해답은 바로 나라고 말해 주겠소. 마지막으로 당신에게 가장 중요한 일은 나를 도와준 것이었고. 고로 나를 위해 선행을 베푼 것이 당신이 한 가장 중요한 일이었소.

이후에 부상을 당한 남자가 우리에게 달려왔을 때를 생각해 보시오. 당신이 남자를 돌보았던 때가 가장 중요한 순간이었소. 만약에 당신이 그의 상처에 붕대를 감아 주지 않았더라면 그는 당신과 화해하지 못하고 죽었을 테지요. 그러므로 그가 가장 중요한 사람이었고, 당신은 가장 중요한 일을 그에게 해 주었다고 할 수 있지요.

기억하시오. 가장 중요한 순간은 바로 '지금'이라는 사실을 말이오. 왜 지금이 가장 중요하겠소? 우리는 오직 '지금'만 영향력을 행사할 수 있기 때문이오. 오직 지금, 이 순간만이 우리가 마음대로 다룰 수 있는 유일한 시간이라는 말이지요.

[다]

저출산과 고령화로 대표되는 인구 변화도 종종 국가적인 위기를 초래할 수 있는 요

인으로 꼽힌다. 그러나 인구 문제는 여러 특성에 있어서 코로나19의 대척점에 있다. 첫째, 인구 변화의 속도는 상대적으로 느리다. 세계적으로 가장 빠른 우리나라의 출생아 수 감소도 해가 바뀌어야 체감된다. 둘째, 다수의 국민에게 인구 문제는 당장 절실한 나의 문제가 아니다. 훗날 누군가에게 일어날 수 있는 일로 여겨지기 쉽다. 셋째, 인구 변화의 영향에 대한 인식과 태도는 사람마다 다르다. 인구가 줄면 오히려 삶의 질이 개선되리라는 의견도 있다.

인구 변화는 과연 위기를 가져올까? 아마도 감염병 위기나 금융 위기 혹은 안보 위기처럼 순식간에 국민의 삶을 나락으로 빠뜨릴 수 있는 위험 요인은 아닐 것이다. 그러나 길게 볼 때는 그 위험성을 간과할 수 없다. 특히 유례를 찾기 어려운 출생아 수의 빠른 감소는 매우 우려스럽다. 빠른 인구 변화는 우리 사회와 경제에 여러 가지 불균형을 초래하고, 이에 적응하거나 대응하는 데 상당한 비용이 발생할 것이다. 그 결과로 국민의 평균적인 삶은 팍팍해지고, 인구 변화의 직접적인 영향을 받는 사람들은 고통을 겪을 것이다.

감염병과 대비되는 특성들은 인구 변화를 더 심각한 위기로 키울 가능성이 있다. 비교적 느린 속도는 역설적으로 신속하고 적극적인 대응을 어렵게 만드는 요인으로 작용한다. 변화가 감지되는 기간은 정책 당국자의 임기보다 길어서 시행한 정책의 공과를 명확하게 평가하기 어렵다. 분야별로 파편화된 접근은 종합적, 유기적인 방안의 도출을 가로막고, 인구 문제 해결이라는 이름으로 개인과 집단의 이념 혹은 이해를 관철하려는 경향이 나타나며, 이 문제에 대한 정부의 조정.조율 기능은 취약하다. 이러한 여건에서는 진정으로 문제를 해결하려 나서기보다는 노력한다는 인상을 주는 것으로 만족하려는 유혹이 클 것이다

[라]

권리와 정의에 관한 어떤 원칙들은 그 자체의 내재적 우월성을 지닌다. 그 원칙들은 당대 사회공동체의 재화와 노동력을 가진 사람들이 어떤 생각을 하든, 어떤 태도를 보이든 그와 상관없이 우월한 것으로서 사회를 근원적으로 지탱하는 힘이다.

그 원칙들은 모든 것을 구속하고 통제하는 자연법으로서의 근본적 성격을 지닌다. 그 원칙들은 인간의 의지를 초월하고, 인간의 이성을 인도한다. 그 원칙들은 항구적이고 불변적이다. 바로 헌법으로 구현되는 원칙들을 말한다. 시간을 길게 가로지르는 헌법의 원칙들에 비해 인간이 만드는 실정법은 단순한 당대 단기의 기록에 불과하다. 헌법이 실정법보다 더 우월한 최고법이고 숭앙(崇仰)1)되어야 하는 이유는 항구적, 불변적 원칙들을 규정하고 선언한 것이기 때문이다. 그러므로 우리가 헌법 원칙들을 잘 이해한다면 먼 미래까지 내다보며 그에 대한 대비도 함께 할 수 있게 된다.

---

1) 숭앙(崇仰): 공경하여 우러러 봄

[마]

‘주 52시간’ 제도는 좋은 취지에도 불구하고 단기적으로는 여러 어려움을 가져올 수

있으니 그에 대한 신중한 고려와 보완이 필요하다. 모 연구원에 따르면 기업이 주 최장 52시간 근로제를 도입한 후 기존 생산량을 유지하기 위해 추가로 부담해야 하는 비용은 연간 12조 1,000억 원에 달한다. 이 중 71%(8조 6,000억 원)는 300인 미만 중소기업의 부담이다. 중소기업계는 개정안에 공휴일 유급화가 포함된 것도 부담이라고 불평한다. 구인난에 시달리는 영세 중소기업은 인력 확보도 당장 걱정이다. 근로 시간 단축에 맞춰 인력을 늘리려고 해도 인력 자체가 없다는 것이다. 시간외 수당에 의존해 온 저임금자도 시름이 커졌다. 근로 시간 단축으로 근로자들의 소득이 갑자기 줄어들 가능성이 있는 탓이다. 국내 임금 체계는 대부분 기본급이 낮고 연장·초과 근로 등 각종 수당이 많다. 어느 자료에 따르면 한국 근로자의 임금 중 초과 급여는 총액 대비 약 30%에 이른다. 임금 체계가 합리적으로 개편되지 않는다면 근로 시간이 줄어드는 만큼 당장의 소득이 감소할 수밖에 없는 구조다.

[바]

아르헨티나 파타고니아의 국립공원에는 거대한 빙하가 있다. 최근에는 이 빙하가 녹으면서 빙하 내부가 약화되는 탓에 4~5년에 한 번씩 대붕괴가 일어난다. 빙하가 굉음을 내며 무너져 내리는 모습을 보기 위해 전 세계에서 관광객이 모여든다. 관광객들이 이 거대한 빙하와 만나는 방법은 여러 가지다. 빙하 주변에 만들어진 산책로에서 빙하를 편히 볼 수도 있고, 빙하 위를 직접 걸으면서 여행할 수도 있다. 이러한 방법들은 이미 이 지역의 대표적인 관광 상품으로 자리 잡았다. 빙하가 무너져 내리는 현상은 지구 온난화로 빙하가 녹으면서 나타나는 현상인데, 빙하가 무너져 내릴수록 관광객은 오히려 증가하고 있다. 즉, 이산화탄소를 배출하는 인간의 활동이 장기간에 걸쳐 지구 온난화를 일으키고, 지구 온난화에 따라 발생하는 자연 경관을 보며 당장의 즐거움을 만끽하려는 사람들이 자동차와 비행기를 타고 여행하면서 또다시 이산화탄소를 배출하는 것이다.

[사]

코로나19 사태로 인한 재난 지원금은 장기적 재정 건전성 논란을 낳고 있다. 한편으로, 재난 지원금이 국가 채무를 과도하게 늘린다는 우려의 소리가 있다. 국가 채무를 늘리는 것은 미래 세대에게 감당할 수 없는 짐을 넘겨준다고 한다. 그러나 다른 한편으로 볼 때, 외환 위기 때 경험했듯 '코로나 국채'를 발행해 미증유의 전염병으로 감염된 경제를 우선 살린다면 오히려 세금과 GDP를 늘리게 되어 재정 건전성을 지키는 일이 될 수 있다. 지금 코로나19로 침체된 경제에 대한 심폐소생술보다 급한 것은 없다. 발등의 불을 일단 꺼야 하지 않겠는가. 국가 채무 비율 등 적정한 재정 건전성 확보는 더 이상 재정 당국의 도그마가 아니라 재원 조달과 경제 살리기 등을 감안해 국민 합의로 도출해야 맞다. 코로나19 사태로 세계가 도시를 봉쇄하고 가게와 공장을 셧다운했지만 한국은 전수 조사와 투명한 공개, 공공 의료 시스템으로 생명 방역에 성공하고 경제 부문의 충격까지 최소화했다. 이제 시작된 경제 방역에서도 신속하고 공개적이며 국민 참여와 함께하는 경제 회복의 '한국 모델'을 구축하고 성공시켜야 한다.

[아]

그리스가 몇 년째 경제 위기를 겪고 있다. 2016년 말 실업률은 23%이고 15~24세 실업률은 44%에 달하며, 국민의 20%가 난방이나 전화 없이 생활한다. 그리스 경제 위기의 중요한 원인 중 하나가 장기적 안목을 결여한 정부의 잘못된 경제 정책이다. 정부가 눈앞의 문제를 해결하기 위해 복지를 강화하면서 복지 지출을 확대하였고, 이에 필요한 재정을 충당하기 위해 도입한 외채가 지속해서 증가하였다. 공무원 규모의 증가와 연금 확대 등의 정책도 경제 상황을 악화시켰다. 결국, 재정 위기가 닥쳤고 이는 경기 침체로 이어졌다. 예를 들어 그리스 정부의 공무원 규모는 2001년부터 급격히 증가하였는데, 국가 부도 위기를 맞아 구조 조정이 이루어지기 직전인 2007년까지 6년간 18만 6,000명을 더 뽑았다. 그리스 정부 지출 예산 중 인건비 규모는 2001년 134억 7,010만 유로에서 2007년에는 212억 9,598만 유로로 증가하여 국가 재정에 큰 부담을 주었다. 국가 정책의 장기적 고려가 왜 중요한지 보여주는 사례라고 할 수 있다.

[자]

시간은 물리적 시간과 체험의 시간으로 구분될 수 있어. 우리가 시계에 의존해서 "길다" 혹은 "짧다"고 구분하며 헤아리는 시간은 물리적 시간이야. 삶을 이야기한 철학자 베르그송은 물리적 시간은 참다운 시간이 아니고 단지 생활하기에 실용적이고 유용한 시간에 지나지 않는다고 말했어. 베르그송에 의하면 참다운 시간은 각자의 체험이야. 곧 공감의 시간으로써의 지속이지. 지속은 끊임없는 흐름을 이야기한단다. 베르그송에게 참다운 시간은 흐르는 거야. 그런데 우리는 지성(이성)에 의해서 흐름을 끊어서 생각하지. 지성(이성)은 모든 것을 형식화한단다. 우리는 삶의 내면에서 꿈틀거리는 직관을 잊어버리고 지성(이성)에 의한 수학적 시간만 주장하곤 하지. 시계의 1초, 2초 ... 1년 ... 100년 ... 10,000년. 이렇게 단기 혹은 장기의 수학적 시간만을 생각하는 거야. 하지만 베르그송은 생명력을 가지고 끊임없이 흐르는 각자의 체험적 시간, 즉, 지속을 붙잡아야 한다고 주장한단다. 시간의 흐름 자체는 내 안에서 스스로 느끼는 것이지 바깥에 있는 무언가를 발견하는 것이 아니란다. 그리고 그 흐름을 느끼는 것은 개개인마다 다르지.

한 개인이 느끼기엔 시간은 순수 지속이지만 사회를 이루고 다른 사람과 함께 살아갈 때엔 그 시간을 단위별로 나눌 필요가 있는 건 사실이야. 때론 짧은 단위로, 때론 긴 단위로. 그래야 친구들과 약속을 잡기도 편하고 공동 작업을 할 때 일정대로 함께 맞춰 나갈 수 있지. 하지만 베르그송의 입장에서 철학적인 진정한 시간은 각자의 체험적 시간이라는 거야.

【논제 1】

제시문 [가]~[아]를 비슷한 관점에 입각한 것끼리 두 범주로 분류하고, 각 제시문을 요약하시오.

[501자 이상 ~ 600자 이하: 배점 35점]

【논제 2】

제시문 [자]에 나오는 베르그송의 관점에서 제시문 [사], [아]를 평가하고, 역으로 제시문 [사], [아]의 관점에서 이러한 평가에 대해 어떻게 반박할지 서술하시오.

[501자 이상 ~ 600자 이하: 배점 35점]

【논제 3】

K국가의 사람은 유형 A와 유형 B로 나뉜다. 두 유형의 사람들이 일을 할 경우 얻게 되는 연간 근로 소득은 각각 금화 20냥, 금화 10냥이다. 유형 A에 속하는 사람들 100명이 어떤 해에 일을 하게 될 확률은 0.9이고, 유형 B에 속하는 사람들 400명이 일을 하게 될 확률은 0.8이다. K국가의 모든 근로자는 근로 소득의 10%를 세금으로 지불하지만, 일을 하지 않는 사람은 정부로부터 금화 2냥의 실업 급여를 받는다.

그런데 2020년 1월 1일 갑자기 K국가에 바이러스가 유행하여 유형 A, B의 사람들이 일을 하게 될 확률이 2020년부터 향후 10년 동안 각각 0.8과 0.5로 감소하게 된다고 하자. 이에 정부는 모든 사람들에게 금화 6냥의 고용 지원금을 1회 지급하는 것을 고려하고 있는데, 이러한 정책을 시행하면 K국가는 향후 10년 동안 각 유형의 사람들이 일을 하게 될 확률을 원래대로 유지할 수 있다.

K국가에서 근로 여부는 매년 1월 1일 결정되어 1년간 유지되며, 개인의 근로 여부는 과거 근로 경험 및 다른 사람들의 근로 여부에 영향을 받지 않고 위의 확률에 따라 이루어진다. 또한, 정부가 거둬들이는 세금은 근로 소득세가 유일하고, K국가의 유형별 인구수와 화폐의 가치는 시간에 따라 변하지 않는다.

(1) 바이러스 유행에 따라 2020년 1월 1일 정부가 고용 지원금을 지급할 경우, 2021년에 유형 B의 사람들 중 324명 이상이 일을 하고 있을 근사적인 확률을 아래의 표준 정규 분포표를 이용해서 구하시오.

(2) 2020년부터 향후 10년 동안 기대되는 재정 수지(재정 수입 − 재정 지출)를 고려했을 때, 정부 입장에서 고용 지원금을 지급하는 것이 타당한지 판단하라. 그리고 이에 근거하여 제시문 [사]를 평가하시오.

[주어진 답안지 양식 범위 내에서 자유롭게 쓰시오: 배점 30점]

[참고] 표준 정규 분포표: P(0≤Z≤z)

z	0	0.01	0.02	0.03	0.04	0.05	0.06	0.07	0.08	0.09
0	0.000	0.004	0.008	0.012	0.016	0.020	0.024	0.028	0.032	0.036
0.1	0.040	0.044	0.048	0.052	0.056	0.060	0.064	0.067	0.071	0.075
0.2	0.079	0.083	0.087	0.091	0.095	0.099	0.103	0.106	0.110	0.114
0.3	0.118	0.122	0.126	0.129	0.133	0.137	0.141	0.144	0.148	0.152
0.4	0.155	0.159	0.163	0.166	0.170	0.174	0.177	0.181	0.184	0.188
0.5	0.191	0.195	0.198	0.202	0.205	0.209	0.212	0.216	0.219	0.222
0.6	0.226	0.229	0.232	0.236	0.239	0.242	0.245	0.249	0.252	0.255
0.7	0.258	0.261	0.264	0.267	0.270	0.273	0.276	0.279	0.282	0.285
0.8	0.288	0.291	0.294	0.297	0.300	0.302	0.305	0.308	0.311	0.313
0.9	0.316	0.319	0.321	0.324	0.326	0.329	0.331	0.334	0.336	0.339
1	0.341	0.344	0.346	0.348	0.351	0.353	0.355	0.358	0.360	0.362
1.1	0.364	0.367	0.369	0.371	0.373	0.375	0.377	0.379	0.381	0.383
1.2	0.385	0.387	0.389	0.391	0.393	0.394	0.396	0.398	0.400	0.401
1.3	0.403	0.405	0.407	0.408	0.410	0.411	0.413	0.415	0.416	0.418
1.4	0.419	0.421	0.422	0.424	0.425	0.426	0.428	0.429	0.431	0.432
1.5	0.433	0.434	0.436	0.437	0.438	0.439	0.441	0.442	0.443	0.444
1.6	0.445	0.446	0.447	0.448	0.449	0.451	0.452	0.453	0.454	0.454
1.7	0.455	0.456	0.457	0.458	0.459	0.460	0.461	0.462	0.462	0.463
1.8	0.464	0.465	0.466	0.466	0.467	0.468	0.469	0.469	0.470	0.471
1.9	0.471	0.472	0.473	0.473	0.474	0.474	0.475	0.476	0.476	0.477
2	0.477	0.478	0.478	0.479	0.479	0.480	0.480	0.481	0.481	0.482
2.1	0.482	0.483	0.483	0.483	0.484	0.484	0.485	0.485	0.485	0.486
2.2	0.486	0.486	0.487	0.487	0.487	0.488	0.488	0.488	0.489	0.489
2.3	0.489	0.490	0.490	0.490	0.490	0.491	0.491	0.491	0.491	0.492
2.4	0.492	0.492	0.492	0.492	0.493	0.493	0.493	0.493	0.493	0.494
2.5	0.494	0.494	0.494	0.494	0.494	0.495	0.495	0.495	0.495	0.495
2.6	0.495	0.495	0.496	0.496	0.496	0.496	0.496	0.496	0.496	0.496
2.7	0.497	0.497	0.497	0.497	0.497	0.497	0.497	0.497	0.497	0.497
2.8	0.497	0.498	0.498	0.498	0.498	0.498	0.498	0.498	0.498	0.498
2.9	0.498	0.498	0.498	0.498	0.498	0.498	0.498	0.499	0.499	0.499
3	0.499	0.499	0.499	0.499	0.499	0.499	0.499	0.499	0.499	0.499

20. 2020학년도 경희대 수시 논술 [인문체육계]

※ 다음 제시문을 읽고 논제에 답하시오.

[가]

지금 우리가 직면한 상황은 어쩌면 인류사에서 한 번도 경험하지 못한 상황이라고 할 수 있습니다. 세계사적으로는 지난 수백 년, 한국이라면 지난 몇 십 년 동안, 경제가 성장한다는 것은 당연지사였습니다. 그러나 지금은 그 당연지사가 중단될 수밖에 없는 상황을 맞고 있습니다. 즉, 우리가 지금까지 살아온 자본주의 근대 문명이라는 것은 근원적으로 타자(동시대의 사회적 약자와 자연 그리고 미래 세대)에 대한 무관심 혹은 무책임한 태도를 기초로 해서 전개되어 온 극히 비윤리적인 시스템이었다는 것을 명확히 인식해야 합니다.

이제는 농업 중심의 순환 시스템이라는 '오래된 미래'의 패러다임을 지향하는 것이야말로 진정한 삶의 태도라 할 수 있습니다. 근대 자본주의 문명을 뒷받침해 온 '성장' 시대가 끝났다는 것은 비관적으로 받아들여야 할 사태가 결코 아니라는 거죠. 오히려 그것은 환영해야 할 사태입니다. 왜냐하면 '성장 시대의 종언'이라는 것은 이제 비로소 인류 사회가 '정상적인' 상태를 회복할 수 있는 길로 들어서게 되었음을 알려주는 희망의 신호로 해석할 수 있기 때문입니다. 이 희망의 신호를 어떻게 구체적인 현실로 만들 것인가는 말할 것도 없이 우리들 자신에게 달려 있습니다. 월터 프레스콧 웹이라는 역사가도 '성장' 시대가 종식됨에 따라 자립적인 농업과 농촌 생활이 보다 중요한 의미를 갖게 될 것이라고 지적한 바 있습니다.

[나]

인류는 산업 혁명 이후 보다 나은 생활을 영위하기 위해 성장 위주의 정책으로 자연환경을 개발하며 이용해 왔다. 이러한 환경 파괴를 통한 단기적인 개발은 더 이상 장기적이고 지속 가능한 발전을 가져오지 못하고 많은 문제점을 노출하였다. 자연을 고려하지 않은 지나친 개발은 자연 훼손으로 이어졌고, 지속 가능한 성장의 필요성을 느끼게 하였다. 지속 가능한 성장이란 지속 가능성에 기초하여 기존의 사회·경제·환경의 균형을 이루는 성장을 말한다. 즉, 현재 세대의 필요를 충족하기 위하여 미래 세대가 사용할 사회·경제·환경 등의 자원을 낭비하지 않고 서로 조화와 균형을 이루는 것이다.

경제 성장은 환경 및 사회와 항상 대립 관계에 있었다. 경제는 자원을 필요로 하고 폐기물을 배출하면서 환경을 오염시키는 요인으로 인식되어 왔다. 그리고 경제 성장은 불평등한 부의 분배로 이어졌다. 따라서 지속 가능한 성장은 경제 발전을 추진하면서도 환경을 보호하고 사회에 대하여 공정한 성장을 추구하자는 것이다.

지속 가능한 성장 전략은 세대 간 형평성, 삶의 질 향상, 사회적 통합, 그리고 지구촌 구성원으로서의 책임 등을 강조하고 있다. 세대 간 형평성은 미래 세대들로 하여금 더 풍요로운 삶을 영위할 수 있도록 안정적인 사회 기반을 조성하는 것을 말한다. 삶의 질 향상은 건강한 환경을 유지한다는 것을 의미한다. 사회적 통합은 공동체적 연대 의식과 가치관을 창출할 수 있도록 하는 것이며, 지구촌 구성원으로서의 책임은 한 국가의 경계선을 넘어 환경 보전, 빈곤 퇴치, 테러 종식 등을 전 지구적 차원에서 실현해 나간다는 것이다.

[다]

푸른 하늘과 찬란한 태양이 있고 황홀한 신록이 모든 산 모든 언덕을 덮은 이때 기쁨의 속삭임이 하늘과 땅, 나무와 나무, 풀잎과 풀잎 사이에 은밀히 수수(授受)되고, 그들의 기쁨의 노래가 금시에라도 우렁차게 터져 나와 산과 들을 흔들 듯한 이러한 때를 당하면 나는 곁에 비록 친한 동무가 있고 그의 아름다운 이야기가 있다 할지라도 이러한 자연에 곁눈을 팔지 아니할 수 없으며, 그의 기쁨의 노래에 귀를 기울이지 아니할 수 없게 된다. 그리고 또 어떻게 생각하면 우리 사람이란 - 세속에 얽매여 머리 위에 푸른 하늘이 있는 것을 알지 못하고, 주머니의 돈을 세고 지위를 생각하고 명예를 생각하는 데 여념이 없거나, 또는 오욕칠정(五慾七情)에 사로잡혀 서로 미워하고 시기하고 질투하고 싸우는 데 마음에 영일(寧日)을 갖지 못하는 우리 사람이란 어떻게 비소(卑小)하고 어떻게 저속한 것인지. 결국은 이 대자연의 거룩하고 아름답고 영광스러운 조화를 깨뜨리는 한 오점 또는 한 잡음밖에 되어 보이지 아니하여, 될 수 있으면 이러한 때를 타 잠깐 동안이나마 사람을 떠나 사람의 일을 잊고 풀과 나무와 하늘과 바람을 노래하고 싶은 마음을 억제할 수가 없다.

[라]

초국가 기업과 정부가 환경 문제에 대한 해결책의 일환으로 제안하는 '녹색 소비', 다시 말해 친환경 상품을 개별적으로 구입해서 기후변화를 해결해야 한다는 주장은 신자유주의 정책과 꼭 들어맞는다. 정부와 기업이 적어도 무언가 하고 있다는 인상을 심어주면서, 동시에 사람들을 진정한 해결책으로부터 멀어지도록 만드는 효과를 유발하기 때문이다. 개인의 소비 패턴을 바꾼다고 해서 지구온난화를 막는 데 필요한 실질적인 변화들이 일어나지는 않는다. 풍력 발전을 하려면 대규모 풍력 단지가 필요하다. 소수는 스스로 태양 발전으로 전환할 수 있지만 모든 사람이 그러려면 법적 차원의 규제와 지원 프로그램이 필요하다. 어떤 사람은 기꺼이 자전거를 탈지 모른다. 그러나 승용차가 금지되고 편안한 대중교통이 제공되면 이산화탄소 배출을 훨씬 더 많이 줄일 수 있다. 개인이 노력한다고 트럭 대신 기차로 화물을 운반하게 할 수는 없고, 공장의 생산 과정을 규제할 수도 없다.

'탄소 발자국'이란 개인이 소비한 상품을 생산하기 위해 배출된 이산화탄소의 총합이다. 탄소 발자국을 계산하면 대개 한 해에 수십 톤이라는 결과가 나온다. 이를 바탕으로 탄소 발자국을 줄이는 방법을 찾을 수 있다. 하지만 탄소 발자국을 계산하기 전에 누가 그것이 해결책이라고 주장하는지를 봐야 한다. 개개인의 탄소 발자국을 줄이는 것만이 해결책이라고 선전하는 광고가 수없이 많다. 요즘 영국 대중 매체들은 끊임없이 "당신은 지구온난화를 막기 위해 무엇을 하고 있습니까?"라고 묻는다. 그런데 해답은 언제나 이런저런 친환경 상품을 구입하라는 내용들 일색이다. 대기업, 심지어 석유 기업들까지 지구온난화의 심각성을 깨달으라고 촉구하는 광고를 신문과 텔레비전에 내보낸다. 정부는 아무런 대책도 세우지 않는다. 기후 교육을 강조하는 학교는 정부가 아니라 자기 자신과 개인들의 무책임을 탓하라고 가르친다.

[마]

사과를 먹는다
사과나무의 일부를 먹는다
사과 꽃에 눈부시던 햇살을 먹는다
사과를 더 푸르게 하던 장맛비를 먹는다
사과를 흔들던 소슬바람을 먹는다
사과나무를 감싸던 눈송이를 먹는다
사과 위를 지나던 벌레의 기억을 먹는다
사과나무에서 울던 새소리를 먹는다
사과나무 잎새를 먹는다
사과를 가꾼 사람의 땀방울을 먹는다
사과를 연구한 식물학자의 지식을 먹는다
사과나무 집 딸이 바라보던 하늘을 먹는다
사과의 수액을 공급하던 사과나무 가지를 먹는다
사과나무의 세월, 사과나무 나이테를 먹는다
사과를 지탱해 온 사과나무 뿌리를 먹는다
사과의 씨앗을 먹는다
사과나무 자양분 흙을 먹는다
사과나무의 흙을 붙잡고 있는 지구의 중력을 먹는다
사과나무가 존재할 수 있게 한 우주를 먹는다
　흙으로 빚어진 사과를 먹는다
　흙에서 멀리 도망쳐 보려다
　흙으로 돌아가고 마는
사과를 먹는다
사과가 나를 먹는다

[바]

우리 시대가 공유하는 목표는 지속 가능한 공동체 건설을 위해 자연과 조화를 이루는 법을 활용하는 것이어야 한다. 생태계와 인간 공동체 사이에는 많은 차이가 존재한다. 예를 들어 생태계에는 자기 인식 능력이 없다. 정의나 민주주의라는 개념도 없다. 따라서 우리는 인간 가치나 결점을 생태계에서 배울 수 없고, 또 우리가 생태학을 모방해야 한다고 말하는 것만으로도 불충분하다. 그러나 우리는 지속 가능하게 살 수 있는 방법을 생태계로부터 배울 수 있고 또 배워야 하는데, 이는 우리 인간의 다양한 가치를 지구에 사는 생명을 부양한다는 근본 가치에 부합하도록 만드는 것이다.

생태학의 모든 원리는 수십 억 년의 진화 과정 동안 무수한 생명체를 창출하고 보살펴 온 생명력의 근본적인 패턴에서 출발하고, 그 패턴에서 비롯된 다양하고 밀접하게 상호 연관된 현상들을 반영한다. 어떤 개별 생물체도 격리된 채 존재할 수 없다. 동물은 에너지 섭취를 위해 식물의 광합성에 의존하고, 식물은 동물과 박테리아가 생산한 이산화탄소와 질소에 의존한다. 식물, 동물, 미생물은 모두 함께 전체 생물권을 조절하고 생명에 유익한 조건들을 유지한다. 지속가능한 인간 공동체는 다른 생명 공동체들과의 상호 작용을 통해 자신의 본성에 따라 살며 발전할 수 있도록 돕는다. 지속 가능성은 전체 공동체가 함께 진화해 나가는 역동적 과정이기 때문이다.

그러므로 우리는 인간과 자연이 상호 작용하는 방향으로 법을 재설계해야 한다. 법의 재설계는 무엇보다 자본에 침식된 계몽주의 전통과 그에 기반한 개인주의의 공고한 관성으로부터 벗어날 것을 요구한다. 정치, 경제, 문화를 포함한 우리 삶의 모든 방식이 자연의 고유한 생명력을 방해하지 않고, 오히려 촉진하도록 유도해야 한다. 이를 위해 우리는 지난 수세기 동안 자연 파괴를 통해 축적된 엄청난 양의 자본 중 최대분을 커먼즈*로 귀속할 필요가 있다. 법을 바꾸려면 먼저 우리 자신이 법의 근원이자 주인임을 깨닫고, 우리가 법에 대해 행사하는 엄청난 힘을 이해해야 한다. 법은 우리가 자발적으로 따르는 한에서 존재한다는 점, 공동체로서 우리가 그 법을 지킬지 말지를 선택하는 과정에서 만들어진다는 점을 인식해야 한다. 그러한 근본적인 인식의 전환만이 우리가 지난 세월 동안 무시해 온 자연의 오랜 부름에 응답하는 첫 걸음이 될 것이다.

---

* 커먼즈(Commons): 문화와 자연의 공적 자원을 정부나 시장이 아닌, 일반 사용자가 주축이 되어 공동체적 제도와 기 관을 통해 자율적으로 관리하는 체제.

[논제 I]

제시문 [가]와 [나]의 내용을 요약하고, 논지의 차이를 서술하시오.

[601자 이상 ~ 700자 이하: 배점 40점]

[논제 II]

제시문 [바]의 관점을 바탕으로, 제시문 [다], [라], [마]에 나타난 상황을 평가하시오.

[1,001자 이상 ~ 1,100자 이하: 배점 60점]

21. 2020학년도 경희대 수시 논술 [사회계 오전]

※ 다음 제시문을 읽고 논제에 답하시오.

[가]

능력이나 출발시점에서 보유한 자원이 같은 사람들을 놓고 보더라도, 어떤 사람은 여가를 더 선호하고, 어떤 사람은 재물을 더 좋아한다. 그렇다면 시장을 통한 수익의 불평등은 총수익의 평등이나 대우의 평등을 이루기 위해 꼭 필요한 것이다. 어떤 사람은 급료를 많이 주는 고된 직장보다는 여가시간이 더 많은, 틀에 박힌 직장을 선호할 수 있고, 다른 사람은 그 반대일 수도 있다. 만약 이 두 사람이 평등하게 같은 금액의 보수를 받는다면 그들의 소득은 더욱 근본적인 의미에서 불평등하게 될 것이다. 마찬가지로 균등한 대우를 달성하기 위해서는 지저분하고 흥미 없는 직장에서 일하는 사람이 쾌적하고 보람 있는 직장에서 일하는 사람보다 더 많은 보수를 받아야 한다. 우리가 흔히 볼 수 있는 불평등의 많은 사례가 이 경우에 속한다. 화폐 소득의 격차는 직업이나 사업의 여타 특성에 따른 격차를 상쇄할 수 있다. 경제학자들의 전문용어로 말하자면, 이 격차는 금전적·비금전적 '순이익'의 총량을 똑같게 해주기 위해 필요한 '균등화 격차(equalizing differences)'다.

[나]

"자연을 노예적으로 모방하던 영역에서 인간적 발명성이라는 보다 흥미로운 세계로 발을 들여놓았다는 이야기가 되겠습니다." 포스터 군은 만족스런 표정으로 양손을 비볐다. "우리는 또한 계급을 미리 정하고 조건반사적 습성을 훈련시킵니다. 우리는 사회화된 아기를 내놓습니다. 알파 계급 또는 엡실론 계급을 내놓아 장차 하수구 청소부로서 아니면 미래의……," 그는 미래의 "세계총통"이라고 말할 예정이었지만 정정해서 미래의 "인공부화소장"이라고 말을 맺었다. 소장은 그 찬사를 미소로 받아들였다. 그들은 제11호 선반의 320미터 지점을 통과하고 있었다. 젊은 베타 마이너스의 기계공이 나사를 조이는 드라이버와 스패너를 가지고 그곳을 통과하는 병에 연결된 대용 혈액 펌프를 분주하게 틀고 있었다. "1분 동안 도는 회전수를 줄이고 있는 중입니다."라고 포스터 군이 설명했다. "대용 혈액의 순환 속도가 느려집니다. 따라서 폐를 통과하는 시간이 오래 걸리게 되는 것입니다. 그러니까 태아에게 주는 산소의 양이 감소되는 것입니다. 태아를 표준 이하로 만들자면 산소 결핍이 무엇보다 중요합니다." 그는 다시 만족스러운 표정으로 손을 비볐다. "엡실론 계급에게는 인간적인 지성이 필요치 않습니다." 포스터 군이 매우 정의롭게 말했다. "만일 이 엡실론 계급 아이의 육체적 성장을, 이를테면 암소의 성장처럼 가속시킬 수 있다면 사회 전체에 얼마나 엄청난 이익이 될 것인가!"

[다]

모든 시공간을 막론하고 심포니 오케스트라는 약 100명으로 이루어져 있으며, 저명한 심포니 오케스트라의 단원은 전통적으로 지휘자들이 선정하였다. 대개는 채용 과정에서 연주 시험을 보았는데, 구성원으로 뽑힌 사람들 대부분이 남성이었다. 1980년경 가장 유명한 다섯 연주단 중 여성 단원이 12%를 넘는 경우는 없었다. 이렇게 여성 단원의 비율이 낮은 것은 단원 선발 시험에서 여성에 대한 차별이 있었기 때문이라는 주장과 여성의 연주 실력이 남성에 미치지 못했기 때문이라는 주장이 있다.

이러한 주장들의 타당성을 검증하기 위해, 발자국 소리로 성별을 구별할 수 없도록 카펫을 깔고 커튼으로 얼굴도 가리는 연주 시험을 통해 단원을 뽑을 때와 직접 얼굴을 보며 연주 시험을 치른 뒤 단원을 뽑을 때 여성의 채용 확률을 비교해 보았다. 전자의 경우 여성이 채용될 확률이 7.5%p 높아졌다. 평균적으로 여성이 채용될 확률이 30%라는 것을 고려할 때, 7.5%p 상승은 여성의 채용 확률을 25% 높이는 것이다. 이러한 결과는 전통적인 채용 과정에서 여성에 대한 차별이 있었다는 것을 보여준다.

[라]

지금까지 모든 사회의 역사는 계급투쟁의 역사이다. 자유민과 노예, 귀족과 평민, 영주와 농노, 요컨대 억압자와 피억압자는 끊임없는 대립 속에서 서로 마주섰으며, 때로는 은밀하고 때로는 공공연한 투쟁을 끊임없이 수행하였다. 봉건 사회의 몰락으로 생겨난 현대 부르주아 사회는 계급 대립을 폐기하지 못하였다. 그럼에도 불구하고 우리 시대, 부르주아지의 시대는 계급 대립을 단순화했다는 점에서 특이하다. 사회 전체가 두 개의 커다란 적대적 진영으로, 서로 직접 대립하는 두 개의 커다란 계급들로 더욱 더 분열되고 있다. 생산 수단의 소유자 부르주아지와 생산 수단을 소유하지 못하고 노동력을 팔아야만 하는 프롤레타리아트로.

봉건적 소유 관계를 대신하여 자유 경쟁이 그에 적합한 사회적·정치적 제도와 함께, 즉 부르주아 계급의 경제적·정치적 지배와 함께 등장하였다. 부르주아지가 발전하는 것과 같은 정도로 현대 노동자 계급은 발전하는데, 그들은 일자리를 찾아 놓고 있는 동안만 살 수 있고, 자신들의 노동이 자본을 증식시키는 동안만 일자리를 찾을 수 있다. 자신을 토막 내어 팔지 않으면 안 되는 이 노동자들은 다른 모든 판매품과 마찬가지로 하나의 상품이며, 시장의 모든 변동들에 내맡겨져 있다.

[마]

사회 불평등은 경제적 요인뿐만 아니라 다른 여러 요인으로도 생겨날 수 있다. 사회 불평등은 크게 세 가지 차원, 즉 경제적·사회적·정치적(권력적) 차원에서 파악할 수 있다. 이 중 경제적 불평등은 '계급(class)' 개념으로, 사회적 불평등은 '신분 집단(status group)' 개념으로, 정치적 불평등은 '파당(party)' 개념으로 파악할 수 있다.

'계급'은 마르크스가 주장한 것보다 더 다양한 경제적 요소들로 이루어져 있다. 마르크스가 말한 생산 수단의 소유 여부가 계급을 결정하는 중요한 기준이지만, 이외에도 기술, 자격, 신용 등 다양한 요인에 따라 계급이 나뉠 수 있다. 또한 개인이 다른 사람들로부터 받는 존경이나 개인이 누리는 명예와 위신도 사회적 불평등의 한 차원이며, 비슷한 명예와 위신을 누리는 사람들은 하나의 신분 집단을 형성한다. 이러한 신분 집단은 공통의 생활양식을 누리면서 물질적인 재화나 기회의 독점을 추구하며 다른 집단과 투쟁한다. 그리고 권력 획득을 지향하는 '파당' 또는 '당파' 또한 사회 불평등의 중요한 차원이다. '권력'은 다른 사람 혹은 집단의 저항에도 불구하고 자신 혹은 자신이 속한 집단의 의지를 관철시킬 수 있는 기회를 의미하며, '파당'이란 출신 배경, 목적 또는 이해관계를 공유하면서 권력의 추구를 위해 함께 뭉치는 집단을 말한다. 특정 파당이 권력을 획득하였느냐, 얼마나 강한 권력을 갖고 있느냐에 따라 계층이 나누어질 수 있는 것이다.

[바]

순수 민주주의(직접민주주의)는 언제나 소란과 분쟁의 연속이었고 개인의 안전이나 재산권과 잘 부합하지 않았을 뿐만 아니라 일반적으로 그 생명도 짧았다. 이런 종류의 정부를 옹호하는 정치인들은 시민에게 정치적 권리상의 완전한 평등만 보장해 주면 곧 그들의 재산, 의견, 열정에 있어서도 평등해지고 서로 잘 동화될 것이라고 잘못 생각해 왔다. 공화정, 즉 대의제도를 행하는 정부는 이와는 다른 가능성을 열어주고 우리에게 보다 나은 해결책을 제시해 준다. 민주정과 공화정의 가장 큰 차이점은, 공화정의 경우 시민이 선출한 소수의 대표에게 정부를 위임한다는 사실이다. 공화정에서는 대중의 의견을 소수의 선출된 대표자 집단이라는 매개체에 통과시킴으로써 이를 정제하고 확대시킬 수 있다. 선출된 대표자 집단은 국가의 진정한 이익을 잘 판별하는 지혜를 가지고 있을 것이고, 국가를 일시적 혹은 부분적 고려 사항 때문에 희생시키지 않는 애국심과 정의감도 가지고 있을 것이다. 이러한 체제에서 대중의 목소리는 대표자들이 대신 천명해 줌으로써, 대중이 모여 직접 천명한 것에 비해 오히려 더 공익에 조화롭게 부합될 수 있을 것이다.

[사]

취향은 의식적인 것이 아니라 체화된 감각이다. 입맛, 좋아하는 그림, 좋아하는 노래, 헤어스타일, 의상, 화장법 등 취향은 일상적인 활동과 밀접하게 연관되어 있는 것으로 일상생활을 유지하고 전개하는 데 필요한 성향 체계를 이루고 있다. 이런 면에서 취향은 어떤 대상에 대한 지극히 개인적인 수준의 선호도를 지칭하는 것으로 통용되고 있다. 취향의 차이는 인간이 타고난 자연적인 차이일 뿐 경제적 불평등과는 아무런 관계가 없는 것처럼 여겨진다.

하지만 취향은 인간의 사회화 과정에서 형성되는 것이고, 특히 가정환경과 교육 수준에 의해 형성된다. 따라서 취향은 경제적 차이에 따라 차별화된 문화적 경험들이 체화된 결과이다. 취향은 경제적 불평등의 산물이지만, 그것이 오랜 기간 동안 체화되었기 때문에 마치 자연스러운 개인적 성향처럼 여겨지는 것이다. 이에 더해, 취향은 지배 계급과 피지배 계급 사이에 존재하는 사회적 경계를 구분하고 유지하는 역할을 한다. 예컨대 지배 계급의 자녀들은 어렸을 때부터 서양 고전 음악을 들으면서 자라고, 학교와 사회에서 서양 고전 음악을 이해하고 구별 짓는 능력을 중시하기 때문에, 지배 계급의 자녀들이 지배 계급으로 나아갈 기회를 더 많이 누린다. 이런 점에서 취향은 계급의 재생산자로 기능한다.

[논제Ⅰ]

제시문 [가]~[바]를 비슷한 주장을 담은 것끼리 분류하고, 각 제시문을 요약하시오.

[401자 이상 ~ 500자 이하: 배점 30점]

[논제Ⅱ]

제시문 [사]가 말하고자 하는 바를 서술하고, 이를 근거로 하여 제시문 [라], [마]를 평가하시오.

[601자 이상 ~ 700자 이하 : 배점 40점]

[논제Ⅲ]

월간 평균 매출액이 2,000만 원, 표준편차는 20만 원으로 동일한 두 개의 편의점, A와 B를 고려해 보자. A와 B는 서로의 매출액에 영향을 주지 않는다. 각 편의점의 월간 이윤은 매출액의 일정 비율에서 임대료를 뺀 값인데, 이 일정 비율은 각 편의점의 경영 능력에 의해 결정된다. A가 B보다 경영 능력이 뛰어난 결과로, A의 일정 비율은 0.6, B의 일정 비율은 0.4이다. 한편, A는 매월 450만 원의 임대료를 지불하나, B는 사장이 부모 소유의 건물에서 편의점을 운영하여 임대료를 지불하지 않는다.

A와 B 각각에 대해 월간 이윤의 평균과 표준편차를 구하시오. 이 결과를 이용하여 제시문 [다]를 평가하시오.

[수식을 사용하여 주어진 답안지 양식 범위 내에서 자유롭게 쓰시오.: 배점 30점]

22. 2020학년도 경희대 수시 논술 [사회계 오후]

※ 다음 제시문을 읽고 논제에 답하시오.

[가]

버나드 윌리엄스는 1962년에 발표한 유명한 에세이에서 흥미로운 전사(戰士) 사회의 사례를 제시했다. 이 사회에는 전사와 평민이라는 두 가지 세습 카스트만 존재한다. 전사들은 사회를 보호하는데, 이 일에는 대단한 운동 기술이 필요하며, 이런 중요한 일을 하는 대가로 사회는 모든 위신과 사치품을 그들에게 주어야 한다. 평등주의 개혁가들은 이런 상황은 정의롭지 못하다고 주장하며, 결국 규칙을 바꾸는 데 성공한다. 세습 카스트 제도 대신 운동 시합이 열린다. 출신에 관계없이 나이가 열여섯 살인 모든 사람이 시합에 참가해서 누구나 탐내는 전사 지위를 얻기 위해 경쟁할 수 있다. 전사 자녀들은 사실상 태어나면서부터 이 시합을 위해 계속훈련을 받았다. 영양이나 건강 상태도 더 좋고 힘과 자신감도 더 뛰어나다. 전사 자녀들이 시합에서 압도적으로 승리한다.

가족 배경이 전사 시합에서 큰 영향을 미친다는 사실을 깨달은 평등주의 개혁가들은 시합 제도 자체도 정의롭지 못하다고 주장했다. 이들은 전사 양성 학교를 만드는 데 성공해서, 이 학교에서 모든 사람이 전사 기능을 발전시킬 수 있는 균등한 교육 기회를 제공했다. 전사 시험에 떨어진 이들은 형식적인 의미에서 공정했을 뿐 아니라 자신들이 전사가 되기 위한 학교 교육 기회를 누렸다고 생각하면서 스스로를 위로할 수 있다. 패자들은 자신에게 크게 실망할 테지만 사회에 실망하지는 않을 것이다.

[나]

당신이 공정하다고 생각하는 분배 방식에 따라 소득과 부의 재분배를 시작한다는 가정을 해보자. 우리는 다음과 같은 사고(思考) 실험을 할 수 있다. 구단이 농구 선수에게 급여를 지불하지 않고 팬이 표를 살 때 선수에게 직접 돈을 지불한다고 가정하자. 선수 A의 플레이를 보고 싶은 사람은 표를 살 때마다 상자에 5달러를 넣는다. 상자에 담긴 돈은 A에게 전달된다. A의 경기를 보고 싶어 하는 사람이 많아서, 좌석 점유율도 높고 상자에 돈도 가득 찬다. 시즌이 끝나고 나면, A는 다른 선수들보다 훨씬 많은 3,100만 달러를 받는다.

A의 수입에 국가가 세금을 부과하는 행위는 올바른 것인가? 아니다. 첫째, A가 받는 돈이 부당하다고 생각하는 사람은 사람들의 선택으로 인한 효과를 되돌리기 위해 시장에 지속적으로 간섭해야 할 것이다. 둘째, 이러한 간섭은 자발적 거래를 뒤집을 뿐 아니라, A의 수입을 가져감으로써 그의 권리를 침해한다. 내가 나를 소유한다면, 나는 분명 내 노동도 소유하고 있다. 내가 내 노동을 소유한다면, 내게는 분명 그 열매를 가질 자격이 있다. 이런 이유 때문에 A의 수입 3,100만 달러에 세금을 부과해 가난한 사람을 돕는 것은 A의 권리를 침해하는 행동이다.

[다]

몇 사람이 케이크를 나눈다고 할 때 공정한 분할을 동등한 분할이라 한다면 도대체 어떤 절차가 이런 결과를 가져올 것인가? 전문적인 방법을 제외하면 분명한 해결책은 어떤 사람이 케이크를 자르고 다른 사람들이 그보다 먼저 케이크를 집어 가게 한 후 그는 가장 나중에 조각을 갖는 것이다. 이 경우에 그는 케이크를 똑같이 자를 것인데, 왜냐하면 그렇게 해야 자신에게도 가능한 최대의 몫이 보장되기 때문이다. 이러한 예는 완전한 절차적 정의가 갖는 두 가지의 특징을 보여주고 있다. 첫째, 공정한 분할이 무엇인가에 대한 독립적인 기준이 있는데 그 기준은 따르게 될 절차와는 상관없이 그것에 선행해서 정해진다는 것이다. 둘째, 분명히 그러한 바람직한 결과를 가져오게 될 절차를 고안할 수 있다는 것이다. 물론 이 경우에 선정된 그 사람이 케이크를 똑같이 자를 수 있다든가, 자신이 가능한 한 가장 큰 것을 갖고 싶어한다든가, 기타 등등과 같은 분명한 가정들이 전제된다. 그러나 우리는 이러한 복잡한 점들을 무시할 수 있다. 중요한 것은 어떤 결과가 정의로운지를 결정하는 독립적인 기준과 그러한 결과를 보장하는 절차가 있다는 점이다.

[라]

장기 이식 기술이 완벽한 수준에 이르러서 100% 확률로 안구 이식 수술이 가능하게 되었다고 생각해 보자. 한 사람의 안구는 다른 사람의 눈에 부작용 없이 이식될 수 있다. 어떤 사람이 눈에 결함을 갖거나 안구가 없이 태어났다면, 우리는 안구를 재분배해야 하는가? 즉, 우리는 두 눈이 건강한 사람으로부터 하나의 안구를 빼앗아서 맹인에게 주어야 하는가? 물론 자신의 안구를 이식하도록 기증하는 사람들도 있다. 그러나 이런 기증자가 충분하지 않다면 어떻게 해야 할 것인가? 국가가 추첨 제도를 운영하여, 채택된 사람에게 안구를 기증하도록 강제해야 할 것인가? 물론 모든 사람이 볼 수 있다면, 더 나은 세상이 될 수 있다. 그렇다고 해도 추첨하여 안구를 재분배해야 한다는 주장이 정의로운가? 우리들 각각은 자기 신체에 대한 정당한 소유자이다. 우리가 안구를 재분배해야 한다면, 우리는 이 권리를 무시하는 것이고 이것은 불의(不義)이다. 우리가 이 권리를 침해한다면, 타인을 위해 한 사람을 희생시키는 것이다. 이런 일은 허용되어서는 안 된다. 많은 사람들은 이런 의미에서 신체에 대한 권리가 절대적이라는 것을 받아들인다. 그리고 신체에 대한 권리가 생명에 대한 권리와 유사한 결론을 가질 것이라는 것을 받아들인다. 즉, 어떤 사람도 내가 동의하지 않는다면, 타인을 살리기 위해 나의 생명을 빼앗을 수 없다. 이 권리는 자유에 있어서도 중요하다. 내가 하는 일은 나의 일이다. 그리고 내가 타인의 권리를 존중한다면, 나는 내가 좋아하는 것은 무엇이든 할 수 있다.

[마]

부유층의 자녀는 아래로 떨어지지 않도록 발밑을 받쳐주는 더 탄탄한 안전망을 가지고 있는 것으로 보인다. 여기에 명백한 악순환의 위협이 존재한다. 중상류층과 나머지 사이에 불평등이 증가하면 중상류층의 부모는 아이가 계속 중상류층에 속하게 하려고 더욱 기를 쓰게 될 것이다. 우리는 우리 아이들이 아래로 떨어지지 않도록 ‘유리 바닥’을 깔아주는 데 갖은 노력을 들일 것이다. ‘상대적’ 계층 이동성은 필연적으로 제로섬 게임이다. 한 명이 소득 분포 사다리에서 위로 올라가면 누군가는 아래로 내려와야 한다. 아래로 내려오는 사람이 내 아이일 수도 있다. 부유한 아이들의 발밑에 유리 바닥을 깔아 하향 이동을 막으면 사다리 아래쪽 아이들에게는 유리 천장이 생겨 상향 이동 또한 막히게 된다. 이렇게 불평등과 계층 간 비이동성은 서로를 강화함으로써 정의롭지 못한 사회를 형성한다.

우리 사회가 직면한 문제는 단지 계급이 분리되어 있다는 점이 아니라 계급 분리가 세대를 거쳐 영속화되고 있다는 점이다. 현세대에서의 소득 격차가 다음 세대에서의 기회 격차가 된다면, 경제적 불평등은 영속적인 계급 격차로 고착된다. 전통적으로 평등을 일구는 위대한 기제였던 교육이, 오늘날은 중상류층 지위를 대물림해 재생산하는 주요 수단이 되었다. 특히 대학 교육은 중상류층에게 유리하게 구조화되어 있어서 오히려 불평등을 심화시키는 기제다. 교육이 공정한 기회의 장으로 작용할 때 정의로운 사회의 구현이 가까워진다.

[바]

스웨덴은 복지를 통해 성장을 이룬 국가로 많이 인용된다. 그러나 인과관계를 조심스럽게 접근해야 한다. 스웨덴이 부국인 것은 복지국가이기 때문이 아니라 경제적 자유 수준을 높였기 때문이다. 경제적 자유 수준은 여러 가지 정책들에 의해 좌우되며, 가장 대표적인 정책으로 세금 정책을 들 수 있다.

스웨덴은 복지국가이지만, 세금 측면에선 형평성보다는 성장형 세금 제도를 채택하고 있다. 형평성을 대표하는 부자 세금으로서 상속세와 부유세를 들 수 있다. 스웨덴은 2005년에 상속세를, 2007년에는 부유세를 폐지하였다. 또한 자본소득과 일반소득에 대해 한국처럼 종합소득으로 누진 과세하지 않고, 자본소득에 대해선 30%의 비례세율을 적용하는 반면, 일반소득에는 최저층을 제외하고 32~57%의 누진세율을 적용하고 있다. 즉, 부자의 자본소득에 대한 세율이 대부분 국민들의 일반소득에 대한 세율보다 낮다. 이러한 결과로 성장을 촉진할 수 있었고, 그 성장 열매를 통해 복지국가를 이룰 수 있었던 것이다. 따라서 정의로운 사회를 위해서 개인이나 기업의 희생을 강요하는 것은 잘못이며 이들의 권리를 최우선적으로 보장해 주는 것이 중요하다.

[사]

서로 다른 정치 체제는 다양한 가치를 서로 다른 방식으로 분배한다. 또한 서로 다른 이데올로기들은 이러한 분배 방식들을 각기 다른 방식으로 정당화한다. 이런 사회적 가치들은 무수히 많다. 이와 같은 가치의 다원성은 분배의 다원성과 부합한다. 충분히 발전된 사회라면 그 어떤 인간 사회도 이런 다원성을 회피할 수 없다. 역사적으로 시장은 사회적 가치들을 교환하는 가장 중요한 메커니즘이었다. 그러나 동서고금을 막론하고 시장은 결코 완벽한 분배 체계가 아니다. 모든 분배를 위한 단 하나의 기준 혹은 복수의 기준들이 상호 맞물려진 단 하나의 집합 역시 결코 존재하지 않았다. 응분의 몫, 자격 요건, 출생과 혈통, 우정, 필요, 자유교환, 정치적 충성심, 민주적 결정 등 그 하나하나는 다른 것들과 더불어 그 나름의 의미를 지니고 있다. 따라서 모든 재화를 공정하게 분배할 수 있는 하나의 정의 원칙만이 존재하지 않는다.

그렇다면 어떤 가치도 다른 가치에 의해서 독점되거나 지배되어서는 안 된다. 곧 독점과 지배는 정의롭지 못하다. 특히 자본주의 사회에서 특정 계급이나 특정 능력을 소유한 사람들이 부를 독점하고 있기 때문에 사회적 불평등이 심화된다. 결과적으로 돈이라는 단일한 가치가 사람들의 생활과 심성을 지배하게 된다. 일군의 사람들이 어떤 지배적인 가치들에 대한 독점을 향유하게 되는 것은 허다하다. 지배적 가치는 다소간 체계적으로 다른 모든 종류의 가치들(기회, 권력, 명예)로 전환된다. 부는 강력한 자들이, 영예는 명문가에서 태어난 인물들이, 공직은 훌륭한 교육을 받은 이들이 장악한다. 따라서 독점과 지배를 막는 것이 정의로운 사회이며, 이를 위해 다양한 사회적 가치들과 자원들은 다양한 원칙과 방식에 의해 재분배되어야한다.

파스칼은 (팡세)에서 이와 같은 논변을 다음과 같이 아름답게 제시하고 있다. "서로 다른 집단들이 존재한다. 강한 자들, 선남선녀들, 똑똑한 사람들, 독실한 신자들. 이들 각자는 자신들 의 고유한 영역에서 군림한다. 그러나 그들은 종종 서로 만나며, 또 상대를 굴복시키기 위해서 서로 싸운다. 그러나 어리석지 않은가? 왜? 그들 각자가 지닌 우월함은 서로 그 종류가 다른 것들이지 않은가! 그들은 서로를 잘못 이해하고 있으며, 상대가 보편적인 지배를 노리는 것으로 잘못 판단하고 있다. 어떤 것도, 심지어는 단순한 힘조차도 이런 보편적 지배를 얻을 수는 없다."

[논제 I]

제시문 [가]~[바]를 비슷한 주장을 담은 내용끼리 분류하고, 각 제시문을 요약하시오.

[401자 이상 ~ 500자 이하: 배점 30점]

[논제 II]

제시문 [사]가 말하고자 하는 바를 서술하고, 이를 근거로 하여 제시문 [가], [나]를 평가하시오. [601자 이상 ~ 700자 이하: 배점 40점]

[논제III]

제시문 [가]를 참조하여 다음 문제를 푸시오.

전사와 평민의 두 계층만 존재하는 나라에서 16세인 전사를 선발하고자 한다. 이 나라의 16세 인구는 총 500만 명이며 그 중에서 전사의 자녀는 10%이다. 전사의 자녀 중 80%는 16세가 되기 전에 훈련을 받았으며 평민의 자녀는 훈련을 받지 못했다.

시합을 통해 전사를 선발하는 경우, 훈련의 차이의 결과로 전사의 자녀와 평민의 자녀가 선발될 확률은 각각 $\frac{2}{5}$, $\frac{1}{50}$이라고 하자.

시합이 아닌 전사 양성 학교를 통해 전사를 선발하는 경우를 생각해 보자. 이 경우, 정부는 1년간 무상으로 16세 인구 모두에게 전사 교육을 제공하고 성적순으로 전사를 선발한다. 이때, 16세가 되기 전에 훈련을 받은 사람이 학교 성적이 우수하여 전사로 뽑힐

확률은 $\frac{4}{25}$이고, 훈련을 받지 못한 사람이 전사로 뽑힐 확률은 $\frac{3}{50}$이다. (1) 전사 양성 학교를 통해 선발될 것으로 기대되는 총 전사의 수를 구하시오. (2) 또한 전사의 자녀가 선발될 확률과 평민의 자녀가 선발될 확률의 비를 구하시오. (3) 위의 결과를 이용하여 시합을 통해 전사를 선발하는 경우와 전사 양성 학교를 통해 전사를 선발하는 경우를 비교하고, 불평등 완화를 위한 학교의 기능이라는 측면에서 제시문 [가]를 평가하시오.

[수식을 사용하여 주어진 답안지 양식 범위 내에서 자유롭게 쓰시오. 배점 30점]

23. 2020학년도 경희대 모의 논술 [인문체육계]

※ 다음 제시문을 읽고 논제에 답하시오.

[가]

나는 개울가로 간다. 가물로 하여 너무나 빈약한 물이 소리 없이 흐른다. 뼈처럼 앙상한 물줄기가 왜 소리를 치지 않나?

너무 더웁다. 나뭇잎들이 다 축 늘어져서 허덕허덕하도록 더웁다. 이렇게 더우니 시냇물인들 서늘한 소리를 내어보는 재간도 없으리라.

나는 그 물가에 앉는다. 앉아서, 자—무슨 제목으로 나는 사색해야 할 것인가 생각해 본다. 그러나 물론 아무런 제목도 떠오르지 않는다.

그렇다면 아무것도 생각 말기로 하자. 그저 한량없이 넓은 초록색 벌판, 지평선, 아무리 변화하여 보았댔자 결국 치열한 곡예의 역(域)에서 벗어나지 않는 구름, 이런 것을 건너다본다.

지구 표면적의 백분의 구십구가 이 공포의 초록색이리라. 그렇다면, 지구야말로 너무나 단조 무미한 채색이다. 도회에는 초록이 드물다. 나는 처음 여기 표착(漂着)하였을 때, 이 신선한 초록빛에 놀랐고 사랑하였다. 그러나 닷새가 못 되어서 이 일망무제(一望無際)의 초록색은 조물주의 몰취미와 신경의 조잡성으로 말미암은 무미건조한 지구의 여백인 것을 발견하고, 다시금 놀라지 않을 수 없었다.

어쩔 작정으로 저렇게 퍼러냐? 하루 온종일 저 푸른빛은 아무것도 하지 않는다. 오직 그 푸른 것에 백치와 같이 만족하면서 푸른 채로 있다.

이윽고 밤이 오면 또 거대한 구덩이처럼 빛을 잃어버리고 소리도 없이 잔다. 이 무슨 거대한 겸손이냐.

이윽고 겨울이 오면 초록은 실색(失色)한다. 그러나 그것은 남루를 갈기갈기 찢는 것과 다름없는 추악한 색채로 변하는 것이다. 한겨울을 두고 이 황막(荒漠)하고 추악한 벌판을 바라보고 지내면서, 그래도 자살 민절(悶絶)하지 않는 농민들은 불쌍하기도 하려니와 거대한 천치다.

그들의 일생이 또한 이 벌판처럼 단조한 권태 일색으로 도포된 것이리라. 일할 때는 초록 벌판처럼 더워서 숨이 칵칵 막히게 싱거울 것이요, 일하지 않을 때에는 겨우 황원(荒原)처럼 거칠고 구지레하게 싱거울 것이다.

[나]

물건들이 시골의 앞마당에 자꾸 쌓이자 내 작업도 톱과 망치, 드라이버만으로 부족해 제대로 된 공구들이 조금씩 갖춰지기 시작했다. 드릴과 전기톱, 그라인더 등이 그것이다. 잘라 낸 송판과 대패질을 새로 한 각목들이 설계대로 조립되면 세상에 하나밖에 없는 누더기 탁자가 탄생한다. 잠깐 뚝딱거리면 의자도 생긴다. 널찍한 개집도 만들었다. 균형을 맞추느라 자꾸 덧대다 보니 내 작품들은 좀 무거운 게 흠이다. 그렇지만 내 조악한 목공 작품들을 친구들은 아주 좋아한다. 이 엉터리 무면허 목공에게 주문이 들어오기 시작했다. 독서대도, 앉은뱅이 탁자도 주문받았다. 주문에 고무된

나는 주워 온 나무들로 뭐든 만들 수 있을 것 같은 행복한 착각에 빠지기도 한다. 그뿐인가, 딸애 키에 맞춰 화장대도 만들어 주었다. 딸애는 결혼할 때 갖고 가겠다고 기뻐했다. 그러고 보니 어렸을 때, 아버지가 마당에서 썰매도 만들어 주셨고, 병정놀이 때 쓸 멋진 나무칼도 깎아 주셨던 기억이 난다. 지금도 내 책상 위의 작은 책꽂이 하나는 돌아가신 아버님이 만들어 주신 것이다.

사람들이 어느 날 느닷없이 도시로 몰리고 손끝 하나 까딱 않고 뭐든 쉽게 사들이면서 타고난 손의 기능은 퇴화하기 시작했다. 오래 쓰고, 고쳐 쓰고, 다시 쓰는 일보다는 새것을 사는 게 더 멋진 삶이라고 광고는 쉴 새 없이 부추겼고, 사람들은 그 거짓말에 쉽게 굴복했다. 유한한 자연 자원과 그것들이 사람한테 오기까지 걸린 시간에 모두들 무감각해져 버렸다. 이런 무신경과 난폭한 낭비는 정말 벌 받을 짓이 아닐 수 없다. 쓰레기가 어디로 가는지 아무도 신경 쓰지 않는다. 고작 태우거나 묻어 버리는데, 묻어도 능사가 아니지만 태우면 더욱이나 안 되는 것들을 너무 많이 만든다. 이른바, '불필요한 생산'이다. 이렇게 과감한 소비 생활은 외양이 아무리 화려해도 문명이 라는 이름의 야만과 어리석음의 극치가 아닐 수 없다. 어찌 생각하면, 모두들 허무주의자들 같기도 하다.

"지구라는 우주선에는 승객은 없다. 모두 승무원일 뿐이다."라고 말한 이는 맥루한이다. 이 행성에 대한 최소한의 책임은커녕, 시방 우리는 오만한 승객인 양 착각의 삶을 살고 있다. 물에 담가 둔 버드나무 토막을 보고 사람들이 "어쩌면 살겠네!"라고 한마디씩 건넨다. 나무는 아마 자신을 두고 한 소리라 알아듣지 않겠나 싶다. 살든 못 살든, 물이 좀 올랐다 싶으면 대문 옆에 심을 생각이다.

[다]

잠시 농업혁명을 밀의 관점에서 생각해 보자. 1만 년 전 밀은 수많은 잡초 중 하나일 뿐으로서 중동의 일부 지역에만 살고 있었다. 그러다가 갑자기, 불과 몇 천 년 지나지 않아 세계 모든 곳에서 자라게 되었다. 생존과 번식이라는 진화의 기본적 기준에 따르면 밀은 지구 역사상 가장 성공한 식물이 되었다. 북미의 대초원 지역 같은 곳에는 1만 년 전 밀이 한 포기도 없었지만 지금은 수백 킬로미터를 걷고 또 걸어도 밀 이외의 다른 식물을 볼 수가 없다. 세계적으로 밀이 경작되는 지역은 225만 제곱킬로미터쯤 되는데 이는 브리튼 섬(잉글랜드, 스코틀랜드, 웨일즈 포함)의 열 배에 이른다.

어떻게 이 잡초는 그저 그런 식물에서 출발해 어디서나 자라는 존재가 되었을까? 밀은 호모 사피엔스를 자신의 이익에 맞게 조작함으로써 그렇게 해낼 수 있었다. 약 1만 년 전까지 이 유인원은 사냥과 채집을 하면서 상당히 편안하게 살고 있었으나, 이후 밀을 재배하는 데 점점 더 많은 시간을 투자하기 시작했다. 2천 년도 채 지나지 않아 전 세계 많은 지역의 인간은 동이 틀 때부터 해가 질 때까지 밀을 돌보는 것 외에는 거의 아무 일도 하지 않게 되었다.

밀을 키우는 일은 쉽지 않았다. 많은 노동력을 요구하기 때문이다. 밀은 바위와 자

갈을 좋아하지 않기 때문에, 사피엔스는 밭을 고르느라 등골이 휘었다. 밀은 다른 식물과 공간, 물, 영양분을 나누는 것을 좋아하지 않기 때문에, 인간은 타는 듯한 태양 아래 온종일 잡초를 뽑는 노동을 했다. 밀은 병이 들기 때문에, 사피엔스는 해충과 마름병을 조심해야 했다. 밀은 자신을 즐겨 먹는 토끼와 메뚜기 떼에 대한 방어책이 없었기 때문에, 농부들이 이를 막아야 했다. 밀은 목이 말랐기 때문에, 인간들은 샘과 개울에서 물을 끌어다 댔다. 밀은 배가 고팠기 때문에, 사피엔스는 밀이 자라는 땅에 영양을 공급하기 위해 동물의 변을 모아야 했다.

사피엔스의 신체는 이런 과업에 맞게 진화하지 않았다. 사과나무에 기어오르고 가젤을 뛰어서 뒤쫓는 데 적응했지, 바위를 제거하고 물이 든 양동이를 운반하는 데 적합한 몸이 아니었다. 인간의 척추와 무릎, 목과 발바닥의 장심(발바닥의 오목한 부분)이 대가를 치렀다. 고대 유골을 조사한 바에 따르면, 농업으로 이행하면서 디스크 탈출증, 관절염, 탈장 등 수많은 병이 생겨났다. 새로운 농업노동은 너무나 많은 시간을 필요로 했다. 사람들은 밀밭 옆에 영구히 정착해야만 했다. 이로써 이들의 삶은 영구히 바뀌었다. 우리가 밀을 길들인 것이 아니다. 밀이 우리를 길들였다. '길들이다, 가축화되다'라는 뜻의 단어 'domesticate'는 '집'이라는 뜻의 라틴어 'domus'가 어원이다. 집에서 사는 존재는 누구인가? 밀이 아니다. 호모 사피엔스다.

[라]

사르키는 1815년에 사망하여 2002년에 매장되었다. 그녀의 유골에는 먼지가 쌓인 적이 없었다. 200년 가까운 시간 동안 호텐토트의 비너스는 유럽의 과학, 예술, 문학, 철학, 대중문화에 등장해 인종적·성적 편견에 찬 '죽음의 무도(the macabre dance)'를 추도록 강요받았다. 유럽의 인종주의는 사르키를 프랑켄슈타인 같은 괴물로 만들었다. 훼절과 해부를 겪은 사르키의 유해는 사후 보복을 감행하는 유령이 되었다. 사르키의 유해를 통해, 서양 제국주의의 비인간적 측면이 만천하에 드러날 수 있었다.

해부학의 아버지라 불리는 안드레아스 베살리우스는 "신체를 훼손하면 진리가 나타난다."는 신념을 갖고 있었다. 파리 자연사박물관에 갇힌 사르키의 해부된 신체는 유럽에서 가장 자주 분석된 표본이 되었다. 그사이 그녀의 존재를 둘러싼 숱한 전기적 사실을 과학의 대상이란 사후의 짐 밑으로 파묻어버렸다.

200여 년간 사르키의 뼈대는 덜거덕거렸고 숨이 멈춘 뇌는 해부되었으며 생식기는 호기심어린 유럽 남성들의 손가락 세례를 받았다. 이들은 알코올에 절인 사르키의 신체기관이 아프리카 여성의 성이란 '어두운 대륙'의 비밀을 풀어줄 것이라 여겼다. 말없이 나약하게 누워 있는 사르키의 사체를 훼손함으로써 과학자들은 괴기스럽고 변태적인 이론을 만들고, 그 위에 인간집단 간에는 생물학적·인종적 차이가 있다는 주장을 덧씌웠다. 더불어 그들은 인간 종 '호모'는 최소한 한 가지 이상이 있으며, 인종 역시 뛰어난 인종과 열등한 인종으로 분류하고 차별화할 수 있다고 주장했다. 이러한 주장을 펴게 된 동기는 자명했다. 권력의 불평등을 정당화하기 위함이었다.

드 블랭빌(1816)과 퀴비에(1817)는 사르키의 유해에 과학적 인종주의라는 주형을 겹쳐놓았다. 과학자, 인종학자, 인류학자, 철학자, 심리학자가 그것을 계승했다. 과학적 인종주의와 우생학이 판치던 시기에 사르키의 해부된 시신은 인종은 다양하며 생물학적으로 서로 다르다는 신념을 강화하는 궁극의 표본으로 이용되었다. 이 사이비 과학은 존재의 연쇄라는 진화 단계에서 유럽인은 가장 높은 곳에 올라앉아 있고, 반대로 아프리카인은 가장 낮은 자리를 차지하고 있다고 주장했다. 이른바 '호텐토트'와 '부시맨'이라는 사하라 사막 이남의 아프리카 인종은 동물 종과의 연관성을 나타내는 사라진 고리와 같다고 보았다. 즉 퇴화하고 열등한 존재로 알려진 '호텐토트족'은 인간 중에서도 '가장 낮은' 자리를 배정받았던 것이다. 영국의 제국주의는 이 사이비 과학을 남아프리카의 통치 이데올로기로 적극 활용했다. 그리고 과거 남아공의 아파르트헤이트 정권이 완벽하게 그 뒤를 이었다.

[마]

믿을 수 없다. 저것들도 먼지와 수분으로 된 사람 같은 생물이란 것을. 그렇지 않고서야 어찌 시멘트와 살충제 속에서만 살면서도 저렇게 비대해질 수 있단 말인가. 살덩이를 녹이는 살충제를 어떻게 가는 혈관으로 흘려보내며 딱딱하고 거친 시멘트를 똥으로 바꿀 수있단 말인가. 입을 벌릴 수밖엔 없다. 쇳덩이의 근육에서나 보이는 저 고감도의 민첩성과 기동력 앞에서는.

사람들이 최초로 시멘트를 만들어 집을 짓고 살기 전, 많은 벌레들을 씨까지 일시에 죽이는 독약을 만들어 뿌리기 전, 저것들은 어디에 살고 있었을까. 흙과 나무, 내와 강, 그 어디에 숨어서 흙이 시멘트가 되고 다시 집이 되기를, 물이 살충제가 되고 다시 먹이가 되기를 기다리고 있었을까. 빙하기, 그 세월의 두꺼운 얼음 속 어디에 수만 년 썩지 않을 금속의 씨를 감추어 가지고 있었을까.

로봇처럼, 정말로 철판을 온몸에 두른 벌레들이 나올지 몰라. 금속과 금속 사이를 뚫고 들어가 살면서 철판을 왕성하게 소화시키고 수억 톤의 중금속 폐기물을 배설하면서 불쑥불쑥 자라는 잘 진화된 신형 바퀴벌레가 나올지 몰라. 보이지 않는 빙하기, 그 두껍고 차가운 강철의 살결 속에 씨를 감추어 둔 채 때가 이르기를 기다리고 있을지 몰라. 아직은 암회색 스모그가 그래도 맑고 희고, 폐수가 너무 깨끗한 까닭에 숨을 쉴 수가 없어 움직이지 못하고 눈만 뜬 채 잠들어 있는지 몰라.

[바]

토마스 베리는 '권리'를 법률가들이 통상 사용하는 것보다 더 넓은 의미로 사용한다. 2001년 4월 에얼리 회의에 참석한 그는 「권리의 기원과 분화 그리고 역할」에서 권리라는 용어의 사용에 관해 질문을 받았을 때 다음과 같이 설명했다.

> 우리는 권리라는 개념을 인간의 의무, 책임 그리고 핵심 본성을 이행하고 실현할 인간의 자유를 의미하는 것으로 사용한다. 이를 유추한 다면, 다른 자연적 실체도 지구 공동체 내에서 자신들의 역할을 실현할 권리자격이 있다는 원칙을 의미한다.

지구는 주체들의 친교이고, 권리는 인간의 법학에서 기원하는 것이 아니라 우주가 기원하는 데서 기원한다는 베리의 명제를 우리가 받아들인다면, 지구 공동체의 다른 성원들 또한 권리를 가진다고 승인하지 않으면서 인간은 인권을 가진다고 주장할 수 없다. 달리 말하면, 전체를 위한 권리가 존재함 없이 일부를 위한 권리가 존재할 수 없다는 의미에서 공동체 성원들의 권리는 불가분적이다. 사실이 그러하다면 공동체 내 인간 이외의 성원들의 법적 권리에 관한 논의는 법 시스템이 이 내재적 권리를 인정할 것인지 말 것인지 하는 선택에 관한 것이 된다. 달리 말하면, 우리가 법 시스템 내에서 사용해온 권리 개념이 공동체의 다른 성원들에게 적용할 수 없는 것이라면, 이는 단지 법 시스템이 다른 성원들의 존재 현실을 반영하기에 충분히 발전되지 않았다는 사실을 가리키는 것이다. 지구 중심의 관점에서 보면, 흐를 수 있는 강의 권리, 유전적 오염으로부터 자유롭게 존속할 종의 권리, 심지어 자신의 기후를 유지할 지구권 등을 인정하지 않는 이러한 근시안적 법 시스템은 도저히 받아들일 수 없을 것이다.

[논제 I]

제시문 [가]와 [나]의 내용을 요약하고, 논지의 차이를 서술하시오.

[601자 이상 ~ 700자 이하 : 배점 40점]

[논제 II]

제시문 [바]의 관점을 바탕으로, 제시문 [다], [라], [마]에 나타난 상황을 평가하시오.

[1,001자 이상 ~ 1,100자 이하 : 배점 60점]

24. 2020학년도 경희대 모의 논술 [사회계]

※ 다음 제시문을 읽고 논제에 답하시오.

[가]

철거를 앞둔 불량 주거 지역에 대한 현장 연구에 들어간 것은 1986년 여름이다. 연구자들은 차림새부터 신경을 써야 한다. 잘못하면 복부인으로 오해받을 수 있으므로 우선 '부유한 아줌마'티가 나지 않아야 되고 그렇다고 너무 허술해 보여서도 안 되며, 연구자처럼 보이지만 동네 바깥 사람으로 금방 눈에 띄어서도 안 될 것 같아 수수한 옷차림에 필기도구를 담은 가방을 하나씩 들고 남성시장을 따라 걸어 올라갔다.

길 양쪽은 가게지만 그 가운데는 약간 높은 가판대를 갖춘 노점상이 쭉 들어서 있고 가판 노점상과 가게 사이 양쪽에는 좌판 노점상이 들어앉아 있어서 장 보는 사람들과 상인 어느 쪽이 더 많은지 헤아릴 수 없을 정도로 붐볐다. 재개발지로 선정되어서 언제 철거될지 모르는 동네였지만 온 동네가 일터 같은 느낌을 주는 "그냥 열심히 살아가는 사람들의 동네"였다.

그들의 가난은 집안에 들어섰을 때에야 실감하게 되었다. 길가에 면한 어느 곳이나 문을 열면 순간 부엌이 나타나고 장지문을 열면 바로 온 식구들이 모여 사는 방 한 칸이 있었다. 주민들 대부분은 두세 평짜리 방 한 칸에 서너 명 이상이 살고 있었다. 따라서 온 식구가 반듯하게 누워서 잠을 잘 수 있는 집은 별로 없었다. 그 때 처음으로 배운 단어가 '칼잠'이라는 단어였다. 반듯하게 누워서 자는 것이 아니라 옆으로 누워서 마치 일열 종대처럼 한쪽으로 눕는 것인데 얄팍하게 옆으로 몸을 세워 누워야 되기 때문에 마치 칼을 세워 놓은 듯하다는 데서 온 단어이다. 칼잠이라는 단어는 그 곳에서 연구를 하는 내내 매우 상징적인 단어로 남아 있었다. 잠잘 때도 반듯이 누워 잘 수 없는 사람들의 공간에 대해서 연구를 시작한 셈이었다. 이 칼잠이라는 단어가 처음에 너무 생소하고 신기해서 수업 시간에 연구 현장과 칼잠 이야기를 했다가 "뭐가 그리 신기하다고"라는 표정의 학생을 보게 되었다. 고개를 외로 꼰 그 학생의 눈빛에서 "제가 그런데 살고 있단 말이에요"라는 무언의 음성을 보았다. 밑으로부터 사회학 하기의 출발점이었고 가난에 대해 내가 좀 더 잘 이해할 수 있었던 계기가 되었다.

[나]

범죄율 감소에 대한 낙태 허용의 효과를 증명하는 방법 중 하나는 모든 주에서 낙태가 합법화되기 전부터 낙태를 허용했던 다섯 개의 주를 대상으로 범죄 관련 자료를 검토하는 것이다. 뉴욕과 캘리포니아, 워싱턴, 알래스카, 하와이에서는 로 대 웨이드 판결*이 있기 적어도 2년 전부터 낙태가 법적으로 허용되었다. 그리고 다섯 개 주는 다른 45개 주와 워싱턴 D.C.보다 훨씬 전부터 범죄가 줄어드는 경향을 보였다. 1988~94년에 이 초기 낙태 허용 주에서는 폭력범죄가 다른 주와 비교해 13%나 감소했다. 1994~97년 사이 살인사건 발생률은 다른 주보다 23%나 더 떨어졌다. 전반적으로, 1985년 이래로 높은 낙태율을 보인 주들은 낙태율이 낮은 주에 비해 약 30% 높은 범죄율 감소 현상을 보였다. 더욱이 1980년대 말 이전, 즉, 낙태 합법화의 영향을 받은 최초의 아이들이 최고의 범죄 성향을 보이는 나이에 이르기 이전에는 이들 주에서 낙태와 범죄 사이에 아무런 연관성도 나타나지 않았다는 사실은, 로 대 웨이드 판결이 실제로 범죄 발생 경향을 뒤집은 사건임을 시사한다.

낙태가 미국 역사상 가장 중요한 범죄 감소 요인이었다는 발견은 말할 필요도 없이 대단히 불쾌한 일이다. 범죄의 감소는 낙태 허용에 따른 '의도하지 않은 혜택'일 따름이다. 하지만 개인의 슬픔이 공공의 이익으로 전환된다는 개념이 맘에 안 든다고 종교나 도덕적 근거를 들어가며 낙태에 반대할 필요까지는 없지 않을까?

* 로 대 웨이드(Roe v. Wade) 판결: 헌법에 기초한 사생활의 권리가 낙태의 권리를 포함하는지에 관한 1973년 미국 대법원의 판결로서, 여성은 임신 후 6개월까지 임신중절을 선택할 헌법상의 권리를 가진다고 판결하였다.

[다]

우리는 청소년의 아르바이트 경험을 이해하기 위해 아르바이트 경험이 있는 학생 9명을 만나서 이들의 이야기를 심층적으로 들었다. 학생들의 아르바이트 주 종목은 전단 돌리기와 패스트푸드점과 주유소 근무, 그리고 오토바이로 음식을 배달하는 것인데, 특히 '오토바이 배달'은 남자아이들에게 인기가 높은 아르바이트였다. 돈을 벌려고 아르바이트를 하는 경우가 많았는데, 돈이 필요한 이유는 부모가 주는 용돈이 부족해서, 특별한 물건을 사고 싶거나 하고 싶은 일이 생겨서였다. '고등학생이 오락기를 산다고 엄마한테 돈 달라기 뭐해서', 또는 '코스프레에 참여하는 데 필요한 돈 때문에' 하는 예도 있고 '재미로 하는 경우'도 있었다. 그런데 학생 중 자기가 하고 싶은 일이나 좋아하는 일 또는 소질이 있는 일을 아르바이트로 연결한 경험은 거의 없었다.

아르바이트를 통해 얻은 것은 '경제관념 및 성취감', '시간 관리', '직장 생활에서의 위계 관계 등 대인 관계에 대한 경험', '다양한 사람들을 만나는 사회적 관계망의 확장', '다른 사람들의 사는 모습을 보면서 배우는 것' 등이었다. 아르바이트를 통해 잃은 것은 '학업에 지장을 주는 것', '아르바이트로 목돈을 벌게 되지만 이것을 함부로 써서 절제가 안 된다는 점', '아르바이트가 비행으로 연결될 가능성이 있다는 것' 등이었다. 아르바이트를 통해 배운 것을 고려해 보면 청소년에게 아르바이트는 '살아 있는 사회 경험'이었다.

[라]

야구는 어쩌면 세계에서 가장 풍성한 자료를 쏟아내는 분야인지도 모른다. 지난 140년 동안 메이저리그 경기장에서 펼쳐진 거의 모든 내용이 꼼꼼하고 정확하게 기록되어 있다. 또한, 수백 명이나 되는 메이저리그들이 해마다 경기를 펼친다. 한편, 야구는 팀 경기이지만 매우 질서정연한 방식으로 진행된다. 예컨대 투수는 로테이션 순서에 따라 등판하고 타자는 타순에 따라 타석에 들어서는데, 투수나 타자 모두 개인 통계에 대해서는 대체로 본인이 책임을 진다. 이런 점은 미식축구와 대비가 된다. 미식축구에서는 공격라인이 강력하면 아무리 변변찮은 러닝백이더라도 올스타팀에 선발될 수 있다. 농구에서 포인트가드와 파워포워드는 시너지 효과를 낸다. 야구에서는 복잡성과 비선형성에 영향을 받는 문제들이 상대적으로 적고 우연적인 것들을 쉽게 걸러낼 수 있다.

야구 예측가들은 덕분에 편하게 살 수 있다. 일반적으로 어떤 가설이든 간에 경험적으로 검증할 수 있으며, 따라서 그 가설을 채택할 수도 있고 폐기할 수도 있다. 그것도 매우 높은 수준의 통계적 만족도 속에서 말이다. 경제나 정치 분야의 자료는 야구 자료에 비하면 훨씬 적다. 야구는 한 해에만도 수많은 경기가 치러지면서 수많은 자료가 쏟아지지만, 대통령 선거는 4년에 겨우 한 차례밖에 열리지 않는다. 그러니 경제나 정치 분야의 예측은 곧잘 엉뚱한 곳을 가리키곤 한다.

[마]

스스로 고전 전통을 이어받았다고 생각하는 사회과학자에게 사회과학은 한 가지 기예(craft)의 실천이다. 학계에서 가장 존경할 만한 사상가들은 연구와 생활을 분리하지 않았다. 그들은 연구와 생활 두 가지를 서로 분리할 수 없을 정도로 진지하게 받아들이는 듯하며, 어느 한쪽을 다른 한쪽의 강화를 위해 이용하고자 한다. 학자가 된다는 것은 경력의 선택인 동시에 생활 방식의 선택이다. 의식적이든 무의식으로든 지식 노동자는 자기 연구의 완성을 향하여 노력하는 과정에서 자기 자신을 형성한다. 자신의 잠재 능력과 기회를 실현하기 위하여 그는 훌륭한 장인의 자질을 중심으로 하는 성격을 구축한다.

이는 여러분의 생활 경험을 지적 연구에 활용하는 방법을 익혀야 한다는 뜻이다. 즉 자신의 생활 경험을 끊임없이 해석하고 검토하는 것이다. 이런 의미에서 장인 기질은 여러분 자신의 중심이며, 여러분은 스스로 연구한 모든 지적 산물에 개인적으로 관련된다. '경험을 가진다'는 것은 여러분의 과거가 현재에 영향을 미치고 미래의 경험에 대한 능력을 규정한다는 의미이다. 여러분은 사회과학자로서 이렇듯 정교한 상호작용을 통제하고 스스로 경험한 것을 파악하고 식별해야 한다. 이런 방법을 통해서만 그것을 이용해 자신의 성찰을 인도하고 시험할 수 있으며, 그 과정에서 지적 장인으로 성장할 수 있다. 그렇다면 어떻게 그 일을 할 수 있을까? 한 가지 해답은 자료철을 정리하는 것이다. 그런 자료철에는 개인적인 경험과 전문적인 활동, 진행 중인 연구와 계획된 연구가 포함된다. 나는 피할 수만 있다면 숫자로 이루어지는 연구는 하지 않으려고 한다. 조사원이 없으면 대단히 힘들고, 조사원을 고용하면 조사원 자체가 더욱 많은 문제점을 일으킨다.

따라서 장인으로서의 사회과학자가 되기 위해 노력하는 여러분에게 나는 다음과 같은 훈계와 경고를 하려 한다. 훌륭한 장인이 되라. 엄격한 일련의 절차를 피하라. 무엇보다도 사회학적 상상력을 개발하여 이용하도록 노력하라. 방법과 기교의 숭배를 피하라. 솔직한 지적 장인의 부흥을 촉구하고 스스로 그런 장인이 되도록 노력하라.

모든 사람이 자신의 방법론자가 되게 하라. 모든 사람이 자신의 이론가가 되게 하고, 이론과 방법이 한 기예(craft)의 일부가 되게 하라. 학자 개개인의 우위를 지지하고, 기술자들의 조사팀의 우세에 반대하라. 인간과 사회의 문제에 주체적으로 대처하는 지성인이 되라.

[바]

미국과 유럽의 성장률을 비교해 보면 미국의 1인당 생산은 1820~2012년 내내 연간 1.5~2퍼센트로 거의 같은 성장세를 보였다. 확실히 성장세는 1930~1950년에 연간 1.5퍼센트를 약간 웃도는 수준으로 둔화되었고, 1950~1970년에는 2퍼센트를 약간 넘어섰으며, 1990~2012년에는 1.5퍼센트에 조금 못 미치는 수치를 기록했다. 두 차례 세계대전으로 큰 고통을 겪은 서유럽에서는 변동 폭이 훨씬 더 컸다. 1인당 생산이 1913~1950년에 (연간 성장률이 0.5퍼센트를 조금 웃도는) 정체 현상을 보이다가 1950~1970년에는 연간 성장률이 4퍼센트로 치솟았다. 이후 성장률은 급속히 떨어져 1970~1990년에는 미국보다 조금 높은(2퍼센트를 약간 넘는) 수준을 보였고 1990년~2012년에는 1.5퍼센트에 그쳤다.

가장 중요한 점은 1인당 생산 증가율이 1퍼센트라는 것은 사실 대단히 빠른 것이며, 많은 사람이 생각하는 것보다 훨씬 더 빠른 성장이라는 것이다. 따라서 한 세대를 걸쳐 이루어진 성장률을 검토하는 것이 올바른 접근이 될 것이다. 30년이라는 한 세대가 지나면 연 1퍼센트의 성장률은 35퍼센트 이상의 누적 성장을 가져오며, 연 1.5퍼센트의 성장률일 경우 누적 성장은 50퍼센트 이상이 된다. 거시적 통계를 통해 거시적 사회 발전과 변화를 객관적으로 이해할 수 있게 된다. 또한, 누적적 성장률은 생활양식과 고용에 중요한 변화가 생긴다는 것을 의미한다. 구체적으로 지난 30년 동안 유럽, 북미, 일본은 1인당 생산의 연간 성장률이 1~1.5퍼센트대에서 오르내렸으며, 사람들의 삶에는 주요한 변화가 있었다. 1980년에는 인터넷이나 휴대전화가 등장하지도 않았고, 비행기 여행도 지금처럼 활성화되지 않았으며, 요즘과 같이 첨단 의학기술이 발달한 것도 아니었고, 소수의 사람만이 대학에 다녔다.

[사]

사회·문화 현상의 연구 전통 중에는 사회·문화 현상도 자연 현상과 같은 방법으로 연구할 수 있다고 보는 입장이 있다. 사회·문화 현상에 대하여 실험이나 관찰 등을 통해 얻은 결과를 계량화하는 과정을 거쳐 인과 관계를 설명하려고 한다. 사회·문화 현상을 객관적으로 증명하기 위해서는 현상을 양적으로 측정할 수 있도록 조작적 정의의 과정을 거친다. 이런 방법은 객관화된 자료 및 통계를 활용하여 연구자의 주관이 연구 결과에 영향을 미치는 것을 최소화하고, 정밀한 분석과 현상에 대한 예측이 가능하다는 장점이 있다. 그러나 인간 행위의 심층적인 의미를 파악하는 데는 어려움이 있으며, 계량화하기 어려운 분야를 연구하는 데에도 한계가 있다.

이와 달리, 사회·문화 현상은 자연 현상과 다른 방법으로 연구해야 한다고 주장하는 입장도 있다. 사회·문화 현상 연구는 사람들의 사회적 행위를 연구하는 것인데, 주요 연구 대상인 사회적 행위에 담긴 인간의 행위 동기나 목적은 자연 현상과는 다르다는 것이다. 인간이 사회적 행위를 하는 동기나 목적을 깊이 있게 이해하기 위해서는 인간 행위의 계량화가 아니라 그 행위 이면의 의미에 대해 이해가 필요하다고 본다. 따라서 사회·문화 현상에 대한 깊이 있는 의미를 발견하거나 행위자가 만들어내는 주관적 세계와 관련한 내용을 파악하는 데에 유용하다. 그러나 연구자의 주관 개입이 염려되어 연구의 객관성에 대한 문제 제기를 받을 수 있으며, 연구 결과의 일반화에 어려움이 있다.

[논제 I]

[가]~ [바]를 비슷한 관점을 담은 내용끼리 분류하고, 각 제시문을 요약하시오.

[401자 이상~ 500자 이하: 배점 30점]

[논제 II]

제시문 [사]가 말하고자 하는 바를 서술하고, 제시문 [사]의 관점에서 제시문 [나]와 [다]를 평가하시오.

[601자 이상~ 700자 이 하: 배점 40점]

[논제 III]

어느 한 야구 평론가는 야구 성적의 심적 요인을 파악하기 위하여 세 명의 야구선수 A, B, C 각각을 대상으로 순차적으로 심층 인터뷰를 시행할 계획을 세우고 있다. 이 야구 평론가가 인터뷰를 통해 야구선수의 심적 요인을 정확히 파악한 것으로 판단한다면, 해당 인터뷰는 성공한 것으로 간주한다. 야구 평론가는 인터뷰가 성공할 확률이 각각 p로서 같다고 예상한다.

인터뷰의 성공(S)과 실패(F)에 관한 8가지 경우의 수를 나타내고, 인터뷰를 성공한 야구선수의 수를 확률변수 X로 정의하여 확률분포표를 작성하시오. 이를 토대로 X의 기댓값(평균)을 구하시오. 만약 야구 평론가가 이 기댓값이 1보다 클 때만 전체 인터뷰를 시행하고자 한다면, 이를 위한 p의 조건을 구하시오. 마지막으로, 이러한 결과를 제시문 [라]의 관점에서 평가하시오.

[수식 및 그래프를 사용할 수 있으며, 주어진 답안지 양식 범위 내에서 자유롭게 쓰시오: 배점 30점]

VI. 예시 답안

1. 2024학년도 경희대 수시 논술 [인문체육계]

[논제 Ⅰ] [다]의 시각에서 [가]와 [나]의 입장에 대해 평가하시오. [801자 이상 ~ 900자 이하: 배점 40점]

[다]는 법의 판결에서 감정도 이성 못지않게 중요하다고 주장한다. 일부의 사람들은 감정이 개입되지 않은 이성적 판단만이 사법적 정의에 부합한다는 입장을 취하지만, 동기나 동정심 같은 감정적 요소도 고려해야 한다. 미국 연방대법원의 결정도 그러한 입장을 지지한다. 무분별한 동정심이 양형을 결정하는 기준이 될 수는 없지만, 감정적 요소를 완전히 배제한 판결만이 정의로운 것은 아니다. [다]는 상황적 맥락과 감정적 요소를 함께 고려하는 것이 중요하다는 사법적 사례를 통해 감정의 중요성을 강조하는 입장을 취하고 있다.

[다]의 관점에서 [가]의 상황은 부정적이다. [가]는 이성의 원칙에 충실한 인지 과정만이 진실에 근접할 수 있다고 주장한다. 이 주장에 따르면 상상이나 감각을 배제할수록 우리가 진실에 근접할 가능성은 높아진다. 감정적 요소가 정확한 인지와 판단을 방해한다는 것이다. 하지만 [다]의 입장에서 이러한 [가]의 주장은 감정이 인간에게 끼치는 긍정적인 영향을 고려하지 않는다는 점에서 비판될 수 있다. [다]에 따르면 사법적 정의는 감정적 요소를 함께 고려할 때 성취된다. 이러한 관점에서 보면 [가]는 지나치게 이성적인 원칙만을 고려한다는 한계가 있다.

[다]의 관점에서 [나의 상황도 부정적이다. [나]에 따르면 감정은 인간 존재의 약점이다. 과거에 머무름으로써 불편한 현실을 마주하려 하지 않는 사람들을 감정적으로 자극하여 영향력을 획득하는 정치인들, 감정적 문제해결책을 제시하는 지도자에 대한 대중의 갈망 등은 감정이 어떻게 현실에 대한 잘못된 인식을 만들어 내는가를 보여준다. 하지만 [다]의 입장에서 보면 이러한 주장은 일부 부정적 측면만을 부각시켜 감정 자체를 부정적인 것으로 인식하게 한다는 점에서 비판되어야 한다. (866자)

[논제 Ⅱ] [라]~[사]를 입장이 유사한 두 부류로 묶어 그 중 한 입장을 선택해 요약하고, 이를 바탕으로 다른 입장을 비판하시오. [1,001자 이상 ~ 1, 100자 이하: 배점 60점]

● [라][바]의 관점에서 [마],[사]를 비판하는 경우

[라], [바]는 공감의 가치를 강조한다. 이 입장에 따르면 공감이란 다른 사람들이 어떤 감정을 느끼는지 인지하고 그 감정을 공유하는 것으로서, 사회에서의 생활과 조직을 가능하게 하는 사회적 접착제이다. [라]는 공감의 가치를 특히 사회적 측면에 초점을 맞춰 강조한다. 사교적인 사회가 되기 위해서는 공감이 확장될 수 있어야 하고, 공감의 확장은 사람들 간에 구별이 사라지며 평등 의식이 확산되는 것을 뜻한다. 공감은 같은 영혼이라는 공동의식이며, 이런 의식이 퍼질수록 서로의 삶이 가까워지고 보편성을 띨 수 있게 된다. [바]는 공감의 가치를 특히 감정의 영역에서 찾는다. 공감은 사람들 간의 거리를 뛰어넘게 하는 정신의 초능력으로서, 우리는 공감을 통해 다른 사람의 세계를 느낄 수 있다. 이러한 감정의 전염은 친절한 마음을 확산시킴으로써, 인류와 동물이 사회성을 획득하는 방향으로 진화할 수 있게 해주는 원동력이라는 것이다.

공감의 가치를 중시한 이러한 입장에서 [마],[사]는 공감의 한계를 과도하게 부각시킨다고 비판될 수 있다. [마]에 따르면, 타자에게 공감하는 행위가 보편적인 친절을 끌어내는 충분한 자극이 될 수 없다. 현실적으로 우리는 가족과 같이 가까운 사람에게 품는 공감의 마음을 낯선 사람에게도 똑같이 가질 수 없기 때문이라는 것이다. 그러나 [라],[바]에서 논의되고 있듯이, 공감은 인류 진화의 역사에서 실제로 중요한 역할을 해왔고 인류 문명을 발전시키는 성과를 내왔다. 사람들의 삶을 서로 연결시켜 평등한 가운데 사교적인 사회가 등장하게 하는 공감의 역할을 경시해서는 곤란하다.

한편 [사]는 공감의 한계를 두 가지로 지적한다. 첫째, 공감은 제로섬 상황을 가져오고 특히 내부인을 향한 공감이 외부인과의 단절감을 증가시킨다. 둘째, 공감은 공사 구분을 불분명하게 해 잘못된 윤리적 판단이 나오도록 할 수 있다. 하지만 이러한 주장은 [라],[바]의 입장에서 받아들일 수 없다. 진정한 공감은 제로섬이 아니고 모든 감정의 전염이 그렇듯이 하면 할수록 커질 수 있다는 점을 주목해야 한다. 또한 공사 구분을 못 해 윤리적 문제를 일으키는 집단 충성심이나 그로 인해 발생하는 부정부패는 공감과 다른 문제이다. (1,083자)

● [마][사]의 관점에서 [라],[바]를 비판하는 경우

[마],[사]는 공감의 한계를 지적한다. 이 입장에 따르면 다른 사람들이 어떤 감정을 느끼는지 인지하고 그 감정을 공유하는 공감 작업이 말처럼 쉬운 일이 아니고 오히려 여러 문제점을 낳을 수 있다. [마]는 공감의 한계를 특히 그것이 미치는 범위의 차이를 중심으로 논한다. 가족과 같이 가까운 사람에게는 공감할 수 있겠지만, 시공간적으로 먼 곳에 있는 낯선 사람에게까지 두루 공감하기가 힘든 것이 현실이다. 그런데도 공감만 강조하면 구체적 대상이 아닌 추상적 다수의 일반적 문제들은 간과된다. [사]는 공감의 한계를 공감의 한정성과 윤리적 판단의 문제를 중심으로 지적한다. 첫째, 공감은 무한한 것이 아니고 제로섬이므로 내부인을 향한 공감의 증대는 오히려 외부인에 대한 단절감의 증가로 이어진다. 둘째, 공감은 공사 구분을 불분명하게 해 남의 잘못을 덮어주거나 무시하는 잘못된 윤리적 판단이 나오도록 할 수 있다.

공감의 한계를 지적한 이러한 입장에서 [라], [바]는 공감의 가치만 과도하게 부각시켰다고 비판될 수 있다. [라]에 따르면, 사교적인 사회가 되기 위해서는 공감이 확장될 수 있어야 하고, 공감의 확장은 사람들 간에 구별이 사라지며 평등 의식이 확산됨을 뜻한다. 공감은 같은 영혼이라는 공동의식이며, 이런 의식이 퍼질수록 신분을 초월하여 서로의 삶이 더욱 가까워진다는 것이다. 그러나 [마],[사]에서 논의되고 있듯이, 공감은 한정되어 있고 친한 사람과 낯선 사람 간에 차이가 나므로 내부에서의 공감이 외부와의 폭넓은 협력을 힘들게 할 수도 있다는 점을 주목해야 한다.

한편 [바]는 공감의 가치를 감정의 영역에서 찾는다. 공감은 사람들 간의 거리를 뛰어넘게 하는 정신의 초능력으로서, 우리는 공감을 통해 다른 사람의 세계를 느낄 수 있다. 이러한 감정의 전염은 친절한 마음을 확산시킴으로써, 인류와 동물이 사회성을 획득하는 방향으로 진화할 수 있게 해주는 원동력이라는 것이다. 하지만 이러한 주장은 [마], [사]의

입장에서 받아들일 수 없다. 인간의 감정적 자원은 제한적이기 때문에, 경계와 집단을 초월해 모든 사람들에게 공감할 수 있다는 것은 지나치게 이상적인 생각이다. (1,062자)

2. 2024학년도 경희대 수시 논술 [사회계]

[논제 Ⅰ]

제시문 [가] ~ [바]를 유사한 관점을 가진 것끼리 분류하고 요약하시오. [501자 이상 ~ 600자 이하: 배점 25점]

[가]-[바]는 자연을 바라보는 관점 중 인간 중심주의의 자연관과 생태 중심주의의 자연관을 보여주고 있다. [가],[다],[라]는 인간 중심주의의 자연관에 해당되고, [나],[마],[바]는 생태 중심주의의 자연관에 해당된다.

[가]는 자연은 역학 법칙에 지배받는 물질적 존재들로 구성되어 있지만, 이는 인간의 목적과 지배를 위해 이용되어야 한다는 입장이다. [다]는 자연과 환경에 대한 배려 없이 오직 자신의 편의에 따라 일상을 영위하는 모습을 보여주고 있다. [라]는 인간은 다른 동물과는 질적으로 다른 존재이며, 자연적 존재라기보다는 자기를 개선하고 문화 를 창조하는 존재로 보고 있다.

[나]는 대지(토지) 윤리적 관점에서 자연은 경제적 가치를 뛰어넘어 내재적 가치를 지니기 때문에, 자연 전체가 도덕적, 미학적 고려의 대상이 되어야 한다고 보는 입장이다. [마]는 환경 위기로 인해 인간도 다른 생물종과 마찬가지로 멸종에 직면해 있으며 이 위기를 극복하기 위해 생태주의적인 의식을 가져야 한다고 주장하고 있다. [바]는 자연에 존재하는 모든 사물들이 인간의 진정한 모습과 본성을 반영한 존재들임을 강조하며 인간이 자연의 일부분 임을 보여주고 있다. (588자)

[논제 Ⅱ]

[논제 Ⅰ]의 두 관점 중 어느 관점을 지지하는지 그 이유를 서술하고, 그 관점에서 [사], [아], [자]를 평가하시오. [601자 이상 ~ 700자 이하: 배점 40점]

(1) [가],[다],[라]의 관점을 지지하는 경우

자연을 바라보는 인간의 두 관점 중 나는 [가],[다],[라]의 관점을 지지한다. 왜냐하면 인간은 자연 안의 다른 모든 존재와 구분되는 유일하고 우월한 존재이며, 자연은 인간에게 도움과 혜택을 줄 때에만 가치가 있기 때문이다. 이를 바탕으로 제시문 [사],[아],[자]를 평가하면 다음과 같다. [사]는 네덜란드 정부가 태풍과 홍수 피해를 막기 위해 대규모 방파제를 설치하는 '국가 대개조' 사업을 추진한 예를 들고 있다. 이는 자연의 가치가 인간의 생존보다 우위에 있을 수 없다고 보고 자연을 정복하는 것을 당연시하고 있어서 [가], [다], [라]의 관점과 맥을 같이 한다. [아] 는 인간과 자연은 균등하다는 실옹의 주장을 통해 인간우월적인 사고를 가진 허자를 비판한다. 실옹의 주장은 인간이 자연의 한 구성원인 동시에 자연 안의 모든 생명과 평등한 존재라는 생태 중심주의 자연관으로 [가],[다], [라]의 관점과 대비된다. [자]는 기후 위기 문제를 해결하기 위해 이산화탄소 배출에 비용을 지불하게 하는 것과 같은 시장경제적 방식이 필요하다고 주장한다. 기후 위기 문제를 일으킨 인간이 스스로 탄소 배출 규제와 같은 대응을 통해 환경 문제를 해결할 수 있다고

본다는 점에서 [가],[다], [라]의 인간 중심주의 자연관에 해당하는 사례라고 볼 수 있다. [644자]

(2) [나],[마],[바]의 관점을 지지하는 경우

자연을 바라보는 인간의 두 관점 중 나는 [나],[마],[바]의 관점을 지지한다. 왜냐하면 인간은 자연의 한 구성원으로서 자연 안의 모든 생명과 평등한 존재이므로 자연 그 자체의 가치를 존중하고 자연과 조화로운 삶을 살아야하기 때문이다.

이를 바탕으로 제시문 [사],[아],[자]를 평가하면 다음과 같다. [사]는 네덜란드 정부가 태풍과 홍수 피해를 막기 위해 대규모 방파제를 설치하는 '국가 대개조' 사업을 추진한 예를 들고 있다. 이는 생태계의 균형과 안정에 대한 고려 없이 인간의 생존을 위해 자연을 정복하는 것을 당연시 한다는 점에서 [나],[마],[바]의 관점에서 비판할 수 있다. [아]는 인간과 자연은 균등하다는 실옹의 주장을 통해 인간우월적인 사고를 가진 허자를 비판한다. 실옹의 주장은 인간이 자연의 한 구성원인 동시에 자연 안의 모든 생명과 평등한 존재라는 [나],[마],[바]의 관점과 맥을 같이 한다. [자]는 기후 위기 문제를 해결하기 위해 이산화탄소 배출에 비용을 지불하게 하는 것과 같은 시장경제적 방식이 필요하다고 주장한다. 기후 위기 문제를 일으킨 인간이 스스로 탄소 배출 규제와 같은 대응을 통해 환경 문제를 해결할 수 있다고 본다는 점에서 [나],[마],[바]의 생태 중심주의 자연관과 다르다고 할 수 있다.[641자]

[논제 Ⅲ]

(1) <자료 1>은 각국의 1인당 GDP와 환경오염도의 관계를 나타내고, <자료 2>는 각국의 1인당 GDP와 오염물질을 1단위 감소시키는 데 드는 비용의 관계를 나타낸다. <자료 3>은 1인당 GDP에 따라 국가를 10개의 그룹으로 나누고 각 그룹별로 환경오염 1단위 감소를 위해 지불할 용의가 있는 평균 금액을 나타낸다.

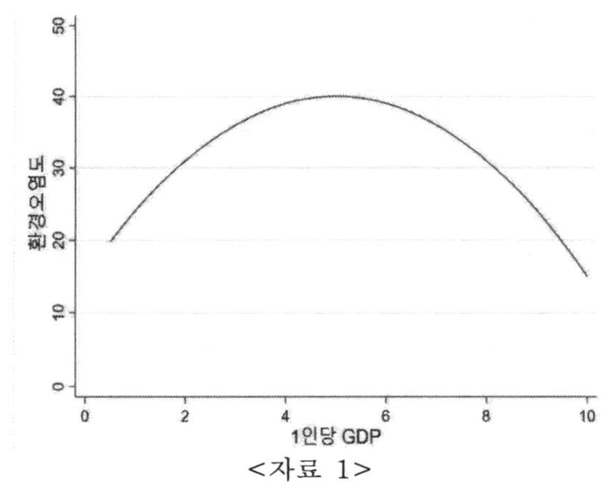

<자료 1>

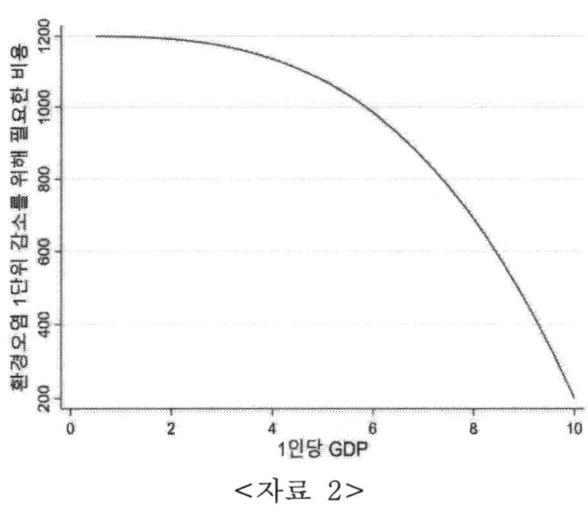

<자료 2>

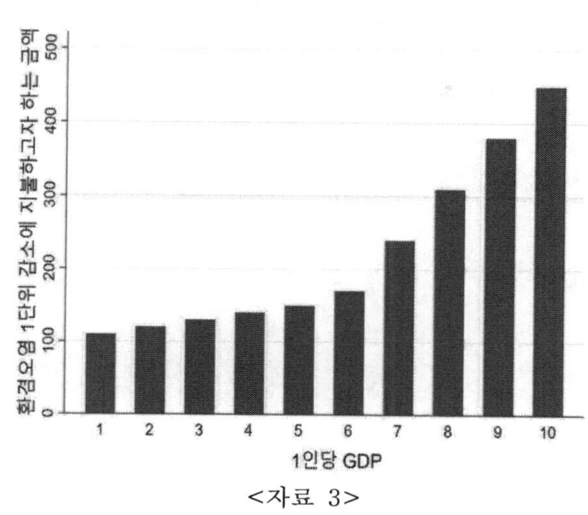

<자료 3>

<자료 2>와 <자료 3>을 이용하여 왜 <자료 1>과 같은 결과가 나타날 수 있는지 설명하시오. 그리고 <자료 1>이 [논제 Ⅰ]의 두 관점 중 어느 쪽을 지지하는 근거가 될 수 있는지 설명하시오.

(2) 국가 A에서는 1단위의 생산물을 생산하는 과정에서 생산물의 만큼 탄소를 배출한다. 국가 B는 국가 A의 탄소 배출로 인해서 탄소 배출량의 20배에 해당하는 만큼의 피해를 입는다. 국가 A의 생산과 탄소 배출에 따른 국가 A와 국가 B에서의 국민 총만족도는 다음과 같은 함수로 나타난다.

(국가 A의 국민 총만족도) $= 10 \times$ (생산물의 총량) $-$ (탄소 배출량)^2 $-$ (피해보상액) (국가 B의 국민 총만족도) $= 2000 +$ (피해보상액) $-$ (피해액)

① 국가 A에서 국가 B에 탄소 배출에 대한 피해 보상을 하지 않을 때, 국가 A의 국민 총만족도를 최대로 하기 위한 생산물의 총량과 탄소 배출량을 구하시오.

② 국가 A의 탄소 배출로 인해서 국가 B가 입은 피해액만큼 보상을 해준다고 할 때, 국가 A의 국민 총만족도를 최대로 하는 생산물의 총량과 탄소 배출량을 구하시오.

③ 국가 A가 국가 B에 피해 보상을 하지 않는 경우와 보상하는 경우, 각각에 대해 국가 A와 국가 B의 국민 총만족도의 합을 계산하시오. 이 결과를 토대로 제시문 [자]를 평가하시오. [배점 35점]

(1) <자료 1>은 경제 성장 초기에는 환경오염도가 증가하지만, 이후에는 환경오염도가 감소함을 보여준다. <자료 2>가 제시하는 것처럼 환경오염을 줄이는 데 드는 비용이 점차 감소하고, <자료 3>이 보여주는 것처럼 사람들이 깨끗한 환경을 더 원함에 따라 환경 개선을 위한 노력과 실천이 이루어져 이러한 관계가 나타난다. **<자료 1>은 인간이 경제 성장을 위해 자연을 이용하지만, 이후 인간에 의해 환경이 개선된다는 것을 보여주는 것으로 인간 중심주의 자연관을 지지하는 근거가 된다.**

(2)
① 국가 A의 탄소 배출량을 x, 국민 만족도를 y라 하면

$$y = 10 \times 10x - x^2 - 0 = -(x^2 - 100x + 50^2) + 50^2 = -(x-50)^2 + 2500$$

국민 만족도를 최대로 하는 탄소 배출량은 50, 생산량은 500이다.

② 국가 A의 탄소 배출량을 x, 국민 만족도를 y라 하면

$$y = 10 \times 10x - x^2 - 20 = -(x^2 - 80x + 40^2) + 40^2 = -(x-40)^2 + 1600$$

국민 만족도를 최대로 하는 탄소 배출량은 40, 생산량은 400이다.

(3)
피해보상을 하지 않는 경우 국가 A의 국민 만족도는 2500, 국가 B의 국민 만족도는 1000으로 그 합은 3500이다. 피해보상을 하는 경우 국가 A의 국민 만족도는 1600, 국가 B의 국민 만족도는 2000으로 그 합은 3600이다.
이 결과는 탄소 배출로 인해 발생하는 피해에 대해 보상하도록 할 때 전체 만족도가 증가함을 보여주는 것으로, 이를 통해 탄소 배출에 대해 비용을 부과하자는 제시문 [자]의 주장을 긍정적으로 평가할 수 있다.

3. 2024학년도 경희대 모의 논술 [인문체육계]

[논제 Ⅰ] [다]의 시각에서 [가]와 [나]의 입장에 대해 평가하시오. [801자 이상~900자 이하: 배점 40점]

[다]는 도둑 부자 이야기를 빌려 진정한 배움은 경험을 통해 스스로 터득하는 것이라고 강조한다. 도둑질도 곤경에 처해서 빠져나오는 기술을 터득한 뒤에야 천하제일이 되듯이, 공부도 지식을 전수받는 데 만족하지 말고 경험을 통해서 자득의 길로 나아가야 한다는 것이다.
[다]의 시각에서 [가]와 [나]의 내용은 달리 평가할 수 있다. [가]는 중국 주나라의 예를 통해 백성은 무조건 가르쳐야 하는 대상임을 역설한다. 좋은 정치란 백성을 가르쳐서 교화를 이룰 때 가능하다는 것이다. 그러나 [다]의 관점에서 볼 때 [가]는 일방적인 하향식 가르침과 통제를 내세우며 백성 스스로 경험하고 터득하는 길은 무시한다. 이렇게 가르치며 통제할 때, 과연 백성이 진정한 배움을 이룰 수 있을지 비판할 수 있다.
[나]는 학습이란 '가르치는 교사'에 의해 달성될 수 없고 학습자가 원해서 만족감을 느낄 때 할 수 있는 것임을 강조한다. 학습자에 대한 외부로부터의 재촉이나 감독은 내적 반발심과 피로를 유발해 학습을 불가능하게 한다. 훌륭한 교사는 감독하는 태도로 배움을 방해하지 않고 학생이 원하는 일에 필요한 도구를 제공한다. 이런 [나]의 입장은 통제적 하향식 가르침을 설파한 [가]와 다르다. 자득의 길을 강조한 [다]의 시각에서 [나]는 [가]와 달리 상대적으로 더 긍정적인 평가를 받을 만하다. 그러나 [나]도 학습자의 동기와 흥미를 강조했을 뿐, 경험을 통한 지혜의 터득과 산 지식의 배움까지는 주목하지 못했다는 점에서 [다]의 비판을 받을 수 있다. 종합하면, 교육과 학습에 있어서 통제적 하향식보다는 자발

적 상향식이 긍정적이지만 남의 지식을 전수받는 데 만족하지 말아야 한다. 곤경을 두려워하지 말고 많은 경험을 쌓아 자신의 지혜를 터득하는 자득의 길로 나아가는 것이 바람직하다. (881자)

[논제 Ⅱ] [라] ~ [사]를 입장이 유사한 두 부류로 묶어 그 중 한 입장을 선택해 요약하고, 이를 바탕으로 다른 입장을 비판하시오. [1,001자 이상~1,100자 이하: 배점 60점]

● [라], [사]의 관점에서 [마], [바]를 비판하는 경우

[라], [사]는 교육의 공적 기능을 강조한다. 이 입장에 따르면 교육의 본질은 개인의 기술이나 덕성 같은 요소를 향상시키는 것이 아니라 공동체의 유지, 발전에 필요한 주체를 길러내는 것이다. [라]는 이러한 교육의 공적 기능을 자신이 속한 공동체에 대한 책임감과 민주주의를 지탱하는 능력을 지닌 개인을 육성하는 데서 찾는다. [사] 역시 교육의 공적 기능을 옹호하고 있으나 여기서의 공(公)은 시민이 아니라 한 공동체의 통치자나 수호자를 길러내는 문제로 요약된다. 한 국가의 정체(正體)를 보존하기 위해서는 교육과 양육의 규범이 필요하며, 이런 관점에서 교육자는 아이들에게 훌륭함과 같은 덕성을 중심으로 가르쳐야 한다는 것이다. [사]는 이러한 교육을 통해 아이들이 국가를 위해 가장 유용한 사람으로 성장할 수 있다고 주장한다. 이처럼 [라]와 [사]는 공통적으로 교육의 공적 기능을 강조한다.

교육의 공적 기능을 강조하는 이러한 입장에서 [마]와 [바]는 다음과 같이 비판될 수 있다. [마]에 따르면, 교육은 단지 지성만을 갖춘 인재를 길러내는 것이 아니라, 감성, 체력, 인성을 두루 갖춘 종합적 인재를 길러내는 것이다. 학생들은 예술 수업으로 정서를 가다듬고, 체육 수업으로 건강한 신체를 훈련하며, 더불어 살아가는 인성을 겸비한 종합적 인재로 탄생할 수 있다. 하지만 개인의 지성, 감성, 인성에 초점을 맞추는 교육이 [라]가 제시하듯 국가와 국제 세계에 책임감을 가지는 시민 교육을 대체할 수는 없다. 인성중심의 교육을 받은 개인 또한 자신의 덕성을 더 큰 시장에서 경쟁하는 데 유리한 것으로만 생각하여 국가와 사회를 위한 자신의 시민적 책무를 망각할 가능성이 있다.

한편 [바]는 교육이 개인의 지위 상승에 필요한 지식과 훈련을 제공하고 인지능력을 향상시켜서 더 높은 지위를 획득하게 하는 것이 가능하다고 본다. 하지만 [라], [사]의 관점에서 볼 때 이러한 시각은 개인이 더 좋은 직업을 갖는 데 유리한 인지능력만을 계발하게 함으로써 국가의 통치와 수호와 같은 공동체적 덕성을 도외시하는 방향으로 나아가게 할 위험성이 있다. 공동체가 유지, 발전되지 않는 상태에서 개인의 지위 상승이 가능하지도 않으며, 바람직하다고도 볼 수도 없다. (1,093자)

● [마], [바]의 관점에서 [라], [사]를 비판하는 경우

[마], [바]는 교육의 사적 기능을 강조한다. 이 입장에 따르면 교육의 본질은 개인에게 필요한 지식, 훈련, 감성 등을 제공하거나 향상시키는 것이다. [마]는 인성교육을 중요시하는 A 고등학교의 사례를 통해 지성만이 아니라 감성, 체력, 인성을 기르는 종합적 교육의 중요성을 강조하고 있다. [바] 역시 교육의 사적 기능을 강조하고 있으나 여기서의 사(私)는 직무에 요구되는 기술이나 인지능력을 말한다. 교육은 개인이 직업을 수행하는 데 필요

한 숙련을 길러주고, 인지능력 향상, 협업 능력 상승 등을 통해 개인이 사회에서 유리한 위치를 차지할 수 있도록 해준다는 것이다. [바]에 따르면 개인은 이러한 교육을 통해 경쟁에서 비교우위를 점하여 더 높은 지위를 획득할 수 있게 된다. 이처럼 [마]와 [바]는 공통적으로 교육의 사적 기능을 강조한다.

교육의 사적 기능을 강조하는 이러한 입장에서 [라]와 [사]는 다음과 같이 비판될 수 있다. [라]에 따르면 교육의 본질은 특정한 지식이나 기술의 전달이 아니라 한 개인을 민주적인 시민으로 길러내는 것이다. 법의 평등한 보호에 기초한 민주주의적 가치와 국내적, 세계적 문제들을 진지하게 고민할 수 있는 시민적 역량을 키우는 것이 교육이 지향해야 할 바람직한 방향이라는 주장이다. 하지만 우리는 시민인 동시에 개인으로서 이 사회에서 살아가야 한다. 자신의 직업과 관련된 지식 없이는 경제적으로 독립된 개인으로 살아갈 수 없고, 이러한 상황 속에서는 민주적 시민으로서의 책임을 수행하는 것은 불가능하다.

한편 [사]에 따르면 교육은 국가를 운영할 통치자나 수호자를 기르는 과정이다. 이를 위해서 교육자가 학생에게 들려주는 이야기는 '덕'과 관련해서 가장 훌륭한 것이어야 하며, 학생에 대한 평가 또한 그가 통치자나 수호자로서의 자격을 지니고 있는가를 바탕으로 해야 한다. 하지만 모든 개인을 잠재적 통치자나 수호자로 간주하는 이러한 교육은 개인의 존재 이유를 집단의 보존과 동일시한다는 점에서 비판될 수 있다. 이러한 전체주의적 교육 이념은 공동체가 개인에 선행하였던 과거에는 가능하였다. 하지만 개인의 존엄과 자유가 가장 우선시되는 오늘날에는 이러한 전체주의적 교육 이념이 수용되기 어려울 수 있다. (1,088자)

4. 2024학년도 경희대 모의 논술 [사회계]

[논제 Ⅰ] 제시문 [가] ~ [바]를 유사한 관점을 가진 것끼리 분류하고 요약하시오. [501자 이상 ~ 600자 이하: 배점 25점]

[가]~[바]는 행복을 바라보는 관점 중 물질(경제) 중심적 관점과 비물질(비경제) 중심적 관점을 보여주고 있다. [가], [다], [마]는 물질 중심적 관점에 해당하고, [나], [라], [바]는 비물질 중심적 관점에 해당한다.

[가]는 개인이 행복을 위해 경제적 이익과 효용 극대화를 추구하는 것이 자유주의 사상의 핵심임을 설명하고 있다. [다]는 다른 나라와 비교할 때 한국인이 삶의 의미를 결정하는 가장 중요한 요소로 '물질적 풍요'를 꼽은 유일한 나라임을 보여주고 있다. [마]는 실업이라는 경제적 불운이 사람들의 삶의 만족도와 행복을 떨어뜨리는 중요한 요인임을 경제적 수치를 들어 설명하고 있다.

[나]는 행복의 가장 중요한 요소는 타인과의 좋은 관계이며, 타인에게 친절과 배려를 베풀 때 사람들은 행복해진다고 말한다. [라]는 에피쿠로스학파의 행복(쾌락)론을 설명하고 있는데, 참된 행복은 정신적인 안정과 절제되고 소박한 삶을 추구할 때 얻을 수 있음을 강조한다. [바]는 진정한 행복은 물질적 풍요가 아니라 가족 간의 따뜻한 관계에서 우러남을 주장하고 있다. (543자)

[논제 Ⅱ] [논제 Ⅰ]의 두 관점 중 어느 관점을 지지하는지 그 이유를 서술하고, 그 관점에서 [사], [아], [자]를 평가하시오. [601자 이상 ~ 700자 이하: 배점 40점]

1) [가], [다], [마]의 관점을 지지하는 경우

행복을 바라보는 두 관점 중 나는 [가], [다], [마]의 물질(경제) 중심적 관점을 지지한다. 왜냐하면 물질적인 풍요가 좋은 삶을 영위하고 삶을 의미 있게 만드는 가장 중요한 원천이기 때문이다. 이를 바탕으로 제시문 [사], [아], [자]를 평가하면 다음과 같다.

[사]는 도시화하고 현대화하는 고향의 모습에서 느끼는 화자의 쓸쓸함과 안타까움을 묘사한다. 이웃과의 우정과 옛 고향의 정취를 그리워한다는 점에서 행복을 물질(경제) 중심적 관점으로 보는 [가], [다], [마]의 관점과는 대비된다.

반면에, [아]는 사회자본과 여가활동이 행복 추구에 중요한 요소인데, 월 가구소득 정도에 따라 참여하는 여가활동의 구체적인 종류가 달라진다고 지적한다. 소득이 높을수록 사회관계나 취미·오락보다는 문화자본의 축적이 가능한 고급 문화예술 활동에 대한 참여도가 높다는 것이다. 이는 행복을 소득 수준과 연결한다는 점에서 [가], [다], [마]의 물질(경제) 중심적 관점과 맥을 같이한다.

[자]는 다른 사람의 소득이 자신의 소득에 대한 만족도에 영향을 미친다는 것을 보여준다. 이는 자신과 타인의 소득을 비교하는 것이 행복감을 느끼는 데 영향을 미친다는 주장으로, 물질(경제) 중심적 관점에 서 있는 [가], [다], [마]와 맥을 같이한다. (637자)

2) [나], [라], [바]의 관점을 지지하는 경우

행복을 바라보는 두 관점 중 나는 [나], [라], [바]의 비물질 중심적 관점을 지지한다. 왜냐하면 행복은 물질적인 풍요를 누릴 때보다는 주변의 친구들과 우정을 나누고 다른 사람들에게 친절과 사랑을 베풀 때 충족될 수 있기 때문이다. 이를 바탕으로 제시문 [사], [아], [자]를 평가하면 다음과 같다.

[사]는 도시화하고 현대화하는 고향의 모습에서 느끼는 화자의 쓸쓸함과 안타까움을 묘사한다. 이는 행복에 있어 비물질적 측면을 중시하는 [나], [라], [바]의 관점과 맥을 같이한다.

반면에, [아]는 사회자본과 여가활동이 행복 추구에 중요한 요소인데, 월 가구소득 정도에 따라 참여하는 여가활동의 구체적인 종류가 달라진다고 지적한다. 소득이 높을수록 사회관계나 취미·오락보다는 문화자본의 축적을 바탕으로 한 고급 문화예술 활동에 대한 참여도가 높다는 것이다. 이는 행복을 소득 수준과 연결한다는 점에서 [나], [라], [바]의 비물질 중심적 관점과 대비된다.

[자]는 다른 사람의 소득이 자신의 소득에 대한 만족도에 영향을 미친다는 것을 보여준다. 자신과 타인의 소득을 비교하는 것이 행복감을 느끼는 데 영향을 미친다는 주장이므로, 이 또한 물질(경제) 중심적인 관점으로서 [나], [라], [바]의 비물질 중심적 관점과 대비를 이룬다. (639자)

[논제 Ⅲ]

국가 A는 매년 사람들의 소득 수준과 행복도를 조사해오고 있다. <자료 1>은 국가 A에서 2011년에 조사한 소득집단별 평균 행복지수를 나타낸다. 행복지수가 높을수록 개인들이 더 행복하다고 응답한 것을 의미한다. <자료 2>는 국가 A의 1991년부터 2015년까지 1인당 평균 소득과 평균 행복지수를 나타낸다. 해당 기간에 국가 A에서 소득 이외에 사람들의 행복에 영향을 줄 수 있는 다른 요인의 변화는 없었다고 가정한다.

(1) <자료 1>과 <자료 2>에 나타난 사실들을 설명하고, 이 사실들을 제시문 [자]를 이용해서 해석하시오.

(2) 개인의 행복은 여가시간(측정 단위: 시간)과 소득(측정 단위: 만 원)의 곱에 의해 결정된다고 가정하자. 개인에게 주어진 시간은 24시간으 로, 그는 이 시간을 근로나 여가 둘 중 하나를 위해 사용한다. 개인의 소득은 근로시간에 시간당 임금을 곱하여 계산한다. 시간당 임금이 1만 원 인 사람과 2만 원인 사람이 있다고 가정하여 두 사람이 경험하는 24시간 동안의 행복도를 가장 높게 하는 여가시간을 구하고, 이때의 소득과 행 복 수준을 구하시오. 제시문 [아]를 활용하여 두 사람의 행복 수준에 차이가 나는 이유를 설명하시오.

1)

〈자료 1〉은 주어진 시점에서 소득 수준과 행복 수준이 비례 관계에 있음을 보여준다. 〈자료 2〉는 국가 A의 1인당 평균 소득 수준이 매년 향상하여도 행복의 평균적인 수준에는 변화가 없음을 보여준다. 제시문 [자]에 의하면, 개인의 행복은 다른 사람의 소득과 비교한 자신의 소득에 영향을 받는다. 〈자료 1〉에서 더 높은 소득 수준을 가진 집단일수록 평균 소득과 비교해서도 소득 수준이 상대적으로 월등하기에 더 높은 수준의 행복을 느끼게 된다. 그런데 사람들의 전반적인 소득 수준이 향상하면 평균 소득도 함께 증가하므로, 각 개인의 소득과 평균 소득의 차이에는 전체적으로 아무런 변화가 없게 된다. 소득 수준이 향상해도 사람들의 전반적인 행복 수준은 더 이상 높아지지 않는데, 〈자료 2〉는 이러한 사실을 실증적으로 보여준다.

2)

① 시간당 임금이 1만 원인 사람:

이 사람의 여가시간을 x라고 하면 소득은 $(24-x)$이고 행복도는 다음과 같다.

$$\text{행복} = x(24-x) = x^2 + 24x = -(x^2 - 24x + 144) + 144 = -(x-12)^2 + 144$$

따라서 행복 수준을 가장 높게 하는 여가시간은 12시간이고, 소득은 12만 원이다. 이때의 행복 수준은 144이다.

② 시간당 임금이 2만 원인 사람:

이 사람의 여가시간을 라고 하면 소득은 $2(24-x)$이고 행복도는 다음과 같다.

$$\text{행복} = 2x(24-x) = -2x^2 + 48x = -2(x^2 - 24x + 144) + 288 = -2(x-12)^2 + 288$$

따라서 행복 수준을 가장 높게 하는 여가시간은 12시간이고, 소득은 24만 원이다. 이때의 행복 수준은 288이다.

두 사람은 사용한 여가시간이 같음에도, 행복 수준은 소득이 높은 사람이 더 높다. 이는 제시문 [아]에서 설명한 바와 같이 고소득 집단은 문화적 자본을 바탕으로 더 풍부한 여가생활을 누리기 때문이라고 할 수 있다.

5. 2023학년도 경희대 수시 논술 [인문체육계]

[논제 I] [다]의 시각에서 [가]와 [나]의 상황에 대해 평가하시오.

[다]는 대중문화의 긍정적 영향력을 강조하고 있다. BTS가 세상의 불평등과 폭력을 용인하지 말고 더 나은 세상을 위해 함께하자는 메시지를 전파하고, 아미가 그 메시지에 영감을 받아 사회의 현안에 대해 적극적으로 목소리를 내고 실질적 해결책을 찾는 것이 대표적인 사례이다. 이들은 단순한 생산자나 소비자가 아니라 대중문화를 통해 세상을 변화시키는 실천적인 주체라고 말할 수 있다. [다]의 관점에서 대중문화는 소비 대상이 아니라 사회를 긍정적으로 변화시키는 문화적 매개체이다.

대중문화의 긍정적 영향력을 강조하는 [다]의 관점에서 [가]의 상황은 부정적이다. [가]는 대중문화가 문화 산업에 종속되어 있다고 본다. 이 주장에 따르면 대중문화는 상품이며, 대중문화를 향유하는 사람 역시 문화의 주체가 아니라 소비자일 뿐이다. 그러나 [다]의 입장에서 [가]의 주장은 대중문화를 문화산업과 동일시함으로써 대중문화가 지닌 긍정적 파급력을 외면하는 것으로 이해될 것이다. 특히 [다]는 상품과 소비자의 논리로 축소될 수 없는 정도의 사회적 파급력을 지닌 가수와 팬 관계를 묘사하고 있는데, 이러한 관점에서 [가]의 주장은 문화산업의 악영향에만 경도되어 있는 것으로 보일 것이다.

[나]는 대중음악이 한 소년의 성장 과정에 끼친 긍정적 영향력에 주목한다는 점에서 [다]의 관점과 유사하다. [나]의 화자는 사회가 강요하는 정체성의 분류가 부당하다고 느낀다. 그러나 '남자스러움'을 강요받고 그것에 불편해하면서도 순응하는 내용의 노래 가사를 듣고 자신의 입장과 동일하다고 느낀다. 이런 사회적 강요에 힘들어하는 것이 자신만의 고립된 경험이 아님을 깨달은 화자는 깊은 위로를 받는다. [다]의 입장에서는 [나]의 화자가 경험하는 심리적 위로가 대중문화의 긍정적 기능을 보여주는 또 다른 사례로 보일 것이다.

(898자)

[논제 II] [라] ~ [사]를 입장이 유사한 두 부류로 묶어 그 중 한 입장을 선택해 요약하고, 이를 바탕으로 다른 입장을 비판하시오.

[라], [바]의 관점에서 [마], [사]를 비판하는 경우

[라]와 [바]는 SNS에 대한 긍정적 입장이다. 사회적 순기능이 크다는 것이 주장의 핵심이다. [라]는 저커버그의 말을 통해, SNS는 개인들의 연결을 넘어 공동체의식의 함양, 시민사회의 참여, 민주정치의 활성화, 세계평화 공존의 촉진에 유용하다고 역설한다. 특히 SNS가 이용자들의 정치적 참여를 돕는다는 점은 SNS 팔로워 수가 많은 후보들이 선거 승리를 거두는 실제의 경향으로 증명된다. [바]는 SNS가 작은 빵집의 홍보를 돕고, 빵을 사서 소상공인을 돕길 원하는 손님들을 연결시켜 개인의 취향을 현실화하도록 돕는 좋은 실용적 효과가 있다고 말한다. SNS는 소비자와 생산자를 연결해 인적 관계망을 구축해주고, 그들 관계의 쌍방향성을 강화해 취향에 맞는 활발한 정보 공유와 의사소통을 가능하게 함으로써 모두가 행복해지는 결과를 낼 수 있다는 것이다.

[라],[바]의 입장에서 [마],[사]는 SNS에 수반되는 자아의 문제만 따지고 사회적 순기능을 무시한다고 비판할 수 있다. [마]는 SNS 속에서 꾸며지고 포장되는 우리 모습이 진정

한 자아와 동떨어진 '가짜 나'이며, 우리는 멋진 겉모습을 보이려고 늘 가면을 쓰고 연기를 하고 있다고 말한다. [마]의 입장에 대해, [라],[바]는 SNS가 사회적 참여를 독려하고 개인의 취향과 가치관을 반영한 소비를 할 수 있게 해 각자의 진정한 모습을 현실화하는 실용적 효과가 있다는 점을 간과한다고 비판할 것이다.

[사]는 SNS에서 남이 눌러주는 '좋아요' 클릭을 통해 불안과 고독을 떨쳐내는 피드백 중독 현상을 묘사한다. '좋아요'를 통해 타자와의 간격이 없어지는 가운데 진정한 자아는 소멸된다. 나와 다른 타자는 배제하고 유사한 타자만 추가하는 과정에서 우리는 대화가 아닌 자기 목소리의 공허한 메아리만을 듣는다는 것이다. 이러한 생각에 대해 [라],[바]는 SNS가 우리의 공동체의식을 키워 긍정적 사회 발전을 촉진한다고 반박할 것이다. 이처럼 [라],[바]는 SNS가 우리의 자아를 잃게 하는 것이 아니라 오히려 사회적 연결을 통해 우리 각자의 관점과 취향을 드러내고 남들과 소통하는 긍정적 경험을 하게 한다고 본다.

(1,052자)

[마], [사]의 관점에서 [라], [바]를 비판하는 경우

[마]와 [사]는 SNS에 대한 부정적 입장이다. 진정한 자아를 찾기 힘들게 한다는 것이 비판의 핵심이다. [마]는 SNS를 통해 끊임없이 자신을 멋있는 겉모습으로 꾸며 남에게 '가짜 나'를 보여주는 오늘날의 경향을 지적한다. '진짜 나'를 아무도 모르는 가운데 우리 자신도 진정한 자아와 근본적으로 단절된다. 과거에는 남에게 실제보다 더 잘 보이려는 연기를 멈추고 진정한 자아로 돌아가곤 했지만, 이제는 SNS로 인해 이 연기가 멈추지 않는 일상이 되었다. [사]는 SNS에서 남이 눌러주는 '좋아요' 클릭을 통해 불안과 고독을 떨쳐내는 피드백 중독 현상을 묘사한다. '좋아요'를 통해 타자와의 간격이 없어지는 가운데 진정한 자아는 소멸된다. 나와 다른 타자는 배제하고 유사한 타자만 추가하는 과정에서 우리는 대화가 아닌 자기 목소리의 공허한 메아리만을 듣게 된다.

[마],[사]의 입장에서 [라],[바]는 SNS의 사회적 순기능만 강조하고 자아 상실의 문제를 간과한다고 비판할 수 있다. [라]에서 저커버그는 페이스북이 개인을 가족, 친구들에게 연결해줄 뿐 아니라 시민사회의 참여, 민주정치의 활성화, 세계평화와 공존의 촉진에도 유용하다고 역설한다. [마],[사]는 [라]의 이러한 주장이 사회적 연결의 기능적 겉모습만 중시한 채, 그 연결의 이면에서 가면을 쓴 '가짜나'를 연기하고 남의 피드백에 중독된 자아 상실의 인간을 외면한다고 비판할 것이다.

[바]는 SNS를 이용한 손님들과 소상공인이 연결되어 성공을 거둔 작은 빵집의 예를 통해 SNS의 좋은 실용적 효과를 논한다. SNS는 소비자와 생산자를 연결해 인적 관계망을 구축해주고, 그들 관계의 쌍방향성을 강화해 취향에 맞는 정보 공유와 의사소통을 가능하게 함으로써 모두가 행복해지는 결과를 낼 수 있다는 것이다. 이러한 생각은 [마],[사]의 관점에서는 SNS의 긍정적 사례만 주목하고 SNS에서 '가짜 나'로 남을 기만하거나 남의 피드백에 중독되어 부화뇌동하며 개성을 잃어버린 사례들을 무시한다고 비판받을 수 있다. [라],[바]처럼 SNS의 사회적 순기능을 조명할 경우에는 인간 자아 상실이라는 역기능도 유념해야 할 것이다. (1,059자)

6. 2023학년도 경희대 수시 논술 [사회계 오전]

[논제 Ⅰ] 제시문 [가] ~ [바]를 유사한 관점을 가진 것끼리 분류하고 요약하시오.

[가]~[바]는 사회 발전과 문제 해결을 위한 시민 참여를 바라보는 상반된 입장을 다루고 있다. [가],[라],[마],[바]는 시민 참여가 가져올 긍정적 효과를 강조하고 있는 반면에, [나],[다]는 시민 참여의 부정적 결과를 묘사한다.

[가]는 자신의 성폭력 경험을 SNS에 '미투'라는 해시태그(#)로 공유함으로써 인권보호와 성평등 실현의 공감대 확산에 기여한 사례를 보여주고 있다. [라]는 주민이 지역의 문제 해결과 발전에 직접 참여하는 지방 자치가 민주 정치 원리를 실현하는 풀뿌리민주주의로서의 의미를 지닌다고 주장한다. [마]는 비록 '나 하나'는 미약한 존재일지 모르지만 내가 먼저 참여함으로써 온 세상의 변화를 이끌어 낼 수 있음을 역설한다. [바]는 백인 전용 의자에 흑인 학생들이 가만히 앉아 있는 비폭력 저항 방식으로서의 시민 불복종운동이 보편적 자유 증진에 기여했음을 보여주는 사례이다.

반면에 [나]는 수준 낮은 정치 참여와 과도한 시민 참여가 야기할 수 있는 문제점을 지적한다. 또한 [다]는 시민의 정치 참여가 정치팬덤 현상으로 변질되면 역설적이게도 민주주의의 독이 될 수 있다고 주장한다.

[567자]

[논제 Ⅱ] [논제 Ⅰ]의 두 관점 중 자신은 어느 관점을 지지하는지 그 이유를 서술하고, 그 관점에서 제시문 [사], [아], [자]를 평가하시오.

(1) [가],[라],[마],[바]의 관점을 지지하는 경우

사회 발전과 문제 해결을 위한 시민 참여의 역할에 관한 두 관점 중 나는 [가],[라],[마],[바]의 관점을 지지한다. 여러 사회 문제 해결과 더 나은 사회로의 발전을 위해서는 위력에 의한 성폭력 고발, 주민 자치의 실현, 보편적 자유를 위한 시민불복종 운동 등 시민의 적극적이고 자발적인 참여가 필수적이기 때문이다.

이를 바탕으로 제시문을 평가하면 다음과 같다. [사]는 나 자신이 지구촌의 한 구성원임을 자각하고 인류 보편적 가치에 대한 이해를 바탕으로 세계 시민으로서 지구촌 문제를 해결하기 위해 적극 동참해야 함을 역설한다. 이는 시민의 적극적 참여를 지구촌 차원으로 확장했다는 점에서 긍정적으로 평가할 수 있다. [아]는 일반 시민의 이기적이고 수동적인 자질을 비판하면서 진리에 대한 우월적 지식을 소유한 관료들이 국가의 행정을 담당하는 것이 바람직하다고 주장한다. 이는 국가 경영에 다수 시민의 적극적 참여를 배제한다는 점에서 비판할 수 있다. [자]는 '모두를 위한 의무 유급 휴가를 6주로 늘리자'는 안이 유효 서명을 취득하여 개헌 발의가 된 후 국민투표에 부쳐진 결과 기각된 스위스의 사례를 보여준다. 이는 국민 투표로서 국론 분열을 극복하고 국민 다수가 한마음이 된 긍정적 시민 참여의 사례로 평가할 수 있다.

[631자]

(2) [나],[다]의 관점을 지지하는 경우

사회 발전과 문제 해결을 위한 시민 참여의 역할에 관한 두 관점 중 나는 [나],[다]의 관점을 지지한다. 시민 참여는 사회 발전과 문제 해결을 위해 필수적이나 과도하거나 배타적

인 이념에 근거한 시민 참여는 의사 결정의 지연과 정치적 혼란을 야기할 수 있기 때문이다.

이를 바탕으로 제시문을 평가하면 다음과 같다. [사]는 나 자신이 지구촌의 한 구성원임을 자각하고 세계 시민 의식을 바탕으로 지구촌 문제를 위해 적극 동참해야 함을 역설한다. 시민 참여의 문제점을 강조하는 관점에서 보자면 자신의 이해관계에 직접 영향을 미치지 않는다고 생각하는 지구촌 문제에 대해 사람들이 관심이나 시간 및 노력을 할애하지 않는다는 점에서 비판할 수 있다. [아]는 일반 시민의 이기적이고 수동적인 자질을 비판하면서 진리에 대한 우월적 지식을 소유한 관료들이 국가의 행정을 담당하는 것이 바람직하다고 주장한다. 이는 시민 참여의 문제를 지적하는 관점과 맥을 같이 한다. [자]는 '모두를 위한 의무 유급 휴가를 6주로 늘리자'는 안이 유효서명을 취득하여 개헌 발의가 된 후 국민투표에 부쳐진 결과 기각된 스위스의 사례를 보여준다. 시민 참여의 문제점을 지적한 관점에서 보자면, 국민 투표에 이르기까지 국론의 분열과 정치적 의사결정의 지연으로 많은 사회 경제적 비용이 수반되었으나 결국 원안은 바뀌지 않고 그대로 유지되고 말았다는 점에서 비판할 수 있다.

(692자)

[논제 Ⅲ] 국가 A에서 선거참여율과 행복 지수의 관계가 다음과 같은 조건을 만족한다고 하자.

① 선거참여율 x에 따른 행복 지수 y는 $y=-5x^2+ax+b$라는 이차함수의 형태를 따른다.

② 선거참여율의 범위는 $0 \le x \le 1$ 이다.

③ 행복 지수는 값이 작을수록 행복감이 낮다는 것을, 값이 클수록 행복감이 높다는 것을 의미한다.

④ 아무도 선거에 참여하지 않았을 때 행복 지수는 $\frac{3}{5}$이고, 모두 선거에 참여했을 때 행복 지수는 $\frac{18}{5}$이다.

(1) a와 b값을 구하고, 주어진 이차함수의 그래프를 그린 후 y절편과 $x=1$에서의 점의 좌표(x, y)를 표시하시오.

(2) 행복 지수가 최대가 되는 선거참여율을 구하고, 그 점에서의 행복 지수 값을 구한 후 (1)에서 그린 그래프 위에 점의 좌표(x, y)를 표시하시오.

(3) (1)과 (2)에서의 분석 결과를 토대로 제시문 [나]의 견해를 평가하시오.

(1) 주어진 이차함수 $y=-5x^2+ax+b$가 두 점 $\left(0, \frac{3}{5}\right)$과 $\left(1, \frac{18}{5}\right)$을 지나므로 이 점을 이차함수에 대입한, 다음의 두 연립방정식을 풀어 a와 b값을 구한다.

① $\frac{3}{5}=-5\times0^2+a\times0+b$

② $\frac{18}{5}=-5\times1^2+a\times1+b$

①에 의해 $b=\frac{3}{5}$이고, 이를 ②에 대입하여 a에 대해 정리하면, $a=8$이다. 따라서 최종적으로 구한 함수는 $y=-5x^2+8x+\frac{3}{5}$이고, 이 이차함수의 그래프는 다음과 같다.

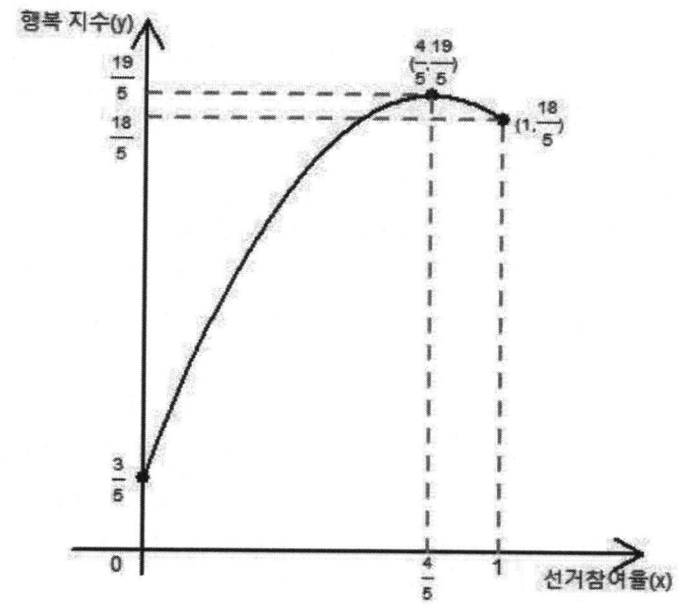

(2) 답안 가)

$$y=-5x^2+8x+\frac{3}{5}=-5\left(x^2-\frac{8}{5}x+\frac{16}{25}\right)+5\times\frac{16}{25}+\frac{3}{5}=-5\left(x-\frac{4}{5}\right)^2+\frac{19}{5}$$

선거참여율 $\frac{4}{5}$는 $0\le x\le1$범위 내에 있으므로, 행복 지수는 선거참여율이 $\frac{4}{5}$일 때 $\frac{19}{5}$를 최댓값으로 갖는다. 위의 그래프에 이 점 $\left(\frac{4}{5}, \frac{19}{5}\right)$을 제시하였다.

답안 나)

미분을 이용한 답안은 다음과 같다. 주어진 함수는 위로 볼록한 함수이고 이를 x에 대해 미분하면, $0=-10x+8$이므로 $x=\frac{4}{5}$에서 최댓값을 갖는다. 선거참여율 $\frac{4}{5}$는 $0\le x\le1$ 범위 내에 있으므로, 행복 지수는 선거참여율이 $\frac{4}{5}$일 때 $\frac{19}{5}$를 최댓값으로 갖는다. 위의 그래프에 이 점 $\left(\frac{4}{5}, \frac{19}{5}\right)$을 제시하였다.

(3) 국가 A의 사례는 선거참여율이 $\frac{4}{5}$보다 작은 구간에서는 선거참여율이 증가하면서 행

복 지수가 증가하지만, 선거참여율이 $\frac{4}{5}$보다 큰 구간에서는 선거참여율이 증가할수록 행복 지수가 감소함을 보여준다. 이러한 사례는 과도한 정치 참여가 국민의 행복 지수를 낮출 수 있다는 점을 보여주기 때문에 [나] 지문을 지지하는 사례이다.

7. 2023학년도 경희대 수시 논술 [사회계 오후]

[논제 Ⅰ] 제시문 [가] ~ [바]를 유사한 관점을 가진 것끼리 분류하고 요약하시오.

[가]-[바]는 사회·문화 현상을 바라보는 관점 중 기능론(사회 통합)과 갈등론(사회 갈등)의 관점을 보여주고 있다. [가],[다],[바]는 갈등론(사회 갈등)에 해당되고, [나],[라],[마]는 기능론(사회 통합)에 해당된다.

[가]는 정당(체계)은 국민혁명과 산업혁명이라는 두 가지 역사적 사건에서 기인한 사회집단들 간의 갈등(균열)으로 인해 형성되었다고 설명한다. [다]는 지배계급은 피지배계급의 착취를 통해 혜택을 받지만 피지배계급은 합당한 대우를 받지 못해 갈등이 발생하는 상황을 설명하고 있다. [바]는 공장에서의 승진, 작업수당, 노동시간을 둘러싸고 자본가와 노동자 사이의 갈등과 지배를 묘사하고 있다.

[나]는 범죄와 처벌 의례가 사회구성원들 간의 도덕 감정과 감정적 유대를 강화시켜 사회통합의 역할을 한다고 설명한다. [라]는 역할의 중요성과 수행 능력의 차이에 따라 회사대표(CEO)와 근로자 간의 차등 대우가 발생하는 데 이것이 인재를 적재적소에 배치하게 하여 하여 사회를 원활하게 작동하게 한다고 설명한다. [마]는 교육을 통해 아동들이 공통적인 사회적 가치, 규범, 정신을 학습한다고 설명한다.

(577자)

[논제 Ⅱ] [논제 Ⅰ]의 두 관점 중 어느 관점을 지지하는지 그 이유를 서술하고, 그 관점에서 [사], [아], [자]를 평가하시오.

(1) [가],[다],[바]의 관점을 지지하는 경우

사회·문화 현상을 바라보는 기능론과 갈등론의 두 개의 관점 중에서 나는 갈등론에 해당하는 [가],[다],[바]의 관점을 지지한다. 그 이유는 갈등과 대립이 비정상적인 현상이 아니라 사회의 본질적인 속성이며, 오히려 사회 변화와 사회 발전의 원동력이 된다고 보기 때문이다. 또한 갈등론은 사회적 강제, 억압, 착취, 부정의를 폭로하고 개선할 수 있는 관점을 제공한다.

이를 바탕으로 제시문을 평가하면 다음과 같다. [사]는 경제적 지배 세력들이 자신들의 독점과 이익을 지키기 위해 악의적인 투기, 위협, 관행을 일으킨다고 지적하고 이것이 사회 안녕과 발전을 심각하게 저해하고 있다고 주장하고 있다. 따라서 국가 지도자인 대통령이 이러한 불합리한 상황을 교정하고 사회 발전을 위해 이들과의 싸움(갈등)의 필요성을 역설하고 있다. [아]는 지배 집단인 정부와 대기업의 잘못으로 초래된 경제 위기를 국민들의 단합한 힘으로 극복한 사례를 설명한다. 갈등론의 관점에서 이 사례는 견제되지 않은 권력은 위험하며 그 피해는 고스란히 국민들에게 돌아갈 수 있음을 시사한다. [자]는 인간 집단은 부, 권력, 명예, 사회적 인정, 안전 등을 둘러싸고 다양한 방식으로 갈등하고 있음

을 보여준다. 갈등론의 관점에서 이 지문은 갈등이 사회의 기본적인 속성임을잘 드러내고 있다.

(652자)

(2) [나], [라], [마]의 관점을 지지하는 경우

사회·문화 현상을 바라보는 기능론과 갈등론의 두 개의 관점 중에서 나는 기능론에 해당하는 [나],[라],[마]의 관점을 지지한다. 그 이유는 사회의 각 부분이 각자의 기능을 온전히 수행함으로써 조화와 균형을 이루며, 이를 통해 안정과 질서 상태가 유지될 수 있다고 보기 때문이다. 각 사회 세력들이 자신들의 이익만을 위해 싸울 때 사회는 혼란에 빠지며 사회 발전과 안녕을 이루기 힘들다.

이를 바탕으로 제시문을 평가하면 다음과 같다. [사]는 사회 통합을 추구해야 할 대통령이 특정 계급과의 갈등을 유발하는 것으로 사회 통합을 저해한다. 기능론의 관점에서 지도자의 이런 발언은 오히려 사회 혼란을 부추기기 때문에 바람직하지 않으며 지도자는 사회 갈등을 줄이고 사회 통합을 위해 노력해야 한다. [아]는 사회적 위기에 닥쳤을 때 이를 극복하기 위해 집단의 단결된 힘과 사회 통합의 중요성을 보여준다. 사회적 유대와 신뢰가 경제위기 극복에 중요하다는 점에서 기능론의 관점을 지지하는 사례이다. [자]는 사회적 폭력과 혼란으로 사회 갈등이 만연한 상황으로 병리적인 사회 현상이다. 기능론의 관점에서 사회가 혼란과 투쟁의 상황에서 벗어나 제대로 기능하기 위해서는 사회 통합(사회 신뢰 확보)과 사회질서 유지(사회 규범 확립)가 필요하다.

(635자)

[논제 Ⅲ] <자료 1>은 각 국가의 소득 불평등도와 세대 간 계층 이동을 조사한 후 그 관계를 그래프로 나타낸 것이다. 소득 불평등도를 나타내는 수치가 높을수록 그 사회의 소득 분배가 더 불평등하다는 것을 의미한다. 세대 간 계층 이동 지수는 세대 간 계층 이동의 정도를 수치로 측정한 것으로 이 수치가 높은 사회일수록 세대 간 계층 이동이 더 활발히 이루어진다. <자료 2>는 국가들을 사회 통합의 정도에 따라 6개의 집단으로 구분하고 각 집단별 평균 1인당 국내 총생산을 그래프로 나타낸 것이다. 사회 통합의 정도가 1에서 6으로 커질수록 더 통합적인 국가다.

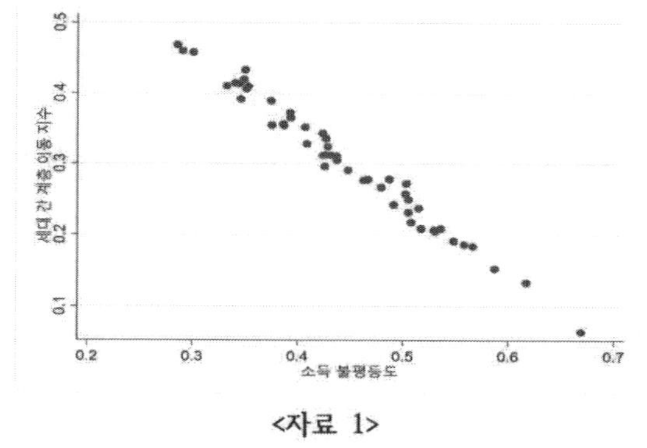

<자료 1>

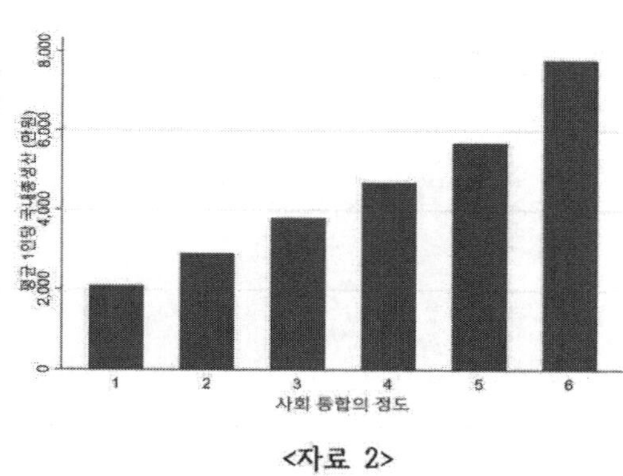

<자료 2>

(1) <자료 1>과 <자료 2>를 해석하고, 각각의 자료가 [논제 Ⅰ]의 두 관점 중 어느 쪽을 지지하는 근거가 될 수 있는지 설명하시오.

(2) 사회평등지수 x와 사회발전지수 y의 관계는 일차함수 $y=ax+b$로 표현되는데 이 일차함수와 그 계수들은 다음의 네 가지 조건들을 만족한다.

① $-2a+b=2$

② $a^2+b^2=8$

③ 사회평등지수는 0에서 1까지의 값을 가질 수 있다($0 \le x \le 1$). 사회평등지수가 높을수록 그 사회는 더 평등하고,그 지수가 낮을수록 사회는 더 불평등하다.

④ 주어진 사회평등지수의 구간($0 \le x \le 1$).에서 y는 양의 값을 갖는다. 사회발전지수가 더 큰 값을 가질수록 더 높은 수준의 사회발전 정도를 나타낸다.

위의 조건들을 만족시키는 계수 a와 b를 갖는 일차함수를 구하시오. 이를 토대로 제시문 [라]를 평가하시오.

(1) <자료 1>은 소득 불평등도가 높은 국가에서 세대 간 계층 이동이 덜 발생하는 것을 보여준다. 이는 사회 불평 등이 지배 집단의 권력 및 강제에 의한 것으로, 기존의 불평등한 계층 구조를 재생산하게 된다고 보는 갈등론을 지지하는 근거가 될 수 있다. <자료 2>는 더 통합적인 사회에서 개인의 생산성이 높은 것을 보여준다. 이는 사회 통합과 질서를 강조하는 기능론을 지지하는 근거가 될 수 있다.

(2) a와 b는 조건 ①과 조건 ②를 만족하는 연립이차방정식을 풀어서 구할 수 있다.

조건 ①에서 $b=2a+2$이므로 이것을 조건 ②에 대입하면 $a^2+(2a+2)^2=8$이고, 이것을 정리하면 $5a^2+8a-4=0$이다

좌변을 인수분해하면 $(a+2)(5a-2)=0$이다.

따라서 $a=-2$또는 $a=\frac{2}{5}$

이를 조건

①에 대입하면 $b=-2$또는 $b=\frac{14}{5}$

따라서 연립방정식의 해는 $\begin{cases} a=\frac{2}{5} \\ b=\frac{14}{5} \end{cases}$ 또는 $\begin{cases} a=-2 \\ b=-2 \end{cases}$이다.

그런데 연립방정식의 해가 $a=-2,\ b=-2$인 경우 주어진 범위의 $x(0 \le x \le 1)$에 대해 y가 음의 값을 가지므로 조건 ④를 만족하지 않는다.

따라서 주어진 조건들을 모두 만족하는 a와 b는 $\begin{cases} a=\frac{2}{5} \\ b=\frac{14}{5} \end{cases}$ 이고

사회평등지수 (x)와 사회발전지수 (y)의 관계를 나타내는 일차 함수는 $y=\frac{2}{5}x+\frac{14}{5}$이다.

제시문 [라]는 사회 불평등은 사람들에게 성취동기를 부여하고 자신의 능력을 최대한 발휘

하게 하여 사회 발전에 기여한다고 주장한다. 그러나 사회평등지수와 사회발전지수의 관계를 나타내는 함수는 사회가 더 평등할수록 더 높은 수준의 사회발전이 달성될 수 있음을 보여주는 것으로, 이를 토대로 제시문 [라]의 주장이 타당하지 않음을 지적할 수 있다.

8. 2023학년도 경희대 모의 논술 [인문체육계]

[논제 Ⅰ] [다]의 시각에서 [가]와 [나]의 상황에 대해 평가하시오.

[다]는 진정한 자유의 의미에 대해, 개인이 공동체 의식을 갖고 모두를 위해 노력할 때 발생하는 것이라고 주장한다. [다]는 자유가 개인이 모두를 위해 싸우고, 성실히 노력하고, 타인과 고통을 함께 나눠질 때 진정한 자유를 느낄 수 있다고 말한다. 그리고 그런 자유를 누리지 않는 이들이 자유, 형제, 동포 등을 외치면서도 자기 이익만 챙기는 이기주의를 비판하고 있다. [다]에 따르면, 다른 이들과 함께하지 않는 자유는 자기기만적이다.

이러한 [다]의 화자는 [가]에 동의할 것이다. [가]는 최근의 장애인 지하철 이동권 시위가 민폐라고 비난하던 사람들의 모순을 지적한다. 기본권을 행사할 수 없기에 자유롭지 못한 이들이 벌이는 투쟁을 두고, 그들이 오히려 나의 편안한 이동의 자유를 침해한다고 말하는 비장애인들은 자신들이 살아가는 공동체에서 자유가 불평등하게 분배된 자원임을 알지 못한다. [다]의 화자는 [가]가 지적하는, 강자가 약자를 "혐오할 자유"가 잘못되었다고 말하며 [가]의 입장에 동조할 것이다.

한편 [다]는 [나]가 제안하는 자유에 대해서는 비판적일 것이다. [나]는 발화의 완전한 자유를 주장하고 있다. 사고와 발화가 억압당하는 쪽이 소수자이든 다수자이든, 억압은 그 자체로서 나쁜 것이기 때문이다. 가장 중요한 것은 진리 그 자체이며, 이는 모든 의견이 자유롭게 소통될 때 드러날 수 있다. [나]의 논리대로라면 자신의 잇속만 자유롭게 챙기는 이들을 저지해서는 안 되는데, [다]는 그런 이기주의가 애초에 자유가 아니라고 본다는 점에서 입장이 갈린다. 공동체를 고려하지 않는 이기심은 그 무엇도 될 수 없다고 말하는 [다]는 진리를 위해 어떤 입장이든 자유롭게 유통되는 게 좋다는 [나]의 입장이 지나치게 낙관적이고 자유의 개념을 남용하고 있다고 비판할 것이다.

(공백 포함 888 자)

[논제 Ⅱ] [라] ~ [사]에서 입장이 유사한 두 부류로 묶어 그 중 한 입장을 선택해 요약하고, 이를 바탕으로 다른 입장을 비판하시오.

<합리적 소비를 옹호하는 입장에서 윤리적 소비를 비판하는 경우>

제시문 [라]~[사]는 합리적 소비를 옹호하는 [마]와 [바] 제시문과 윤리적 소비를 옹호하는 [라]와 [사] 제시문으로 구분할 수 있다. 합리적 소비는 다양한 정보를 취합하여 대안적인 소비 상품들의 가격과 효용을 비교한 후 최소의 비용으로 최대의 만족을 얻으려는 효율적 소비 행위를 추구하는 입장이다. [마]는 다양한 가격비교 사이트를 통한 가격 비교, 모바일 애플리케이션을 활용한 할인 혜택, 환율에 따른 비용 절감 등을 통해 비용을 최소화하되 저렴한 가격의 낙후된 시설만을 선택하지 않고 효용의 측면도 강조하는 욜로족들의 소비 양식을 소개하고 있다. [바]는 윤리적 소비의 대표적인 형태인 유기농 제품 소비에 대해 상품 자체의 차원을 넘어 생산과 유통 과정 전반에 걸친 다차원적 분석을 진행

하여 유기농 제품의 효용과 비용을 비판적으로 평가함으로써 효율적이고 합리적인 소비를 추구하고 있다.

이러한 합리적 소비의 입장에서 [라]와 [사]의 윤리적 소비를 다음과 같이 비판할 수 있다. [사]에 따르면, 특정 제품을 소비할 때 그 제품의 효용만을 소비하는 것이 아니라 그 제품이 만들어지는 다양한 생산과 유통 과정을 소비하는 것이기 때문에 이러한 과정이 윤리적으로 이루어지는 제품을 소비해야 한다. 하지만 [바]가 보여주듯이 다양한 측면의 장단점을 고려하지 않고 특정한 측면을 강조하는 윤리적 소비는 문제를 해결하기보다 더 많은 문제를 야기할 수 있다. 예컨대, 윤리적 소비를 대표하는 유기농 제품은 가격이 높아 잠재적 소비자의 범위를 제한하는 것에 그치지 않고, 식중독균 오염으로부터 자유롭지 못한 한계가 있어 소비자의 건강을 심각하게 해칠 가능성이 있다. 더군다나 환경적인 지속가능성이라는 관점에서조차도 유기농 제품은 탄소 배출량을 늘림으로써 지구온난화를 촉진할 수 있다. 이에 더해 [라]는 육식이든 채식이든 소비의 대상은 상품과 화폐의 관계로만 대치되어 그들에 대한 고맙고 미안한 마음이 없어지고, 환경친화적이지 못한 소비가 이루어지고 있다고 본다. 하지만 이러한 생태주의적 소비는 소비를 최소화함으로써 소비로 얻을 수 있는 효용을 지나치게 무시하고 있다는 점에서 자원을 합리적으로 사용하고 있지 않은 것이며, 합리적 소비는 지구 전체의 측면에서 비용과 효용에 대한 합리적 계산과 효율성을 추구하는 관점으로 발전할 수 있다는 점에서 생태주의적 소비를 넘어서는 것이다.

(1,174자)

<윤리적 소비를 옹호하는 입장에서 합리적 소비를 비판하는 경우>

제시문 [라]~[사]는 합리적 소비를 옹호하는 [마]와 [바] 제시문과 윤리적 소비를 옹호하는 [라]와 [사] 제시문으로 구분할 수 있다. 윤리적 소비는 저렴한 가격과 상품의 소비에서 나오는 효용만을 추구하는 소비 행위가 비윤리적 생산과 유통의 문제와 자연 훼손 문제를 야기하였기 때문에 이러한 과정 전반에 걸친 윤리적인 소비를 추구해야 한다는 입장이다. [사]는 상품에 대한 소비가 단순히 그 상품을 소비함으로써 얻는 효용만이 고려되어서는 안 되고, 상품의 생산과 유통과 관련된 모든 부분이 연관되어 있으므로 그러한 과정에 대한 윤리적 관점에서 소비를 해야 한다고 주장한다. [라]는 오늘날의 음식 문화가 소비 대상에 대한 고맙고 미안해하던 마음의 떨림을 잃어버리고 상품과 화폐로 대체되었으며, 나 또한 다른 생명의 음식이 되었을 때 고맙고 깨끗하게 비워질 수 없을 것 같다고 서술함으로써 모든 생명은 연결되어 있다는 생태주의적 관점에서 지속가능한 소비가 이루어질 필요가 있다고 본다.

이러한 윤리적 소비의 입장에서 [마]와 [바]의 합리적 소비를 다음과 같이 비판할 수 있다. [마]에 따르면, 욜로족은 여행 관련 소비에 있어 다양한 정보를 찾아 최대한의 비용 절감을 추구하되 합리적 가격의 프리미엄급 숙소를 찾는 등 최소 비용으로 최대의 효용을 얻기 위해 노력한다. 하지만 이러한 소비는 최대한의 비용 절감 속에 숨어 있는 현지인들의 저임금과 노동력 착취에 눈을 감는 것이며, 합리적 가격의 프리미엄급 숙소 속에 녹아 있는 무분별한 개발과 이로 인한 현지인들의 거주권 문제, 그리고 자연 훼손과 이와 연관된 탄소 배출량 증가 문제에 암묵적으로 동조하는 것이다. [바]는 지속가능한 친환경 소비의 대표격이라고 할 수 있는 유기농 제품 소비의 한계를 논의하고 있으나 저렴한 농산물을 생산하고 유통하는 과정에서 발생하는 다양한 비용의 문제와 환경 훼손의 문제에 대해서는 언급하지 않는다는 비판이 가능하다. 예컨대 농약과 화학비료를 이용한 농업은 상품 속에 화학물질이 남아 있어 소비자의 건강을 위협할 뿐 아니라 장기적인 관점에서 토지의 생산성을 악화시키고 환경을 훼손해 생태계를 혼란에 빠뜨릴 수 있다. 이러한 관점에서 약간의 가격 부담과 효용 감소가 따른다고 하더라도 상품의 전반적 생산과 유통이 과정이 윤리적인 관점에서 이루어지는 윤리적 소비가 이루어져야 한다.

(1,168자)

9. 2023학년도 경희대 모의 논술 [사회계]

[논제 Ⅰ] 제시문 [가] ~ [바]를 유사한 관점을 가진 것끼리 분류하고 요약하시오.

[가]~[바]는 당면한 사회 문제 해결을 위해 국가(정부)의 역할에 대해 다루고 있다. [가],[나],[라]는 개인과 사회의 자율성을 강조하고 있는 반면에, [다],[마],[바]는 국가 개입의 필요성을 주장하고 있다.

[가]는 지방 자치 단체의 자율성 보장과 주민의 자발적 참여가 이루어낸 긍정적 성과를 보여주고 있다. [나]는 주어진 환경에서 어느 누구의 지시에 종속되지 않고 자신의 가치와 선호에 따라 자유롭게 행동할 수 있어야 한다는 개인주의 철학의 기초를 설명하고 있다. 또한 [라]는 시장 참여자 간의 자유로운 경쟁과 교환을 통해 시장 가격이 결정되는 경쟁시장이 자원의 효율적 배분과 사회 전체의 이득을 극대화할 수있다고 주장하고 있다.

반면에 [다]는 근로자들의 생활 안정을 위해 국가(정부)가 최저 임금 제도를 강제하고 이를 구체적으로 시행하는 절차를 밟아야 함을 강조한다. [마]는 제도권으로 편입되지 않은 암호화폐의 투기 확산으로 발생하는 투자자의 피해를 막기 위해 정부가 적극적으로 개입해야 함을 주장한다. [바]는 정보사회에서 정보화의 역기능 문제를 최소화하기 위해 개인의 노력 외에도 국가적 차원의 법률 정비 및 법적 규제 강화가 필요함을 역설한다.

[598자]

[논제 Ⅱ] [논제 Ⅰ]의 두 관점 중 자신은 어느 관점을 지지하는지 그 이유를 서술하고, 그 관점에서 제시문 [사], [아], [자]를 평가하시오.

(1) [가],[나],[라]의 관점을 지지하는 경우

사회 문제 해결을 위한 국가(정부) 역할의 필요성에 대한 두 관점 중 나는 [가],[나],[라]의 관점을 지지한다. 개인과 사회는 국가의 간섭 없이 자율적으로 문제를 해결할 수 있으며 그럴 경우 효율성이 증대되고 전체 이득이 극대화되기 때문이다.

이를 바탕으로 제시문을 평가하면 다음과 같다. [사]는 출산율 저하 문제는 개인의 선택 문제로 국가가 간섭해서는 안되며 무리한 출산 장려정책은 불필요하다고 주장한다. 이는 개인의 자율성을 강조한 관점에서 볼 때 긍정적으로 평가할 수 있다. [아]는 기아에 허덕이는 소말리아 어린이의 사진을 통해 이웃의 고통을 외면하며 살아가는 삶에 대한 반성과 공동체적 책임 의식을 환기시킨다. 개인과 사회의 자율성을 강조하는 관점에서 보자면, 사태 해결을 위한 국가(인류공동체)의 적극적 개입을 요청하고 있다는 점에서 비판할 수 있

다. [자]는 과도한 복지 정책으로 야기된 '영국병'을 민간의 자율적인 경제 활동을 강조하는 대처리즘으로 치유한 영국의 사례를 보여준다. 이는 민간의 자율적 경제 활동에 국가의 지나친 개입의 문제점을 지적한 측면에서 보자면 개인과 사회의 자율성을 강조하는 관점과 맥을 같이 하지만, 대처리즘으로 대표되는 경제 개혁 정책(즉, 정부의 개입)이 영국병을 치유하기 위해 필요했다는 점에서는 정부 개입의 필요성을 강조하는 관점에 부합하는 면이 있다고 볼수도 있다.

(680자)

(2) [다],[마],[바]의 관점을 지지하는 경우

사회 문제 해결을 위한 국가(정부) 역할의 필요성에 대한 두 관점 중 나는 [다],[마],[바]의 관점을 지지한다. 여러 이익이 상충하는 다양한 사회 문제를 해결하기 위해서는 전체를 위한 국가의 법률 제정 및 강제적 수단이 필요하기 때문이다.

이를 바탕으로 제시문을 평가하면 다음과 같다. [사]는 출산율 저하 문제는 개인의 선택 문제로 국가가 간섭해서는 안되며 무리한 출산 장려 정책은 불필요하다고 주장한다. 이는 사회 문제 해결을 위해 국가의 적극적 개입 필요성을 주장하는 관점에서 볼 때 비판적으로 평가할 수 있다. [아]는 기아에 허덕이는 소말리아 어린이의 사진을 통해 이웃의 고통을 외면하며 살아가는 삶에 대한 반성과 공동체적 책임의식을 환기시킨다. 이는 사회 문제의 해결을 위해 국가(인류공동체)의 적극적 역할의 필요성을 주장하는 관점에서 볼 때 긍정적으로 평가할 수 있다. [자]는 과도한 복지 정책으로 야기된 '영국병'을 민간의 자율적인 경제활동을 강조하는 대처리즘으로 치유한 영국의 사례를 보여준다. 이는 대처리즘으로 대표되는 경제 개혁 정책(즉, 정부의 개입)이 영국병을 치유하기 위해 필요했다는 점에서는 국가의 개입 필요성을 찬성하는 입장과 부합하는 측면이 있다고 할 수 있지만, 민간 경제활동에 대한 국가의 지나친 개입의 문제점을 지적한 측면에서 보자면 개인과 사회의 자율성을 강조하는 관점과 맥을 같이 한다고 볼 수도 있다.

(696자)

[논제 Ⅲ] 국가 K는 지역 A와 지역 B, 두 지역으로 이루어져 있다. 지역 A는 지역의 아동 인구를 늘리기 위해 2015년부터 출산 가구에 출생아 1명당 500만 원을 1회 지원하는 출산장려금 정책을 시행했다. <자료 1>은 지역 A의 2010년부터 2020년까지 연도별 출생아 수와 2세 아동 수를 보여주며, <자료 2>는 같은 기간 동안 지역 B의 연도별 출생아 수와 2세 아동 수를 보여준다. <자료 3>은 지역 A와 지역 B의 어린이집 수, 어린이집 이용 유자녀 가구 비율, 육아휴직 경험이 있는 가구의 성별 비율을 제시하고 있다. 제시한 수치는 2010년부터 2020년까지 일정하게 유지되었고, 지역 A와 지역 B는 자료에서 제시된 것 이외의 다른 특성은 동일하다. 또한 국가 K에서 해외로의 인구 이동이나 해외에서 국가 K로의 인구 유입은 없다.

<자료 1> 지역 A의 출생아 수와 2세 아동 수의 추이

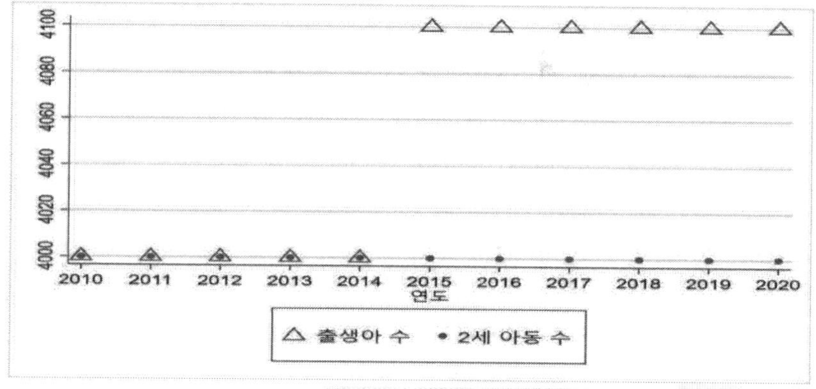

<자료 2> 지역 B의 출생아 수와 2세 아동 수의 추이

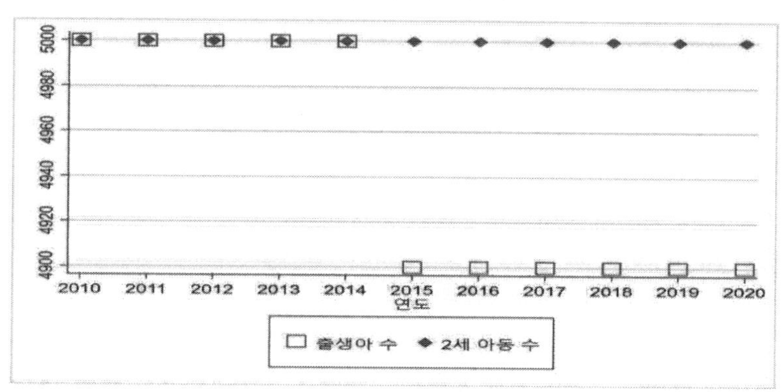

<자료 3> 지역 A와 지역 B의 양육 환경 비교

	지역 A	지역 B
어린이집 수	200개	400개
어린이집 이용 유자녀 가구 비율(%)	60	90
육아휴직 경험이 있는 유자녀 여성의 비율(%)	40	85
육아휴직 경험이 있는 유자녀 남성의 비율(%)	10	55

(1) <자료 1>과 <자료 2>의 결과를 해석하고, 이를 근거로 지역 A의 출산장려금 정책을 평가하시오.

(2) <자료 3>을 근거로 출산장려금 정책 시행 이전에 지역 A와 지역 B에 출생아 수와 2세 아동의 수에 차이가 존재하는 원인을 설명하시오.

(3) (1)과 (2)에서의 분석 결과를 토대로 제시문 [사]의 견해를 평가하시오.

(1) 출산장려금 정책 시행 이후 정책을 시행한 지역 A의 출생아 수는 100명이 증가한 반면에, 지역 B의 출생아 수는 100명이 감소했다. 반면에 지역 A와 지역 B에서의 2세 아동의 수는 출산장려금 정책 시행 전후로 변화가 없었다. 이는 지역 B에 거주하는 가구의 일부가 출산장려금을 받기 위해 지역 A로 잠시 이주하여 출산을 한 이후 다시 지역 B로

이주했음을 보여준다.이는 출산장려금 정책이 출산율 제고에는 영향이 없거나 현재의 출산장려금이 출산율을 제고하기에 충분하지 않음을 시사한다.

(2) <자료 3>은 지역 B가 지역 A보다 자녀 양육에 필요한 제도와 시설이 잘 마련되어 있다는 것을 보여준다. 이는 지역 B의 출생아 수 및 2세 아동의 수가 지역 A보다 많은 것이 이러한 양육 환경의 차이에서 기인함을 시사한다.

(3) 출산장려금 정책의 결과는 출산 가구에 대한 현금 지원이 출산율을 높이는 데 한계가 있음을 보여준다는 점에서 정부가 무리하여 출산을 장려할 필요가 없다고 한 제시문 [사]의 견해를 뒷받침하는 근거로 사용될 수 있다. 하지만, 제시된 자료를 비교해 보면 출산장려금과 같은 현금 지원이 아니라 어린이집 및 육아휴직 확대 등 육아에 대한 제도 및 기반 시설 확충이 출산율을 높일 수 있다는 것을 알 수 있다. 이는 정확한 원인 파악에 근거한 정부의 정책적 개입이 문제 해결에 도움이 될 수 있다는 점에서 출산을 개인의 선택 문제로 보는 제시문 [사]를 비판하는 근거로 사용될 수도 있다.

10. 2022학년도 경희대 수시 논술 [인문체육계]

[논제 I] [다]의 시각에서 [가]와 [나]의 상황에 대해 평가하시오.

1안:

[다]는 사람들의 긴밀한 관계 안에서 개인이 행복할 수 있음을 말한다. 갈등과 분열이 상존하던 뉴올리언스에서 흑인들은 서로 돕는 것이 기쁨이라고 믿고, 이 유대감을 퍼레이드를 통해 강화했다. 퍼레이드는 인종차별과 같은 갈등상황도 극복할 수 있게 하고, 그 안에서 개인은 자유와 행복, 기쁨을 느낄 수 있었다. 루이 암스트롱이 퍼레이드에 참여함으로써 어딜 가더라도 환영과 존중을 받았다는 이야기는 퍼레이드와 이를 이끈 공동체적 관계의 긍정적 면모를 보여준다.

다른 사람들과의 관계 속에서 행복과 자존감을 찾는 [다]의 관점에서 [나]의 상황은 부정적이다. [나]에 따르면, 한국 사회에서 인간관계는 천박한 위계질서에 매몰되어 있다. 개인은 타인에게 쉽게 모멸감을 안겨주거나, 자신이 무시당할까 봐 공격성을 극대화해 타인과의 갈등상황을 만들어 낸다. 개인을 깎아내리고 피로감만 안겨주는 [나]의 인간관계는 [다]의 입장에서 볼 때 관계와 연대의 순기능이 없는 억압적인 상황이다.

[가]는 멀리 떨어진 타인과 관계 맺고 싶어 하는 욕망을 드러내고 있는데, 그 방식이 [다]의 관점에서 비판받을 수 있다. [가]에서 묘사하는 “나”와 “그”의 관계는 나의 경직되고 쓸쓸한 상태를 해소할 수 있는 좋은 것이지만, 마치 라디오 버튼을 내가 원하는 대로 누르거나 끌 수 있는 것처럼 나의 편의에 의해 내 입맛대로 결정된다. 상호부조와 연대가 의무이며 기쁨이라고 여기는 [다]의 입장에서는 [가]의 마지막 두 행이 자기 원하는 때에만 취하고 버리는 가볍고 이기적인 모습으로 보일 것이다.

(771자)

2안:

[다]는 사람들의 긴밀한 관계 안에서 개인이 행복할 수 있음을 말한다. 갈등과 분열이 상존하던 뉴올리언스에서 흑인들은 서로 돕는 것이 기쁨이라고 믿고, 이 유대감을 퍼레이드

를 통해 강화했다. 퍼레이드는 인종차별과 같은 갈등상황도 극복할 수 있게 하고, 그 안에서 개인은 자유와 행복, 기쁨을 느낄 수 있었다. 루이 암스트롱이 퍼레이드에 참여함으로써 어딜 가더라도 환영과 존중을 받았다는 이야기는 퍼레이드와 이를 이끈 공동체적 관계의 긍정적 면모를 보여준다.

[가]는 타인과 관계 맺고 싶어 하는 의지를 드러낸다는 점에서 [다]와 유사하다. 하지만 [가]가 추구하는 관계는 주체들의 능동적 참여가 부족하다는 점에서 [다]의 적극적이고 역동적인 유대와는 결이 다르다. [가]에서는 서로 떨어진 개인들이 전파처럼 서로에게 연결되기를 원하며, 그 관계가 나의 의지대로 내려놓거나 참여할 수 있는 자유로운 것이 되기를 원한다. 마지막에 원하는 것이 전파로 이어질 가능성만이 존재하는 "라디오"라는 점에서, [가]는 퍼레이드라는 형식 안에서 보다 밀접하게 관계를 맺는 [다]의 적극성과는 차이를 보인다.

반면, [나]의 상황은 다른 사람들과의 관계 속에서 행복과 자존감을 찾는 [다]의 관점에서 부정적이다. [나]에 따르면, 한국 사회에서 인간관계는 천박한 위계질서에 매몰되어 있다. 개인은 타인에게 쉽게 모멸감을 안겨주거나, 자신이 무시당할까 봐 공격성을 극대화해 타인과의 갈등상황을 만들어 낸다. 개인을 깎아내리고 피로감만 안겨주는 [나]의 인간관계는 [다]의 입장에서 볼 때 관계와 연대의 순기능이 없는 억압적인 상황이다.

(794자)

[논제 II] [라] ~ [사]를 입장이 유사한 두 부류로 묶어 그 중 한 입장을 선택해 요약하고, 이를 바탕으로 다른 입장을 비판하시오.

[라], [바]의 관점에서 [마], [사]를 비판하는 경우

[라], [바]의 입장은 사랑과 결혼에 대한 사회구조적 접근이다. 이 입장에 따르면, 사랑할 사람 또는 배우자를 선택하는 데 중요한 것은 사랑이라는 감정이 아니라 개개인의 조건이다. 마치 [라]에서 레오가 신붓감을 고를 때 나이와 외모 등 조건을 따지고 사랑이라는 감정 자체가 오히려 불필요한 것이라고 생각하는 것처럼, 개인들은 결혼을 할 때 시장에 나온 물건을 고르듯 자신에게 더 나은 만족감을 주는 대상을 결정할 수 있다. [바]는 이러한 선택이 수요와 공급의 변화에 따른 것이며, 사랑이라는 감정이 아닌 개인이 갖춘 조건에 대한 적극적 고려가 이루어진다고 말한다. [라]에서 살즈만이 마땅한 상대를 만나야 감정이 생기는 것이라고 지적한 것처럼, 사랑할 대상을 찾는 것은 신뢰할 만한 사람을 찾는 것을 의미하며, 이 과정에서 개인은 교육, 직업, 사회경제적 지위, 가족 배경 등을 고려해 합리적 의사결정을 하게 된다.

이러한 [라], [바]의 사회구조적 입장에 따르면, [마], [사]의 입장은 사랑에 대한 현실성이 결여된 접근이다. 사랑의 관계를 유지해나가는 데에는 다양한 요소가 중요할 수 있는데, 큐피드의 화살을 맞는 것과 같은 감정의 강렬한 첫 끌림에만 기초할 경우 현실 속에 존재하는 수많은 요소를 단순화하거나 간과할 수 있다. [마]에서 로미오와 줄리엣은 가문과 자기 이름을 버리고 사랑을 맹세하지만, [라], [바]의 관점에서 본다면 이들의 열정은 현실에 대한 고려가 부족한 것으로, 자칫하면 사랑이 오래 지속되지 않거나 개인을 파괴하

는 결과를 낳을 수도 있다. [사]는 사랑이 개인을 강제하는 감정이라고 말하는데, 개인의 명예로운 성장을 위해 야심을 거절하고, 타인의 자아를 자신의 것과 동일시하는 것은 개인의 비합리성을 보여주는 것이라 비판할 수 있다. 사랑이라는 감정을 지나치게 이상화하는 [마], [사]의 관점은 사랑 역시 사회에 기반해 있다는 [라], [바]의 현실 인식을 간과한 것이라 비판받을 수 있다.

(972자)

[마], [사]의 관점에서 [라], [바]를 비판하는 경우

[마]와 [사]는 사랑에 대한 주체적이고 낭만적 접근이다. 이러한 관점에서 사랑은 현실의 한계를 넘어서서 다른 개인과 진정한 유대를 만들어가는 힘이다. [마]는 서로의 가문이 원수관계에 있음을 잘 알고 있는 로미오와 줄리엣이 그러한 한계에 개의치 않고 서로를 사랑하는 모습을 다룬다. 줄리엣은 이름이 한 개인을 이루는 모든 것이 아님을 알고 있고, 장미의 향이 변하지 않듯 개인 그 자체가 중요하다고 말한다. 이렇게 조건이 아닌 개인과 감정에 충실한 이들의 사랑은 두 가문의 갈등관계를 초월할 수 있게 한다. [사] 역시 사랑은 큐피드의 화살처럼 강렬하고 절대적인 힘을 지닌 것이라고 말한다. 나폴레옹은 전쟁을 수행하는 가운데서도 사랑을 잊지 않았고, 베토벤은 사랑하는 이와 자신을 동일시하는 몰아의 경지를 보였다. 이들의 사례를 볼 때, 사랑은 개인과 현실의 한계를 극복할 수 있는 긍정적인 힘이다.

[마], [사]의 입장에서 볼 때 [라], [바]는 사랑을 도구화하고 이해타산적인 거래로 전락시키고 있다. [라]에서 레오와 살즈만은 여성의 나이와 집안, 지참금 등을 따지며 마땅한 상대를 만나야만 사랑이 가능하다고 생각하고 있다. 이러한 관점은 인간을 그 자체가 아닌 수단과 조건으로 평가하는 것이다. [마], [사]는 [라]가 사랑을 나이, 배경, 능력 등에 근거한 조건적이며 이기적인 행위로 보고 있다고 비판할 것이다. [바]의 입장은 수요와 공급에 따라 진행되는 현대 사회의 경제 구조가 그대로 결혼에도 영향을 미쳐, 마치 시장에서 상품을 고르듯이 배우자를 선택하게 됨을 말한다. 이러한 생각은 [마], [사]의 관점에서는 지나치게 현실의 조건에 파묻혀 인간을 상품화하고, 사랑이 주는 가능성을 무시한다고 지적받을 수 있다. [라], [바]처럼 사랑이 순수한 감정에서 비롯된 것이 아닌, 비슷한 조건에 따른 동반자를 찾는 과정으로 보는 관점은 사랑과 결혼을 자기 개인의 명예나 계층 유지, 신분상승의 도구로 이용한다고 비판받을 수 있다.

(980자)

11. 2022학년도 경희대 수시 논술 [사회계 오전]

[논제 Ⅰ] 제시문 [가] ~ [바]를 유사한 관점을 가진 것끼리 분류하고 요약하시오.

[가]-[바]는 개체(개인)와 전체(공동체)의 가치 중 어디에 우선순위를 둘 것인가에 관한 문제를 다루고 있다. [가],[라],[바]는 전체의 이익과 권리를 우선시하는 관점인 반면, [나],[다],[마]는 개체의 이익과 권리를 선시하는 관점이다.

[가]는 대규모 환경오염을 경험한 사람들이 환경의 중요성을 인식하고 공동체의 이익을 위해 환경 운동을 실천하는 사례이다. [라]는 통일이 개인에게는 경제적으로 부담이 될 수

있으나 한국 시민 전체가 국제 사회에서 당당하고 풍요롭게 살아가는 데에 필수적인 것임을 주장하고 있다. [바]는 개별 기업의 전체 인민에 대한 사회적 책임을 강조하는 중국의 '공동부유'에 관한 설명이다.

반면 [나]는 정부의 백신 의무화 움직임에도 불구하고 백신 접종을 꺼리는 개인의 자유를 제한해서는 안 됨을 서술하고 있다. [다]는 현재까지 정부의 출산 정책이 인구 감소 또는 증대를 위한 정책임을 비판하고 그것이 개인의 욕구와 권리에 초점을 맞추는 방향으로 전환되어야 한다고 주장한다. [마]는 국가가 개인의 세세한 생활 방식에 간섭하지 말아야 한다는 원칙을 포기하는 즉시 개인의 자유가 파괴될 수 있음을 지적하고 있다.

(585자)

[논제 Ⅱ] [논제 I]의 두 관점 중 자신은 어느 관점을 지지하는지 그 이유를 서술하고, 그 관점에서 제시문 [사], [아], [자] 를 평가하시오.

(1) [가],[라],[바]의 관점을 지지하는 경우

개체와 전체의 가치 중 어디에 우선순위를 둘 것인가에 관한 두 가지 관점 중 나는 [가],[라],[바]의 관점을 지지한다. 왜냐하면 개별 개체보다는 개체가 모여서 구성되는 전체의 이익과 권리 추구가 상대적으로 더 중요하기 때문이다.

이를 바탕으로 제시문 [사],[아],[자]를 평가하면 다음과 같다. [사]는 인간이 존엄하다는 인식 하에 자율성과 사생활에 대한 존중을 바탕으로 하는 개인주의가 개인의 자유를 규제하는 사회 구조의 타파에 공헌하고 있다고 주장한다. 이는 전체의 이익과 권리를 우선시하는 [가],[라],[바]의 관점과 대비된다. [아]는 까치밥이 '서울 조카아이들' 로 상징되는 개인을 위한 것이 아니라, '너희들'로 상징되는 공동체를 위한 것으로 남겨 두어야 함을 강조하고 있다. 이는 공동체를 위해 개인의 욕구를 억제하는 것이 바람직하다는 것을 보여주는 예로 개체보다는 전체의 가치를 우선시하는 [가],[라],[바]의 관점과 맥을 같이한다. [자]는 사회 전체의 관리와 마찬가지로 개별 기업의 경영에도 계획과 자유의 가치 모두를 확보할 필요가 있음을 강조하고 있다. [가],[라],[바]의 전체의 이익과 권리를 우선시하는 관점에서 보자면, [자]는 개체와 전체 중 어느 것도 손상시키지 않으면서 그것들을 잘 조화시킬 수 있는 중간의 길을 제안하고 있다는 점에서 구별된다.

(663자)

(2) [나],[다],[마]의 관점을 지지하는 경우

개체와 전체의 가치 중 어디에 우선순위를 둘 것인가에 관한 두 가지 관점 중 나는 [나],[다],[마]의 관점을 지지한다. 왜냐하면 개체가 없는 전체란 있을 수 없으며 전체의 이익과 권리의 추구가 개체의 이익과 권리를 무시하거나 희생하는 방향으로 이루어지는 것은 바람직하기 못하기 때문이다.

이를 바탕으로 제시문 [사],[아],[자]를 평가하면 다음과 같다. [사]는 인간이 존엄하다는 인식 하에 자율성과 사생활에 대한 존중을 바탕으로 하는 개인주의가 개인의 자유를 규제하는 사회 구조의 타파에 공헌하고 있다고 주장한다. 이는 개체의 이익과 권리를 우선시하는 [나],[다],[마]의 관점과 맥을 같이한다. [아]는 까치밥이 '서울 조카아이들'로 상징되는

개인을 위한 것이 아니라, '너희들'로 상징되는 공동체를 위한 것으로 남겨 두어야 함을 강조하고 있다. 이는 공동체를 위해 개인의 욕구를 억제하는 것이 바람직하다는 것을 보여주는 예로 전체보다 개체의 가치를 우선시하는 [나],[다],[마]의 관점과 대비된다. [자]는 사회 전체의 관리와 마찬가지로 개별 기업의 경영에도 계획과 자유의 가치 모두를 확보할 필요가 있음을 강조하고 있다. [나],[다],[마]의 개체의 이익과 권리를 우선시하는 관점에서 보자면, [자]는 개체와 전체 중 어느 것도 손상시키지 않으면서 그것들을 잘 조화시킬 수 있는 중간의 길을 제안하고 있다는 점에서 구별된다.

(695자)

[논제 Ⅲ] 두 국가 A, B를 가정하자. <표 1>은 두 국가의 연도별 가구당 평균 자녀수(이하 평균 자녀수)를 나타낸다. 국가 A는 출산 보조금을 지원하고 있지 않지만, 국가 B는 평균 자녀수가 감소하는 것에 대처하기 위해 2019년부터 당해 출산을 하는 가구에 매년 출산 보조금을 지급하고 있다. 국가 B의 출산 보조금 정책은 평균 자녀수에 미치는 영향이 매년 일정하게 증가하도록 설계되었으며, 보조금을 지급하지 않는 경우 각 국가의 평균 자녀수는 매년 일정하게 변한다. 보조금 정책과 시간에 따른 추세 외에 평균 자녀수에 영향을 미치는 다른 조건들은 매년 동일하다고 가정한다.

<표 1>

	가족당 평균 자녀수	
연도	국가 A	국가 B
2016	2.74	1.89
2017	2.67	1,82
2018	2.6	1.75
2019	2.53	1.71
2020	2.46	1.67
2021	2.39	1.63

(1) 국가 A, B의 2022년도 예상 평균 자녀수를 각각 구하고, 국가 B의 출산 보조금 정책의 효과에 대해 논하시오.(단, 보조금을 지급하지 않는 경우 두 국가의 평균 자녀수의 연도별 추세는 동일하다.)

(2) 국가 B에 대한 아래 정보를 추가로 이용하여 질문에 답하시오.

- 국가 B는 미래에 자녀들이 부모 세대 모든 가구의 노후를 책임지는 복지 제도를 실시하고 있다.
- 미래에 자녀에게 부모 세대에 대한 복지를 부담시키는 것은 이를 신경 쓰는 부모에게 비용이 된다.
- 자녀의 미래 1인당 부모 세대에 대한 복지 부담률(이하 1인당 미래 부담률)이 커질수록 부모에게 발생하는 비용도 증가한다.
- <그림 1>은 가임 가구 중 자녀가 없는 비출산 가구만을 대상으로 각 자녀수에 대한 예상 순편익(편익-비용)을 전수조사한 자료를 이용하여, 예상 순편익에 대한 해당 가구의 수를 히스토그램으로 나타낸 것이다.
- <그림 2>는 평균 자녀수가 1인당 미래 부담률에 미치는 영향을 그래프로 나타낸 것이다.

국가 B는 출산 보조금 재원 마련을 위해 비출산 가구에 부담금을 부과하는 정책을 시행하려고 한다. 국가 B가 부담금 정책을 시행하기 위한 근거를 제시문 [가]의 관점에서 논하시오.

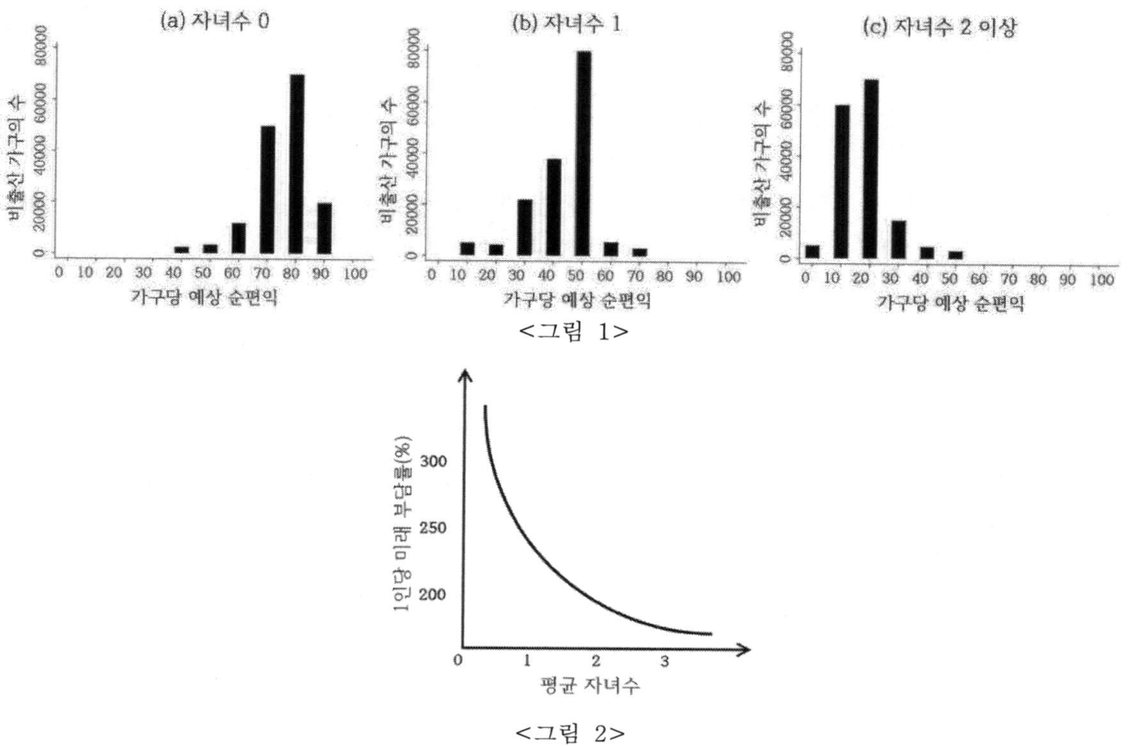

<그림 1>

<그림 2>

(1) 국가 A, B의 2016년 평균 자녀수를 각각 K_A, K_B라 하고 2016년부터 매년 T=0, 1,⋯, N의 값을 가진다고하자. 보조금 효과는 a(T−2)(단, T≥3)로 측정되며 <표 1>로부터 a=0.03이므로, 국가 A, B의 2022년(T=6) 예상평균 자녀수는 각각

$$K_A - 0.07T = 2.32, \qquad K_B - 0.07T + 0.03(T-2) = 1.59$$

이다. 만약 국가 B가 보조금 정책을 도입하지 않았다면 예상 평균 자녀수는 $K_B - 0.07T = 1.47$이 된다. 따라서 비록 평균 자녀수는 계속 감소하나 보조금 정책으로 인해 그 추세가 완화되어, 2022년 평균 자녀수는 0.12(=1.59−1.47)만큼 높아질 것으로 예상된다.

(2) <그림 1>은 개인 순편익으로만 출산을 결정할 경우 상당수의 비출산 가구들이 앞으로 자녀를 낳지 않을 것이라는 것을 보여준다. 즉, 출산 가구 자녀들이 비출산 가구의 노후를 책임지게 되어 부모가 비용을 지불하는 부정적 외부효과가 발생한다. 또한 <그림 2>는 줄어드는 평균 자녀수로 인해 자녀의 미래 부담률 및 부모의 비용이 급격히 증가할 것임을 의미하고, 이는 복지 제도가 유지되기 힘들다는 것을 시사한다. 따라서 모든 가구를 위한 복지 제도 유지를 위해서는 비출산 가구에 부담금을 부과하여 출산 가구에 보조금을 지급하는 정책이 요구된다. 이는 복지 제도 지속의 중요성을 인식하여 개체의 이익을 우선시하기보다 공동체의 이익을 위해 함께 노력할 필요가 있다는 제시문 [가]의 관점과 부합한다.

12. 2022학년도 경희대 수시 논술 [사회계 오후]

[논제 Ⅰ] 제시문 [가] ~ [마]를 유사한 관점을 가진 것끼리 분류하고 요약하시오.

[가]-[마]는 분배적 정의의 실질적 기준으로 업적(능력)에 따라 분배하는 것이 정당한가, 아니면 필요에 따라 분배하여 사회적 약자를 배려하는 것이 정당한가를 다루고 있다. [가]와 [라]는 사회적 조건에서 열세에 있는 구성원을 보호해야 하는 이유를 찾는다. [나], [다], [마]는 개인의 우수한 자질 계발을 독려하는 능력주의 혹은 업적주의의 정당성을 주장하고 있다.

[가]는 정부의 적극적 개입으로 임금 격차라는 사회적 불평등을 해결한 예이고, [라]는 불리한 조건에 처한 사회적 구성원을 보호해야 하는 이유를 자연 상태 인간의 이타적 본능에서 찾고 있다.

반면 [나]의 견해는 사회적 소수 그룹에 대한 정부의 일자리 할당은 개인의 정체성이 그룹이 아닌 개개인의 자유와 자질, 창의성에 있다는 인본주의적 가치와 충돌한다. [다]는 타고난 적성과 능력에 따라 사회적 지위를 부여해야 함을 지적하고 있고, [마]는 실업급여라는 사회적 안전망이 근로 의욕을 저해하는, 소득재분배의 경제적 비효율성을 지적하고 있다.

(511자)

[논제 Ⅱ] [논제 Ⅰ]의 두 관점 중 자신은 어느 관점을 지지하는지 그 이유를 서술하고, 그 관점에서 [바], [사], [아]를 평가하시오.

(1) [가],[라]의 관점을 지지하는 경우

정의로운 분배 기준에 관한 위의 두 가지 관점 중 나는 [가], [라]의 관점을 지지한다. 왜냐하면 필요에 따른 분배는 사회적 약자와 소수자에게 소득, 기회, 지위와 같은 자원을 우선적으로 제공함으로써 최대한 많은 사람들이 인간적인 삶을 누릴 수 있게 해주기 때문이다.

이를 바탕으로 제시문 [바], [사], [아]를 평가하면 다음과 같다. [바]는 선천적 능력과 업적을 분배의 기준으로 삼아 소수의 엘리트 집단에 더 많은 혜택을 제공할 때 다수의 대중이 희생될 수 있음을 지적한다. 사회적 약자를 위한 재분배를 옹호한다는 점에서 [바]는 [가], [라]의 관점과 맥을 같이한다. [사]는 고령자나 장애인과 같이 기본적 필요를 충족하기 어려운 사람들을 위해 물리적·제도적 장벽을 허물고 기회와 지위에 대한 평등한 접근을 보장하고자 하는 '배리어 프리' 운동을 소개하고 있다. [사]는 사회적 약자에게 혜택을 제공함으로써 '결과의 평등'을 달성하고자 한다는 점에서 [가], [라]의 관점과 유사하다. [아]는 절차와 과정이 공정하다면 개인의 능력과 노력에 따른 업적만큼 보상이 제공되어야 하며, 그 결과로 생기는 불평등은 분배적 정의를 위한 대가라고 주장한다. [가], [라]의 관점에서 보면, [아]는 질병이나 가난 등의 타고난 환경에 의해 업적을 쌓기 어려운 사람들을 배려하지 않는다는 점에서 비판받을 수 있다.

(680자)

(2) [나], [다], [마]의 관점을 지지하는 경우

정의로운 분배 기준에 관한 위의 두 가지 관점 중 나는 [나], [다], [마]의 관점을 지지한다. 왜냐하면 업적과 능력에 따른 분배는 개인의 재능과 노력에 대한 보상을 제공함으로써 성취동기를 부여하고 각자가 지닌 잠재력을 실현할 기회를 제공하기 때문이다.

이를 바탕으로 제시문 [바], [사], [아]를 평가하면 다음과 같다. [바]는 능력과 업적을 기준으로 자원을 분배할 때 발생할 수 있는 다수의 희생과 불평등의 문제를 지적하며 희생된 다수를 위한 재분배의 필요성을 제기한다. [나], [다], [마]의 관점에서 보면, [바]는 사회적 자원이 한정되어 모든 사람의 필요를 충족시킬 수 없다는 점에서 비판받을 수 있다. [사]는 기본적 필요를 충족하기 어려운 사람들에게 기회와 지위에 대한 평등한 접근을 보장함으로써 '결과의 평등'을 이루고자 하는 사례를 보여준다. [나], [다], [마]의 관점에서 보면, [사]는 업적이나 능력과 무관하게 분배가 이루어지면 한정된 자원이 비효율적으로 사용되고, 개인의 성취동기를 저하시킨다는 점에서 비판받을 수 있다. [아]는 절차와 과정이 공정하다면 개인의 능력과 노력에 따른 업적만큼 보상이 제공되어야 하며, 그 결과로 생기는 불평등은 분배적 정의를 위한 대가라고 주장한다. [아]는 개인의 업적과 능력을 분배의 기준으로 제시한 다는 점에서 [나], [다], [마]의 관점과 맥을 같이한다.

(695자)

[논제 Ⅲ] 국가 A에는 학생들이 가장 입학하기를 원하는 10개의 상위권 대학들이 있고 대학입학시험 결과에 따라 입학이 결정된다. 연구자 K는 상위권 대학들에 어떤 학생들이 다니는지 살펴보기 위해 재학생 부모의 소득 수준을 분석했고 그 결과는 아래의 <자료 1>과 <자료 2>에 나타나 있다. <자료 1>은 상위권 대학 내에서 부모의 소득분위(x축)별 학생의 비율(y축)을 나타낸다. 예를들어 부모의 소득분위가 99라는 것은 부모의 소득이 상위 1%에 속한다는 것을 의미한다. <자료 1>에서 소득분위 99에 해당하는 y값은 13.8로 이는 상위권 대학 재학생의 13.8%는 부모의 소득이 상위 1%에 속한다는 것을 의미한다. 반면에 부모의 소득이 중위소득 미만인 학생의 비율은 부모의 소득분위가 0에서부터 49까지의 학생 비율을 모두 합해서 계산되는데 이는 8.3%이다. <자료 2>는 상위권 졸업생의 각 연령별 평균소득과 그 이외 대학 졸업생의 연령별 평균소득을 나타낸다.

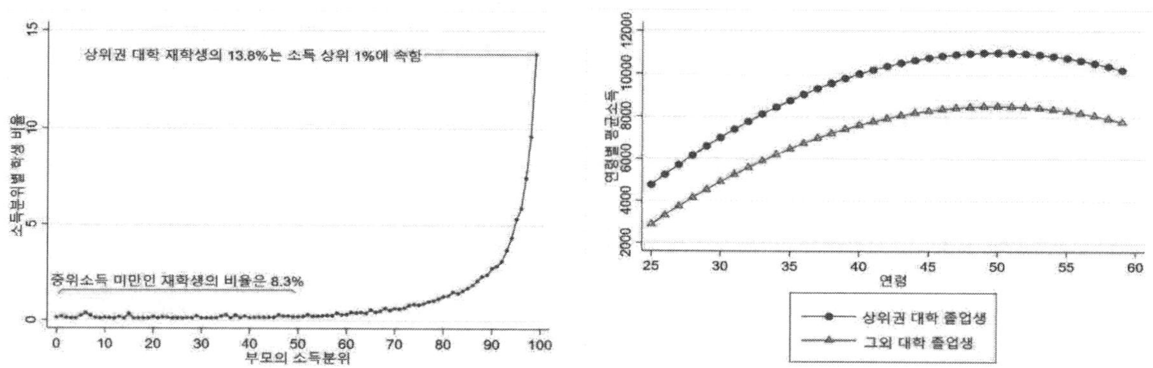

(1) <자료 1>과 <자료 2>의 결과들이 [논제 Ⅰ]의 두 관점 중 어느 쪽을 비판하는 근거가 될 수 있는지 설명하시오.

(2) 학생이 상위권 대학에 입학할 확률은 학생의 노력 $x(0 \le x \le \frac{1}{2})$와 부모의 소득 수준(고소득층과 저소득층의 두 계층으로 구분)에 의해서 결정된다. 학생이 상위권 대학에 입학하지 못하면 그 이외의 대학에 입학하게 된다. 부모가 고소득층에 속하는 학생이 상위권 대학에 입학할 확률은 노력의 2배인 $2x$이며, 저소득층인 학생이 입학할 확률은 그 학생이 들인 노력 수준과 같은 x이다. 학생이 들인 노력에 따라 비용이 발생하는데, 고소득층 부모를 둔 학생의 비용은 $5x^2$이며 저소득층 부모를 학생의 비용은 $4x^2$이다. 국가 A의 화폐단위는 비트이고 상위권 대학에 입학하면 평생 동안 10비트의 소득을 얻으며 상위권 대학에 입학하지 못하면 9비트의 소득을 얻게 된다.

학생의 노력 수준이 임의의 x일 때 부모가 고소득층인 학생의 순소득(평생소득-비용)의 기댓값과 저소득층 학생의 순소득의 기댓값을 각각 계산하여 x의 함수로 나타내시오. 그리고 순소득의 기댓값을 최대로 하는 노력 수준을 고소득층에 속하는 학생과 저소득층에 속하는 학생 각각에 대해 구하시오. 이 결과를 바탕으로 제시문 [아]를 평가하시오.

(1) <자료 1>은 상위권 대학 재학생의 사회경제적 배경이 고소득층에 집중되어 있는 것을 보여주며 <자료 2>는 상위권 대학 졸업생이 더 큰 경제적 보상을 받는 것을 보여준다. 이는 성적에 따른 대학입학이 고소득층 자녀들이 상위권 대학 입학을 통해 큰 경제적 보상을 얻는, 즉 부의 대물림을 강화하는 기제로 작동할 수 있음을 보여주는 것으로 업적(능력)에 따른 배분을 강조하는 제시문 [나],[다],[마]를 비판하는 근거로 사용될 수 있다.

(2)

① 1) 고소득층 학생의 순소득의 기댓값

$$= 2x \times 10 \times (1 - 2x) \times 9 - 5x^2 = -5x^2 + 2x + 9 = -5\left(x - \frac{1}{5}\right)^2 + \frac{46}{5}$$

2) 저소득층 학생의 순소득의 기댓값

$$= x \times 10 + (1 - x) \times 9 - 4x^2 = -4x^2 + x + 9 = -4\left(x - \frac{1}{8}\right)^2 + \frac{145}{16}$$

② 따라서 고소득층 학생의 순소득의 기댓값을 최대로 하는 노력수준은   이며 저소득층 학생의 순소득의 기댓값을 최대로 하는 노력수준은 $\frac{1}{8}$이다. (미분을 이용해서 다음과 같이 계산해도 무방하다.

고소득층 학생의 순소득의 기댓값을 미분하면 $-10x + 2$이고 이 도함수를 0으로 만드는 x에서 기댓값은 최대가 된다. 이를 만족시키는 x는 $\frac{1}{5}$이다.

마찬가지로 저소득층 학생의 순소득의 기댓값을 미분하면 $-8x + 1$이고 이를 0으로 만드는 x는 $\frac{1}{8}$이다.

③ 제시문 [아]는 능력과 노력에 기초한 기여도에 따라 분배해야한다고 주장한다. 그러나

위의 계산결과는 주어진 노력 수준에 대해 저소득층 학생의 상위권 대학 입학확률이 고소득층 학생의 입학확률보다 낮기 때문에 저소득층 학생이 노력을 적게 하는 것을 보여주는 것으로 자발적인 노력을 강조하는 것으로는 불평등 문제를 해결하기 어렵다는 것을 시사한다는 점에서 제시문 [아]를 비판할 수 있다.

13. 2022학년도 경희대 모의 논술 [인문체육계]

[논제 I] [다]의 시각에서 [가]와 [나]의 상황에 대해 평가하시오.

제시문 [가], [나], [다]는 보편주의와 특수주의의 관점에서 여러 상황을 다루고 있다. 먼저 [다]는 근대윤리학이 전제하는 합리적 행위 주체가 어떻게 이기주의를 벗어나 객관성을 갖추는지 언급한다. 도덕적 이성의 핵심은 불편부당성이고, 도덕적 주체는 상황의 개별 특수성에 얽매이지 않는 객관적 위치를 확보함으로써 도덕적인 판단을 할 수 있다는 것이다. [다]는 이러한 판단이 타인이 처한 상황에 대해 이해관계나 가치지향 등을 배제한 '초월적 관점'이라는 점을 제시한다.

한편 [가]는 종교와 관습의 이름으로 행해지는 이슬람 사회의 명예살인과 투석 처벌이 개인, 특히 여성의 인권을 짓밟는 폭력임을 지적한다. 이는 문화에 대한 상대주의적이고 특수주의적인 관점이 지닌 문제점을 드러냄으로써 보편주의 입장을 옹호한다. 따라서 [다]의 시각에서 [가]의 상황은 문화적·종교적 특수성을 용인하는 것이 사회적 약자에 대한 폭력을 정당화하고, '가족'과 '생명'이라는 보편적 가치마저 무시하고 부정하게 하는 부정적 사례로 보일 것이다. 문화에 대한 특수주의 관점을 긍정하면 잘못된 관습을 옹호하는 결과를 초래할 수도 있기 때문이다.

[나]는 '인륜'과 '예의'라는 유교적인 가치가 보편적으로 여겨졌던 전근대 사회에서 유교적 가치가 사대부집 여성에게 고된 가사노동과 생계유지라는 이중적 고통으로 작용했음을 드러낸다. 가부장적 사회에서 보편적으로 숭상되던 가치가 남녀 성별에 따라 차별적인 삶을 야기했다는 것이다. 따라서 [다]의 시각에서 [나]의 상황은 특정 사회나 시대에 보편적이던 도덕도 가치지향을 벗어난 초월적 상황에서 외부적 입장에서 판단하면 보편적 도덕성이 아닐 수 있음을 보여주는 사례로 비판할 수 있을 것이다.

(850자)

[논제 II] [라], [마], [바], [사]에서 입장이 유사한 두 집단으로 짝지어 그 중 한 입장을 요약하고 이에 기초하여 다른 입장을 비판하시오.

<자유주의적 정의관을 선택하여 공동체주의적 정의관을 비판한 경우>

제시문 [라], [마], [바], [사]는 자유주의적 정의관을 옹호하는 [라]와 [바], 공동체주의적 정의관 입장에 있는 [마]와 [사]로 구분할 수 있다. 자유주의적 정의관은 개인의 자유와 권리를 최대한 보장하고, 개인의 자유로운 판단에 근거한 의사결정을 존중하는 것이 정의로운 사회 발전에 이바지한다는 입장이다. [라]의 내부 고발 사례는 소속 집단의 이해관계를 벗어나 개인의 자유로운 판단에 따른 공동체의 불법이나 부정부패 고발이 청렴사회로의 이행에 중요한 역할을 했음을 보여준다. [바]는 백신 개발에 성공한 개별 제약회사의 지적재산권을 보호할 것을 옹호한다. 특허권 유지를 통해 제약회사에 이윤을 보상함으로써

효과적인 백신을 개발하고 더 많은 양의 백신을 공급하여 보건위기 상황을 극복할 수 있다는 것이다.

자유주의적 정의관 입장에서 제시문 [마]와 [사]는 다음과 같이 비판할 수 있다. [마]는 국가 채무를 갚지 않으면 국가가 무너지기 때문에 보상 모금에 참여할 것을 격려하고 있다. 하지만 국가 채무의 증가는 부정부패나 예산 낭비 등을 감시할 내부 고발이 어려웠기 때문일 수 있다. 또한 국채 보상이 황제를 위한 것이 아니라 국가 공동체 구성원의 자유와 권리를 지키기 위한 것임을 강조하는 것이 모금에 더 효과적일 것이다. [사]의 경우 지나친 개인의 권리 추구가 이기적 개인주의를 낳아 공동체의 존립과 발전을 저해하고, 공동체의 가치를 무시하거나 약화시킨다고 주장한다. 하지만 개인의 자유를 억압하고 공동체를 위한 개인의 희생을 강제하는 비민주적 공동체는 발전할 수 없다. 또한 개인의 자유로운 판단을 보장하는 것이 좁은 이익 공동체의 부정부패를 방지하여 보다 넓은 공동체의 발전에 도움이 될 것이다.

(850자)

<공동체주의적 정의관을 선택하여 자유주의적 정의관을 비판한 경우>

제시문 [라], [마], [바], [사]는 자유주의적 정의관을 옹호하는 [라]와 [바], 그리고 공동체주의적 정의관 입장에 있는 [마]와 [사]로 구분할 수 있다. 공동체주의적 정의관은 공동체적 가치를 중시하고 공공선을 추구하는 것이 개인과 사회 발전에 도움이 된다는 시각이다. 이를 잘 보여주는 [사]는 지나친 개인의 자유과 권리 보장은 사회의 양극화와 불평등을 야기할 수 있고 공동체의 존립과 발전을 저해할 수 있기 때문에 일부 제한되어야 하며, 개인의 권리 증진을 위해서라도 공공선의 추구가 우선되어야 한다는 입장이다. [마]는 국가의 경제적 위기 상황에서 개인이 금전적 손실을 보더라도 국가 채무의 보상 활동에 적극 참여하는 것이 국가 공동체를 보존하는 길이라 주장한다.

공동체주의적 정의관 입장에서 제시문 [라]와 [바]는 다음과 같이 비판할 수 있다. [라]는 개인의 자유로운 판단에 근거한 내부 고발이 더 넓은 공동체의 발전에 이바지할 수 있다고 주장한다. 그러나 내부 고발의 범위를 지나치게 확대하면 조직이나 집단 내 신뢰가 무너지고 효율성이 떨어질 수 있다. 예산 낭비로 취급되는 것에는 공동체의 안전유지 같은 중요한 목적 달성에 꼭 필요해 조직 내 소수에게만 공유되고 대외에 공개하기 어려운 경우가 있다. 내부 고발로 이것이 공개되면 해당 조직은 제대로 기능할 수 없고 사회 전체에 해가 될 수도 있을 것이다. [바]는 지적재산권을 통해 이윤추구 동기를 제공해야 제약회사가 더 나은 백신을 개발하고 공급할 수 있다고 주장한다. 하지만 특허권을 면제하여 관련 정보를 공유하면 많은 제약회사가 더 효과적인 백신 개발과 공급이 가능해진다. 이는 인류 공동체에 위협이 되는 보건위기 극복에 기여할 것이다.

(850자)

14. 2022학년도 경희대 모의 논술 [사회계]

[논제 1]

제시문 [가]~[마]를 같은 관점을 가진 것끼리 분류하고 요약하시오.

[가]-[마]는 변화와 발전의 동인이 어디에서 비롯하고 있는지를 다루고 있다. [가],[라]

는 발전이 외부의 도움 없이 자생적으로 일어나는 예인 반면, [나],[다],[마]는 외부의 도움이나 접촉에 의해서 일어나는 예이다.

[가]는 대한민국임시정부 헌법에 명시된 민주공화주의 이념이 서양 정치철학사에서는 찾기 힘든 독창적이고 자생적인 정치철학적 이념임을 주장한다. [라]는 희망(봄)은 '남해, 북녘'으로 상징되는 외부의 간섭이 아니라, 현실에 바탕을 둔 스스로의 역량으로 성취해야 한다고 강조하고 있다.

반면 [나]는 이슬람 제국의 문학과 학문이 발달하는 데에는 중국의 제지술이 이슬람 세계로 전파되었기 때문이었음을 보여준다. [다]는 영어의 발전과 세련화는 영어의 포용성/개방성을 바탕으로 한 외래어의 유입이 큰 역할을 했음을 시사한다. [마]는 세계화 시대 정보통신기술(ICT)의 발달에 따른 뉴미디어의 확산이 보수적이고 폐쇄적인 걸프 사회를 변화시키는 동인임을 보여준다.

(489자)

[논제 2]

[논제 1]의 두 관점 중 자신은 어느 관점을 지지하는지 그 이유를 서술하고, 그 관점에서 [바], [사], [아]를 평가하시오.

(1) [가][라]의 관점을 지지하는 경우

위의 발전의 양상에 관한 두 가지 관점 중 나는 [가],[라]의 관점을 지지한다. 왜냐하면 발전은 외부의 도움 없이 자생적으로 가능하고 또 그래야만 장기적으로 지속 가능하다고 생각하기 때문이다.

이를 바탕으로 제시문 [바],[사],[아]를 평가하면 다음과 같다. [바]는 코리안 팝과 같은 한류의 기원이 고대 제천의식이나 판소리와 같은 민요적인 전통에 있다고 주장한다. [바]는 발전은 자생적으로 이루어지는 [가],[라]의 관점과 맥을 같이 한다. [사]는 정부의 특별지원정책이 청년실업 문제의 해소와 청년의 고용 증대를 가져오는 사례이므로 [가],[라]의 관점과 대비된다. [가],[라]의 관점에서 보면 [사]의 정부지원정책은 청년 스스로 구직을 위한 노력을 약화시킬 수 있다는 점에서 비판할 수 있다. [아]는 선진국이 가난한 나라를 돕는 일은 자연스럽지만, 원조가 가난한 나라에서 기업가 정신을 북돋우지 못하는 것과 같이 삶을 스스로 개선하려는 노력을 떨어뜨릴 수 있을 뿐만 아니라 발전으로 이끌지도 못함을 지적한다. [가],[라]의 관점에서 보면, [아]는 외부의 도움에도 불구하고 발전이 없는 상태이므로 발전은 자생적으로 가능하고 또 장기적으로 그것이 바람직하다는 입장에서 비판적으로 평가할 수 있다.

(625자)

(2) [나],[다],[마]의 관점을 지지하는 경우

위의 발전의 양상에 관한 두 가지 관점 중 나는 [나],[다],[마]의 관점을 지지한다. 왜냐하면 발전을 위해서는 외부의 도움이 필수적인 경우가 많으며 외부의 도움은 대체로 발전에 실보다는 득이 되기 때문이다.

이를 바탕으로 제시문 [바],[사],[아]를 평가하면 다음과 같다. [바]는 코리안 팝과 같은 한류의 기원이 고대 제천의식이나 판소리와 같은 민요적인 전통에 있다는 것으로 [나],

[다],[마]의 관점과 대비된다. [나],[다],[마]의 관점에서 보자면, [바]는 외부와의 접촉이나 외부의 도움이 있었을 경우 한류가 더욱 발전했을지도 모른다는 점에서 비판이 가능하다. [사]는 민간의 획기적인 고용 개선을 기대하기 어려운 경우 정부의 특별지원정책이 청년실업 문제의 해소와 청년의 고용 증대를 가져오는 사례이므로 외부(정부)의 도움이 상황의 개선에 필수적인 경우가 많다는 [나],[다],[마]의 관점과 맥을 같이 한다. [아]는 선진국이 가난한 나라를 돕는 일은 자연스럽지만 원조가 기업가 정신을 북돋우지 못하는 것과 같이 삶을 스스로 개선하려는 노력을 떨어뜨릴 수 있을 뿐만 아니라 발전으로 이끌지도 못함을 지적한다. [나],[다],[마]의 관점에서 [아]는 외부의 도움에도 불구하고 발전이 없는 상태의 사례이므로 [나],[다],[마]의 관점에 의문을 제기한다고 할 수 있다.

(663자)

[논제 3]

국가 A는 고용된 근로자 수가 20인 미만인 기업을 소기업으로 정의하고, 이들이 성장할 수 있도록 각종 지원 정책을 시행하기로 결정했다. <자료 1>은 국가 A에서 소기업 지원 정책을 시행한 전후로 피고용 근로자 규모별 기업의 분포 변화를 정리한 것이다. 도표의 점선 왼쪽에 있는 기업들은 근로자 수가 20인 미만으로 소기업에 해당한다. 한편, 국가 B는 산업구조 변화에 따라 장년층의 고용 상황이 악화됨에 따라 사회 안전망을 강화하고 이들의 경제 활동을 지원하기 위해 만 50세 이상의 모든 국민에게 매월 50만원을 지급하는 정책을 시행했다. <자료 2>는 새로운 사회보장 정책 시행 전후로 연령별 고용률의 변화를 나타낸다. 도표의 각 점은 출생 연도 및 출생 월이 같은 사람들의 고용률을 나타내며, 점선의 오른쪽에 있는 만 50세 이상의 사람들이 새로운 정책의 수혜 대상이다. 두 국가 모두 정책 시행 전후로 다른 조건의 변화는 없었다. <자료 1>과 <자료 2>를 해석하고, 이 자료들이 [논제 1]의 두 관점 중 어느 쪽을 지지하는 근거가 될 수 있는지 설명하시오.

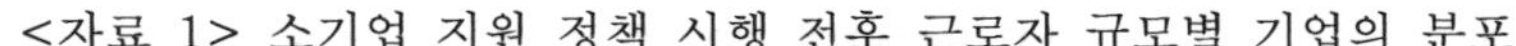
<자료 1> 소기업 지원 정책 시행 전후 근로자 규모별 기업의 분포

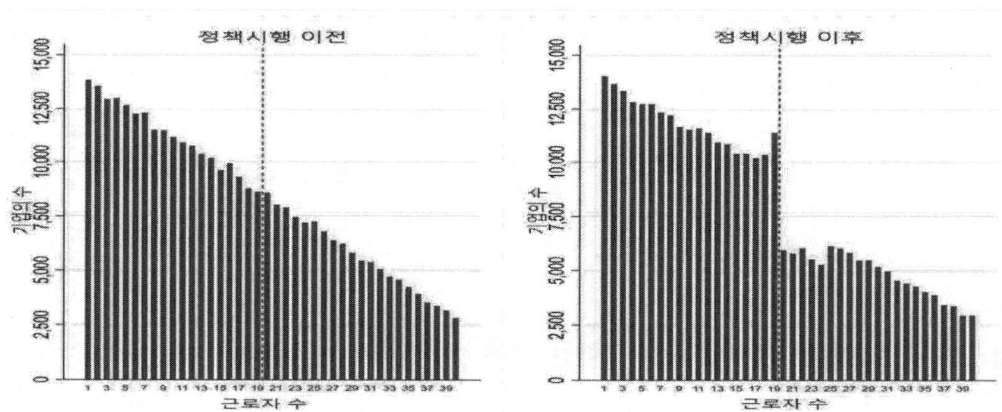

<자료 2> 사회보장 정책 시행 전후 연령별 고용률 변화

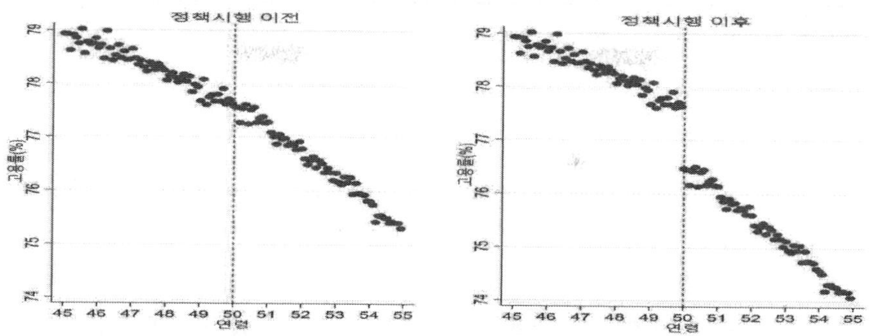

<자료 1>은 소기업 지원 정책 시행 이후 정책이 목표한 바와 반대로 근로자 수가 20인 이상인 기업의 수가 감소하고 20인 미만인 기업의 수가 증가한 것을 보여준다. <자료 2>는 사회보장 정책 시행 이후 정책의 대상자인 50세 이상 인구의 고용률이 감소한 것을 보여준다. 이는 정책의 수용자들이 정책의 애초 취지대로 발전하기보다 정책에 의존적인 상태가 된다는 것을 보여주는 사례들로 자생적 발전을 강조하는 제시문 [가]와 [라]의 관점에 부합한다.

제시문 [사]는 청년 실업문제가 심각한 상황에서 민간기업이 많은 청년을 고용할 수 있도록 정부가 민간기업을 지원해야 한다고 주장하고 있다. 하지만 <자료 1>과 <자료 2>에 근거하여 보면, 이러한 지원 정책이 민간기업을 정부 의존적인 존재로 만들 수 있고 정책이 의도한 바와 다른 결과를 발생시킬 수 있다고 볼 수 있다. 따라서 외부의 지원 정책은 당사자의 자생력과 자발성을 전제로 하지 않으면 왜곡되거나 실패할 수밖에 없다는 점에서 제시문 [사]의 주장을 비판적으로 평가할 수 있다.

(524자)

15. 2021학년도 경희대 수시 논술 [인문체육계]

[논제 I]

제시문 [가]와 [나]의 내용을 요약하고, 논지의 차이를 서술하시오.

제시문 [가]와 [나]는 정보사회 속 기술적 도구를 통해 실천되는 '감시' 문제를 다루고 있다. [가]는 디지털 기술 문명 속에서 벌어지는 권력 기관의 시민을 향한 감시가 심대한 문제를 야기할 수 있다고 주장한다. 상황과 장소, 만나는 사람에 따라 변별적으로 작동하는 페르소나의 특징을 설명하며, 디지털 감시 환경이 인권적 가치를 갖는 프라이버시를 훼손할 수 있다고 말한다. [나]는 현대 정보사회가 권력자의 만인에 대한 감시 모델을 벗어나 탈파놉티시즘 질서로 전환되고 있다고 본다. 인터넷과 같은 쌍방향 분산 네트워크의 발달로 시민의 역감시 기제가 작동함으로써 권력자와 대중이 서로를 감시하는 사회의 출현을 진단한다.

[가]와 [나]는 감시의 양상과 성격에 대한 관점에서 명확한 차이를 보이고 있다. [가]는 디지털 기술에 의한 감시가 시민들의 일상을 향해 작동되는 측면만 다룬다. 그에 반해 [나]는 디지털 기술의 발달로 인해 권력 기관과 시민들의 감시 가능성이 쌍방향으로 실천될 수 있음을 시사한다. 한편 [가]는 감시의 부정적 성격을 부각하면서 디지털 기술에 기반을 둔 일상생활의 위험성을 직시해야 한다고 주장한다. [나]는 시민의 참여와 실천에 따

라 권력 기관, 기업의 개인 정보 유출 문제를 예방할 수 있고 역 감시도 가능하다는 입장이다.

(645자)

[논제Ⅱ]

제시문 [바]의 관점을 서술하고, 이를 바탕으로 제시문 [다], [라], [마]에 나타난 상황이나 입장을 평가하시오.

제시문 [바]는 인간향상에 관한 세 가지 논점을 드러낸다. 첫째, 향상기술이 인간 존재와 인류 사회의 나아짐을 보장하진 않는다. 기술이 이끄는 향상은 인간의 부분적인 능력 개선에 국한된다. 둘째, 인류는 기술 문명 속에서 인간의 가치를 증진시켜 왔기에, 향상기술이 인간 가치를 위협한다는 일부 주장에는 동의하지 않는다. 셋째, 중요한 것은 인간 존재의 나아짐을 위해 향상기술을 사용하는 태도다. 이에 대해서는 개인과 시장의 자율성을 존중하는 태도와 사회적 공공성을 위해 공동체적 관리를 중시하는 태도의 조화가 필요하다.

[다], [라], [마]의 상황과 입장은 다음과 같이 평가될 수 있다. [다]는 기술 문명에서 탈주해 자연에 귀속되는 순간을 누리는 시적 화자가 등장한다. 그는 핸드폰 등으로부터 '언플러그드'되면서 행복과 만족을 경험하고 있다. [바]의 관점에서 [다]의 상황은 개인의 도피적이고 일회적인 행위로 규정될 여지가 있다. 시적 화자의 상황에 대한 공감 여부를 떠나서 향상기술의 바람직한 사용에 대한 개인 및 사회의 고민이 더 중요하다.

[라]는 2040년까지 인간에 근접한 로봇이 개발되고, 2050년이 지나면 지구의 주인이 인간에서 로봇으로 바뀔 것이라고 전망한다. 사람의 마음을 물려받은 로봇, '마음의 아이들'에 의해 인류의 미래가 새롭게 발전할 것이라고 본다. 이는 과학기술을 통한 향상이 곧바로 인류 사회의 나아짐이 아니라는 [바]의 주장과 대치된다. [바]에 따르면, 마음 업로딩 기술 등은 당위적으로 수용할 대상이 아니라 그 활용 방향을 숙고해야 하는 논제이다.

[마]에 등장하는 앙코마우스TM는 유방암 치료를 위해 개발된 실험쥐이자 하나의 상품이다. 그것은 인간 신체를 개선시켜주는 긍정의 이미지만을 갖지 않는다. 인간향상의 가능성과 윤리 침해의 이중적 비유로서 생명과 상품, 인간과 동물, 암수의 경계를 교란하는 등 다양한 문제를 야기한다. 앙코마우스TM는 유방암에 걸린 여성이 자유롭게 선택하고 활용하는 대상일 수 있지만 공동체 차원의 논의와 관리가 필요한 대상이기도 하다. [바]의 관점처럼 민주적 담론장에서 개인의 자율성과 사회적 공공성의 조화를 위해 그 활용 방향의 모색이 요구된다.

(1080자)

16. 2021학년도 경희대 수시 논술 [사회계 오전]

[논제 Ⅰ]

제시문 [가]~[바]를 비슷한 관점을 가진 것끼리 분류하고, 각 제시문을 요약하시오.

제시문 [가]~[바]는 사회 갈등을 해결하기 위해 통합을 이루는 두 가지 방식을 보여준다. [가], [마], [바]는 통합이 참여자의 합의와 소통을 통하여 이루어지는 경우이다. 반면, [나], [다], [라]는 통합이 강제나 어느 한 세력에 의해 일방적으로 이루어지는 경우이다.

[가]는 사회 통합을 위한 자유롭고 합리적인 대화와 합의를 강조한다. [마]는 북촌 안내소 건립이 주무기관의 일방적 결정이 아니라 이해당사자들 간의 합의를 통해 건립된 사례를 보여준다. [바]는 대립과 반목의 관계를 겪었던 유럽의 다수 국가들이 자발적인 합의를 통해 지역 통합을 시도하고 있는 사례이다.

반면, [나]는 준비 없이 시작된 독일의 통일 과정에서 나타난 서독 주도의 일방적 국가 통합 방식을 보여준다. [다]는 국가가 국민 연금과 관련된 세대 갈등을 무시하고 일방적으로 정책을 결정한 사례를 보여준다. [라]는 단층선 분쟁에서 흔히 목격되는 강제적 민족 통합의 양상을 묘사한다.

(487자)

[논제 Ⅱ]

제시문 [사]가 말하고자 하는 바를 서술하고, 이를 근거로 제시문 [라], [마]를 평가하시오.

제시문 [사]는 사회 통합을 통해 갈등을 해결해야 한다는 주장에 대해 문제를 제기한다. 갈등을 사회 발전을 가로막는 부정적 요소로 보지 않고, 역동적 사회를 유지하기 위한 긍정적 요소로 간주하고 있다. 이런 전제를 토대로 반대 진영의 의견 표출 권리를 상호 인정하고, 활발하게 의견 표출과 대립에 나서는 '경합적 투쟁'을 대안으로 제시하고 있다. 또한 역동적 사회를 위해서는 반대 의견이 끊임없이 표출되는 제도가 필요함을 주장하고 있다.

이런 관점에서 제시문 [라], [마]를 평가할 수 있다. 제시문 [라]는 지역 내 소수 민족을 폭력을 통해 강제 통합한 사례를 제시한다. 제시문 [사]에 따르면, 이런 통합을 통해 민족 갈등을 해결하는 것은 불가능하며, 반대 의견이 계속 표출되도록 기회가 제공되어야 한다. 갈등 상대의 의견 표출 권리는 물론 실질적 의견 표출의 기회조차 처음부터 봉쇄했다는 점에서 제시문 [라]는 비판받을 수 있다.

제시문 [마]는 주민 간 갈등을 합리적 소통을 통해 해결한 지역사회 통합의 사례를 보여준다. 제시문 [사]에 따르면, 합의에 의한 통합에 의해서도 갈등은 완벽하게 해결될 수 없다. 이 경우에는 갈등 상대에 대한 인정과 일시적 의견 교환이 허용되지만, 결과적으로 지속적 갈등 표출과 대립의 기회가 봉합돼 버린다는 점에서 비판받을 수 있다.

(656자)

[논제 Ⅲ]

H구청은 관광객 안내소를 건립하고자 한다. H구청은 1번부터 6번까지의 안내소 위치를 제안하였고, 구민들은 그 중 하나를 선택하여야 한다. H구에서는 안내소 위치를 둘러싼 구민들의 의견을 반영하고자 간담회가 계속 열리고 있다. H구의 갈등지수는 안내소 위치에 대한 구민들 간의등 정도를 수치로 나타낸 것으로, 0부터 10까지의 값을 갖는 실수이다. 갈등지수가 0이면 구민들 간 대립이 없다는 것을 의미하고, 값이 커질수록 대립이 심화된다는 것을 뜻한다. H구의 갈등지수를 x라 하고, H구 구민의 간담회 참여율(%)을 y라 하자. 간담회 참여율은 갈등지수의 함수이며, 갈등지수가 1일 경우 간담회 참여율은 27%이다. 간담회 참여율 함수의 도함수(y')는 일차함수이며, 다음과 같은 두 가지

(ㄱ) 갈등지수가 3.7일 경우, 도함수의 값은 5번 제안이 탈락되었을 때 1번, 3번,

6번 중 하나가 선택될 확률이다. (단, 각 제안이 선택될 확률은 동일하다.)
(ㄴ) 도함수의 x절편 값은 4이다.

조건을 만족한다.

(1) H구 구민의 간담회 참여율(%) 함수를 구하고, 이를 X-Y평면을 이용하여 닫힌구간 [0, 10]에 대해 x절편, y절편 값을 표시하여 그리시오.

(2) 갈등지수가 5일 경우 간담회 참여율(%)을 구하고, 그 결과 값과 (1)에서 구한 x절편, y절편 값을 이용하여 제시문 [사]의 관점을 평가하시오.

(1) 6개의 제안 중 5번이 탈락되는 사건을 A, 1번, 3번, 또는 6번이 선택될 사건을 B라 하자. 이때 도함수 조건 (ㄱ)을 만족하는 확률 값은 $P(B|A)=\frac{P(A\cap B)}{P(A)}=\frac{3/6}{5/6}=0.6$이다. 따라서 도함수는 갈등 지수가 3.7일 경우 0.6의 값을 갖고, x절편 값이 4이므로, $y'=-2x+8$가 된다. 따라서 닫힌구간 [0, 10]에 대한 간담회 참여율 함수 $y=\int(-2x+8)dx=-x^2+8x+C$로 나타낼 수 있다. 갈등지수가 1일 경우 간담회 참여율이 27%이므로 $y=-x^2+8x+20$이 되고, 그래프는 다음과 같다.

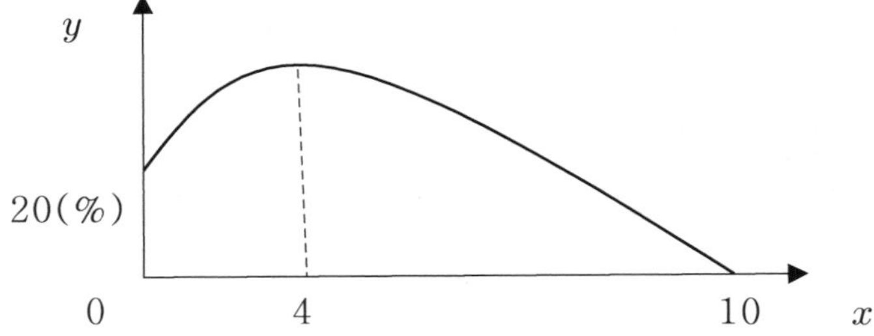

(2) 갈등지수가 5일 경우 H구 구민의 간담회 참여율 값은 35%이다. 이때의 간담회 참여율은 갈등지수가 0일 경우의 20%(y절편)보다 높다. 이러한 결과는 일정 정도의 집단 내 갈등 상승이 간담회 참여율을 높일 수 있음을 보여준다. 이는 갈등을 통합으로 해결하려는 시도가 바람직하지 않다는 제시문 [사]의 관점과 부합한다. 반면, 갈등지수가 매우 높은 구간에서는 간담회 참여율이 매우 저조하게 나타난다. 예를 들어, 갈등지수가 10(x절편)에 가까울 때에는 간담회 참여율이 0%에 가깝다. 이 경우에는 제시문 [사]의 관점과 달리 갈등이 사회 참여의 장애로 작용하므로, 대립을 해결하여 갈등지수를 낮추는 것이 필요하다.

17. 2021학년도 경희대 수시 논술 [사회계 오전]

[논제 Ⅰ]

제시문 [가]~ [사]를 비슷한 관점을 가진 것끼리 분류하고, 각 제시문을 요약하시오.

제시문 [나], [다], [바]는 사회·국가와 관련하여 경계(구분)를 중시하는 관점을, [가], [라], [마], [사]는 경계를 넘어 융합을 강조하는 관점을 제시한다.

[나]는 이민자들이 자민족 중심주의에 대응하여 민족집단거주지와 같은 독자적인 경계를 설정하는 사례를 보여준다. [다]는 국민 참여 경선 제도가 정당의 정체성을 약화시켜 민주주의를 훼손시킬 수 있음을 논한다. [바]는 '타다'가 택시업계 영역을 침범하지 못하도록

기존 산업을 보호하는 정부 규제가 필요함을 강조한다.

반면 [가]는 디지털 경제에서 산업 간 경계를 허물고 융합을 통해 시너지를 창출할 수 있음을 보여준다. [라]는 무굴제국이 이슬람과 힌두의 종교적 화합과 융합을 통해 발전한 사례를 제시한다. [마]는 각국이 국경 폐쇄보다는 국가 간의 개방적 소통과 협력으로 코로나19에 대처해야 함을 주장한다. [사]는 영호남 지역의 상생과 화합을 위해 지자체 및 정부 차원의 정책방안이 필요함을 강조한다.

(495자)

[논제 Ⅱ]

제시문 [아]가 말하고자 하는 바를 서술하고, 이를 바탕으로 제시문 [바], [사]에 나오는 대처 방안을 평가하시오. 또한 이러한 평가에 대해 제시문 [바], [사]의 입장에서는 어떻게 반박할지 서술하시오.

제시문 [아]는 구딘의 당위적 이상론을 소개한다. 구딘에 따르면, 시민은 남들의 생각과 이익에 대해 성찰할 수 있어야 한다. 성찰의 요체는 감정이입과 마음속 대화로서, 기존의 사회적 경계 내에서 유대감과 일체감을 키우거나 혹은 각종 경계의 바깥에 있는 사람들에 대한 이해와 관용의 가치를 실천할 수 있게 해준다.

구딘의 관점에서는 제시문 [바]와 [사]가 경계를 중시하거나 혹은 융합을 강조하는 논지상의 차이에도 불구하고 공통되게 정부의 정책·제도 차원에서만 대처 방안을 찾는다고 비판할 수 있다. [바]에서는 택시 업계의 기존 이익을 외부의 '타다' 영업으로부터 보호하기 위한 정부 규제를 강조하는 가운데 양측 간의 성찰적 자세를 통한 문제 해결을 고려하지 않는다. [사]에서는 영호남 간의 지역 장벽을 넘어 화합을 도모하기 위한 방안으로 지자체와 중앙 정부의 적극적 정책을 주문하나 주민 스스로의 감정이입과 마음속 대화를 통한 근본적 방안을 간과한다.

그러나 [바]와 [사]의 관점에서는 구딘의 주장이 너무 현실성이 떨어진 이상론으로 비쳐진다. 택시업계와 타다 업계의 이익이 첨예하게 부딪치는 상황에서, 또한 영호남 간의 지역 갈등이 오랜 기간 고착되어 온 현실에서 감정이입과 마음속 대화를 요체로 하는 성찰만으로는 문제 해결이 가능하지 않다고 반박할 수 있다.

(659자)

[논제 Ⅲ]

2020년 1월 코로나19가 전 세계적으로 확산되기 시작했다. A국은 코로나19 확산을 억제하기 위해 국경을 폐쇄했으나, B국은 경제에 미치는 부정적 영향을 고려하여 국경을 폐쇄하지 않았다. 각 개인이 코로나19에 감염될 확률은 A국에서 0.1이고, B국에서 $p(0 \leq p \leq 1)$이다. 개인의 코로나 19 감염은 독립적으로 발생한다. 양국 모두 코로나19에 감염된 개인은 1년간 수입 없이 치료 비용 10냥을 지출해야 한다. 코로나19에 감염되지 않을 경우, A국의 개인은 연간 30냥의 수입을 얻으며, B국의 개인은 연간 40냥의 수입을 얻는다. A국과 B국의 인구는 100명으로 동일하고 다른 조건들도 같다. A국과 B국의 차이는 오직 국경 폐쇄 여부에 의해 발생한다.

(1) A국에서 2명, B국에서 1명을 무작위로 뽑을 때, 선발된 3명 중 감염자 수가 2명일 확률은 0.044이다. 이를 이용하여 B국에서 각 개인이 코로나19에 감염될 확률 p

를 구하시오.
(2) A국에서는 36명을 임의로 추출하여 수입을 조사했다. 조사에 포함된 36명의 수입의 평균이 25냥 이상 28냥 이하일 확률을 아래의 표준정규분포표를 이용하여 구하시오(참고: 코로나19 감염자는 치료 비용만 지출하므로 수입은 -10냥이다.).
(3) A국과 B국 각각에 대해 국민 전체의 순수입(비감염자들의 총수입 - 감염자들의 치료비 총 지출)의 기댓값을 구하시오. 이를 바탕으로 제시문 [마]의 관점을 평가하시오.

[수식을 사용하여 주어진 답안지 양식 범위 내에서 자유롭게 쓰시오.: 배점 30점]

표준정규분포표: P(0≤ Z≤ z)

z	0.00
0.0	0.000
0.5	0.192
1.0	0.341
1.5	0.433
2.0	0.477
2.5	0.494

(1) 선발된 3명 중 2명이 감염자인 경우는 ① A국에서 감염자 2명, B국에서 감염자 0명이거나 ② A국에서 감염자 1명, B국에서 감염자 1명인 경우이다.
① A국에서 2명의 감염자, B국에서 0명의 감염자가 선발될 확률

$$_2C_2(0.1)^2(0.9)^2\times {_1C_0}p^0(1-p)^1=0.01\times(1-p)=0.01-0.01p$$

② A국에서 1명의 감염자, B국에서 1명의 감염자가 선발될 확률

$$_2C_1(0.1)^1(0.9)^1\times {_1C_1}p^1(1-p)^1=0.18\times p=0.18p$$

선발된 3명 중 2명이 감염자일 확률은 0.01-0.01p+0.18p=0.044
따라서 0.17p=0.034이고 p=0.2
(2) A국 사람들의 수입의 평균은 0.9×30+0.1×(-10)=26
A국 사람들의 수입의 분산 $0.9\times30^2+0.1\times10^2-26^2=144$
추출된 36명의 사람들의 평균 수입은 근사적으로 정규분포 $N\left(26,\frac{144}{36}\right)$**을 따른다.**
따라서 추출된 36명의 사람들의 수입의 평균 $\overline{X}$**가 25 이상 28 이하일 확률은**

$$P(25\le\overline{X}\le28)=P\left(\frac{25-26}{2}\le Z\le\frac{28-26}{2}\right)$$
$$=0(-0.5\le Z\le1)=0.192+0.341=0.533$$

(3) A국에서 순수입의 기댓값=90명×30냥-10명×10냥=2,600냥
B국에서 순수입의 기댓값=80명×40냥-20명×10냥=3,000냥
위의 결과에 따르면 국경을 폐쇄한 A국보다 국경을 폐쇄하지 않은 B국에서 국민들의 순수입의 기댓값이 크다. 따라서 제시문 [마]에서 주장한 바와 같이 국경을 폐쇄하지 않을 때 코로나19로 인한 경제 피해가 작을 것으로 예상된다.

18. 2021학년도 경희대 모의 논술 [인문체육계]

【논제 1】

제시문 [가]와 [나]의 내용을 요약하고, 논지의 차이를 서술하시오.

제시문 (가)는 문화 사대주의에 대한 문제의식을 드러내고 있으며 (나)는 문화 상대주의의 필요성을 밝히고 있다. (가)는 국내에 만연한 외국 유명 브랜드 선호 현상을 날카롭게 비판한다. 국내 토종 브랜드의 높은 품질과 경쟁력에도 불구하고 외국 브랜드 제품이 월등할 것이라는 편견의 존재를 말하며 문화 사대주의의 문제성을 지적한다. (나)는 아랍인의 특수한 식사문화를 소개하며 그 의미를 소상히 기술하고 있다. 식사 시간, 과묵함을 요구해온 한국의 문화에서 볼 때 음식을 매개로 적극적인 대화를 나누는 그들의 문화는 이질감을 불러올 수 있다. 그러나 그러한 특수성을 문화 상대주의 관점에서 포용할 때, 그들과 호혜적인 소통이 가능하다고 말한다.

(가)와 (나)는 사회적으로 형성된 문화의 안과 밖을 바라보는 관점에서 차이를 보인다. (가)는 외국 브랜드와 국내 브랜드를 우열과 경쟁의 대상으로 놓고 국내 소비자의 오해를 성찰하고 있다. 이를 통해 외국 브랜드에 대한 막연한 선호 현상에 가려진 국내 브랜드의 가치를 강조한다. 반면 (나)는 아랍인의 식사문화를 예로 우열의 관점이 전제되기 쉬운 자문화 중심의 시선을 조심해야 한다고 말한다. (나)에 따르면 한 문화는 상대적으로 타당한 배경을 가지며 제 나름의 의미를 가질 수 있다.

(633자)

【논제 2】

제시문 [바]의 관점을 바탕으로, 제시문 [다], [라], [마]에 나타난 상황을 평가하시오.

제시문 (바)는 봉준호와 BTS가 확보한 세계적 명성이 한국 고유의 경쟁력을 확보한 덕분이라고 주장한다. 그들 사례에서 드러나듯이 세계인은 이질적인 배경에서 탄생한 한국의 문화콘텐츠들을 문화 상대주의 시선에서 포용하고 공감하고 있다. 그럼에도 국내 여론과 문화콘텐츠업계는 여전히 미국 중심의 시각을 바탕으로 그들에게 인정을 받을 수 있는 전략적 기획에 충실하고 있다. 글쓴이는 미국인의 기준에 따른 평가에 과도한 의미 부여를 하는 것을 문화 사대주의라고 언급한다. 결론적으로 (바)는 문화 사대주의에 대한 비판적 인식을 전제로 한국적 개성에 입각한 경쟁력의 중요성을 강조한다

이를 바탕으로 (다), (라), (마)에 나타난 상황을 평가하면, 먼저 (다)의 '천하도'는 당대 한국인의 내면에 자리한 문화 사대주의의 일면을 보여준다는 점에서 비판받을 수 있을 것이다. '천하도'는 한국 고유의 지도이면서도 세상의 중심을 중국으로 설정하고 있다. 조선을 비롯해 유교 사상, 도교 사상에 뿌리를 둔 가상 국가들의 위치를 볼 때, 중화사상의 구심력과 지리 지식의 한계가 뚜렷하게 나타나있다.

(라)는 영어회화 열풍을 문화 사대주의가 발현된 또 하나의 현상으로 인식하고 있다. 글쓴이는 부유층 자녀들의 경쟁적인 영어회화 교육열과 일상 문화에 만연한 영어 오남용 풍토를 반대한다. 일제강점기 '조선어 말살' 과정을 언급하며 한국어가 민족 정체성을 지키는 중요한 수단임을 강조한다. (라)의 관점은 문화 사대주의에 대한 강한 비판을 담아낸 (바)

의 논지와 맞닿아 있다.

(마)는 중국 불상을 창조적으로 수용한 신라, 백제 불상의 고유한 개성을 설명한다. 중국 불상의 양식과 형식을 공부하고 돌아온 당시 화공들, 조각승들, 유학승들은 중국 불공으로 남는 길을 택하지 않는다. 불상의 일부분은 중국 양식을 따랐지만 가장 중요한 얼굴은 백제인과 신라인의 특징을 담아낸다. 일방적으로 외부 문화의 기준을 추종·수용하지 않는 그들의 태도는 (바)의 주장과 부합한다. 그러나 무조건인 배제를 지양하고 외부 문화의 창조적 수용을 긍정한다는 면에서 (바)와 미묘한 차이를 보인다.

(1,043자)

19. 2021학년도 경희대 모의 논술 [사회계]

【논제 1】

제시문 [가]~[아]를 비슷한 관점에 입각한 것끼리 두 범주로 분류하고, 각 제시문을 요약하시오.

제시문 [가]~[아]는 시간에 대한 두 가지 대비되는 관점을 담고 있다. [가], [다], [라], [바], [아]는 시간을 장기적으로 보며 미래를 대비해야 한다는 관점이다. 반면 [나], [마], [사]는 시간을 단기적으로 보며 현재에 충실해야 한다는 관점이다.

[가]는 단기의 고통을 참고 천고에 사라지지 않을 이상을 추구할 것을 촉구한다. [다]는 인구문제는 감염병과 달리 장기적 관점에서 접근해야 하므로 대처하기 쉽지 않다고 주장한다. [라]는 헌법은 항구적·불변적인 원칙들을 규정·선언한 것이므로 그것을 잘 이해함으로써 미래도 대비할 수 있다고 설파한다. [바]는 당장의 수익과 즐거움을 추구하다가 장기적으로 지구 온난화를 악화시킬 수 있다는 점을 지적한다. [아]는 그리스 정부가 눈앞의 문제만 생각하고 장기적 고려를 하지 못해 경제 위기를 초래했다고 주장한다.

반면, [나]는 바로 지금이 우리가 마음대로 다룰 수 있는 가장 중요한 순간이라는 교훈을 준다. [마]는 '주52시간' 제도가 단기적으로 중소기업과 저임금자에게 불이익을 가져올 수 있으므로 신중한 고려와 보완이 필요하다는 점을 지적한다. [사]는 코로나19 사태로 침체된 경제를 심폐소생술로 우선 살려야 한다는 입장을 보여준다.

【논제 2】

제시문 [자]에 나오는 베르그송의 관점에서 제시문 [사], [아]를 평가하고, 역으로 제시문 [사], [아]의 관점에서 이러한 평가에 대해 어떻게 반박할지 서술하시오.

제시문 [자]는 시간에 대한 베르그송의 철학적 관점을 소개한다. 그에 의하면, 길거나 짧게 구분하는 물리적 시간은 참다운 시간이 아니고 실용적 의미만 지닐 뿐이다. 참다운 시간은 각자의 체험이고 각자가 달리 느끼는 것이다.

베르그송의 관점에서는 제시문 [사]와 [아]가 공통되게 시간을 물리적·실용적 차원으로만 이해한다고 비판할 수 있다. [사]에서는 코로나로 인한 경제침체를 단기 부양책으로 살리는 방안을 주장하는 가운데 개인마다 다른 상황을 고려하지 않는다. [아]에서는 역으로 국가 장기 재정의 중요성을 강조하는 가운데 개인이 처한 어려움을 경시한다. 베르그송은 국가 경제와 재정을 일반화해서 단기나 장기로만 생각하지 말고 각 개인의 체험을 소중하게

공감하는 노력을 기울여야 한다고 말할 것이다.

그러나 [사]와 [아]의 관점에서는 물리적 시간이 매우 중요하다. 사회를 이뤄 함께 살고 공동 작업을 하기 위해서는 시간을 때론 짧고 때론 길게 구분해봐야 한다. 그래야 경제나 재정에 관한 문제를 적절하게 해결할 수 있기 때문이다. 베르그송의 철학적 시간 개념은 귀담아들을 가치가 있으나 사회를 가꿔가는 데는 적합성이 떨어진다고 반박할 수 있다.

【논제 3】

K국가의 사람은 유형 A와 유형 B로 나뉜다. 두 유형의 사람들이 일을 할 경우 얻게 되는 연간 근로 소득은 각각 금화 20냥, 금화 10냥이다. 유형 A에 속하는 사람들 100명이 어떤 해에 일을 하게 될 확률은 0.9이고, 유형 B에 속하는 사람들 400명이 일을 하게 될 확률은 0.8이다. K국가의 모든 근로자는 근로 소득의 10%를 세금으로 지불하지만, 일을 하지 않는 사람은 정부로부터 금화 2냥의 실업 급여를 받는다.

그런데 2020년 1월 1일 갑자기 K국가에 바이러스가 유행하여 유형 A, B의 사람들이 일을 하게 될 확률이 2020년부터 향후 10년 동안 각각 0.8과 0.5로 감소하게 된다고 하자. 이에 정부는 모든 사람들에게 금화 6냥의 고용 지원금을 1회 지급하는 것을 고려하고 있는데, 이러한 정책을 시행하면 K국가는 향후 10년 동안 각 유형의 사람들이 일을 하게 될 확률을 원래대로 유지할 수 있다.

K국가에서 근로 여부는 매년 1월 1일 결정되어 1년간 유지되며, 개인의 근로 여부는 과거 근로 경험 및 다른 사람들의 근로 여부에 영향을 받지 않고 위의 확률에 따라 이루어진다. 또한, 정부가 거둬들이는 세금은 근로 소득세가 유일하고, K국가의 유형별 인구수와 화폐의 가치는 시간에 따라 변하지 않는다.

(1) 바이러스 유행에 따라 2020년 1월 1일 정부가 고용 지원금을 지급할 경우, 2021년에 유형 B의 사람들 중 324명 이상이 일을 하고 있을 근사적인 확률을 아래의 표준 정규 분포표를 이용해서 구하시오.

(2) 2020년부터 향후 10년 동안 기대되는 재정 수지(재정 수입 − 재정 지출)를 고려했을 때, 정부 입장에서 고용 지원금을 지급하는 것이 타당한지 판단하라. 그리고 이에 근거하여 제시문 [사]를 평가하시오.

[주어진 답안지 양식 범위 내에서 자유롭게 쓰시오: 배점 30점]

[참고] 표준 정규 분포표: $P(0 \le Z \le z)$

z	0	0.01	0.02	0.03	0.04	0.05	0.06	0.07	0.08	0.09
0	0.000	0.004	0.008	0.012	0.016	0.020	0.024	0.028	0.032	0.036
0.1	0.040	0.044	0.048	0.052	0.056	0.060	0.064	0.067	0.071	0.075
0.2	0.079	0.083	0.087	0.091	0.095	0.099	0.103	0.106	0.110	0.114
0.3	0.118	0.122	0.126	0.129	0.133	0.137	0.141	0.144	0.148	0.152
0.4	0.155	0.159	0.163	0.166	0.170	0.174	0.177	0.181	0.184	0.188

0.5	0.191	0.195	0.198	0.202	0.205	0.209	0.212	0.216	0.219	0.222
0.6	0.226	0.229	0.232	0.236	0.239	0.242	0.245	0.249	0.252	0.255
0.7	0.258	0.261	0.264	0.267	0.270	0.273	0.276	0.279	0.282	0.285
0.8	0.288	0.291	0.294	0.297	0.300	0.302	0.305	0.308	0.311	0.313
0.9	0.316	0.319	0.321	0.324	0.326	0.329	0.331	0.334	0.336	0.339
1	0.341	0.344	0.346	0.348	0.351	0.353	0.355	0.358	0.360	0.362
1.1	0.364	0.367	0.369	0.371	0.373	0.375	0.377	0.379	0.381	0.383
1.2	0.385	0.387	0.389	0.391	0.393	0.394	0.396	0.398	0.400	0.401
1.3	0.403	0.405	0.407	0.408	0.410	0.411	0.413	0.415	0.416	0.418
1.4	0.419	0.421	0.422	0.424	0.425	0.426	0.428	0.429	0.431	0.432
1.5	0.433	0.434	0.436	0.437	0.438	0.439	0.441	0.442	0.443	0.444
1.6	0.445	0.446	0.447	0.448	0.449	0.451	0.452	0.453	0.454	0.454
1.7	0.455	0.456	0.457	0.458	0.459	0.460	0.461	0.462	0.462	0.463
1.8	0.464	0.465	0.466	0.466	0.467	0.468	0.469	0.469	0.470	0.471
1.9	0.471	0.472	0.473	0.473	0.474	0.474	0.475	0.476	0.476	0.477
2	0.477	0.478	0.478	0.479	0.479	0.480	0.480	0.481	0.481	0.482
2.1	0.482	0.483	0.483	0.483	0.484	0.484	0.485	0.485	0.485	0.486
2.2	0.486	0.486	0.487	0.487	0.487	0.488	0.488	0.488	0.489	0.489
2.3	0.489	0.490	0.490	0.490	0.490	0.491	0.491	0.491	0.491	0.492
2.4	0.492	0.492	0.492	0.492	0.493	0.493	0.493	0.493	0.493	0.494
2.5	0.494	0.494	0.494	0.494	0.494	0.495	0.495	0.495	0.495	0.495
2.6	0.495	0.495	0.496	0.496	0.496	0.496	0.496	0.496	0.496	0.496
2.7	0.497	0.497	0.497	0.497	0.497	0.497	0.497	0.497	0.497	0.497
2.8	0.497	0.498	0.498	0.498	0.498	0.498	0.498	0.498	0.498	0.498
2.9	0.498	0.498	0.498	0.498	0.498	0.498	0.498	0.499	0.499	0.499
3	0.499	0.499	0.499	0.499	0.499	0.499	0.499	0.499	0.499	0.499

고용지원금이 지급되지 않았을 때 (지급되었을 때) 향후 10년 동안 어떤 해에 고용된 유형 A, B의 사람 수를 나타내는 확률변수를 각각 X_A, X_B(Y_A, Y_B)라고 하자.

(1) Y_B는 시행의 횟수가 400이고 성공확률이 0.8인 이항분포를 따른다: (Y_B B~(400,0.8)). 그런데 시행 횟수(n)가 크고 성공확률이 p인 이항분포는 평균이 np이고 분산이 np(1-p)인 정규분포로 근사하여 나타낼 수 있다. 따라서, 유형 B의 사람들 중 324명 이상이 고용될 확률을 정규분포로 근사한 후 표준정규분포표를 이용하여 구하면 다음과 같다.

(2) 정부의 기대재정수입: 기대 고용자로부터 거둬들일 세금

정부의 기대재정지출: 기대 실업자에게 지불할 실업급여+1회 고용지원금(지불할 경우에만 해당)

각각의 경우 향후 10년 동안 정부의 기대수입과 기대지출은 다음과 같다.

고용지원금을 지급할 경우

-매해 $E(Y_B)=100\times0.9=90$ **명, 명이다.**

-매해

유형 A 고용자로부터 $90\times20\times0.1=180$**냥,**

유형 B 고용자로부터 $320\times10\times0.1=320$**냥,**

총 금화 500냥, 즉, 향후 10년간 총 기대 재정수입은 금화 5,000냥이다.
-매해 유형 A 실업자에게 $10 \times 2 = 20$냥, 유형 B 실업자에게 $80 \times 2 = 160$냥, 총 금화 180냥, 즉, 향후 10년 동안 기대 실업급여 총액은 금화 1,800냥이다. 또한, 고용지원금은 총 3,000냥이므로 향후 10년 동안 총 기대 재정 지출은 금화 4,800냥이다.
-따라서 고용지원금을 지급하면 10년 동안 기대 재정 수지는 금화 200냥 흑자다.

고용지원금을 지급하지 않을 경우
-매해 $E(X_A)$명, $E(X_A) = 400 \times 0.5 = 200$명이다.
-매해

유형 A 고용자로부터 $80 \times 20 \times 0.1 = 160$냥,
유형 B 고용자로부터 $200 \times 10 \times 0.1 = 200$,
총 금화 360냥, 즉, 향후 10년 동안 기대 재정 수입은 금화 3,600냥이다.

-매해 유형 A 실업자에게 $20 \times 2 = 40$냥, 유형 B 실업자에게 $200 \times 2 = 400$냥, 총 금화 440냥, 즉, 향후 10년 동안 기대 실업급여 총액은 금화 4,400냥이다.
-따라서 고용지원금을 지급하지 않으면 10년 동안 기대 재정 수지는 금화 800냥 적자다.
위의 결과에 따르면, 제시문 [사]가 주장한 바와 같이 바이러스 유행 시 정부가 고용지원금을 지급한다면 당해에는 재정 적자가 예상되지만, 향후 10년 동안 기대 실업률을 낮추어 실업급여 지출은 줄고 세입은 증가할 것으로 기대되어 장기적으로 오히려 재정건전성을 지키는 결과를 가져올 수 있을 것으로 예상된다.

20. 2020학년도 경희대 수시 논술 [인문체육계]

[논제 I]
제시문 [가]와 [나]의 내용을 요약하고, 논지의 차이를 서술하시오.

제시문 [가]와 [나]는 현대 사회의 지속 가능성에 대한 문제를 다루고 있다. [가]는 경제성장 위주의 이기적 자본주의가 사회적 약자와 자연 및 미래 세대의 희생을 가져왔다고 주장한다. 글쓴이는 경제성장 중심의 근대 자본주의 문명을 종식하고 농업 사회로의 회귀를 통해 평화적이고 윤리적인 시스템 실현을 제안하고 있다. [나]는 경제성장을 목표로 한 개발이 불공정한 사회 및 환경파괴를 야기했다고 주장한다. 지속 가능한 성장을 위해서는 현재 세대 중심의 단기적 관점에서 탈피하여 미래 세대까지 고려한 장기적 안목이 필요하다고 제안한다. 경제·사회·환경 등을 조화롭게 발전시키는 포괄적 관점을 제시하고 있는 것이다.
[가]와 [나]는 다음과 같은 차이가 있다. 첫째는 지속 가능한 성장의 가능성 여부이다. [가]는 지속 가능한 성장 자체가 불가능하다고 주장한다. 글쓴이는 근대 자본주의 문명의 비윤리성을 지적하면서 성장 시대의 종언을 선언하고 있다. 반면 [나]는 경제·사회·환경 등의 조화와 균형을 통한 상호증진적인 성장을 옹호한다. 둘째는 제시문들이 지향하는 방향성이다. [가]는 공정하고 윤리적인 공동체를 형성하는 농업 중심의 순환 시스템을 제안하

는 반면, [나]는 전지구적 차원으로 경제 발전, 공정한 사회, 건강한 환경의 지속 가능한 시스템을 제안한다.

(651자)

[논제Ⅱ]

제시문 [바]의 관점을 바탕으로, 제시문 [다], [라], [마]에 나타난 상황을 평가하시오.

제시문 [바]는 지속 가능한 공동체 구성을 위해서는 생태주의적 가치의 수용과 법적 제도의 정비가 병행되어야 한다고 주장한다. 자연과 인간 공동체는 밀접하게 연관되어 있으며, 두 영역 모두 우리의 변화와 참여를 요구한다는 점에서 공통점을 찾을 수 있다. 법의 문제에 있어 우리는 자발적인 참여와 개입을 통해 기존의 억압적인 법 제도를 공공의 이익을 위해 변화시킬 수 있다. 반면 여러 생명 공동체들의 상호작용으로 작동하는 생태계는 인간이 자연의 불가분한 일부이자, 함께 진화하는 존재임을 환기시킨다.

이를 바탕으로 [다], [라], [마]에 나타난 상황을 평가할 때, 먼저 [다]가 묘사하는 자연은 인간문명의 이기심과 욕망으로부터 벗어난 아름답고 조화로운 존재다. 화자는 자연을 인간의 한계를 넘어선 이상적인 위치로 승격시키는데, 하지만 바로 그런 이상화로 말미암아 자연은 이질적이고도 대상화된 모습에 갇히게 된다. 화자의 낭만적인 동경이 끝내 '사람'과 '대자연'의 이분법을 넘어서지 못한다는 점에서 모든 생명체의 상호연결성을 주장한 [바]에 의해 비판될 수 있다.

[라]는 '녹색 소비'나 '탄소 발자국' 줄이기 같은 자연친화적 운동이 오늘날 생태계 위기를 타파하는데 적절한 해결책이 못된다고 말한다. 정부와 기업들이 지지하는 이런 자발적인 소비캠페인은 환경파괴의 책임을 소비자 개인에게 전가시키고, 보다 거시적 관점에서 요구되는 공적 차원의 개입의 필요성을 간과한다. 이러한 [라]의 비판적인 관점은 새로운 법과 제도에 기반한 시민들의 참여를 강조하는 [바]의 논지와 맞닿아 있다.

[마]는 사과를 먹는다는 평범한 행위에도 무한한 자연의 울림이 깃들어 있음을 노래한다. '사과를 먹는다'는 것은 사과라는 과실이 '나'에게 도달하기까지 필요했던 다양한 작용과 행작용과 행위들을 기억하는 것이며, 그것을 가능케 한 수많은 유무형의 존재들과 교감하는 것이다. 첫 행을 도치시킨 마지막 줄 '사과가 나를 먹는다'는 자연의 유기적 순환운동을 집약해 보여주는데, 이는 자연이라는 공동체의 통일성을 강조하는 [바]의 주장과 부합한다고 할 수 있다.

(1,035자)

21. 2020학년도 경희대 수시 논술 [사회계 오전]

[논제Ⅰ]

제시문 [가]~[바]를 비슷한 주장을 담은 것끼리 분류하고, 각 제시문을 요약하시오.

제시문 [가]~[바]는 사회 불평등에 대한 두 가지 관점을 다루고 있다. [가], [나], [바]는 불평등은 사회 전체를 위해 중요한 기능을 수행하므로 당연하다는 기능론 관점이다. 반면, [다], [라], [마]는 불평등은 지배 집단의 권력과 강제에 의한 것이라는 갈등론 관점이다.

[가]는 소득 불평등이 총수익이나 대우의 평등을 위해 꼭 필요한 것이라고 설명한다. [나]는 인간의 계급 불평등은 사회의 효율적 운영에 필요하니 태생적으로 구조화되어야 한다고 주장한다. [바]는 완전한 정치적 평등이 보장된 직접민주주의보다 소수의 대표가 대중을 대신해주는 대의제 공화정이 공익에 더 부합한다는 주장이다.

반면, [다]는 성별에 따른 사회적 불평등을 오케스트라 단원 선발의 예를 통해 지적한다. [라]는 현대 사회에서 부르주아지가 프롤레타리아트를 지배하는 계급 불평등에 대해 비판한다. [마]는 불평등을 경제적·사회적·정치적 제(諸)차원으로 이해하고 설명한 비판적 입장을 보여준다.

(495자)

[논제Ⅱ]

제시문 [사]가 말하고자 하는 바를 서술하고, 이를 근거로 하여 제시문 [라], [마]를 평가하시오.

제시문 [사]는 어떤 대상에 대해 지극히 개인적인 수준의 선호도를 지칭하는 것으로 여겨지는 취향이 어떻게 사회적 불평등과 연관되어 있는지 설명한다. 취향, 예컨대 입맛, 좋아하는 노래, 화장법 등은 가정환경과 교육 수준에 의해 형성되기 때문에 그 형성 과정에서 경제적 불평등을 반영한다. 또한 특정 취향에 대한 사회적 평가가 달라 계급 사이의 사회적 경계를 유지하는 역할을 하므로 불평등을 재생산한다.

이런 면에서 사회 불평등을 생산 수단의 소유 여부인 생산 관계에 기인하는 경제적 불평등에서만 찾는 [라]의 논의는 불평등의 차원을 지나치게 단순화하였다고 비판할 수 있다. 한편 [마]는 사회 불평등을 경제적 불평등, 사회적 불평등, 정치적 불평등의 다차원으로 확장하고 있다. [사]가 기술하고 있는 취향의 불평등은 사회적 불평등의 한 측면이므로 [사]는 [마]의 다차원적 불평등 논의를 구체적 수준에서 보여주는 것으로 평가할 수 있다.

하지만 [사]는 취향의 형성이 가정환경과 교육 수준에 녹아있는 경제적 불평등에 의해 영향을 받으므로 경제적 불평등이 사회적 불평등을 통해 재생산된다는 것을 보여준다. 이런 점에서, 다차원적 불평등이 유기적으로 작동하는 계급 재생산을 포착하지 못하고 불평등의 차원들을 병렬적으로 나열하는데 그치고 있다고 [마]를 비판할 수 있다.

(656자)

[논제Ⅲ]

월간 평균 매출액이 2,000만 원, 표준편차는 20만 원으로 동일한 두 개의 편의점, A와 B를 고려해 보자. A와 B는 서로의 매출액에 영향을 주지 않는다. 각 편의점의 월간 이윤은 매출액의 일정 비율에서 임대료를 뺀 값인데, 이 일정 비율은 각 편의점의 경영 능력에 의해 결정된다. A가 B보다 경영 능력이 뛰어난 결과로, A의 일정 비율은 0.6, B의 일정 비율은 0.4이다. 한편, A는 매월 450만 원의 임대료를 지불하나, B는 사장이 부모 소유의 건물에서 편의점을 운영하여 임대료를 지불하지 않는다.

A와 B 각각에 대해 월간 이윤의 평균과 표준편차를 구하시오. 이 결과를 이용하여 제시문 [다]를 평가하시오.

각 편의점의 월간 매출액을 X라고 한다면, $E(X)=2{,}000$, $\sigma(X)=20$ 이다. A와 B의 이윤을 각각 π_A, π_B 라 한다면, $\pi_A=0.6X-450$, $\pi_B=0.4$이다.

따라서 $E(\pi_A)=E(0.6X-450)=0.6E(X)-450=(0.6\times 2{,}000)-450=750$만 원,
$V(\pi_A)=V(0.6X-450)=0.6V(X)=(0.36\times 20^2)=144$만 원
$\sigma(\pi_A)=\sqrt{144}=12$만 원이 된다.
또한,
$E(\pi_B)=E(0.4X)=0.4E(X)=(0.4\times 2{,}000)=800$만 원,
$V(\pi_B)=V(0.4X)=0.4^2V(X)=(0.16\times 20^2)=64$만 원
$\sigma(\pi_A)=\sqrt{64}=8$만 원이 된다.
계산 결과, A 이윤의 표준편차는 12만 원으로 B의 8만 원보다 더 커서 경영의 안정성이 더 낮다.

평균 이윤의 경우 A가 임대료를 추가로 지불함으로써 750만 원이 되었고, 이는 800만 원인 B보다 낮다. 즉, [논제 III]의 내용은 A가 경영능력이 더 뛰어나도 부모의 도움을 받는 B보다 평균적으로 덜벌고 불확실성이 더 높은 불평등한 상황을 그리고 있다. 이는 불평등의 주된 원인이 갈등론적 관점에서 개인의 능력이 아닌 외생적 요인(부모의 능력, 성별차이 등)인 것으로 서술하는 제시문 [다]의 관점과 부합한다고 할 수 있다.

(442자)

22. 2020학년도 경희대 수시 논술 [사회계 오후]

[논제 I]

제시문 [가]~[바]를 비슷한 주장을 담은 내용끼리 분류하고, 각 제시문을 요약하시오.

각 제시문은 사회 정의에 관한 두 가지 다른 시각을 보여준다. [가], [다], [마]는 공정으로서의 정의의 관점을, [나], [라], [바]는 소유 권리로서의 정의의 관점을 제시한다.

[가]는 전사 지위를 획득하는 과정에서 발생하는 불평등을 해소하기 위해 공정한 교육의 기회를 제공하는 정부의 역할을 강조한다. [다]는 케이크의 분할 방식을 통해 공정한 분배를 위한 절차적 정의의 예를 제시한다. [마]는 계급 간의 불평등이 불공정한 교육 기회를 통해 영속화되는 정의롭지 못한 사회를 묘사한다.

[나]는 정당한 방법으로 획득한 개인 소유권을 국가가 세금 제도로 재분배하는 것은 부당하다고 지적한다. [라]도 안구 기증의 사례를 통해, 사회 전체의 이익을 위해 개인의 소유권을 희생하라는 것은 정의롭지 않다고 주장한다. [바]는 스웨덴이 복지 부국인 이유는 형평성보다 성장형 세금 제도를 채택하여 개인이나 기업의 소유권을 최우선적으로 보장해 주기 때문이며, 이것이 정의로운 사회라고 주장한다.

[497자]

[논제 II]

제시문 [사]가 말하고자 하는 바를 서술하고, 이를 근거로 하여 제시문 [가], [나]를 평가하시오.

제시문 [사]는 모든 재화를 공정하게 배분하는 하나의 정의 원칙이 존재하지 않으며 사회적 가치의 다원성을 반영하는 다수의 정의의 원칙이 존재한다는 다원적 평등(복합 평등)으

로서의 정의를 제시하고 있다. 다양한 정의의 영역이 존재하기 때문에 어떤 가치도 다른 가치에 의해서 지배되어서는 안 된다. 특정 가치가 지배적이 되어 사회적 재화를 특정 계층이나 세력이 지배하거나 독점한다면 이는 정의롭지 못한 것이다. 팡세의 구절은 이런 사회적 가치의 다원성을 강조하고 지배와 독점이 정의롭지 못하다는 다원적 평등으로서의 정의 관점과 궤를 같이 한다.

이런 관점에서 제시문 [가], [나]를 평가할 수 있다. 제시문 [가]는 전사 사회에서 시합(시험) 제도와 학교 제도를 통해서 공정성을 확보하려는 시도를 설명하고 있다. 하지만 이런 제도에도 불구하고 전사 계급이 사회적 위신과 사치품을 계속해서 독점하고, 다양한 가치와 분배 방식을 반영하지 못하는 전사/평민의 이분법적 사회 구조가 지속되기 때문에 [사]의 관점에서 정의롭지 못하다.

제시문 [나]는 특정 운동 능력이 탁월한 선수가 사람들의 선택에 의해 막대한 부를 축적한 경우를 통해 소유 권리로서의 정의를 설명하고 있다. 하지만 특정 능력을 가진 사람이 부를 독점하게 되어서 사회적 불평등을 야기시키기 때문에 [사]의 관점에서 정의롭지 못하다.

[673자]

[논제Ⅲ]

제시문 [가]를 참조하여 다음 문제를 푸시오.

전사와 평민의 두 계층만 존재하는 나라에서 16세인 전사를 선발하고자 한다. 이 나라의 16세 인구는 총 500만 명이며 그 중에서 전사의 자녀는 10%이다. 전사의 자녀 중 80%는 16세가 되기 전에 훈련을 받았으며 평민의 자녀는 훈련을 받지 못했다.

시합을 통해 전사를 선발하는 경우, 훈련의 차이의 결과로 전사의 자녀와 평민의 자녀가 선발될 확률은 각각 $\frac{2}{5}$, $\frac{1}{50}$이라고 하자.

시합이 아닌 전사 양성 학교를 통해 전사를 선발하는 경우를 생각해 보자. 이 경우, 정부는 1년간 무상으로 16세 인구 모두에게 전사 교육을 제공하고 성적순으로 전사를 선발한다. 이때, 16세가 되기 전에 훈련을 받은 사람이 학교 성적이 우수하여 전사로 뽑힐 확률은 $\frac{4}{25}$이고, 훈련을 받지 못한 사람이 전사로 뽑힐 확률은 $\frac{3}{50}$이다. (1) 전사 양성 학교를 통해 선발될 것으로 기대되는 총 전사의 수를 구하시오. (2) 또한 전사의 자녀가 선발될 확률과 평민의 자녀가 선발될 확률의 비를 구하시오. (3) 위의 결과를 이용하여 시합을 통해 전사를 선발하는 경우와 전사 양성 학교를 통해 전사를 선발하는 경우를 비교하고, 불평등 완화를 위한 학교의 기능이라는 측면에서 제시문 [가]를 평가하시오.

1. 전사 양성 학교를 통해 선발될 것으로 기대되는 전사의 수

<표1>

	전사의 자녀 (50만)		평민의 자녀 (450만)	합계 (500만)
	훈련받은 전사의 자녀 (50만×0.8=40만)	미훈련 전사의 자녀 (50만×0.2=10만)	(미훈련) 평민의 자녀 (450만)	

선발	$40만\times\frac{4}{25}=6.4만$	$10만\times\frac{3}{50}=0.6만$	$450만\times\frac{3}{50}=27만$	
	7만		27만	34만

위의 결과로부터, 학교를 통해 선발될 것으로 기대되는 총 전사의 수는 34만 명이다.

2. 전사의 자녀와 평민의 자녀가 전사로 선발될 확률의 비

<표1>로부터 다음의 결과를 얻는다.

	전사의 자녀	평민의 자녀	비
선발 확률	$\frac{7만}{50만}=\frac{7}{50}$	$\frac{27만}{450만}=\frac{3}{50}$	7:3

위의 결과로부터, 두 확률의 비는 7:3이다.

3. 두 경우의 비교와 학교의 기능

전사의 자녀와 평민의 자녀가 시합과 학교를 통해서 전사로 선발될 확률의 비는 각각 20:1, 7:3으로 학교를 통해 선발할 경우 두 비의 격차가 감소한다. 또한, 시합을 통해 선발할 경우, $\frac{1}{10}$임에도 불구하고 전사의 자녀가 11만 명이나 더 많이 선발될 것으로 기대된다. 그러나 학교를 통해 선발할 경우, 전사의 자녀보다 평민의 자녀가 20만 명이나 더 많이 선발될 것으로 기대되므로 모두에게 교육을 제공하는 학교는 계층 간의 불평등을 완화시키는 기능을 한다.

23. 2020학년도 경희대 모의 논술 [인문체육계]

[논제 I]

제시문 [가]와 [나]의 내용을 요약하고, 논지의 차이를 서술하시오.

제시문 [가]와 [나]는 인간의 자연에 대한 서로 다른 인식을 보여준다. 제시문 [가]는 도시화된 삶에 익숙한 현대인이 바라보는 무의미하고 일상적인 자연환경의 권태로움을 묘사하고 있다. 여기서는 인간이 자연에 대해 무관심하며, 어떠한 감흥도 느끼지 않는다. 제시문 [나]는 인간과 더불어 살아가는 환경으로서의 자연을 형상화하고 있다. 한정된 자연자원이 인간에게 오기까지 걸린 시간을 망각하고, 문명이라는 이름으로 낭비를 일삼는 인간의 자연에 대한 무신경한 인식을 반성적으로 성찰하고 있다.

[가]와 [나]는 다음과 같은 차이가 있다. 첫째는 자연의 의미에 관한 것이다. [가]의 화자는 자연을 자신과는 전혀 상관없는 객관적인 하나의 대상으로 바라보고 있다. 반면, [나]의 글쓴이는 자연이 지구라는 우주선에 인간과 함께 동승한 승객이라는 입장으로, 공존의 대상으로서의 자연을 묘사한다. 둘째는 자연을 대하는 인간의 태도에 관한 것이다. [가]는 물가에 앉아서 무엇을 사색해보려 해도 아무런 제목도 떠오르지 않아 아무것도 생각하지 않기로 하는 태도에서 나타나듯, 자연과 소통이나 교감이 전혀 없는 단절된 태도를 취하고 있다. [나]는 '불필요한 생산'과 같은 책임 없는 소비로 점차 훼손되어 가는 자연에 대한 안타까움을 표현하고 있다는 점에서 자연과 공존하려는 태도를 보여준다고 할 수 있다.

(671자)

[논제 II]

제시문 [바]의 관점을 바탕으로, 제시문 [다], [라], [마]에 나타난 상황을 평가하시오.

제시문 [바]는 '권리'의 개념이 인간 너머, 지구 공동체 모든 성원에게 적용되어야 한다고 주장한다. 권리라는 용어가 인간의 자유와 인권을 옹호하는 개념으로 사용되어왔다면, 그러한 제한적 권리는 다른 생명체들을 법의 이름으로 제외한다는 점에서 문제적이다. 생태계 전체의 공존에 대한 배려없이 일부 특정 존재의 권리만을 옹호하는 것은 이율배반적이다. [바]는 인간중심주의가 초래한 자연 파괴로부터 모든 생명체를 지키기 위해 권리에 대한 발상의 전환을 피력한다.

[다]는 밀이 초기 농업혁명을 거치며 어떻게 인류사를 뒤바꾸었는지 주목한다. 경작과 재배 양식으로의 전환을 인류 발전의 획기적 사건으로 파악한 것이 기존 역사관이라면, [다]는 밀 때문에 인류가 노예적 삶으로 내몰렸다고 주장한다. [다]의 주장은 언뜻 밀과 인간의 주객전도를 통해 인간중심주의를 탈피하는 듯 보이지만, 밀이 결과적으로 인간을 지배하게 되었다는 점에서 생명체들의 동등한 권리를 주장하는 [바]의 관점과 배치되고, 밀의 확산으로 인해 사라진 식물들과 동물들의 운명을 간과한다는 점에서 비판될 수 있다.

[라]는 약 200년 동안 유럽에서 생물학적 연구 대상이자 문화적 유희의 재료로 이용된 아프리카 여인 사르키의 참혹한 운명을 고발한다. 해부되고, 훼손되기를 거듭한 그녀의 시신은 제국주의가 자행한 야만적 인종주의와 이데올로기의 민낯을 증언한다. 모든 생명체가 동등하게 포용돼야 한다고 보는 [바]의 관점에서 이와 같은 인종주의는 비판되며, 나아가 서구적 인간중심주의의 극복을 위해서도 계속 반추해야 할 반면교사다.

[마]는 바퀴벌레의 끈질긴 생명력에 경악한다. 인류가 해충 박멸을 위해 싸운 긴 세월에 비춰 바퀴벌레의 적응력은 공상과학에나 비견될 공포의 대상이다. 바퀴벌레에 대한 이와 같은 두려움과 천착은, 해충을 포함해 함께 살아가는 동물들의 존재를 부각시킨다는 점에서 [바]와 맥락을 같이한다. 유해성이라는 기준으로 생명체를 구분하는 것은 생명을 인간 편의에 따라 도구화하는 것에 다름 아니며, 이러한 인간중심적 사고가 결국 지구의 파멸을 재촉할 수 있다고 암시함으로써 [바]의 논지에 부합한다.

(1,054자)

24. 2020학년도 경희대 모의 논술 [사회계]

[논제 I]

[가]~ [바]를 비슷한 관점을 담은 내용끼리 분류하고, 각 제시문을 요약하시오.

제시문 [가]~[바]는 사회과학(사회·문화 현상)의 연구방법론에 대한 두 가지 접근을 다루고 있다. [가], [다], [마]는 질적 연구 방법(해석적 연구 방법)의 특징과 장점을 다루고 있고 [나], [라], [바]는 양적 연구 방법(실증적 연구 방법)의 특징과 장점을 다루고 있다.

[가]는 가난에 대한 심층적인 이해를 위한 현장 연구 방법을 보여주고 있다. [다]는 청소년에 대한 면접(인터뷰) 방법을 통해 아르바이트의 생생한 경험을 보여주고 있다. [마]는 훌륭한 사회과학자가 되기 위해 경험과 기예를 갖춘 장인이 되는 방법을 제시하고 있다.

반면, [나]는 낙태율이 범죄율 하락에 미치는 효과를 통계적인 방법을 통해 보여주고 있

다. [라]는 통계적인 방법이 야구 선수들의 실력과 경기 결과를 예측할 수 있는 장점을 보여주고 있다. [바]는 경제성장률이라는 거시 통계 지표를 통해 거시적인 사회 발전과 변화를 객관적으로 보여주고 있다.

(491자)

[논제 II]

제시문 [사]가 말하고자 하는 바를 서술하고, 제시문 [사]의 관점에서 제시문 [나]와 [다]를 평가하시오.

제시문 [사]는 사회과학(사회·문화 현상)의 두 가지 연구전통인 양적 연구 방법과 질적 연구 방법의 특징, 장점, 단점을 대조하고 있다. 양적 연구 방법은 자료의 조작적 정의를 통해 사회·문화 현상을 객관화하고 예측할 수 있는 장점이 있지만, 인간 행위의 심층적 이해나 사회현상을 종합적으로 이해하는 데는 단점이 있다. 질적 연구 방법은 인간 행위의 동기와 목적을 깊이 있게 이해하는 장점이 있으나 연구 결과를 일반화하는 어려움이 있다.

제시문 [사]의 관점에서 제시문 [나]는 양적 연구 방법의 장점과 단점을 잘 보여주고 있다. 제시문 [나]는 누구도 예상하지 못하게 낙태율이 범죄율 감소라는 현상에 영향을 미치는 점을 객관적으로 보여줄 수 있는 장점을 가지고 있다. 하지만 사람들이 낙태를 왜 하는지, 낙태와 범죄율이 어떤 관계가 있는지를 깊이 있게 이해하는 데는 한계가 있다.

제시문 [사]의 관점에서 제시문 [다]는 질적 연구 방법의 장점과 단점을 잘 보여주고 있다. 제시문 [다]는 청소년의 아르바이트 경험의 동기, 목적, 과정을 상세하게 알 수 있는 장점을 가지고 있다. 반면, 이들의 아르바이트 경험을 일반화하는데 어려움이 있고 학생들의 아르바이트 경험을 예측할 수 없는 한계를 지니고 있다.

(622자)

[논제 III]

어느 한 야구 평론가는 야구 성적의 심적 요인을 파악하기 위하여 세 명의 야구선수 A, B, C 각각을 대상으로 순차적으로 심층 인터뷰를 시행할 계획을 세우고 있다. 이 야구 평론가가 인터뷰를 통해 야구선수의 심적 요인을 정확히 파악한 것으로 판단한다면, 해당 인터뷰는 성공한 것으로 간주한다. 야구 평론가는 인터뷰가 성공할 확률이 각각 p로서 같다고 예상한다.

인터뷰의 성공(S)과 실패(F)에 관한 8가지 경우의 수를 나타내고, 인터뷰를 성공한 야구선수의 수를 확률변수 X로 정의하여 확률분포표를 작성하시오. 이를 토대로 X의 기댓값(평균)을 구하시오. 만약 야구 평론가가 이 기댓값이 1보다 클 때만 전체 인터뷰를 시행하고자 한다면, 이를 위한 p의 조건을 구하시오. 마지막으로, 이러한 결과를 제시문 [라]의 관점에서 평가하시오.

인터뷰의 성공(S)과 실패(F)에 관한 경우의 수를 그림으로 표현하고, 이를 토대로 확률분포표를 작성한 결과는 아래와 같다.

확률분포표

X		$p(x_i)$
x_1	0	$(1-p)^3$

x_2	1	$3p(1-p)^2$
x_3	2	$3p^2(1-p)$
x_4	3	p^3
합계		1

상기 확률분포표로부터 X의 기댓값은 다음과 같이 구할 수 있다.

$$E(X) = \sum_{i=1}^{4} x_i p(x_i) = 0 \cdot (1-p)^3 + 1 \cdot 3p(1-p)^2 + 2 \cdot 3p^2(1-p) + 3 \cdot p^3 = 3p$$

문제로부터 $E(X) > 1$ 이므로 $p > 1/3$이 되어야 한다. 동시에 p는 확률이므로 1보다 같거나 작아야 한다. 따라서 $1/3 < p \leq 1$이다.

경우의 수

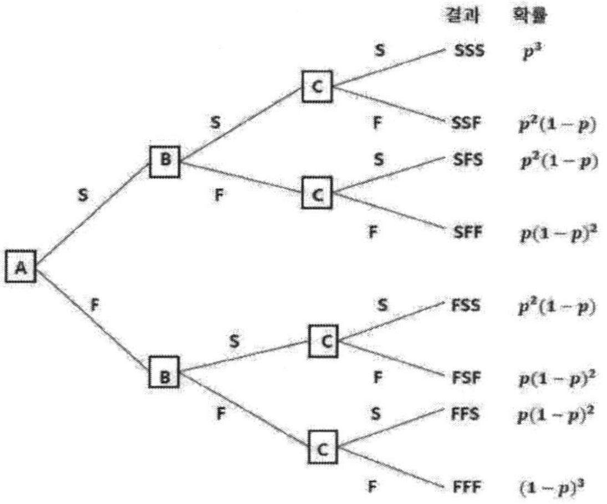

결과	확률
SSS	p^3
SSF	$p^2(1-p)$
SFS	$p^2(1-p)$
SFF	$p(1-p)^2$
FSS	$p^2(1-p)$
FSF	$p(1-p)^2$
FFS	$p(1-p)^2$
FFF	$(1-p)^3$

야구선수의 성적 요인을 분석하는 데 제시문 [라]는 계량화된 수치를 통한 통계적 분석이 중요하다는 양적 연구 방법을 옹호하고 있다. 반면, 야구 평론가는 심층 인터뷰를 통해 선수의 내적 상태를 살펴본다는 측면에서 질적 연구 방법을 계획하고 있다. 이 과정에서 인터뷰의 성공 여부와 확률이 야구평론가의 주관적 판단에 전적으로 의존하고 있다. 따라서 제시문 [라]의 관점에서 위의 계산 결과들은 야구 평론가의 주관이 개입될 소지가 있어 객관성에 문제가 발생할 우려가 있으며, 분석결과를 일반화하기에 한계가 있는 것으로 평가할 수 있다.

(563자)